Table of Contents

(*Note – this is a "custom" textbook that has been designed specifically for this course in a joint effort between your instructor and the publisher. Please note that some chapters have been removed intentionally and some pages may be black & white as dictated by the changes.)

II. Writing Student Journals

¡Dímelo Tú!

Spanish 102 at University of Arizona

Francisco Rodríguez Nogales
Fabián A. Samaniego
Thomas J. Blommers
Eliud Chuffe

 CENGAGE
Learning™

Australia • Brazil • Japan • Korea • Mexico • Singapore • Spain • United Kingdom • United States

CENGAGE
Learning™

¡Dímelo Tú!
Spanish 102 at University of Arizona

Francisco Rodríguez Nogales
Fabián A. Samaniego
Thomas J. Blommers
Eliud Chuffe

Executive Editors:
 Maureen Staudt
 Michael Stranz

Senior Project Development Manager:
 Linda de Stefano

Marketing Specialist:
 Sara Mercurio

Production/Manufacturing Manager:
 Donna M. Brown

PreMedia Supervisor:
 Joel Brennecke

Rights & Permissions Specialist:
 Kalina Hintz
 Todd Osborne

Cover Image:
 Getty Images*

For product information and technology assistance, contact us at
Cengage Learning Customer & Sales Support, 1-800-354-9706

For permission to use material from this text or product, submit all requests online at **cengage.com/permissions**
Further permissions questions can be emailed to
permissionrequest@cengage.com

ISBN-13: 978-1-4240-7038-1

ISBN-10: 1-4240-7038-4

Cengage Learning
5191 Natorp Boulevard
Mason, Ohio 45040
USA

Cengage Learning is a leading provider of customized learning solutions with office locations around the globe, including Singapore, the United Kingdom, Australia, Mexico, Brazil, and Japan. Locate your local office at:
international.cengage.com/region

Cengage Learning products are represented in Canada by Nelson Education, Ltd.

For your lifelong learning solutions, visit **www.cengage.com/custom**

Visit our corporate website at **www.cengage.com**

AMÉRICA DEL SUR

MAR CARIBE

OCÉANO ATLÁNTICO

BELICE
HONDURAS
NICARAGUA
Lago de Nicaragua
EL SALVADOR
GUATEMALA
PANAMÁ
COSTA RICA

Barranquilla
Cartagena
Maracaibo
Lago de Maracaibo
Caracas
San Cristóbal
Medellín
Bogotá
Cali
COLOMBIA
VENEZUELA
Río Orinoco
GUAYANA
Boa Vista
Georgetown
Paramaribo
Cayena
SURINAM
GUAYANA FRANCESA

ECUADOR

ECUADOR
Quito
Guayaquil
Cuenca
Iquitos
Río Amazonas

LAS GALÁPAGOS (Ecuador)

PERÚ
LOS ANDES
A M A Z O N A S
BRASIL

OCÉANO PACÍFICO

Lima
Ayacucho
Machu Picchu
Cuzco
Lago Titicaca
BOLIVIA
La Paz
Sucre
Potosí
Santa Cruz
Brasilia

LOS ANDES

PARAGUAY
Río Paraná
São Paulo
Río de Janeiro

TRÓPICO DE CAPRICORNIO

CHILE
Córdoba
Asunción
Iguazú
Río
OCÉANO ATLÁNTICO

URUGUAY
Viña del Mar
Valparaíso
Santiago
Buenos Aires
ARGENTINA
Montevideo
Río de la Plata
Concepción
Bahía Blanca
Viedma

Elevación en metros
4.000+
2.000–4.000
500–2.000
200–500
0–200
Nivel del mar

250   500   750 MILLAS

500   1.000 KILÓMETROS

ISLAS MALVINAS (Br.)

Estrecho de Magallanes
TIERRA DEL FUEGO

ÁFRICA

NIGERIA

CAMERÚN

Malabo
GUINEA ECUATORIAL

GABÓN

MILLAS   250

KILÓMETROS   500

ÁFRICA

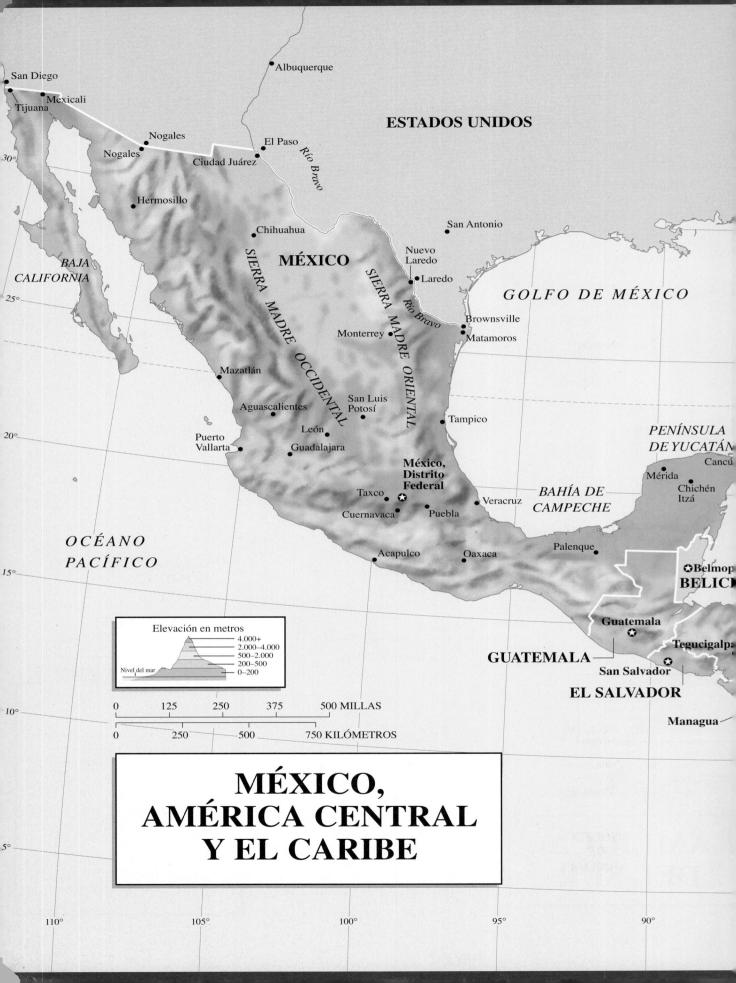

San Diego
Tijuana
Mexicali
Albuquerque
Nogales
Nogales
El Paso
Ciudad Juárez
Río Bravo

ESTADOS UNIDOS

Hermosillo

Chihuahua

San Antonio

BAJA CALIFORNIA

MÉXICO

Nuevo Laredo
Laredo
Río Bravo

GOLFO DE MÉXICO

SIERRA MADRE OCCIDENTAL

SIERRA MADRE ORIENTAL

Monterrey
Brownsville
Matamoros

Mazatlán

Aguascalientes
San Luis Potosí

Tampico

PENÍNSULA DE YUCATÁN

Cancú

León

Puerto Vallarta
Guadalajara

México, Distrito Federal

Mérida
Chichén Itzá

BAHÍA DE CAMPECHE

Taxco
Cuernavaca
Puebla
Veracruz

OCÉANO PACÍFICO

Acapulco
Oaxaca
Palenque

❂Belmop
BELIC

Guatemala
❂

Tegucigalpa
❂

GUATEMALA

San Salvador

EL SALVADOR

Managua

Elevación en metros
4.000+
2.000–4.000
500–2.000
200–500
0–200
Nivel del mar

0   125   250   375   500 MILLAS

0   250   500   750 KILÓMETROS

MÉXICO, AMÉRICA CENTRAL Y EL CARIBE

30°
25°
20°
15°
10°
5°

110°   105°   100°   95°   90°

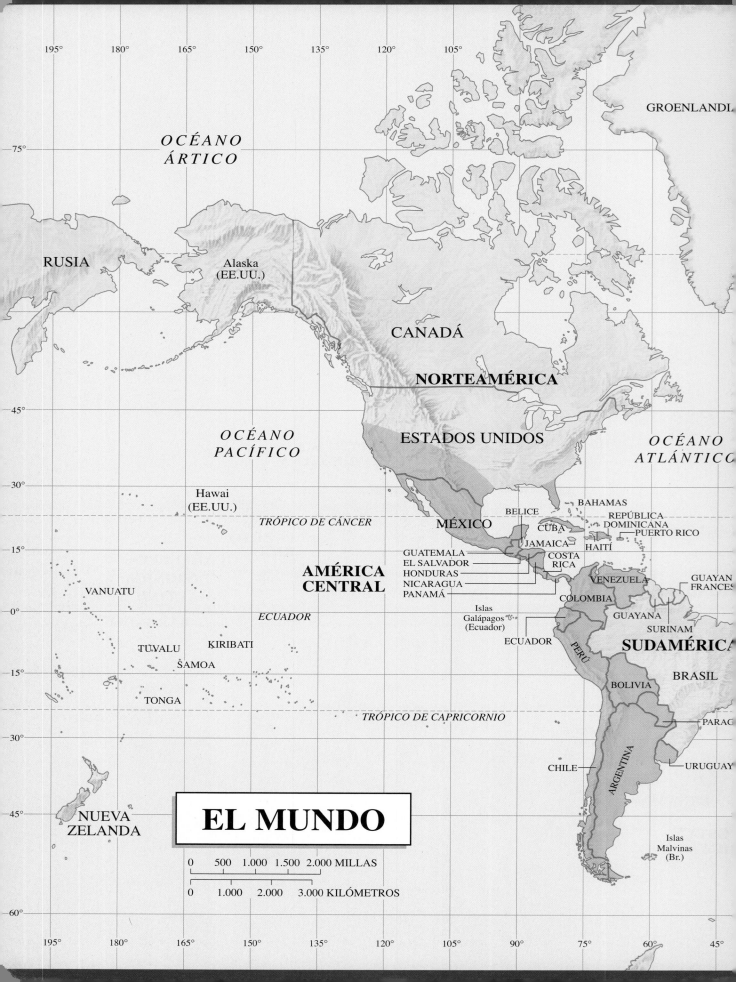

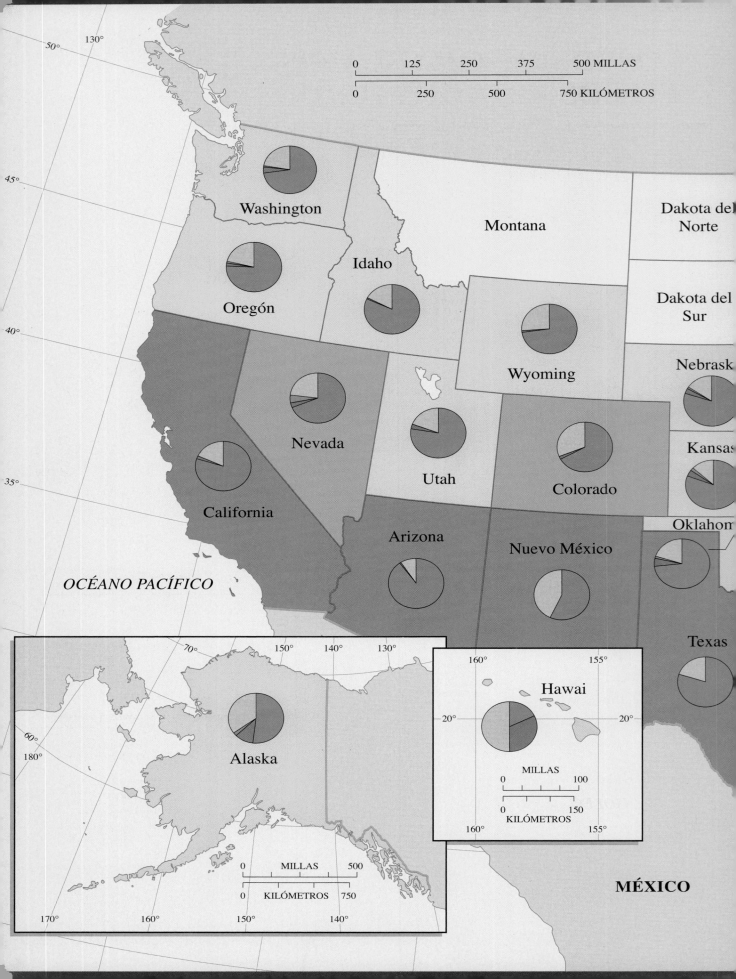

Scale

0   125   250   375   500 MILLAS

0   250   500   750 KILÓMETROS

Washington

Oregón

Idaho

Montana

Dakota del Norte

Dakota del Sur

Nebraska

Wyoming

Nevada

Utah

Colorado

Kansas

California

Arizona

Nuevo México

Oklahoma

OCÉANO PACÍFICO

Texas

Alaska

Hawai

MILLAS

0   100

0   150

KILÓMETROS

MILLAS

0   500

0   750

KILÓMETROS

MÉXICO

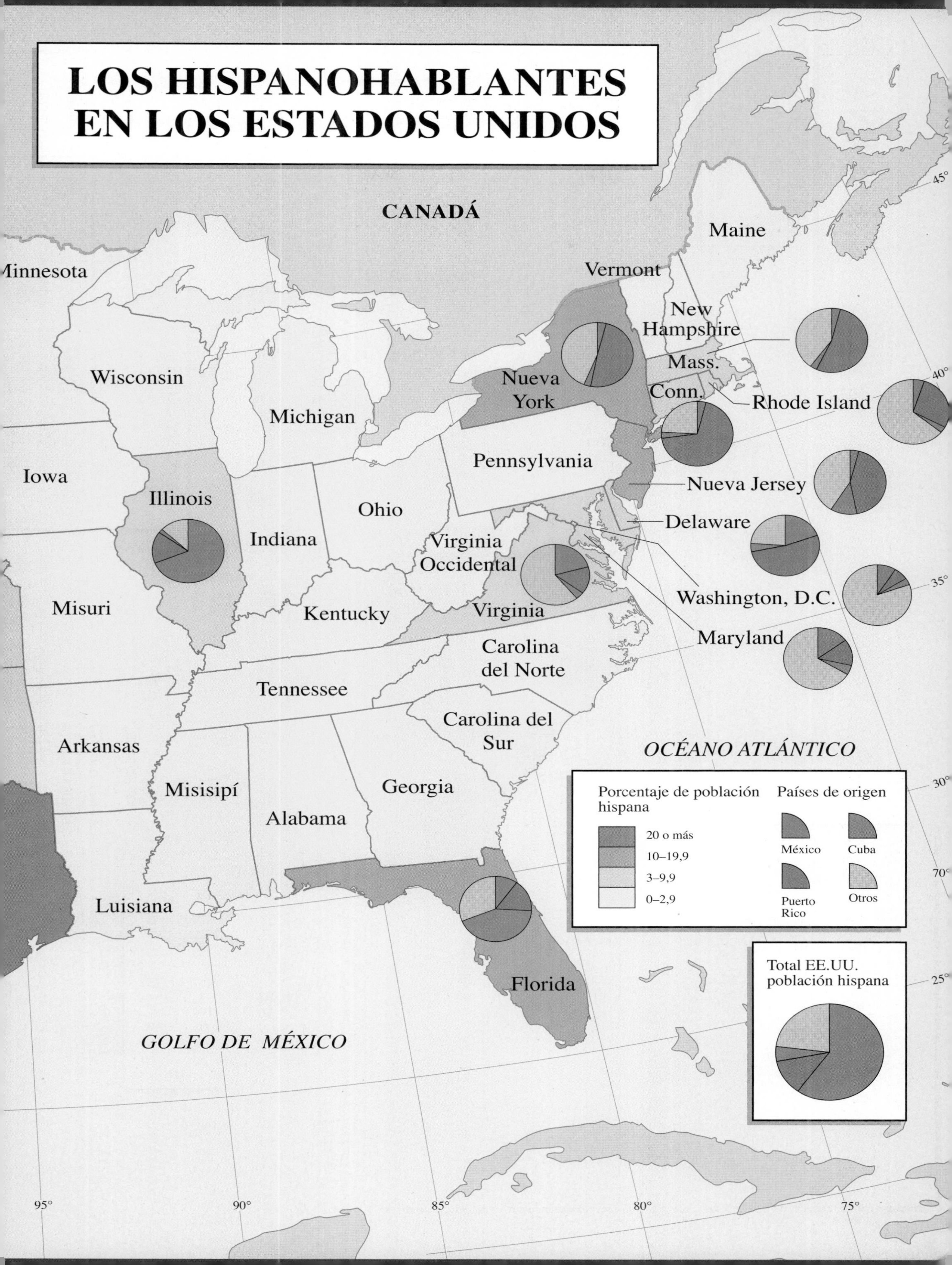

LOS HISPANOHABLANTES EN LOS ESTADOS UNIDOS
CANADÁ
Minnesota
Wisconsin
Michigan
Iowa
Illinois
Indiana
Ohio
Pennsylvania
Nueva York
Vermont
Maine
New Hampshire
Mass.
Conn.
Rhode Island
Nueva Jersey
Delaware
Washington, D.C.
Maryland
Virginia Occidental
Virginia
Kentucky
Misuri
Tennessee
Carolina del Norte
Carolina del Sur
Arkansas
Misisipí
Alabama
Georgia
Luisiana
Florida
OCÉANO ATLÁNTICO
GOLFO DE MÉXICO
Porcentaje de población hispana
20 o más
10–19,9
3–9,9
0–2,9
Países de origen
México
Cuba
Puerto Rico
Otros
Total EE.UU. población hispana
45°
40°
35°
30°
25°
70°
95°
90°
85°
80°
75°

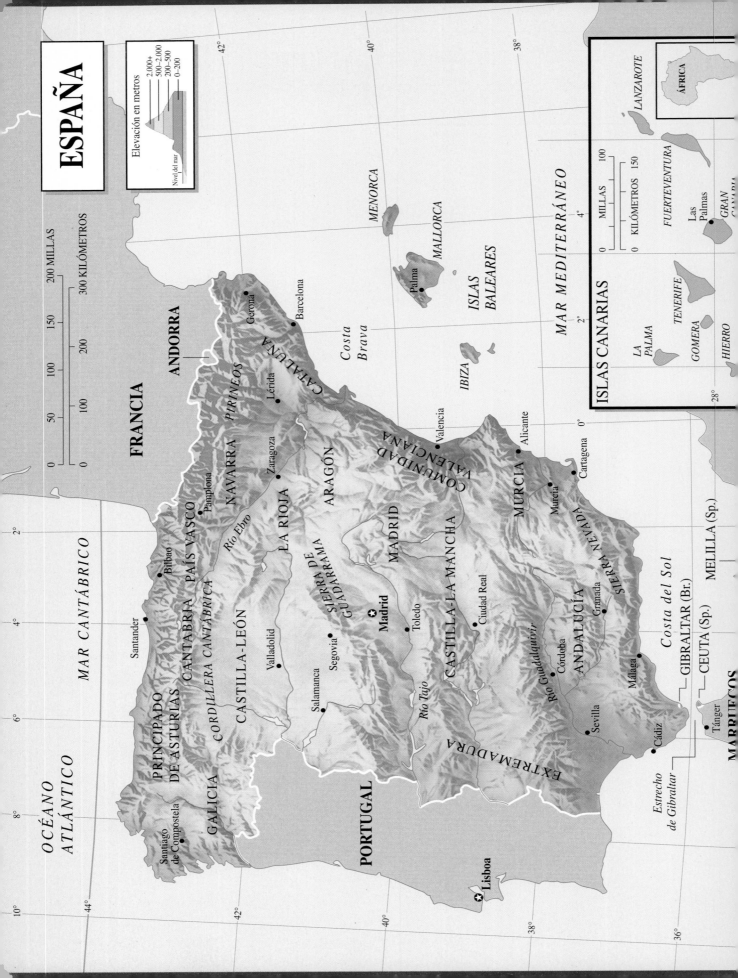

ESPAÑA

Elevación en metros

2.000+
500–2.000
200–500
0–200

Nivel del mar

OCÉANO
ATLÁNTICO

MAR CANTÁBRICO

FRANCIA

ANDORRA

200 MILLAS

300 KILÓMETROS

PRINCIPADO
DE ASTURIAS

GALICIA

Santiago
de Compostela

Santander

Bilbao

CANTABRIA

PAÍS VASCO

CORDILLERA CANTÁBRICA

NAVARRA

Pamplona

PIRINEOS

Gerona

CATALUÑA

Barcelona

CASTILLA-LEÓN

Valladolid

Salamanca

Segovia

SIERRA DE
GUADARRAMA

LA RIOJA

Zaragoza

Río Ebro

Lérida

ARAGÓN

Costa
Brava

MENORCA

MALLORCA

Palma

ISLAS
BALEARES

IBIZA

PORTUGAL

Lisboa

EXTREMADURA

Madrid

Toledo

MADRID

Río Tajo

CASTILLA-LA MANCHA

Ciudad Real

COMUNIDAD
VALENCIANA

Valencia

Alicante

MURCIA

Murcia

Cartagena

MAR MEDITERRÁNEO

Sevilla

Córdoba

Río Guadalquivir

ANDALUCÍA

Granada

SIERRA NEVADA

Málaga

Costa del Sol

Cádiz

GIBRALTAR (Br.)

CEUTA (Sp.)

Estrecho
de Gibraltar

Tánger

MARRUECOS

MELILLA (Sp.)

ISLAS CANARIAS

LA
PALMA

GOMERA

HIERRO

TENERIFE

GRAN
CANARIA

Las
Palmas

FUERTEVENTURA

LANZAROTE

ÁFRICA

MILLAS

KILÓMETROS

100

150

0°

2°

4°

28°

200 MILLAS

300 KILÓMETROS

En preparación

PE.1 The Spanish alphabet and pronunciation

Spelling and forming vowel sounds

CD1
Track 5

The Spanish Alphabet

YouTube™
Search: Spanish
alphabet

a	a	j	jota	r	erre
b	be, be larga	k	ka	s	ese
c	ce	l	ele	t	te
ch	che	ll	elle	u	u
d	de	m	eme	v	ve, ve corta, uve
e	e	n	ene	w	doble ve, uve doble
f	efe	ñ	eñe	x	equis
g	ge	o	o	y	i griega, ye
h	hache	p	pe	z	zeta
i	i	q	cu		

The Spanish alphabet includes three letters that are not part of the English alphabet: **ñ, ch,** and **ll.** A ruling by the *Real Academia* in 1994 established that the **ch** and **ll** are not to be considered separate letters when alphabetizing. This decision was made primarily to facilitate alphabetizing on the Web. The letters **k** and **w** appear only in words borrowed from other languages. There are no double consonants except **rr, cc,** and **nn.** The sound represented by *ph* in English is always written as **f** in Spanish. Vowels can be marked with an accent to indicate that they are to be stressed (**á, é, í, ó, ú**). For a complete reference to the Spanish accentuation, go to Appendix B. Learn the Spanish alphabet so that you can spell and read words in Spanish.

¡A practicar!

A. El examen de la vista. You are getting your driver's license renewed. Take the eye test for your license. What do you say? Your partner will let you know how well you did. Then you evaluate as your partner takes the test.

E

c n d

z m o p h

m r l y x v u w

a l j g s a ñ h r r f z b i

B. Su nombre completo, por favor. With a partner, role-play the following situation. You are on the phone with your local bank and want to know the current balance in your checking account. The bank teller (your partner) asks you to spell out your name, as it appears on your account, and your mother's maiden name. Spell them in Spanish while your partner writes them out. Then check to see that your partner wrote them correctly. Reverse roles.

MODELO   YOU SAY: **jota, o, e; ese, eme, i, te, hache; jota, o, ene, e, ese**
YOUR PARTNER WRITES: J-O-E S-M-I-T-H J-O-N-E-S

Always when translating, one translates not just words, but ideas. With these proverbs, your instructor will translate the words so that you can select the phrase that best conveys the idea expressed in the proverb.

> «Dura el **nombre** más que el hombre». (proverbio)
>
> ____ *A man's name lives on forever.*
>
> ____ *When a man dies, so does his name.*

Pronunciation: Vowels

The Spanish vowels—**a, e, i, o, u**—are pronounced in a short, clear, and tense manner. Unlike English vowels, their sound is hardly influenced by their position in a word or sentence, nor by the stress they receive. English speakers must avoid the tendency to lengthen and change the sound of Spanish vowels. Note the difference in length and sound as you recite the vowels in English first and then repeat them in Spanish after your instructor.

Very few sounds are identical in Spanish and English. Therefore, the comparisons given here between English and Spanish vowels are to be used merely as a point of reference. To develop "native" pronunciation, you should listen carefully and imitate your instructor's pronunciation and that of the native speakers on the recordings.

▶ YouTube™
Search: Spanish vowels

Heinle Grammar Tutorial: Spanish Pronunciation: Vowels

¡A practicar!

A. Las vocales. Repeat the following sounds after your instructor, being careful to keep the vowels short and tense.

a = hop	e = hep	i = heap	o = hope	u = hoop
ma	me	mi	mo	mu
na	ne	ni	no	nu
sa	se	si	so	su
fa	fe	fi	fo	fu

B. Vocales en palabras. Escucha y repite. *(Listen and repeat.)*

Ana	él	ir	otro	uno
llama	mente	infinito	como	gusto
mañana	excelente	dividir	ojo	Uruguay

C. Vocales en oraciones. Lee en voz alta. *(Read aloud.)*

1. Ana llama a la mamá de Carmen mañana.
2. Elena es de Venezuela.
3. Gullón es otro crítico literario famoso.
4. La profesora Uribe es uruguaya.

> «**A E I O U** El burro sabe más que tú». (canción de niños)
>
> ____ *A E I O U Everyone knows more than you.*
>
> ____ *A E I O U Pin the tail of the donkey on you.*

Pronunciation: Diphthongs

A diphthong is the union of two vowel sounds pronounced in a single syllable. In Spanish, diphthongs occur in syllables containing two weak vowels (**i, u**) or a combination of a strong vowel (**a, e, o**) with a weak vowel.

▶ YouTube™
Search: Spanish pronunciation

Heinle Grammar Tutorial: Spanish Pronunciation; Diphthongs

¡A practicar!

A. Diptongos. In diphthongs consisting of a strong vowel and a weak vowel, the strong vowels are more fully enunciated.

Escucha y repite.

ai	ei	oi	ia	ie
baile	ley	soy	gracias	bien
airoso	afeitar	oigo	especial	viejo
gaita	veinte	Goytisolo	Colombia	miedoso

io	ua	ue	au	eu
Mario	Paraguay	buenas	auto	Eugenia
diosa	Ecuador	cuentista	Paula	Europa
miope	lengua	abuelo	pausar	deuda

B. Dos vocales débiles. When two weak vowels occur together in a word, the second vowel is more fully enunciated.

Escucha y repite.

ui	iu
ruido	veintiuno
Luisa	viuda
cuidar	ciudad

C. Diptongos en oraciones. Lee en voz alta.

1. Luisa baila muy bien.
2. Eugenio y Mario viajan a la ciudad.
3. Mi abuelo siempre viene a las cuatro.
4. Hay nueve estudiantes nuevos.

D. Dos vocales fuertes. When two strong vowels occur together, or when there is a written accent over the weak vowel in a syllable containing both a strong and a weak vowel, the vowels are pronounced as two separate syllables.

Escucha y repite.

caos	idea	día	baúl
leal	crear	lío	paraíso
cacao	Rafael	comían	continúa

E. Separación de vocales. Lee en voz alta.

1. La idea de Rafaela es puro caos.
2. Mi perra es fea pero leal.
3. Mi tía salía de día.
4. Raúl no conocía a tu tío.

Juan juega jugando,
Juanito jugando juega,
con juegos juega Juan,
juega con juegos Juanito;
Juntos juegan con juegos,
Juan y Juanito jugando.

PE.2 Saludos, presentaciones y despedidas

Saludos (*Greetings*)

YouTube™
Search: Spanish greetings; Spanish good-bye

Heinle Grammar Tutorial: Travel Helper; Meeting People

Proper use of greetings, introductions, and saying good-bye is deeply ingrained into Hispanic people. Whether done informally with friends or family members or formally with adults, professionals, and people you don't know, you are expected to greet people when you first meet them and to say good-bye when you take your leave. It is also almost a requirement that when you see someone you know, you stop, shake hands or kiss, and talk to them for a few minutes. Following is a list of the more common greetings and the usual responses to those greetings.

Saludos	Respuestas
Buenas noches. *Good evening. Good night.*	**Buenas noches.** *Good evening. Good night.*
Buenas tardes. *Good afternoon.*	**Buenas tardes.** *Good afternoon.*
Buenos días. *Good morning.*	**Buenos días.** *Good morning.*
¡Hola! *Hello!*	**¡Hola!** *Hello!*
¿Cómo estás? *How are you?* (fam.)	**Bastante bien.** *Quite well.*
¿Cómo está (usted)? *How are you?* (formal)	**Bien, gracias. ¿Y tú?** *Fine, thank you. And you?* (fam.)
¿Qué tal? *How are you?*	**Muy bien, gracias. ¿Y Ud.?** *Very well, thank you. And you?* (formal)
	¡Excelente! *Excellent!*
	No muy bien. *Not very well.*
	¡Terrible! *Terrible!*

Despedidas (*Good-byes*)

As in English, there are many ways to say good-bye. The other person can reply with the same expression or a different one.

Despedidas
Adiós. *Good-bye.*
Hasta la vista. *Good-bye. See you.*
Hasta luego. *See you later.*
Hasta mañana. *See you tomorrow.*
Hasta pronto. *See you soon.*

¡A practicar!

¡Buenas tardes! Practice greeting people and responding correctly when greeted in Spanish. Match each **saludo** with an appropriate **respuesta**. In class, use a variety of these **saludos** with a partner to see if your partner responds correctly and be sure to use correct **respuestas** when your partner greets you using a number of these **saludos**.

Saludos	Respuestas
1. Buenas noches.	a. Bastante bien.
2. Buenos días.	b. Bien, gracias. ¿Y tú?
3. ¡Hola!	c. ¡Excelente!
4. ¿Cómo estás?	d. Muy bien, gracias. ¿Y Ud.?
5. ¿Qué tal?	e. ¡Adiós!
6. ¡Hasta la vista!	f. No muy bien.
	g. Buenas noches.
	h. Buenos días.

«Amigo no es el que te pregunta **cómo estás** sino el que se preocupa por la respuesta».
(proverbio)

____ *A real friend will not only ask "how are you" but also be genuinely interested in your response.*

____ *Good friends always ask "How are you" even when they know that you are well.*

Presentaciones *(Introductions)*

Introductions in Spanish are either formal or informal. Following are some of the more common formulas used and common responses to those introductions.

Presentaciones formales

SEÑOR: **Perdón. ¿Cómo se llama Ud.?** *Pardon me. What's your name?*
SEÑORA: **Me llamo Amalia Gómez.** *My name is Amalia Gomez.*
SEÑOR: **Mucho gusto.** *Pleased to meet you.*
SEÑORA: **El gusto es mío.** *The pleasure is mine.*
EDUARDO: **Profesor, le presento a mi amiga Julia.** *Professor, I would like you to meet my friend Julia.*
PROFESOR: **Encantado, Julia.** *Delighted, Julia.*
JULIA: **Igualmente, Profesor.** *Likewise, Professor.*

Presentaciones informales

IGOR: **¡Hola! Me llamo Igor. ¿Y tú? ¿Cómo te llamas?** *Hi! My name is Igor. And you? What's your name?*
RODRIGO: **Soy Rodrigo. Mucho gusto. Y esta es mi amiga Laura.** *I'm Rodrigo. Pleased to meet you. And this is my friend Laura.*
IGOR: **Mucho gusto, Laura.** *Pleased to meet you, Laura.*
LAURA: **Encantada.** *Delighted.*

YouTube™
Search: Spanish
introductions

¡A practicar!

A. ¡Te presento a mi amigo! Practice making introductions by matching each **presentación** with the appropriate **respuesta.** In class, introduce several of your classmates to other classmates and use appropriate responses when you are introduced.

Presentaciones	Respuestas
1. José, esta es mi amiga María.	a. Mucho gusto, Sandra.
2. Ricardo, te presento a Sandra.	b. Encantado, María.
3. ¿Cómo te llamas?	c. El gusto es mío.
4. Mucho gusto, Isabel.	d. Encantado, Manuel.
5. Este es Manuel.	e. Me llamo Francisco.

B. Una recepción. You and your new roommate are at a reception sponsored by the Dean of your college. As you mingle with the crowd, you each see several friends and professors that your partner does not know. In groups of four or five, role-play making the appropriate introductions.

> «Mirar y no tocar **se llama** respetar». (proverbio)
> ____ *Show a little respect; look but don't touch.*
> ____ *Don't handle the merchandise.*

PE.3 *Tú* and *usted* and titles of address

Tú and *usted*

Spanish has two ways of expressing *you:* **tú** and **usted. Tú** is a familiar form generally used among peers, acquaintances, or friends. **Usted** is a more polite, formal form used to show respect and to address anyone with a title such as *Mr., Mrs., Ms.,* or *Miss, Dr., Prof.,* or *Rev.* It is also used to address individuals you do not know well. Students generally use **tú** when speaking to each other and **usted** when addressing their teachers. Note that in the **¿Qué se dice... ?** section, **te llamas** and **estás** are in the familiar **tú** form, and **se llama** and **está** are in the more formal **usted** form.

Formal and informal language

▶ YouTube™
Search: Spanish **tú**, **usted**

Besides the use of **tú** and **usted**, Spanish, like English, can be used formally, as often occurs in textbooks or professional journals, or informally, as is the case when people are talking casually. In *¡Dímelo tú!* both formal and informal Spanish are used throughout. The direction lines for the activities address the student informally but use mostly a formal Spanish, whereas the activities themselves may elicit formal or informal language depending on the situation being addressed.

Titles of address

The most frequently used titles in Spanish are the following.

señor	*Mr.*
señora	*Mrs.*
señorita	*Miss*
profesor(a)	*professor*
doctor(a)	*doctor*

Note that titles in Spanish are not capitalized, only abbreviations of the titles. As in English, titles are frequently abbreviated in writing when used with a person's last name.

señor	**Sr.**	*Mr.*
señora	**Sra.**	*Mrs.*
señorita	**Srta.**	*Miss*
señores	**Sres.**	*Mr. and Mrs.*
profesor	**Prof.**	*Prof.*
doctor(a)	**Dr./Dra.**	*Dr.*

The definite article **el** is used in front of titles for males and the definite article **la** is used in front of titles for females.

Es **la** doctora Sánchez.	*She is Dr. Sánchez.*
El profesor Díaz es bueno.	*Professor Díaz is good.*

¡A practicar!

A. ¿Tú o usted? With a partner, take turns indicating whether **tú** or **usted** should be used to address the following people.

1. your professor
2. your brother or sister
3. a stranger
4. your dog
5. a member of the clergy
6. your roommate
7. your doctor
8. your girlfriend/boyfriend
9. a bank clerk
10. a waitress

B. ¿El o la? Complete the following introductions by indicating if a definite article (**el, la**) should be used with each person's name as you introduce these people to your mother.

MODELO   Mamá, _____ señor Pérez y mi amigo José.

            Mamá, el señor Pérez y mi amigo José.

1. Mamá, mi amiga, _____ Rosa María.
2. Mamá, _____ profesor González.
3. Mamá, _____ señorita Perea. Ella es la directora del laboratorio.
4. Mamá, _____ mi mejor *(best)* amigo(a).
5. Mamá, _____ señor Padilla.
6. Mamá, _____ José Aguilar.

> «**Usted** no sabe lo que se pierde». (dicho popular)
> ____ *You never find what you are looking for.*
> ____ *You don't know what you are missing.*

En preparación 1

1.1 Subject pronouns and the verb *ser*: Singular forms

Clarifying, emphasizing, contrasting, and stating origin

Subject pronouns	
Singular	
I	**yo**
you (familiar)	**tú**
you (formal)	**usted**
he	**él**
she	**ella**

[Google™]
BUSCA: Spanish
Subject Pronouns

**Heinle Grammar
Tutorial:** Subject
Pronouns

▓ Subject pronouns are usually omitted in Spanish because the verb endings indicate the person doing the action. Subject pronouns are used for clarity, emphasis, or contrast.

clarity:	—**Usted** es de México, ¿no?
emphasis:	—No, **yo** soy de Panamá.
contrast:	—Ah, **tú** eres panameña y **ella** es mexicana.
BUT:	—Sí, soy panameña.

▓ The subject pronoun *it* in English is *never* expressed in Spanish.

Es muy importante.	***It*** *is very important.*
No es hoy, es mañana.	***It*** *is not today,* ***it's*** *tomorrow.*

The verb *ser*

[Google™]
BUSCA: Spanish
verb **ser**

**Heinle Grammar
Tutorial:** Uses of **ser**

ser	
Singular	
I am	yo **soy**
you are	tú **eres**
you are	usted **es**
he is	él **es**
she is	ella **es**

▓ In Spanish, there are two verbs that mean *to be*: **ser** and **estar.** These two verbs differ greatly in usage. In this chapter, you will learn various uses of **ser.**

▓ **Ser** is used to define or identify. It tells who or what the subject of the sentence is. It acts as an equal sign (=) between the subject and the noun that follows. In this context, it is used to express nationality or profession or to give a description.

Soy estadounidense.	Yo = estadounidense
Ella **es** estudiante.	Ella = estudiante
Tú **eres** inteligente.	Tú = inteligente

Just as **ser** is used to express nationality, a form of **ser** + **de** is used to express origin.

García Márquez **es de** Colombia. **Es** colombiano.   *García Márquez is from Colombia. He is Colombian.*

El Sr. Acuña **es de** México. **Es** mexicano.   *Mr. Acuña is from Mexico. He is Mexican.*

Remember that it is not necessary to use subject pronouns unless clarity, emphasis, or contrast is desired.

¡A practicar!

A. ¿Quién es? Indicate which subject pronoun(s) in the column on the right can be either added to each sentence or used in place of the existing subject.

| MODELO | Es el profesor de español. | **él** |

1. Es estadounidense.   yo
2. Me llamo Matías.   tú
3. La profesora se llama Elena.   usted
4. Perdón, señor, ¿cómo se llama?   él
5. ¿Cómo te llamas?   ella

B. ¿Tú? ¿Usted? Tell what subject pronouns the Spanish department receptionist would use when speaking directly to the following people.

1. el Sr. Ríos Menéndez, the department chairperson
2. el Sr. Gaitán Rojas, a professor
3. Pedro, a good friend
4. Ana, a roommate
5. la Sra. López Ríos, your advisor

Now tell what subject pronouns the receptionist would use when speaking *about* the following people.

6. el Sr. Ríos Menéndez
7. el Sr. Gaitán Rojas
8. herself
9. Ana
10. Pedro
11. la Sra. López Ríos

C. Venimos de todas partes. Students come to your campus from North America (*Norteamérica*), Central America (*Centroamérica*), the Caribbean (*el Caribe*), and South America (*Sudamérica*). Ask your partner where these students come from. Use the list from **¿Sabías que... ?** on page 26.

| MODELO | Mario / Uruguay |

TÚ: **Mario es uruguayo, ¿no?**

COMPAÑERO(A): **Sí, es de Sudamérica.**

1. José / El Salvador
2. Teresa / Ecuador
3. el profesor Meza / Bolivia
4. tu compañero de cuarto / la República Dominicana
5. yo / Puerto Rico
6. ¿Y tú?

«La crítica **es** fácil, el arte difícil». (proverbio)

____ *An artist is his own best critic.*

____ *It's easy to criticize, more difficult to create.*

1.2 Adjectives: Singular forms

Describing people, places, and things

Adjectives are words that tell something about the nature of the noun they describe (color, size, nationality, affiliations, condition, and so on). Spanish adjectives usually follow the noun they describe and always agree in gender and number with it.

▦ Adjectives may be masculine or feminine. Masculine singular adjectives that end in -**o** have a feminine equivalent that ends in -**a**.

Singular	
Masculine	**Feminine**
alt**o**	alt**a**
simpátic**o**	simpátic**a**

⟋ Google™ y YouTube™ BUSCA: Spanish adjectives

Heinle Grammar Tutorial: Adjectives

▦ Adjectives that end in -**e,** and most adjectives that end in a consonant (except those denoting nationality or that end in -**dor**), do not have separate masculine/feminine forms.

el país **grande**   el libro **especial**
la ciudad **grande**   la librería **especial**
BUT:
un doctor **trabajador**   un libro **español**
una profesora **trabajadora** una novela **española**

¡A practicar!

A. Los amigos de María y Mario. María and Mario are studying at a private school in Buenos Aires. Tell how they describe their new friends.

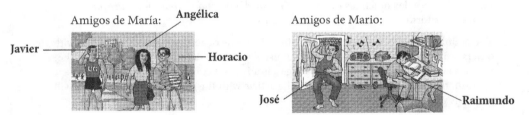

Amigos de María: **Angélica**

Javier   **Horacio**

                                        José   **Raimundo**

Amigos de Mario:

Vocabulario útil

atlético	elegante	simpático
conservador	estudioso	tímido
divertido	inteligente	trabajador

B. ¡Es mi familia! You and your roommate are recalling what you did during your first show-and-tell report at school. Tell what you said as you showed a family picture and your partner will tell what he/she said.

MODELO   Tú: mi hermana; tu compañero(a): mi hermano
                   Tú: **Ella es mi hermana. Es activa y atlética.**
              COMPAÑERO(A): **Él es mi hermano. Es impaciente y perezoso.**

Vocabulario útil

activo	bueno	elegante	impaciente	simpático
alto	conservador	especial	inteligente	tímido
atlético	divertido	estudioso	perezoso	trabajador

1. tú: mi papá; tu compañero(a): mi mamá
2. tú: mi hermano (*brother*); tu compañero(a): mi hermana (*sister*)

3. tú: mi tía *(aunt)*; tu compañero(a): mi tío *(uncle)*
4. tú: mi mamá; tu compañero(a): mi papá
5. tú: mi abuela *(grandmother)*; tu compañero(a): mi abuelo *(grandfather)*
6. tú: mi perro *(dog)*; tu compañero(a): mi perra *(dog)*

«Más vale **feo** y **bueno** que **guapo** y **perverso**». (proverbio)

____ *You cannot judge a book by its cover.*

____ *Good looks are deceiving.*

1.3 Gender and number: Articles and nouns

Indicating specific and nonspecific people and things

There are two kinds of articles: definite and indefinite. Both the definite article (*the* in English) and the indefinite articles (*a, an* [singular] and *some* [plural] in English) have four forms in Spanish.

Google™ **Images** y **YouTube**™ BUSCA: Spanish articles

	Singular		Plural	
	Masculine	**Feminine**	**Masculine**	**Feminine**
the	**el**	**la**	*the* **los**	**las**
a, an	**un**	**una**	*some* **unos**	**unas**

1. Definite and indefinite articles must agree in number (singular/plural) and gender (masculine/feminine) with the nouns they accompany.

   Necesito un bolígrafo y **una**   *I need a ballpoint pen and a calculator.*
   calculadora.

   Los cuadernos y **las** mochilas están   *The notebooks and the backpacks are on*
   en el escritorio.   *the desk.*

2. The definite article is frequently used before the name of certain countries and not with others. Following is a list of countries that usually use the definite article. However, the Spanish language, like all spoken languages, is alive and constantly changing. In spoken Spanish, the trend is to not use the definite article with the names of countries. You will note this practice in *¡Dímelo tú!*

la Argentina	la China	la India	el Perú
el Brasil	el Ecuador	el Japón	la República Dominicana
el Canadá	los Estados Unidos	el Paraguay	el Uruguay

A noun is the name of a person, place, or thing. In Spanish, all nouns are either masculine or feminine, even when they refer to inanimate objects. The following rules will help you predict the gender of many nouns; however, the gender of nouns is not always predictable. You should always learn the gender with every new noun.

Google™ y **YouTube**™ BUSCA: Spanish nouns

1. Nouns that refer to males are masculine, and nouns that refer to females are feminine. Many nouns referring to people and animals have identical forms except for the masculine **-o** or feminine **-a** endings.

el herman**o**	*the brother*	la herman**a**	*the sister*
el gat**o**	*the male cat*	la gat**a**	*the female cat*

   A few nouns that refer to people and animals have completely different masculine and feminine forms.

el hombre	*the man*	la mujer	*the woman*
el padre	*the father*	la madre	*the mother*

2. Generally, nouns that end in **-o** are masculine and those that end in **-a, -dad, -tad,** and **-ción** or **-sión** are feminine.

el libr**o**	la activi**dad**	la liber**tad**
el bolígraf**o**	la universi**dad**	la amis**tad**
la mochil**a**	la educa**ción**	la televi**sión**
la sill**a**	la emo**ción**	la explo**sión**

Some important exceptions to this rule are:

la mano *(the hand)*   el día   el mapa *(the map)*

Other exceptions are words of Greek origin ending in **-ma**. Most have English cognates.

el dra**ma**	**el** proble**ma**	**el** siste**ma**
el poe**ma**	**el** progra**ma**	**el** te**ma**

3. Sometimes the same noun is used for both genders as in words that end in **-ista.** In these cases, gender is indicated by the article that precedes the noun.

el/la artista	el/la periodista *(the newspaper reporter)*
el/la dentista	el/la turista

4. Many nouns, especially those ending in **-e** or a consonant, do not have predictable genders and must be memorized.

el café *the coffee*   la clase *the class*   la tarde *the afternoon*

⊿ Google™ y YouTube™ BUSCA: Spanish plural nouns

Heinle Grammar Tutorial: Nouns and Articles

All plural nouns end in **-s** or **-es.** The plural forms of nouns are derived in the following manner.

1. Singular nouns that end in a vowel form their plural by adding **-s.**

el diccionario *the dictionary*	los diccionarios *the dictionaries*
una silla *a chair*	unas sillas *some chairs*

2. Singular nouns that end in a consonant form their plural by adding **-es.**

el papel *the paper*	los papeles *the papers*
una universidad *a university*	unas universidades *some universities*

3. A final **-z** always changes to **-c** before adding **-es.**

el lápiz *the pencil*	los lápices *the pencils*
una vez *one time*	unas veces *a few times*

¡A practicar!

A. ¿Qué buscan Micaela y Rodrigo? Indicate what Micaela and Rodrigo are looking for in the bookstore.

MODELO   **Micaela busca unos libros.**

libro   lápiz
cuaderno   bolígrafo
papel   mochila

B. Es de... There are several items students checked in at the entrance to the bookstore. Tell to whom they belong.

MODELO   mochila (3) / Luis
                 Las mochilas son de Luis.

1. papel (5) / Andrés
2. cuaderno (2) / Julia
3. bolígrafo (4) / Raúl
4. lápiz (7) / Rodrigo
5. libro (14) / Micaela
6. mochila (1) / Carlos

«**El problema** es del arquero, no de la flecha». (proverbio)

____ *Archers that don't know how to make arrows will have problems.*

____ *Don't blame your problems on your tools.*

Paso 2

1.4 Infinitives

Naming activities

Spanish verbs fall into three categories according to their endings: **-ar, -er,** and **-ir.** The verb form that ends in **-ar, -er,** or **-ir** is called an infinitive. **Necesitar** *(to need),* **ser** *(to be),* and **vivir** *(to live)* are three examples of Spanish infinitives. Notice that English infinitives are formed by *to + verb.*

Some frequently used -**ar,** -**er,** and -**ir** verbs are as follows:

🔍 Google™
BUSCA: Spanish infinitives

Heinle Grammar Tutorial: Regular Verbs

bailar	*to dance*	necesitar	*to need*
buscar	*to look for*	pagar	*to pay*
comprar	*to buy*	preparar	*to prepare*
escribir	*to write*	tomar	*to drink, to take*
escuchar	*to listen to*	trabajar	*to work*
estudiar	*to study*	comer	*to eat*
hablar	*to talk, to speak*	leer	*to read*
llamar	*to call*	poder	*to be able*
mirar	*to look at, to watch*	saber	*to know*
nadar	*to swim*	ir	*to go*

¡A practicar!

¿Con qué frecuencia? Indicate by checking the appropriate column if you do these activities often (**a menudo**) or seldom (**raramente**). In class, compare your results with those of several classmates to find who in the class is most like you.

	a menudo	raramente
1. tomar leche *(milk)*	_____	_____
2. hablar por teléfono	_____	_____
3. ir a conciertos	_____	_____
4. estudiar	_____	_____
5. mirar la televisión	_____	_____
6. leer libros	_____	_____
7. preparar la cena *(dinner)*	_____	_____
8. llamar a tus padres	_____	_____
9. comer en restaurantes	_____	_____
10. escuchar la radio	_____	_____

«**Saber** es **poder**». (proverbio)

____ *Knowledge is power.*

____ *To know is to be able to grow.*

1.5 Subject pronouns and the verb *ser*: Plural forms

Stating origin of several people

Subject pronouns	
Plural	
we	**nosotros, nosotras**
you (familiar)	**vosotros, vosotras**
you (formal)	**ustedes**
they	**ellos, ellas**

In **Para empezar,** you learned that **tú** is a familiar form generally used when speaking to a friend, and **usted** is a more polite, formal form used to show respect or to address an individual you do not know well. **Vosotros(as)** (the plural of **tú**) and **ustedes** (the plural of **usted**) are used in the same way when speaking directly to more than one person. However, in the Americas, **ustedes** is used in place of **vosotros(as).** In your class, you should ask your instructor if both will be used or if preference will be given to **ustedes.**

🔍 Google™
BUSCA: Spanish
verb **ser**

Heinle Grammar Tutorial: Uses of **ser**

The verb *ser*			
Singular		**Plural**	
yo	**soy**	nosotros(as)	**somos**
tú	**eres**	vosotros(as)	**sois**
usted	**es**	ustedes	**son**
él, ella	**es**	ellos, ellas	**son**

¡A practicar!

A. ¿De todas partes? Classes begin next week and foreign students are starting to arrive on campus. Tell what countries they are from and give their nationality. You may want to refer to the **¿Sabías que...?** section on page 26 to complete activities A and B.

> **MODELO** Roberto Rojas y José Antonio Méndez / Colombia
> **Roberto Rojas y José Antonio Méndez son de Colombia.**
> **Son colombianos.**

1. Isabel y Julia Martínez / Venezuela
2. José Trujillo y Marta Cabezas / Cuba
3. Cecilia y Pilar Correa / Paraguay
4. Carlos Barros y tú / Costa Rica
5. Sonia Urrutia y Tomás Arias / Perú
6. tú y yo / Uruguay

B. Presentaciones. What do you say when your partner introduces these new friends to you?

MODELO   Víctor y Daniel / Nuevo México.
COMPAÑERO(A): **Víctor y Daniel son de Nuevo México.**
        TÚ: **¡Ah, son norteamericanos!**

1. mis amigos Rafael y Lalo / Cuba
2. Teresa / Bolivia
3. Ángela y Manuel / Guatemala
4. Jaime y yo / México
5. Eduardo / Nicaragua
6. mi amiga Ángela / Argentina

«A veces **somos** clavito y a veces martillito». (proverbio)

____ *Sometimes we are victims, sometimes aggressors.*

____ *A hammer always hits the nail on the head.*

1.6 Adjectives: Plural forms

Describing people, places and things

You have learned that adjectives are words that describe a person, place, or thing and that, in Spanish, they usually follow the noun they describe.

■ The plural of adjectives that end in a vowel is formed by adding **-s**.

Singular		Plural	
Masculine	**Feminine**	**Masculine**	**Feminine**
alt**o**	alt**a**	alt**os**	alt**as**
grand**e**	grand**e**	grand**es**	grand**es**

■ The plural of adjectives that end in a consonant is formed by adding **-es**. As noted in **1.2**, exceptions to this rule are adjectives of nationality and those ending in **-dor**.

Singular	Plural
especial	especial**es**
liberal	liberal**es**
BUT:	
español	español**es**
española	español**as**
trabajador	trabajador**es**
trabajadora	trabajador**as**

■ Adjectives of nationality that end in a consonant add **-a** to form the feminine singular, **-es** to form the masculine plural, and **-as** to form the feminine plural.

Singular		Plural	
Masculine	**Feminine**	**Masculine**	**Feminine**
alemán *(German)*	alemana	alemanes	alemanas
inglés	inglesa	ingleses	inglesas
español	española	españoles	españolas

Google™ y
YouTube™ BUSCA:
Spanish adjectives
gender and number

Heinle Grammar
Tutorial: Adjectives

■ When one adjective describes two or more nouns, one of which is masculine, the masculine plural form of the adjective is used.

Ana y José son muy seri**os**.
Gloria, Isabel y Pepe son muy desorganizad**os**.

Ana and José are very serious.
Gloria, Isabel, and Pepe are very disorganized.

■ Nouns that refer to a group of people, called collective nouns, are usually singular: **la gente, la clase, todo el mundo, la familia, la policía, la mayoría,** etc. Adjectives modifying these nouns match them in gender and number.

Esta gente es muy trabajador**a**.
Todo el mundo está aburrid**o**.

These people are very hardworking.
Everybody is bored.

¡A practicar!

A. ¿Cómo son? People usually select friends who are similar to themselves. How would you describe the following pairs?

1. Julio es divertido. (Julio y José)
2. Paco es impaciente. (Paco y yo)
3. Lupita es liberal. (Lupita y Jorge)
4. Eduardo es muy atlético. (Eduardo y tú)
5. Marcelo es simpático. (Marcelo y Andrés)
6. Teresa es inteligente. (Teresa y Carmen)
7. Tú eres... (Tú y yo)

B. Hispanos famosos. Individually, describe these famous people. Write your descriptions on separate sheets of paper. Then compare your descriptions with those of your partner. Tell the class if you agreed on any.

MODELO   **Penélope Cruz es inteligente y estupenda.**

Vocabulario útil

activo	divertido	inteligente
alto	elegante	serio
atlético	especial	simpático
bueno	estudioso	tímido
conservador	estupendo	trabajador

1. Jennifer López
2. Antonio Banderas
3. Shakira
4. Andy García
5. Frida Kahlo
6. Carlos Arroyo

«A palabras **necias** oídos **sordos**». (proverbio)

____ *Don't listen to foolish talk.*
____ *You say silly words when you are hard of hearing.*

1.7 Present tense of -ar verbs

Stating what people do

▣ **Google**™ y **YouTube**™ BUSCA: Spanish grammar -**ar** verbs

Heinle Grammar Tutorial: The Present Indicative Tense

▦ Spanish verbs are conjugated, that is, their forms are changed to reflect the person doing the action, the time of the action, and the attitude of the speaker. To conjugate a Spanish verb, the -**ar**, -**er**, or -**ir** ending of the infinitive is substituted with an appropriate ending.

Present-tense verb endings: -ar verbs	
Singular	**Plural**
(yo) necesit -**o**	(nosotros/as) necesit -**amos**
(tú) necesit -**as**	(vosotros/as) necesit -**áis**
(usted) necesit -**a**	(ustedes) necesit -**an**
(él, ella) necesit -**a**	(ellos, ellas) necesit -**an**

▦ Since the conjugated endings of Spanish verbs indicate the subject, the use of personal pronouns (**yo, tú, nosotros**) is unnecessary.

▦ The present tense of any Spanish verb has three possible equivalents in English statements and questions.

Compro ropa nueva.
{
I buy new clothes.
I am buying new clothes.
I do buy new clothes.

¿**Compras** ropa nueva?
{
Do you buy new clothes?
Are you buying new clothes?
You buy new clothes?

Note in the examples above that **ser** is never used in combination with another present-tense verb to express that someone is doing something. Also, the English auxiliary verb forms *do* and *does* do not exist in Spanish. When asking questions, the conjugated verb by itself communicates the idea of *do* or *does*. If the subject pronoun is stated in a question, it can follow or precede the verb.

¿**Compra** usted ropa nueva?
¿Usted **compra** ropa nueva?
{
Do you buy new clothes?
Are you buying new clothes?

▦ As in English, a Spanish present-tense verb may have a future meaning.

Mañana **pago** las cuentas.   *Tomorrow I will pay (I'm paying) the bills.*
¿Cuándo **lavamos** el coche?   *When will we (do we) wash the car?*

▦ Some frequently used -**ar** verbs are the following.

bailar	*to dance*	llevar	*to carry, to take, to wear*
buscar	*to look for*	mirar	*to look at, to watch*
comprar	*to buy*	nadar	*to swim*
escuchar	*to listen to*	necesitar	*to need*
hablar	*to speak*	pagar	*to pay*
lavar	*to wash*	preguntar	*to ask (a question)*
limpiar	*to clean*	preparar	*to prepare*
llamar	*to call*	tomar	*to drink, to take*

¡A practicar!

A. El fin de semana. What do you and your friends do on a typical Saturday?

MODELO **Mi amigo Bryce habla por teléfono.**

Vocabulario útil

bailar en una discoteca limpiar la casa
comprar refrescos mirar la tele
escuchar la radio nadar en la piscina *(swimming pool)*
hablar por teléfono pagar las cuentas *(bills)*
lavar ropa *(clothes)* preparar la comida

1. Yo
2. Mis amigas... y ...
3. Mi amigo...
4. ... y ...
5. Mi amiga...
6. Mis amigos..., ... y ...

B. ¡Los domingos siempre son especiales! Why are Sundays so special for you and your friends? Tell your partner what you and your friends do on Sundays, then listen as your partner tells you what he/she and his/her friends do. Inform the class if you do any of the same activites. Feel free to use the **Vocabulario útil** in the previous activity. You may want to begin with:
Por la mañana, yo...

«**Baila** y bebe, que la vida es breve». (proverbio)

____ *Drink and make merry while you can.*

____ *Life is too short to spend it drinking and dancing.*

1.8 The verb *ir*

Stating destination and what you are going to do

Google™ y YouTube™ BUSCA: Spanish grammar verb **ir**

Some Spanish verbs, such as the verb **ir** *(to go)*, are irregular. These verbs may have irregularities in the stem of the verb or in the verb endings. The verb **ir** has both.

ir *(to go)*			
(yo)	voy	(nosotros/as)	vamos
(tú)	vas	(vosotros/as)	vais
(usted)	va	(ustedes)	van
(él, ella)	va	(ellos, ellas)	van

When a destination is mentioned, **a** is always used.

Voy a la librería. *I'm going to the bookstore.*
Ella **va a** un banco. *She is going to a bank.*

Ir a + infinitive

The combination **ir a** + *infinitive* is used to express immediate future actions.

Vamos a estudiar esta noche *We're going to study tonight in the library.*
  en la biblioteca.
Van a llamar mañana. *They're going to call tomorrow.*

Contractions in Spanish: *al, del*

Whenever the definite article **el** is preceded by **a** or **de**, it contracts and becomes **al** or **del.** These are the only contractions in the Spanish language. In this lesson you will practice **al.**

Vamos **al** teatro.	*We're going to the theater.*
La profesora va **al** laboratorio.	*The professor is going to the laboratory.*
Es Pepe. Llama **del** banco.	*It's Pepe. He's calling from the bank.*

¡A practicar!

A. ¿Adónde van todos? Where does your roommate say your friends are going when you try to guess what plans they have?

> **MODELO** ¿Adónde *(Where)* va Marta? ¿A la cafetería? (Café Bistro)
> **No, Marta no va a la cafetería, va al Café Bistro.**

1. ¿Adónde va Ángela? ¿A la discoteca? (teatro)
2. ¿Adónde van Rodrigo y José? ¿Al laboratorio? (biblioteca)
3. ¿Adónde va el profesor Castillo? ¿A la librería? (banco)
4. ¿Adónde van tú y Alicia? ¿Al teatro? (fiesta)
5. ¿Adónde van Julio y Raquel? ¿A Miami? (San Francisco)
6. ¿Adónde van tú y Paco? ¿Al laboratorio? (gimnasio)

B. ¿Qué van a hacer? You want to know what your friends are going to do tomorrow. Ask your partner.

> **MODELO** Tú: **¿Qué van a hacer... y... ?**
> Compañero(a): **Van a estudiar en la biblioteca.**

Vocabulario útil

comer en el café/la cafetería/el restaurante
comprar libros/refrescos/ropa en la librería/el supermercado/Macy's
comprar refrescos/comida/cerveza para la fiesta
llamar a sus padres/amigos/tíos/abuelos
lavar ropa/platos
limpiar su cuarto/casa
mirar tele/DVD
nadar en la piscina de la universidad/fraternidad
pagar cuentas
preparar la lección de español/biología/matemáticas

1. tú	3. ... y ...	5. ..., ... y ...
2. ...	4. tú y ...	6. tú, ... y ...

«**Vamos** de Guatemala a Guatepeor». (dicho popular)

____ *We're going from bad to worse.*
____ *We're going on the worst road to Guatemala City.*

En preparación 2

2.1 Present tense of -er and -ir verbs

Stating what people do

The personal endings of **-er** and **-ir** verbs are identical, except for the **nosotros** and **vosotros** forms. As with **-ar** verbs, the personal endings of **-er** and **-ir** verbs always reflect the subject of the sentence.

Verb endings: -er, -ir verbs			
Subject pronouns	**Singular endings**	**Subject pronouns**	**Plural endings**
	-er/-ir		*-er/-ir*
(yo)	**-o**	(nosotros/as)	**-emos, -imos**
(tú)	**-es**	(vosotros/as)	**-éis, -ís**
(usted)	**-e**	(ustedes)	**-en**
(él, ella)	**-e**	(ellos, ellas)	**-en**

Sample -er verb: comer			
(yo)	com**o**	(nosotros/as)	com**emos**
(tú)	com**es**	(vosotros/as)	com**éis**
(usted)	com**e**	(ustedes)	com**en**
(él, ella)	com**e**	(ellos, ellas)	com**en**

Sample -ir verb: escribir			
(yo)	escrib**o**	(nosotros/as)	escrib**imos**
(tú)	escrib**es**	(vosotros/as)	escrib**ís**
(usted)	escrib**e**	(ustedes)	escrib**en**
(él, ella)	escrib**e**	(ellos, ellas)	escrib**en**

Remember that the present indicative in Spanish has three possible equivalents in English.

Los niños **comen** chocolate.
{
*The children **eat** chocolate.*
*The children **do eat** chocolate.*
*The children **are eating** chocolate.*

Some frequently used **-er** and **-ir** verbs are:

beber	*to drink*
comer	*to eat*
correr	*to run*
decidir	*to decide*
escribir	*to write*
leer	*to read*
recibir	*to receive*
vender	*to sell*
vivir	*to live*

Google™
BUSCA: Spanish conjugation / Spanish verbs

Heinle Grammar Tutorial: The Present Indicative Tense

¡A practicar!

A. **¡Mucha actividad!** It is 11:00 A.M. on a typical Wednesday and there's a lot of activity going on at the Antonio Badillo School in Puerto Rico. What is going on?

Vocabulario útil

abrir	correr	leer
beber	decidir	recibir
comer	escribir	vivir

1. La directora / un café en la sala de los profesores.
2. Tú y Sandra / unos reportes en el laboratorio de computadoras.
3. Ustedes / en la cafetería de la escuela.
4. El maestro / las puertas de la clase.
5. Yo / el libro de Esmeralda Santiago, *El amante turco*.

B. **¡Qué día!** It is 11:00 A.M. on a typical Wednesday at your university and there's a lot of activity going on. What is going on? Use the **Vocabulario útil** in the previous activity as you tell what you, your teacher, and your friends are doing.

1. Mi profesor(a) de español...
2. Mis amigos... y ...
3. Mi mejor amiga...
4. Yo...
5. Tú y tus compañeros(as) de cuarto...

C. **Tu y tu compañero(a).** To help make ends meet, you and your roommate have part-time jobs. You work at a fast food place and your roommate at the university bookstore. Because this is just the first week of work for both of you, you are each very interested in what the other does. Question each other about what you do in your jobs. Ask at least four yes/no questions.

Vocabulario útil

beber	escuchar	llamar
buscar	explicar	llevar
comer	ir	mover
contestar	lavar	organizar
decidir	leer	recibir
escribir	limpiar	vender

MODELO Tú: **¿Contestas el teléfono?**
COMPAÑERO(A): **No, no contesto el teléfono.**

«**Comer** para **vivir**, no **vivir** para **comer**». (proverbio)

____ *To eat in order to live is not the same as to live in order to eat.*

____ *One should give priority to the really important things in life.*

2.2 Three irregular verbs: *tener, salir, venir*

Expressing obligations, departures, and arrivals

	tener			salir		venir	
	to have			*to leave*		*to come*	
(yo)	tengo	(nosotros/as)	tenemos	salgo	salimos	vengo	venimos
(tú)	tienes	(vosotros/as)	tenéis	sales	salís	vienes	venís
(usted)	tiene	(ustedes)	tienen	sale	salen	viene	vienen
(él, ella)	tiene	(ellos, ellas)	tienen	sale	salen	viene	vienen

▧ When you want to express obligation, you use the expression **tener que** followed by an infinitive.

Tengo que organizar mi apartamento.   *I have to organize my apartment.*
Tenemos que comprar muchas cosas.   *We have to (must) buy many things.*

⌸ Google™
BUSCA: Spanish
irregular conjugation/
Spanish irregular
verbs

**Heinle Grammar
Tutorial: Tener, venir**

▧ When you want to say that you leave to go do something, you say **salir a** + infinitive. Similiarly, to say to come to do something, you use the expression **venir a** + infinitive.

Salgo a correr a las 10:00.   *I go running at 10:00.*
Yo **vengo a** estudiar, y Eva **viene a**   *I come to study, and Eva comes*
    ayudarme.   *to help me.*

¡A practicar!

A. Muy ocupados. Many of the participants of the Puerto Rican documentary *Yo soy boricua, pa' que tú lo sepas* have interesting roles. What do these people do?

1. Sixto Ramos (tener) recorrer las calles de Nueva York como policía.
2. Muy temprano por la mañana, Rosie Pérez (salir) hacer el casting y dirigir el documental.
3. Pedro Pietri (venir) hablar con mucha gente como activista social.
4. Ramón Rodríguez y Rafael Tufiño (venir) trabajar con la producción como voluntarios.
5. Sí, todos los actores (tener) trabajar mucho pero, ¡les encanta!

B. Responsabilidades. Ask your partner if he/she has as many responsibilities as you do.

    MODELO   preparar tu comida
       TÚ: **¿Tienes que preparar tu comida?**
   COMPAÑERO(A): **Sí, yo preparo mi comida.** o
               No, no preparo mi comida.

1. limpiar tu cuarto
2. salir a comer con tus padres
3. venir a casa antes de las 10:00 (diez)
4. correr con tu padre
5. lavar el coche *(car)* de tu padre
6. trabajar los veranos *(summers)*

«Al que mucho **tiene**, más le **viene**». (proverbio)

___ *The more you have, the more you get.*

___ *He that earns the most, has the most.*

2.3 Interrogative words

Asking questions

In previous chapters you have seen, heard, and used several interrogative words. The following chart summarizes all of them.

¿Cómo?	*How? What?*	¿Cuánto(a)?	*How much?*
¿Cuál(es)?	*Which one(s)? What?*	¿Cuántos(as)?	*How many?*
¿Cuándo?	*When?*	¿Qué?	*What? Which?*
¿Dónde?	*Where?*	¿Quién(es)?	*Who?*
¿Por qué?	*Why?*	¿Adónde?	*Where to?*
¿De dónde?	*Where from?*	¿A qué hora?	*At what time?*

▦ All interrogative words require a written accent, even when used in a statement rather than a question.

No sabemos **dónde** vive.	*We don't know where she lives.*
Ella va a decirnos **qué** es.	*She is going to tell us what it is.*

▦ When these words do not have a written accent, they lose their interrogative meaning.

Siempre escucho música **cuando** estudio.	*I always listen to music when I study.*
Yo creo **que** vive en Toledo.	*I believe that he lives in Toledo.*
Donde yo vivo hay más gente joven.	*Where I live there are more young people.*

▦ **¿Cuál(es)?** meaning *What?* (as in *Which one?*) is used instead of **¿Qué?** before the verb **ser**, except when a definition of a word is being requested.

¿Cuál es tu dirección?	*What's your address?*
¿Cuál es tu especialización?	*What's your major?*
¿Qué es la filosofía?	*What's philosophy?*

▦ In English, when asking someone to repeat a question, one frequently says *What?* In Spanish, one would never say **¿Qué?** but rather **¿Cómo?** when making a one-word response. **¿Qué?** is used only in a complete-sentence response.

¿Cómo? No te oigo.	*What? I can't hear you.*
¿Qué dices?	*What are you saying?*
¿Qué me preguntas?	*What are you asking me?*

⎙ Google™
BUSCA: Spanish
interrogatives

▦ The interrogative word **cuánto** always agrees in number and gender with the noun that follows.

¿Cuánto dinero tienes?	*How much money do you have?*
¿Cuántas oficinas tiene el médico?	*How many offices does the doctor have?*

Heinle Grammar Tutorial:
Interrogative Words

¡A practicar!

A. **¡Qué interesante!** You have just met a new and really interesting student at your university. What do you ask him/her to help break the ice? Match the words in the two columns to formulate your questions. Then put the questions in the order you would ask them.

A	B
	tal?
¿Con quién	te llamas?
¿Qué	estudias?
¿Cuál	clases tomas?
¿Dónde	son tus profesores?
¿Cómo	vives?
	es tu número de teléfono?

B. **El Desfile Puertorriqueño.** It is mid-June and you are visiting friends in New York City. Of course they invite you to the Puerto Rican Parade. Since you had never heard anything about the parade, you ask the following questions.

Tú	Tus amigos
1. ¿ _____ es el desfile?	Es el sábado, 16 de junio.
2. ¿ _____ es?	A las 11:30.
3. ¿ _____ es?	En la Quinta Avenida.
4. ¿ _____ celebra el desfile?	La identidad puertorriqueña.
5. ¿ _____ personas van con nosotros?	Veinte (20), más o menos.
6. ¿ _____ son tus amigos?	Son todos puertorriqueños.

C. **Y después... ¡las fiestas!** Of course there are all sorts of parties after the parade. Your friends have planned to take you to a couple of them. You, being the curious person you are, ask a lot of questions about what, where, what time, how many, who, why, ... You ask the questions and your partner will answer them creatively.

> «Dime con **quién** andas y te diré **quién** eres». (dicho popular)
>
> ____ Tell me who your friends are and I will tell you who you are.
>
> ____ Who you run around with will determine your future.

2.4 Numbers 0–199 CD1, Track 31

Counting, solving math problems, and expressing cost

0	cero	16	dieciséis	40	cuarenta
1	uno	17	diecisiete	42	cuarenta y dos
2	dos	18	dieciocho	50	cincuenta
3	tres	19	diecinueve	53	cincuenta y tres
4	cuatro	20	veinte	60	sesenta
5	cinco	21	veintiuno	64	sesenta y cuatro
6	seis	22	veintidós	70	setenta
7	siete	23	veintitrés	75	setenta y cinco
8	ocho	24	veinticuatro	80	ochenta
9	nueve	25	veinticinco	86	ochenta y seis
10	diez	26	veintiséis	90	noventa
11	once	27	veintisiete	97	noventa y siete
12	doce	28	veintiocho	100	cien
13	trece	29	veintinueve	101	ciento uno
14	catorce	30	treinta	178	ciento setenta y ocho
15	quince	31	treinta y uno	199	ciento noventa y nueve

- The number **uno (veintiuno, treinta y uno...)** changes to **un** before masculine nouns and **una** before feminine nouns.

Tengo solo **un** dólar.	*I just have one dollar.*
Hay cincuenta y **una** camas dobles en el hotel.	*There are fifty-one double beds in the hotel.*
La reservación es para **una** persona.	*The reservation is for one person.*

- The numbers 16 to 29 are usually written as one word: **dieciséis, dieciocho, veintidós, veintinueve**. They may, however, be written as three words: **diez y seis**, **diez y ocho**, **veinte y dos**, **veinte y tres**, **veinte y nueve**, and so on.

- Numbers from 31 to 99 must be written as three words.

Tengo **cuarenta y cuatro** DVDs y **sesenta y nueve** CDs.	*I have forty-four DVDs and sixty-nine CDs.*

- **Cien** is an even hundred. Any number between 101 and 199 is expressed as **ciento** and the remaining number. Note that **y** never occurs directly after the number **ciento**.

101 ciento uno	149 ciento cuarenta y nueve
110 ciento diez	199 ciento noventa y nueve

- Use the following expressions for solving math problems.

y *or* más (+)	menos (−)	es / son (=)
(multiplicado) por (×)	dividido entre (÷)	

⊿ Google™ y YouTube™ BUSCA: Spanish numbers

Heinle Grammar Tutorial: Numbers

¡A practicar!

A. ¿Cuánto es? Because Puerto Rico is a U.S. territory, prices in Puerto Rico are very similar to those in the continental United States. What would you guess the following items would cost on the island? Write out your estimates, **en español, por favor** (*please*). Make intelligent guesses.

MODELO   una hamburguesa
                       Cuesta tres dólares, noventa y nueve centavos.

1. un iPod
2. una comida para dos personas en un restaurante italiano
3. un café
4. un boleto (*ticket*) para ver una película
5. una pizza extra grande

B. Matemáticas. Solve these math problems with a partner. You read each problem aloud, in Spanish of course, and your partner will give the correct answer. If necessary, correct your partner.

1. $4 + 9 = ?$
2. $90 + 10 = ?$
3. $28 - 12 = ?$
4. $17 + 50 = ?$
5. $42 \div 6 = ?$
6. $11 + 152 = ?$
7. $3 * 5 = ?$
8. $175 - 30 = ?$

«**Una** hora duerme el gallo, **dos** el caballo, **tres** el santo, **cuatro** el que no es tanto, **cinco** el capuchino, **seis** el peregrino, **siete** el caminante, **ocho** el estudiante, **nueve** el caballero, **diez** el pordiosero, **once** el muchacho y **doce** el borracho». (dicho popular)

____ *Do you agree that animals sleep less than humans, that religious people (monks and nuns) sleep less than travelers, that students sleep less than kids, and that drunkards sleep more than anybody?*

2.5 Possessive adjectives

Indicating ownership

- Unlike English, possessive adjectives in Spanish must agree in number with the person, place, or thing possessed. **Nuestro** and **vuestro** must also agree in gender.

Possessive adjectives					
Singular possessor	1 Thing possessed	2+ Things possessed	Plural possessor	1 Thing possessed	2+ Things possessed
yo	**mi**	**mis**	nosotros(as)	**nuestro(a)**	**nuestros(as)**
tú	**tu**	**tus**	vosotros(as)	**vuestro(a)**	**vuestros(as)**
usted	**su**	**sus**	ustedes	**su**	**sus**
él, ella	**su**	**sus**	ellos, ellas	**su**	**sus**

Tu apartamento es estupendo y **tus** amigos son muy simpáticos.	*Your apartment is fantastic and your friends are very nice.*
Nuestra casa es nueva.	*Our house is new.*
Nuestras habitaciones son muy grandes.	*Our rooms are very big.*

Note that these possessive adjectives are always placed *before* the noun they modify.

▓ Usually the context will clarify any ambiguity that may result with **su/sus** (*your, his, her, their, its*). However, when ambiguity does occur, one of the following combinations of **de** + *pronoun* is used in place of **su/sus**.

su libro = el libro
$\begin{cases} \text{de usted} & your \\ \text{de él} & his \\ \text{de ella} & her \\ \text{de ustedes} & your \\ \text{de ellos} & their \\ \text{de ellas} & their \end{cases}$

sus libros = los libros
$\begin{cases} \text{de usted} & your \\ \text{de él} & his \\ \text{de ella} & her \\ \text{de ustedes} & your \\ \text{de ellos} & their \\ \text{de ellas} & their \end{cases}$

—¿Es más grande el apartamento **de ustedes**? *Is your apartment bigger?*
—Sí, pero la casa **de ellos** es más elegante. *Yes, but their house is more elegant.*

⊡ **Google**™
BUSCA: Spanish possessive adjectives

Heinle Grammar Tutorial: Possessive Adjectives and Pronouns

¡A practicar!

A. Compañeros de cuarto. Complete this letter with the appropriate possessive adjectives to find out how your friend Julio describes his roommates to his friend Andrea.

Querida Andrea:

_____ compañeros de cuarto, Carlos y Toni, son muy simpáticos. Carlos es puerto-rriqueño. _____ familia vive en Ponce. Toni también es puertorriqueño. _____ padres viven en el Viejo San Juan con _____ abuelos *(grandparents)*. ¿Y yo? _____ papás son de San Antonio, Texas. ¿Y tú? ¿Dónde viven _____ padres?

B. ¡Robo en el dormitorio! There was a robbery in your dorm but fortunately the robber was caught and all stolen items were recovered. As floor supervisor, ask your partner if these items are his/hers. Your partner will tell you to whom they really belong.

MODELO la computadora portátil: de ella
  Tú: **¿Es tu computadora?**
COMPAÑERO(A): **No, no es mi computadora. Es su computadora.**

1. los tres diccionarios: de ellas
2. el iPod: de él
3. los CDs de Shakira: de ella
4. la computadora: de nosotros
5. los DVDs: de ustedes
6. la impresora: de ellos

«Envejecemos cuando **nuestros** recuerdos superan **nuestros** proyectos». (refrán)
___ *We know we are getting old when our memories are greater than our projects.*
___ *Our memories become old when we lose our projects.*

2.6 Telling time

Stating at what time things occur

▦ The Spanish word for *time* (referring to clock time) is **hora**, which is always feminine. To tell the hour, **es la** is used only with **una**; otherwise, **son las** followed by the hour is used.

¿Qué hora es?	*What time is it?*
Es la una.	*It's one o'clock.*
Son las doce en punto.	*It's twelve sharp.*

▦ Minutes from the hour to the half hour are added to the hour and connected with **y**. Between the half hour and the next hour, minutes are subtracted from the next hour and connected with **menos**.

1:24	Es la una y veinticuatro.
6:10	Son las seis **y** diez.
1:40	Son las dos **menos** veinte.
12:42	Es la una **menos** dieciocho.

Digital clocks have changed this more traditional way of stating time. Now, one also hears **Son las doce y cuarenta y dos** instead of **Es la una menos dieciocho.**

▦ In addition to **quince** and **treinta,** you can use **cuarto,** which means *quarter,* and **media,** which means *half past the hour*.

Vienen a la una y **cuarto** (quince).	*They are coming at a quarter past one.*
Mañana salen a las siete y **media** (treinta).	*Tomorrow they leave at 7:30.*

▦ To ask at what time something takes place, Spanish uses **¿A qué hora...?** To state that something happens at a particular time, Spanish uses **a las...** This should not be confused with **son las...,** which means *It is* a specific clock time.

¿A qué hora es el concierto?	*At what time is the concert?*
El concierto es **a las** nueve.	*The concert is at nine.*
¡Apúrese! **Son las** siete menos cuarto y él llega **a las** siete en punto.	*Hurry up! It's a quarter to seven and he arrives at seven sharp.*

Note that **a las...** means *at* only when speaking about specific clock time. In most other instances, *at* is translated as **en** (**el concierto es *en* el teatro).**

▦ **Mediodía** and **medianoche** are used to express *noon* and *midnight*.

Tengo una cita al **mediodía.**	*I have an appointment at noon.*
El autobús sale a (la) **medianoche.**	*The bus leaves at midnight.*

▦ The phrase **de la mañana/tarde/noche** is used only when a *specific* time in the morning/afternoon/evening is being stated.

El avión llega a **las dos de la mañana.**	*The plane arrives at 2:00 A.M.*
Salgo a **la una y diez de la tarde.**	*I leave at 1:10 in the afternoon.*
Son **las once de la noche.**	*It's 11:00 P.M.*

The phrases **en** or **por la mañana/tarde/noche** are used to express a general time (not a specific clock time).

Google™ y **YouTube**™ BUSCA: Spanish telling time

En la mañana tengo que cancelar mi reservación.	*In the morning I have to cancel my reservation.*
Llegamos **por la tarde.**	*We arrive in the afternoon.*

Tomás abre su restaurante a las seis de la mañana.

¡A practicar!

A. ¿A qué hora? Tell what time you do the following activities.

> MODELO   llamar a tus padres: 11:45 P.M.
> **Llamo a mis padres a las doce menos cuarto de la noche.**

1. salir a correr: 6:00 A.M.
2. tomar un café: 11:15 A.M.
3. comer: 12:00 noon
4. ir al laboratorio de computadoras: 1:22 P.M.

5. salir de la clase de química: 2:45 P.M.
6. venir a la cafetería: 1:05 P.M.
7. salir de la biblioteca: 9:40 P.M.
8. venir a casa a dormir *(sleep)*: 12:50 A.M.

B. Rutina diaria. Find out what your partner's daily routine is like by asking these questions. Then describe your daily routine when your partner asks you the same questions.

1. ¿A qué hora sales para la universidad por la mañana?
2. ¿A qué hora comienza tu clase de español? ¿A qué hora termina *(does it end)*?
3. ¿Qué clases tienes por la mañana? ¿Por la tarde? ¿Por la noche?
4. ¿A qué hora es tu primera clase del día? ¿Y tu última *(last)* clase del día?
5. ¿A qué hora tomas el almuerzo *(lunch)*? ¿Al mediodía o más tarde?
6. ¿Vas a bares a la medianoche?

«Ninguno ganó fama dándole **las doce** en cama». (proverbio)

____ *You cannot be successful if you are not early to rise.*

____ *The rich and famous get up late every day.*

2.7 Days of the week, months, and seasons

Giving dates and stating when events take place

■ The days of the week are *not* capitalized in Spanish, and they are all masculine.

Los días de la semana

lunes	*Monday*
martes	*Tuesday*
miércoles	*Wednesday*
jueves	*Thursday*
viernes	*Friday*
sábado	*Saturday*
domingo	*Sunday*
El lunes trabajo medio día.	*This Monday I (will) work half day.*
El viernes por la noche salgo con mis amigos.	*On Friday evening I go out with my friends.*

■ The months of the year are also *not* capitalized in Spanish and are also masculine.

Los meses del año

enero	mayo	septiembre
febrero	junio	octubre
marzo	julio	noviembre
abril	agosto	diciembre

■ As in English, the four seasons also are not capitalized.

Las estaciones

el otoño	*fall*	la primavera	*spring*
el invierno	*winter*	el verano	*summer*

■ To indicate that something happens on a particular day, Spanish always uses the definite article, never the preposition **en.**

Hay una fiesta **el** lunes.	*There's a party on Monday.*
No hay clases **los** sábados ni **los** domingos.	*There are no classes on Saturdays or Sundays.*

■ Note that the singular and plural forms of **lunes, martes, miércoles, jueves,** and **viernes** are identical, except for the article.

■ The preposition **en** is used to indicate that something happens in a particular month or season.

Google™ y YouTube™ BUSCA: Spanish seasons

No hay vuelos **en** enero.	*There are no flights in January.*
En verano hay dos excursiones.	*In the summer there are two excursions.*

■ Dates (**las fechas**) in Spanish are given using the formula **el + (número) + de + (mes) + de + (año)**. To ask for the date, in Spanish use **¿Qué fecha es...?**

Heinle Grammar Tutorial: Months and seasons

¿Qué fecha es el concierto?	*What's the date of the concert?*
El concierto es **el 7 de julio de 2009**.	*The concert is on July 7, 2009.*

En abril, aguas mil.

¡A practicar!

A. Días, meses y estaciones. Contesta las preguntas.

1. ¿Cuántos meses hay en un año? ¿Cuántos días hay en cada mes?
2. ¿En qué meses hay clases? ¿En qué meses no hay clases?
3. ¿Qué días hay clases de español? ¿Qué días no hay clases?
4. ¿Cuál es tu estación favorita? ¿En qué estación naciste *(were you born)*?
5. ¿Cuántos días hay en una semana?
6. ¿Cuántas semanas hay en un año?

B. Fechas. In Spanish, find out your partner's birth date, high school graduation date, and see if he/she knows either his/her mother's or father's birth date. Of course your partner will ask you for the same information.

Vocabulario útil

fecha de nacimiento	*birth date*
fecha de graduación	*graduation date*
fecha de cumpleaños	*birthday date*

«Si en **septiembre** ves llover, el **invierno** seguro es». (dicho popular)

____ *If you see rain in September, then you know that winter is around the corner.*

____ *September rains are a sure sign that it will be a cold winter.*

En preparación 3

3.1 The verb *estar*

Giving location and indicating change

The verb *estar*			
Singular		**Plural**	
yo	**estoy**	nosotros(as)	**estamos**
tú	**estás**	vosotros(as)	**estáis**
usted	**está**	ustedes	**están**
él, ella	**está**	ellos, ellas	**están**

The verb **estar** is used to tell where someone or something is located and to describe how one is feeling or one's condition. It is also used with the present participle to form the present progressive tense. (See **En preparación 3.2.**)

■ **Location**

Los niños **están** en el parque.	*The children are in the park.*
¿Dónde **están** las tapas?	*Where are the appetizers?*
¿No **está** tu papá?	*Isn't your father here?*
No. **Está** en Barcelona.	*No. He's in Barcelona.*

BUT, to indicate where an event takes place, the verb **ser** is used.

¿Dónde **es** la reunión?	*Where is the meeting?*
La fiesta **es** en mi casa.	*The party is at my house.*

G Google™
BUSCA: Using **estar**

■ **Conditions and feelings**

La fiesta **está** muy aburrida.	*The party is very boring.*
Roberto **está** enfermo otra vez.	*Roberto is sick again.*
Natalia **está** muy preocupada (triste, nerviosa, contenta).	*Natalia is very worried (sad, nervous, happy).*

Heinle Grammar
Tutorial: *Ser* and
Estar III

¡A practicar!

A. **¡Fiesta tras fiesta!** It seems that every time you call your ex-roommate, who is spending the year abroad studying in Spain, he and his friends are attending some major festival or other. Where does he say they are when you call on the following dates?

MODELO   Es el 12/10. Mis amigos...
                Es el doce de octubre. Mis amigos están en Zaragoza para la Fiesta del Pilar.

febrero:	Carnaval en Tenerife	julio:	Encierro de San Fermín en Pamplona
marzo:	Fallas en Valencia	agosto:	Tomatina en Buñol
abril:	Semana Santa en Sevilla	octubre:	Fiesta del Pilar en Zaragoza
junio:	Fiesta de San Juan en Barcelona		

1. Es el 23/6. Mi amigo Daniel y yo...

2. Es fines de agosto. Todos mis amigos...

3. Es el 7/7. Yo...

4. Es el 19/3. Mi familia española...

5. Es principios de febrero. Cuatro amigos y yo...

6. Es abril. Yo...

B. **¿Cómo están?** All your classmates have shown up at your Spanish teacher's house for a Spanish evening of flamenco dancing, tapas, and sangría. Tell how you and your classmates are feeling at this moment.

MODELO   mi compañera de clase...
        Mi compañera de clase Ángela está muy contenta y entusiasmada.

Vocabulario útil

aburrido	enfermo	furioso	preocupado
cansado	entusiasmado	interesado	tranquilo
contento	fenomenal	nervioso	triste

1. mis compañeras de clase... y...
2. yo
3. mi profesor(a) y...
4. mi amigo...
5. tú
6. todos los chicos

C. **¡Fiesta!** With a partner, complete the following letter, that Roberto wrote his high school buddy who is attending another university, with the proper form of **estar**. Then together, use this letter as a model to write an old buddy of yours and tell him what you are doing on Friday night.

Hay una fiesta en mi casa esta noche porque mis padres _____ en Chicago. Yo _____ muy contento porque todos mis amigos _____ aquí. También _____ muy ocupado con los invitados. Mi amigo Gonzalo _____ muy nervioso porque su ex novia _____ aquí en la fiesta también. Mi amiga Amalia _____ furiosa porque Juan Carlos, su novio, no baila con ella. Los otros invitados _____ contentos porque hay mucha comida y la música _____ buena.

«Más vale **estar** solo que (**estar**) mal acompañado». (proverbio)

____ *You are better off alone than in bad company.*

____ *It is better to be in someone's company than risk becoming a loner.*

Paso 2

3.2 Present progressive tense

Describing what is happening now

In English, the present progressive is formed with the verb *to be* and an *-ing* verb form: *I am eating; he is driving.* In Spanish, the present progressive is formed with the verb **estar** and a present participle.

¿Qué **están haciendo?**	*What are they doing?*
Todos **están bailando.**	*Everyone is dancing.*
Estamos comiendo paella.	*We're eating paella (a chicken, rice, and seafood dish).*

In English, the present participle is the verb + -*ing*: *talking, walking, buying*. In Spanish, the present participle is formed by dropping the infinitive ending and adding **-ando** to **-ar** verbs, and **-iendo** to **-er** and **-ir** verbs.

Present participles			
-ar* verbs: *-ando		***-er, -ir* verbs: *-iendo***	
trabajar:	trabaj**ando** *working*	poner:	pon**iendo** *putting*
bailar:	bail**ando** *dancing*	escribir:	escrib**iendo** *writing*

Some present participles are irregular. For example, the **-iendo** ending becomes **-yendo** whenever the stem of the infinitive ends in a vowel.

le-er: le**yendo**   *reading*
tra-er: tra**yendo**   *bringing*

In Spanish, the present progressive tense is used only to describe or emphasize an action that is taking place right at the moment.

Estoy escribiendo una carta.   *I'm writing a letter.*
Pablo y Ana **están leyendo** el periódico. *Pablo and Ana are reading the newspaper.*
BUT: Llegan mañana a las diez.   *They are arriving tomorrow at ten.*

▶ YouTube™
BUSCA: Spanish
present progressive

Heinle Grammar
Tutorial: Present
Progressive Tenses

¡A practicar!

A. ¿Qué están haciendo? You and your housemates are planning to throw a party this evening. Now everyone is rushing around getting ready. Tell who is doing the following things.

> **MODELO**   preparar la comida
> **Mi amigo Ernesto está preparando la comida.**

1. organizar la música
2. abrir los refrescos
3. seleccionar la música
4. comprar la pizza
5. beber una cerveza
6. descansar un poco

B. ¿Y ahora? Everyone is having a great time at your house party, but you, being the worrywart that you are, are checking to make sure no one is left out. What do you ask and how does your housemate respond? Your partner will play the role of your housemate.

> **MODELO**   mi amiga...
> TÚ: **¿Qué está haciendo Patricia?**
> COMPAÑERO(A): **Está bailando con el profesor.**

1. mis amigos... y...
2. mi compañero de cuarto...
3. el profesor...
4. ... y...
5. tú
6. tus amigas... y...

«El que hace trampas **jugando**, al infierno se va **caminando**». (proverbio)

____ *He who cheats at cards, slowly condemns himself.*

____ *He who walks with the devil, plays with his own fate.*

3.3 *Ser* and *estar* with adjectives

Describing attributes, location of an event, and indicating changes

▓ **Ser** is used with adjectives to describe attributes such as the following:

1. physical characteristics, essential traits, and qualities

Nicolás **es** muy guapo.	*Nicolás is very handsome.*
Cecilia **es** delgada.	*Cecilia is thin.*
Las tortillas españolas **son** deliciosas.	*Spanish omelettes are delicious.*

2. personality

Eva **es** muy simpática.	*Eva is very nice.*
Teresa **es** inteligente.	*Teresa is intelligent.*
Héctor **es** perezoso.	*Héctor is lazy.*

3. inherent characteristics

La nieve **es** blanca.	*Snow is white.*
El cielo **es** azul.	*The sky is blue.*
El edificio **es** muy alto.	*The building is very tall.*

▓ **Estar** is used with adjectives to indicate a more subjective, temporal evaluation of any of the following:

1. appearance, taste, and physical state of being

Esta paella **está** deliciosa.	*This paella is (tastes) delicious.*
Carlos **está** delgado.	*Carlos is (looks) thin.*
Teresa, ¡**estás** hermosa!	*Teresa, you are (look) lovely (today)!*

2. behavior that varies from what is normally expected

Estás muy antipático hoy.	*You are (being) very disagreeable today.*
Estela, **estás** perezosa.	*Estela, you are (being) lazy.*

3. conditions

Víctor **está** cansado.	*Victor is tired.*
Todos **están** contentos.	*Everyone is happy.*
La nieve **está** sucia.	*The snow is dirty.*

⟦▲⟧ Google™
BUSCA: **Estar**
feelings and
conditions

**Heinle Grammar
Tutorial:** *Ser* and
Estar IV

¡A practicar!

A. ¿Mis amigos? Focus on yourself and your friends. Who fits these descriptions?

MODELO   honesta y muy guapa
             Mi amiga Beverly es honesta y muy guapa.

1. tímido e inteligente
2. divertidas y muy simpáticas
3. un poco perezoso

4. muy sociables
5. sinceros y muy guapos
6. romántica pero muy estudiosa

B. ¡Están muy cambiados! You have just returned home after spending time as an exchange student in Barcelona. You find that everybody has changed considerably. What do you say to the following people?

1. ¡Mamá, tú _____ muy diferente!
2. Tío, _____ más grande.
3. Chicas, _____ más trabajadoras.

4. Abuelos, _____ muy activos.
5. Papá, _____ más paciente.
6. Todos ustedes _____ muy bien.

C. **¡Rin-rin!** Your cell phone rings and it is your roommate who is having a wonderful time at a fraternity **¡Viva España!** party. Complete the conversaton you have with the appropriate form of **ser** or **estar** to see what your roommate has to say about the party.

¿Bueno?

¡Hola, amigo(a)! ¿Dónde _____? Todo el mundo _____ aquí. Todos _____ bailando. En este momento, Carlos y yo _____ preparando más sangría. Sí, _____ una bebida alcohólica. _____ de vino tinto, gaseosa y frutas y _____ deliciosa. ¿Conoces a Luis? Él _____ el amigo de Marcelo. Él _____ muy guapo y muy rico... y no tiene novia. ¿Por qué no vienes? Todos nosotros te _____ esperando aquí.

D. **En una boda.** You and your friend are talking about the guests at your friend's sister's wedding. Working with a partner, complete the conversaton with the appropriate form of **ser** or **estar**.

> Tú: La señora Davis _____ hermosa hoy.
> Amigo(a): Sí, y el señor Davis _____ muy delgado, ¿verdad?
> Tú: Tienes razón. Creo que _____ enfermo.
> Amigo(a): Pobre. Y en tu opinión, ¿cómo _____ el novio de tu hermana?
> Tú: _____ muy simpático. También _____ muy inteligente ¡y _____ rico!
> Amigo(a): Sí, pero ahora _____ nervioso y _____ muy cansado.

> «Para muchos el cielo **es** California: allí **están** Los Ángeles, San José, San Clemente, San Leandro, Santa Mónica, Santa Bárbara...». (refrán)
>
> ___ *How many additional, appropriate city names can you add?*

3.4 The verb *gustar*

Talking about what you like or dislike

The verb **gustar** means *to be pleasing to* and is the Spanish equivalent of *to like*. When talking about one thing or an activity people like or dislike, **gusta**, the singular form of **gustar**, is used. When talking about more than one thing people like or dislike, **gustan**, the plural form of **gustar**, is used. This verb is *always preceded* by an indirect-object pronoun: **me, te, le, nos, os,** or **les.*

gusta *(liking one thing)*

me gusta	nos gusta	
te gusta	os gusta	la casa
le gusta	les gusta	bailar

gustan *(liking more than one thing)*

me gustan	nos gustan	
te gustan	os gustan	las tapas
le gustan	les gustan	las playas mediterráneas

Me gusta bailar salsa.   *I like to dance salsa. (Dancing salsa is pleasing to me.)*

■ Note that with the verb **gustar**, the subject of the sentence is always *what* or *who* is liked.

* You will learn more about these pronouns in **Capítulo 8.**

The verbs **encantar** and **fascinar** *(to love, to enchant, to fascinate)* are used just like **gustar.**

Les encanta la sangría.	*They love sangria.*
¡Me encantan las tortillas españolas!	*I love Spanish omelettes!*
Me fascina bailar.	*I love to dance. (To dance fascinates me).*

The object pronouns **le** and **les** may refer to a varied number of people.

Singular		**Plural**	
le =	a él (a Ricardo) a ella (a Alicia) a usted	**les** =	a ellos (a Tomás, Jaime,...) a ellas (a Marta, Lupe,...) a ustedes

To avoid confusion, the phrase **a** + *(noun or pronoun)* is often used with **le** and **les** to clarify who is doing the liking.

A Yolanda le gusta servir tapas.	*Yolanda likes to serve tapas. (Serving tapas is pleasing to Yolanda.)*
A ellas no les gusta cocinar.	*They do not like to cook.*

The phrase **a** + *(noun or pronoun)* can also be used for emphasis or to establish a distinction. This phrase does not translate literally into English.

—Me gusta el café.	*—I like coffee.*
—Pues **a mí** me gusta el té.	*—Well, I like tea.*

▶ Google™ y YouTube™ BUSCA: the verb **gustar**

Heinle Grammar Tutorial: *Gustar* and similar verbs

¡A practicar!

A. Nuestras clases favoritas. ¿Qué clases les gustan a ti y a tus amigos?

MODELO   a mí y a mi mejor amigo / español
A mí y a Skyler nos gusta la clase de español.

1. a mi mejor amiga...
2. a... y...
3. a mi amigo...
4. a ti y a...
5. a... y a mí
6. a ti

B. Gustos. Con un(a) compañero(a), túrnense para decir qué actividades les gusta o no les gusta hacer a sus amigos. Cada uno(a) menciona a por lo menos tres amigos.

MODELO   **A mi amiga Paula le gusta leer. No le gusta mirar la tele.**

Vocabulario útil

bailar	lavar los platos
chatear en la computadora	limpiar la casa
correr	preparar la cena
escribir cartas	regresar a clases en el otoño
hablar por teléfono	salir de vacaciones
invitar a amigos a comer	tocar la guitarra

> «A cada pajarillo **le gusta** su nidillo». (proverbio)
>
> ___ *All birds like to nest.*
>
> ___ *A man's home is his castle.*

En preparación 4

4.1 Demonstrative adjectives*

Pointing out specific people, places, events, or things

Masculine			Feminine
este	this		esta
estos	these		estas
ese	that		esa
esos	those		esas
aquel	that (over there)		aquella
aquellos	those (over there)		aquellas

■ Demonstrative adjectives in English and Spanish are used to point out the relative distance of the speaker from a specific person, place, or thing.

1. When the person, place, event, or thing being pointed out is perceived to be at a physically close distance from the speaker, a form of **este** is used.

Este niño es muy inteligente.	*This child is very intelligent.*
Estas señoras son guías del museo.	*These ladies are guides in the museum.*

2. When perceived to be a little farther away from the speaker, a form of **ese** is used.

Esa mujer es mi esposa.	*That woman is my wife.*
Esos chicos son muy buenos.	*Those youngsters are very good.*

3. Finally, when perceived to be a far distance away from the speaker and the listener, a form of **aquel** is used.

Aquel hombre es mi profesor de español.	*That man (over there) is my Spanish professor.*
Aquellas computadoras son muy buenas.	*Those computers (over there) are very good.*

■ In Spanish, demonstrative adjectives must agree in *number* and *gender* with the nouns they modify.

Esas niñas son altas y delgadas.	*Those girls are tall and slim.*
Este señor es mi papá.	*This man is my father.*
Aquella joven baja y hermosa es mi hermana.	*That short and beautiful young woman is my sister.*

■ When referring to an abstract concept, an idea, a previous statement, or a situation—none of which has gender—or to an unknown object, the neuter forms of the demonstrative pronouns—**esto, eso,** and **aquello**—are used.

Eso es muy interesante.	*That is very interesting. (That idea or what you just said.)*
Esto es para ti.	*This is for you. (The object is intentionally being kept unknown.)*

⤴ Google™
BUSCA: Spanish demonstrative adjectives

Heinle Grammar Tutorial:
Demonstratives

*Demonstrative pronouns are explained in Appendix F.

¡A practicar!

A. ¡Nunca satisfecho! You are traveling in Mexico with a friend who is a constant complainer. What does your friend say when you go into a restaurant to eat?

MODELO   **Estos niños son terribles.**

	refrescos son muy caros
Este	sillas no son cómodas
Esta	restaurante es muy caro
Estos	comida está muy fría
Estas	mesero es antipático
	señoras hablan constantemente

B. ¡Yo soy su guía! You are enrolled in a special summer course at the university before you begin your first semester there. Your parents just drove you to the campus and before they leave, you are giving them a guided tour of the campus. What do you say as you point to various people and buildings?

MODELO   _____ edificio es la biblioteca.
                Ese edificio es la biblioteca.

1. _____ señor es el profesor de arte.
2. _____ estudiantes son mis compañeras de cuarto.
3. _____ casa es la casa del rector de la universidad.
4. _____ personas trabajan en la cafetería.
5. _____ edificio es la administración.
6. Y _____ autobús va a mi casa.

C. ¡Qué guapos somos! You and your roommate are talking about pictures you took when your parents visted your campus. Alternate pointing out who the various people in the pictures are. As you do so, replace the underlined word in each statement with the word in parentheses and make all other necessary changes.

1. Aquel señor es mi papá. Él es alto y simpático. (mamá)
2. Esa chica es mi amiga. Es baja y delgada. (chicos)
3. Aquellas muchachas rubias son mis hermanas. (amiga)
4. Esos edificios son muy modernos y originales. (casa)
5. Esta mujer es mi amiga. (hombres)
6. Ese auto rojo es de mi profesora de español. (bicicleta)

«A otro perro con **ese** hueso». (dicho popular)

___ Dogs love bones.

___ Tell it to the Marines!

4.2 Present tense of *e → ie* and *o → ue* stem-changing verbs

Describing activities

Certain Spanish verbs undergo an **e → ie** or **o → ue** vowel change in all persons, except the **nosotros** and **vosotros** forms, whenever the stem vowel is stressed.

e → ie: cerrar *(to close)*		o → ue: poder *(to be able; can)*	
cierro	cerramos	**pue**do	podemos
cierras	cerráis	**pue**des	podéis
cierra	cierran	**pue**de	**pue**den

Other frequently used stem-changing verbs are the following.

🔍 Google™ y YouTube™ BUSCA: Spanish stem-changing verbs

Heinle Grammar Tutorial: Stem-changing Verbs e → ie, o → ue

empezar (ie)	*to begin*	almorzar (ue)	*to have lunch*
entender (ie)	*to understand*	contar (ue)	*to count*
pensar (ie)	*to think; to plan*	dormir (ue)*	*to sleep*
perder (ie)	*to lose*	encontrar (ue)	*to find*
preferir (ie)*	*to prefer*	volar (ue)	*to fly*
querer (ie)	*to want*	volver (ue)	*to return*

NOTE: In this text, stem changes will always appear in parentheses after the verb when listed in the vocabulary section and in the Appendix. If two stem changes are indicated in parentheses, the first refers to the stem change in the present tense and the second to the stem change in the preterite tense.

¡A practicar!

A. ¡Qué diferente! How has your life changed since you began your university studies?

MODELO Mis clases (empezar) a las ocho de la mañana.
    Mis clases empiezan a las ocho de la mañana.

1. Mis profesores (pensar) que soy un buen estudiante.
2. (Dormir) tres o cuatro horas al día.
3. (Almorzar) una hamburguesa todos los días.
4. Yo nunca (encontrar) estacionamiento. ¡Es imposible!
5. Por eso (preferir) ir en bicicleta.
6. (Pensar) que mi vida en casa es más fácil.

B. Mis padres de vacaciones... ¡solos! Your parents are on vacation alone in Mexico City. Find out what they have planned for the day by completing the paragraph with the correct form of the verbs in parentheses.

Hoy nosotros _____ (pensar) ir al Museo Nacional de Antropología. Yo _____ (querer) aprender algo de la cultura azteca. Mi esposo _____ (preferir) ir de compras al mercado, pero yo _____ (pensar) que si nosotros _____ (empezar) muy temprano _____ (poder) ver todo lo que él _____ (querer) ver por la mañana y él _____ (poder) ir al mercado por la tarde. Él no _____ (entender) que para mí es imposible ver todo en un día. Pero no importa, mañana yo _____ (volver) a pasar todo el día aquí en el museo y él _____ (poder) ir de compras.

---

*All **-ir** stem-changing verbs also undergo a one-vowel change **e → i** or **o → u** in the present participle form of the verb: **prefiriendo, durmiendo.**

C. Somos guías. With a partner, get to know Felipe and David, museum guides in Mexico City, by completing the paragraph with the correct form of the verbs in parentheses. Then use this paragraph as a model to write a similar one about two working students that both of you know. If necessary make up information. Finally, read your paragraphs to the class.

Me llamo Felipe y mi amigo es David; somos guías aquí en el museo. David y yo hablamos inglés, francés y, por supuesto, español. Muchas personas no _____ (entender) español y _____ (preferir) una excursión en otro idioma. Nosotros _____ (empezar) a trabajar a las diez de la mañana. Las visitas _____ (empezar) a las diez y media de la mañana. A las dos de la tarde yo _____ (almorzar) en la cafetería del museo. David no _____ (almorzar) hasta las tres. Nosotros _____ (volver) al trabajo una hora y media después de almorzar. El museo _____ (cerrar) a las seis y media.

«Lo que mal **empieza,** mal acaba». (proverbio)

____ If you get off to a bad start, you're likely to fail.

____ He who begins many things, finishes but a few.

Paso 2

4.3 Numbers above 200

Counting and writing checks
CD2, Track 11

200	doscientos
225	doscientos veinticinco
300	trescientos
400	cuatrocientos
500	quinientos
600	seiscientos
700	setecientos
800	ochocientos
900	novecientos
1.000	mil
1.005	mil cinco
2.000	dos mil
7.000	siete mil
12.045	doce mil cuarenta y cinco
99.999	noventa y nueve mil novecientos noventa y nueve
154.503	ciento cincuenta y cuatro mil quinientos tres
1.000.000	un millón
25.100.900	veinticinco millones cien mil novecientos

■ When the numbers between 200 and 900 precede a feminine noun, they must end in **-as.**

| 300 camisas | trescient**as** camisas |
| 450 blusas | cuatrocient**as** cincuenta blusas |

Remember that the numbers between 30 and 90 always end in **-a.**

| ciento treint**a** hombres | cuatrocientos cincuent**a** libros |

■ **Mil** means *one thousand* or *thousand.* It is *never* preceded by **un.** Its plural, **miles,** meaning *thousands,* is never used when counting.

| 1.994 | mil novecientos noventa y cuatro |
| 100.000 | cien mil |

■ An even million is expressed as **un millón.** Two or more million are expressed with the plural form **millones.** When a number in the millions precedes a noun, it is always followed by **de.**

1.000.000	un millón
2.000.000	dos millones
habitantes: 4.000.000	cuatro millones **de** habitantes

■ In most Spanish-speaking countries, written numerals use a period where English uses a comma, and vice versa.

1.500 estudiantes	1,500 *students*
79,5 por ciento	79.5 *percent*

As in English, the year in a date is generally written without punctuation. However, where the numbers in a date in English are often expressed in pairs, Spanish uses whole numbers.

1632	*sixteen thirty-two*
1632	**mil seiscientos treinta y dos**

⟦↗⟧ **Google**™
Images y **YouTube**™
BUSCA: Spanish numbers

Heinle Grammar Tutorial:
Numbers

¡A practicar!

A. ¡A pagar cuentas! Imagine that you are spending your junior year abroad at the Universidad de las Américas in Puebla, Mexico. Today you are writing checks to pay your bills. Write out the following amounts.

1. alquiler: 630 pesos
2. comida con la Sra. Rocha: 269 pesos
3. matrícula: 4.579 pesos
4. libros: 315 pesos
5. televisión por cable/acceso a Internet: 519 pesos
6. préstamo del Banco Nacional: 7.753 pesos

B. ¡Presupuesto! How much do you (or your parents) spend on your education? Work out a budget for one semester by indicating how much you spend in each of the following categories. Then write out each number as if you were writing a check to cover that amount. **(¡En español, por supuesto!)**

1. habitación
2. comida
3. auto
4. libros
5. ropa
6. matrícula
7. diversiones

C. Concurso de dictado. You and your partner are going to have a dictation contest. Begin by reading the first date on your list while your partner writes it down in Spanish and then in Arabic numerals on a separate sheet of paper. Then your partner will read his/her list and you will write it in Spanish and then in Arabic numerals. Continue this way until you get through all the dates. Throughout the process, your partner should keep your list covered and you should keep your partner's list covered. Uncover the lists when you finish to compare what you have writtten and see who made the fewest errors.

Tu lista

1. Dos mil veinticinco
2. Mil novecientos sesenta y uno
3. Dos mil nueve
4. Mil quinientos treinta y cuatro

Lista de tu compañero(a)

5. Mil setecientos treinta y cuatro
6. Dos mil cincuenta
7. Mil ochocientos catorce
8. Dos mil quince

«En abril, aguas **mil**». (proverbio)

____ *April showers bring May flowers.*

____ *It always rains a lot in April.*

4.4 Comparisons of equality and inequality

Stating equivalence

When people and things share the same quality, use the following expression. Remember that the adjective must agree in number and gender with the subject.

tan + adjective + **como**

Esta falda es **tan cara como** la blusa.   *This skirt is as expensive as the blouse.*

🔍 Google™
BUSCA: Spanish comparisons of equality

Heinle Grammar Tutorial:
Comparisons of Equality and Inequality

¡A practicar!

A. Son gemelas. Tania and Tatania are identical teenage twins in every sense of the word. Compare the two of them.

> **MODELO**   simpático
> **Tania es tan simpática como Tatania.**

1. inteligente
2. rubio
3. alto
4. simpático
5. amable

B. No tienes que ser gemelo para…. You don't have to be a twin to be almost identical to other people. With a partner, come up with several comparisons of equality among your class-mates and/or friends.

> **MODELO**   **Caden y Jason son tan atléticos como Parker.**

Vocabulario útil

agresivo	flaco	motivado
alto	guapo	rubio
atlético	inteligente	simpático
bonito	interesante	¿…?

«**Tan** sinvergüenza es el pinto **como** el colorado». (refrán)

____ *It's hard to distinguish between two dishonest people.*

____ *All horses are dishonest.*

Comparing and contrasting

To compare people or things that share different qualities, use the following expression.

más/menos + adjective + **que**

Mi hermana es **más alta que** yo.   *My sister is taller than I.*
Tú estás **menos ocupado que** nosotros.   *You are less busy than we.*

Google™
BUSCA: Spanish
comparisons of
inequality

**Heinle Grammar
Tutorial:**
Comparisons
of Equality and
Inequality

▓ **Más** is the comparative of superiority, and **menos** is the comparative of inferiority. Note that **más** and **menos** always precede the adjective being used to compare.

▓ There are four adjectives with irregular comparatives.

mayor *older*   menor *younger*
mejor *better*   peor *worse*

¿Conoces a mi hermano **menor**?   *Do you know my younger brother?*
Este café es **peor** que el otro.   *This coffee is worse than the other one.*
¿Quién es **mayor,** tú o yo?   *Who's older, you or me?*

¡A practicar!

A. Sudamérica. Complete the following comparisons of Latin American countries. You may want to refer to the map in front of your textbook.

1. Ecuador es _____ grande _____ Venezuela.
2. La población de México es _____ numerosa _____ la población de España.
3. La civilización azteca es _____ antigua _____ la civilización maya.
4. Las reservas biológicas de Costa Rica son _____ abundantes _____ las de otro país en Centroamérica.
5. La historia de Nicaragua es _____ tormentosa _____ la de otros países centroamericanos.

B. ¡Hay varios restaurantes buenos! There are several restaurants near your university. To find out which are the best, ask your partner these questions. Your partner will respond by making comparisons of the food served. When you finish, decide among the two of you which are the best restaurants and inform the class.

MODELO   ¿Cuál es más cara?
                    La comida del restaurante... es más cara que la del restaurante....

1. ¿Cuál es más típica de México?
2. ¿Cuál es menos sabrosa?
3. ¿Cuál es más abundante?
4. ¿Cuál es más barata?
5. ¿Cuál es más rápida?
6. ¿Cuál es peor?

«A pesar de ser tan pollo, tengo **más** plumas **que** un gallo». (dicho popular)
____ *Some chicks are born with more feathers than a rooster.*
____ *He's very tough for his age.*

4.5 Idioms with *tener*

Expressing feelings, obligations, and age

An idiom is a group of words with a clear meaning in one language that, when translated word for word, doesn't make any sense or sounds strange in another language. For example, in English the expression *to be tied up at the office* means "to be busy" and not "to be tied up with ropes." Many ideas, both in English and in Spanish, are expressed with idioms and simply must be learned. Literal translation does not work with idioms.

Following is a list of idioms with the verb **tener** that are frequently expressed with the verb *to be* in English.

tener calor	*to be hot*
tener éxito	*to succeed, to be successful*
tener frío	*to be cold*
tener hambre	*to be hungry*
tener miedo de	*to be afraid of*
tener prisa	*to be in a hurry*
tener razón	*to be right*
no tener razón	*to be wrong*
tener sed	*to be thirsty*
tener sueño	*to be sleepy*
tener suerte	*to be lucky*
tener... años	*to be...years old*

Tengo mucha prisa ahora.	*I'm in a big hurry right now.*
Tenemos mucho calor y los niños **tienen mucha sed**.	*We're very hot, and the children are very thirsty.*

Other frequently used idioms with **tener** are the following.

tener que + *infinitive*	*to have to (do something)*
tener ganas de + *infinitive*	*to feel like (doing something)*

Tengo que estudiar ahora.	*I have to study now.*
No tengo ganas de comer.	*I don't feel like eating.*

⊿ Google™ y YouTube™ BUSCA: **tener** idioms

Heinle Grammar Tutorial: Verbal Expressions **(tener, haber, deber)**

¡A practicar!

A. ¿Cómo se sienten? Select the response that best explains each description.

1. La señora Rivera dice que necesita su suéter inmediatamente.
   a. Tiene frío.
   b. Tiene miedo.
   c. Tiene suerte.
2. El señor González necesita agua bien fría, ¡rápido!
   a. Tiene hambre.
   b. Tiene razón.
   c. Tiene sed.
3. Hace tres días que los niños no comen nada.
   a. Tienen prisa.
   b. Tienen hambre.
   c. Tienen éxito.

4. ¡Mi autobús sale en un minuto!
   a. Tengo que dormir.
   b. Tengo que leer.
   c. Tengo prisa.
5. Mi profesora insiste en que Colón llegó a América en 1492.
   a. Tiene prisa.
   b. Tiene razón.
   c. Tiene miedo.
6. ¡El señor Peña regresa de Las Vegas con cinco mil dólares!
   a. Tiene sueño.
   b. Tiene suerte.
   c. No tiene ganas.

B. Asociaciones. With a partner, alternate making the following statements and giving the appropriate responses to each one. Use **tener** idioms in your responses.

MODELO   No, hijo. 1 + 4 = 7
          No tiene razón.

1. ¡Pobres niños! Acaban de ver la película *Frankenstein*.
2. No puedo creerlo. ¡Es enero y mis abuelos andan en un crucero en Alaska!
3. ¿Cómo es posible? ¿Pediste *(You asked for)* cuántas hamburguesas?
4. Hoy todo el mundo está sufriendo. Hace 115°F de temperatura en Puerto Vallarta.
5. Ahora sí, hijo. 5 − 5 = 0
6. En Las Vegas gané *(I won)* $400 y en Atlantic City $999. Siempre...
7. Está muy cansado. Ya son las tres y media de la mañana.
8. ¡Corran, el tren sale en cinco minutos!

«Gran pena debe ser, **tener hambre** y ver comer». (proverbio mexicano)

____ *All food tastes good when you are hungry.*

____ *It must be very painful to see others eat when you are hungry.*

4.6 Preterite of *ir, ser, poder,* and *tener*

Narrating in past time

The preterite is a past tense. It is used to talk about what has already happened.

ir/ser		poder		tener	
fui	fuimos	pude	pudimos	tuve	tuvimos
fuiste	fuisteis	pudiste	pudisteis	tuviste	tuvisteis
fue	fueron	pudo	pudieron	tuvo	tuvieron

Nosotros **fuimos** ayer.	*We went yesterday.*
¿Cuándo **fue** la fiesta?	*When was the party?*
No **pude** ir.	*I wasn't able to go.*
Ellos no **tuvieron** tiempo.	*They didn't have time.*

- The preterite of **poder, tener,** and most irregular verbs is formed by adding **-e, -iste, -o, -imos, -isteis, -ieron** to their irregular stems: **poder: pud-** and **tener: tuv-**.

■ The preterite forms of **ser** and **ir** are identical. Context will clarify the meaning.

Anoche Joaquín **fue** a ver la película
Lo que el viento se llevó.
Vivien Leigh **fue** la actriz principal.

Last night Joaquín went to see the movie Gone
with the Wind.
Vivien Leigh was the leading actress.

⎙ Google™
BUSCA: preterite **ir**,
ser; preterite **poder**,
tener

**Heinle Grammar
Tutorial:** Preterite of
ir, ser, poder, tener

¡A practicar!

A. **¡Qué rutina!** You had a busy schedule yesterday. How busy was it?

MODELO   (Tener / yo) tres clases por la mañana.
            Tuve tres clases por la mañana.

1. A las ocho _____ (tener / yo) un examen.
2. El examen _____ (ser) largo y muy difícil.
3. Yo no _____ (poder) terminarlo.
4. Por la tarde, _____ (ir / yo) a mi trabajo.
5. Mi compañero no _____ (poder) ir a trabajar.
6. Entonces Miguel y yo _____ (tener) que trabajar hasta la noche.
7. ¡ _____ (Ser) un día terrible!

B. **Y ahora… de vacaciones.** You and three friends just returned from spending two weeks traveling in Mexico. Now two of your traveling buddies are sharing their experiences with their parents. With a partner, complete their paragraph with the correct past tense forms of the verbs in parentheses. Then use this as a model as you and your partner write a description of the trip to send your parents. Finally, share your paragraph with the class.

Nuestras vacaciones a México _____ (ser) excelentes. _____ (Poder / nosotros) visitar muchos lugares. Cerca de la Ciudad de México, _____ (ir / nosotros) a las ruinas de Teotihuacán. Allí Tomás _____ (poder) sacar fotografías extraordinarias, especialmente de las Pirámides del Sol y de la Luna. Cuando yo _____ (ir) al Museo Nacional de Antropología, _____ (poder / yo) comprar muchos recuerdos. El arte de México es fenomenal.

«El que se **fue** a la villa, perdió su silla». (dicho mexicano)
____ *If you go to a village, you are likely to be robbed.*
____ *Move your feet, lose your seat.*

En preparación 5

5.1 *Ser* and *estar:* A second look

Describing people and things and telling time

Ser is used

1. with adjectives to describe physical traits, personality, and inherent characteristics.
Tu habitación **es** grande.
Mamá **es** muy particular.
Los muebles viejos **son** más cómodos.

2. to identify people or things.
Yo **soy** estudiante de química y estos **son** mis libros de texto.

3. to express origin and nationality.
Somos de Bariloche; **somos** argentinos.

4. to tell of what material things are made.
¡Los muebles **son** de plástico!

5. to tell time.
¡Ya **son** las nueve!

6. with impersonal expressions (those that don't have a specific subject).
¿**Es** necesario vivir aquí?

7. to tell where an event takes place.
La fiesta **es** en la casa de Rossana.

Estar is used

1. with adjectives to describe temporal evaluation of states of being, behavior, and conditions.
Hijo, **estás** imposible hoy. *(behavior)*
El baño **está** sucio. *(condition)*

2. to indicate location.
El departamento **está** cerca del centro.

3. to form the progressive tense.
Carlos **está limpiando** el departamento.

4. with idiomatic expressions such as the following.

estar de acuerdo	*to agree with*
estar de moda	*to be in style*
estar enamorado de	*to be in love with*
estar seguro	*to be sure*

Google™ y YouTube™ BUSCA: **Ser** vs. **Estar**

Heinle Grammar Tutorial: Ser vs. **Estar**

¡A practicar!

A. ¡Pobre Eva! You just ran into your friends Eva and Ramón at the cafeteria and neither of them looks very happy. Complete the following paragraph with the appropriate form of **ser** or **estar** to see why the two of them, especially Eva, look so miserable today.

Eva y Ramón _____ en la cafetería. No _____ hablando mucho. Ellos _____ de San Antonio, pero ahora _____ aquí. Ellos _____ estudiantes de la universidad. Eva _____ inteligente y generalmente ella _____ muy simpática pero hoy _____ antipática. Eva _____ furiosa porque Ramón _____ muy ocupado y no puede salir con ella esta noche. Ramón tiene un examen importante mañana y él _____ muy nervioso. ¡Pobre Eva!

B. ¡Qué misterio! Mario really is quite misterious. He always sticks to himself and no one knows much about him. With a partner see what you can find out about Mario by taking turns as you use an item in each column to make complete sentences.

Mario		muy sucia
Él	es	limpiando la casa
Mario hoy	está	muy ocupados
Ahora	están	muy nervioso
Mario y sus compañeros	son	las diez de la mañana
Todos		de Nueva Jersey
La casa		un estudiante de filosofía

«**Somos** arquitectos de nuestro propio destino». (frase célebre)

____ *One is destined to be one's own arquitect.*

____ *Your future depends on you and what you do now.*

5.2 Prepositions

Expressing relationships of time, place, material, and possessions

■ Prepositions express relationships with respect to time, place, material, and possession, among others. The relationships may be between nouns (*vaso* **de** *vino*) or pronouns (*él está* **contra** *mí*) and the adjectives or verbs that refer to them (*¡Maneja* **con** *cuidado!*).

■ There are simple prepositions, which always consist of one word, and compound prepositions, which consist of two or more words. Following are some of the most commonly used simple and compound prepositions.

Compound Prepositions		Simple Prepositions	
a la izquierda/ derecha de	*to the left/ right of*	**a**	*to, at (with time)*
al lado de	*next to, beside*	**con**	*with*
antes de	*before*	**de**	*of, from*
cerca de	*near*	**desde**	*from*
debajo de	*under*	**en**	*in, at, on*
delante de	*in front of*	**entre**	*between*
después de	*after*	**para**	*for, in order to*
detrás de	*behind*	**por**	*for, by, through*
encima de	*on top of*	**sin**	*without*
enfrente de	*facing, opposite*	**sobre**	*over, on top of, about*
junto a	*next to, by*		
lejos de	*far from*		

Google™ **Images** y YouTube™ BUSCA: Spanish prepositions

El departamento está **detrás del** supermercado. También está **cerca de** la universidad.

The apartment is behind the supermarket. It's also near the university.

Heinle Grammar Tutorial: Compound Prepositions

¡A practicar!

A. A estudiar. Julia, a new friend of yours at your university, is walking out of her apartment. To find out what she plans to do, complete this paragraph with the appropriate prepositions.

Ahora voy _____ la biblioteca. Voy _____ estudiar _____ Inés. Necesito el libro _____ física que está _____ mi mochila. Por la tarde tengo una hora libre _____ *(before)* la clase de química y la de física. Para pasar el rato, voy al gimnasio, que está _____ *(far from)* la residencia pero _____ la facultad. Pero, ¿dónde están mis compañeros de clase de español? ¡Ah! Están _____ el laboratorio de lenguas, practicando _____ el examen del miércoles.

B. ¿Dónde está? You and your friend still have not found an apartment for next semester. Right now you are calling three apartment owners to find out where their buildings are located. What do they tell you? Take turns completing their statements.

1. El edificio está... (*at 162 Corrientes, behind the library and to the right of the supermarket*).
2. El departamento está... (*in front of the tall building at 145 San Isidro, not far from downtown*).
3. La residencia está... (*at 66 Rivadavia, to the left of the new bookstore*).
4. La oficina está... (*to the right, near the park*).
5. El hospital está... (*next to the office*).

«**Debajo de** la manta florida, está la culebra escondida». (refrán)

_____ *Danger lurks where you least expect it.*

_____ *Snakes look for warmth in flower beds.*

Paso 2

5.3 *Por* and *para*

Expressing direction and means

The prepositions **por** and **para** have many English equivalents, including *for*. **Por** and **para** are not interchangeable, however. Study the many meanings of **por** and **para.**

Por

- *By, by means of*
  ¿Mando el paquete **por** avión?   *Should I send the package by plane?*

- *Through, along*
  ¿Pasa el tren **por** aquí?   *Does the train pass through here?*

- *Because of*
  Estuvieron tristes **por** su amiga.   *They were sad because of their friend.*

- *During, in*
  Fueron allí **por** el verano.   *They went there in the summer.*

- *For: in place of, in exchange for*
  ¿Quién fue **por** ella?   *Who went in her place?*

- *For: for a period of time*
  Siempre jugamos **por** tres horas.   *We always play for three hours.*

Para

■ *In order to*
Para ganar, hay que practicar.   *In order to win, it is necessary to practice.*

■ *For: compared with, in relation to others*
Para ser futbolista, no es muy agresivo.   *For a soccer player, he is not very aggressive.*

■ *For: intended for, to be given to*
Estudiamos **para** el examen.   *We study for the test.*
Compré las entradas **para** tus padres.   *I bought the tickets for your parents.*

■ *For: in the direction of, toward*
De aquí se fueron **para** Lima.   *From here they left for Lima.*

■ *For: by a specified time*
Vamos a tener los resultados **para** mañana.   *We'll have the results for tomorrow.*

■ *For: in one's opinion*
Para nosotros, Maradona es el mejor.   *For us, Maradona is the best.*

📷 **Google**™ **Images** y **YouTube**™ BUSCA: **Por** vs. **Para**

Heinle Grammar Tutorial: Por versus **Para**

¡A practicar!

A. Los planes de Andrea. Your friend Andrea, who studies in San Francisco, is going next weekend to visit her parents in Lake Tahoe. What are her plans? Find out by filling in the blanks with **por** or **para**.

1. El sábado voy _____ la casa de mis padres.
2. _____ la mañana voy a salir temprano de casa.
3. ¿Por qué? Porque primero debo comprar un regalo _____ mi madre. Es su cumpleaños.
4. También voy a pasar _____ la pastelería.
5. Sí, por supuesto, _____ comprar una rica torta.
6. Pero ¡qué pena! El domingo _____ la tarde, ya debo regresar _____ prepararme _____ los exámenes finales.

B. En diciembre, ¡vacaciones! Alicia is from Arizona but she studies in Iowa. Find out what she does before the Christmas break by completing the paragraph with **por** or **para**.

Hoy debo estudiar _____ dos exámenes y el fin de semana voy a escribir mi composición _____ la clase de filosofía, y después de eso... ¡vacaciones! Salgo _____ mi casa el lunes _____ la mañana, y esta vez voy _____ avión. Ahora voy a estar con mi familia _____ todas las vacaciones. ¡Qué suerte!

C. ¡Viajes! Your friend Fernando has family spread all over the country. How does he keep in touch with everyone? To find out, complete his ideas with **por** or **para**.

1. _____ ir a visitar a mis primos en Seattle, _____ mí, es mejor ir _____ tren.
2. Tengo primas que viven cerca de la universidad. _____ ir a su casa el camino es más corto si paso _____ Sacramento.
3. Tengo que comunicarme _____ teléfono con mis padres. Ellos viven en Lexington.
4. Cuando mis padres me visitan, _____ ellos, es más fácil viajar _____ avión.
5. _____ mis tíos, el viaje es más fácil. Ellos solo necesitan tomar el subte _____ llegar a mi departamento.

D. Paso por ahí. How does Mónica get to school every day? With your partner, answer the question by completing this paragraph with **por** or **para.** Then together, use this paragraph as a model to write a short paragraph telling how you get to the university every day. You may need to stretch the truth a little bit.

_____ llegar a la universidad tomo el colectivo que pasa _____ la Avenida Santa Fe. Siempre viajo en colectivo porque es más barato que ir en auto. Después de bajarme del colectivo tengo que pasar _____ la Plaza San Antonio. Tomo el colectivo en la Avenida Central y continúo caminando _____ la calle San Ramón _____ llegar a la Facultad de Filosofía. _____ la tarde, hago parte del camino a pie _____ evitar todo el tráfico del centro.

> «El agua **por** San Marcelino*, buena **para** el pan, mejor **para** el vino». (refrán)
>
> ____ Holy water, blessed by St. Marcelino, makes good bread and great wine.
>
> ____ Rain that falls in June is good for the harvest of wheat and still better for the grapevine.

5.4 Adverbs of time and frequency

Expressing time and frequency

Adverbs are words that qualify or modify an adjective, a verb, or another adverb. There are many types of adverbs. Some common adverbs of time and frequency are the following.

ahora	_now_
anoche/de noche	_last night/at night_
a veces	_sometimes_
nunca	_never_
siempre	_always_
tarde	_late_
temprano	_early_
todos los días	_every day_

Google™ y Google™ Images
BUSCA: Spanish adverbs of time

Ahora necesito ver la casa.	_I need to see the house now._
Siempre pedimos el alquiler con un mes de adelanto.	_We always ask for the rent one month in advance._

¡A practicar!

A. ¿Qué? In Spanish, tell some things that you . . .

1. never do.
2. always do late.
3. do once in a while.
4. always do early.
5. do nowadays.
6. sometimes do.

B. ¿Con qué frecuencia? Ask your partner with what frecuency he does these things. Then your partner will ask you the same questions.

Vocabulario útil

a veces   nunca   siempre   todas las semanas   todos los días

1. llegar tarde a sus clases
2. ir a la iglesia
3. hacer la tarea
4. limpiar su cuarto
5. trabajar hasta la medianoche
6. jugar al fútbol en la nieve (snow)
7. ¿...?

*el 2 de junio

Paso 3

5.5 Comparisons: Actions and quantities

Stating equivalence

▨ **Equivalent actions**

When comparing equivalent actions, the following formula is used.

verb +	tanto como

Miguel **viaja tanto como** yo.   *Miguel **travels as much as** I do.*
Ustedes no **están produciendo tanto como** nosostros.   *You are not **producing as much as** we are.*

▨ **Equivalent quantities**

When comparing equivalent amounts of things, the following formula is used.

verb +	tanto/tanta/tantos/tantas	noun +	como

Sandra **tiene tantos problemas* como** tú.   *Sandra **has as many problems as** you.*
Hoy **espero tantas cartas* como** ayer.   *Today, **I expect as many letters as** yesterday.*

🔲 **Google™**
BUSCA: Spanish comparisons of equality

Heinle Grammar Tutorial:
Comparisons of Equality

¡A practicar!

A. **¡Hermanitos!** Little brothers are the same everywhere; they always do exactly what their big brothers do. Tell what you do and what your little brother does.

     MODELO   hacer ejercicio tres días por semana
                      Yo hago ejercicio tres días por semana y mi hermanito hace tanto ejercicio como yo.

1. ir al cine una vez por semana
2. tener tres ositos de peluche
3. ver deportes en la tele todos los días
4. nadar en la piscina
5. comer pizza dos veces por semana
6. tener muchos amigos

🔲 **B.** **Comparando familias.** Compara tu familia con la de tu compañero(a).

     MODELO   Tú: **Tengo cuatro tías.**
     Compañero(a): **No tengo tantas tías como tú. Solo tengo dos tías.** o
                              Tengo tantas tías como tú. Tengo cuatro tías también. o
                              Tengo más tías que tú. Tengo seis tías.

*Note: The number and gender of the object being compared determines whether **tanto, tantos, tanta, tantas** is used.

Comparisons of inequality

When comparing or contrasting actions, use the following formula:

verb +	más/menos +	que

Google™
BUSCA: Spanish comparisons of inequality

Heinle Grammar Tutorial:
Comparisons of Equality and Inequality

Santiago **compra más que** su madre.   *Santiago **shops more than** his mother.*
Raramente **duermo menos que** tú.   *I rarely **sleep less than** you.*

¡A practicar!

A. **¿Más o menos?** How do you compare the members of your family with regard to the following?

MODELO   gastar
Mi hermano gasta más que mi hermana. o
Mi madre gasta menos que todos.

1. manejar por la ciudad
2. comer fuera (*eat out*)
3. ir de compras
4. visitar a mis abuelos
5. usar el teléfono
6. chatear en la computadora

B. **¿Y sus amigos?** With a partner, compare yourselves to your classmates with regard to the following activities.

MODELO   TÚ: **Yo estudio más que todos mis compañeros de clase.**
COMPAÑERO(A): **No es verdad. Tú no estudias tanto como yo.**

Vocabulario útil

más que   menos que   tanta(s) como   tanto(s) como

1. practicar español
2. salir de noche
3. cocinar
4. ir en colectivo
5. trabajar
6. ¿...?

«La alegría es un tesoro que **vale más que** el oro». (proverbio)

_____ *Happiness is a treasure worth more than anything.*
_____ *Money brings happiness.*

5.6 Adverbs derived from adjectives

Expressing how an event happened

Many adverbs are directly derived from adjectives.

▥ Adverbs are commonly formed from adjectives by adding -**mente** to the feminine singular form of the adjective. This is equivalent to adding -*ly* in English. Written accents on adverbs formed this way are required only if they appear on the adjective form.

tranquilo(a)	**tranquilamente**	*leisurely, calmly*
lento(a)	**lentamente**	*slowly*
rápido(a)	**rápidamente**	*rapidly, fast*

▥ Adjectives that do not have a separate feminine form add -**mente** to the singular form.

total	**totalmente**	*totally*
cortés	**cortésmente**	*courteously*
fuerte	**fuertemente**	*strongly, loudly*

▥ When two or more adverbs occur in a series, only the last one takes the -**mente** ending; the others use the feminine, singular form of the adjective.

El gato camina **silenciosa y lentamente** por la casa.
*The cat walks **silently and slowly** throughout the house.*

▥ Adverbs are normally placed *before* adjectives or *after* the verb they modify.

El tren es **poco** rápido.
*The train is **not very** fast.*

Lo golpearon **violentamente**.
*They beat him **violently**.*

⚐ **Google**™
BUSCA: Spanish adverbs derived from adjectives

Heinle Grammar Tutorial: Formation of Adverbs

¡A practicar!

A. **¡Simplemente el mejor!** You are explaining to your friends why you think your roommate is an excellent security guard. What do you say? Answer by changing the adjectives in parentheses to adverbs.

1. Él trabaja _____ (serio).
2. Cuando hay una emergencia él llega _____ (inmediato).
3. Se dedica _____ (total) a su trabajo.
4. Él siempre sabe _____ (exacto) qué hacer en una emergencia.
5. Él siempre piensa _____ (cuidadoso y lógico) antes de actuar.
6. Hace _____ (rápido) todo lo que sus jefes le piden.
7. Siempre habla con el público muy _____ (cortés).
8. En una emergencia, él actúa _____ (inteligente y eficaz).

B. **¡Un incidente en el Miramar!** A friend is explaining what happened last night at the Miramar Restaurant. Working with a partner, complete her report. Then, using her description as a model, write a brief description of a similar incident that the two of you observed. If necessary, invent one. Read your description to the class.

La policía llega _____ (rápido) y captura al ladrón _____ (inmediato). Luego salen todos del restaurante _____ (tranquilo), pero al subir al carro policial, el ladrón reacciona _____ (violento). El jefe de la policía habla _____ (cortés) con los periodistas y los clientes del restaurante. Luego agradece (*expresses appreciation*) _____ (sincero) la cooperación de los meseros del lugar.

«Usa tu mente **sabiamente**». (refrán)

____ *Think before speaking.*
____ *Use your head wisely.*

En preparación **6**

6.1 Preterite of regular verbs

Providing and requesting information about past events

Spanish has two simple past tenses: the preterite and the imperfect. In this chapter you will study various uses of the preterite. Following are the preterite verb endings for regular verbs.

Preterite: *-ar* verb endings		Preterite: *-er, -ir* verb endings	
hablar		**comer**	
habl-**é**	habl-**amos**	com-**í**	com-**imos**
habl-**aste**	habl-**asteis**	com-**iste**	com-**isteis**
habl-**ó**	habl-**aron**	com-**ió**	com-**ieron**

encontrar		vender		recibir	
encontr**é**	encontr**amos**	vend**í**	vend**imos**	recib**í**	recib**imos**
encontr**aste**	encontr**asteis**	vend**iste**	vend**isteis**	recib**iste**	recib**isteis**
encontr**ó**	encontr**aron**	vend**ió**	vend**ieron**	recib**ió**	recib**ieron**

▥ The preterite is used to describe an act that has already occurred; it focuses on the beginning, the end, or the completed aspect of an act. The preterite is translated in English as the simple past or as *did* + verb.

Encontré los boletos.	*I found the tickets.*
	I did find the tickets.
¿**Vendiste** el coche?	*You sold the car?*
	Did you sell the car?

▥ Note that in the preterite, the first- and third-person singular endings of regular verbs *always* require a written accent on the last vowel.

Regresé a eso de las once.	*I returned at about 11:00.*
La policía lo **arrestó** anoche.	*The police arrested him last night.*

▥ Note also that the first-person plural endings (the **nosotros(as)** forms) of **-ar** and **-ir** verbs are identical to the present indicative endings. Context determines whether the verb is in the past, the present, or the future.

Mañana **jugamos** en Ocós.	*Tomorrow we play in Ocós.*
Ayer **jugamos** en Antigua.	*Yesterday we played in Antigua.*

▥ All stem-changing **-ar** and **-er** verbs in the present tense are *regular* in the preterite. Stem-changing **-ir** verbs in the preterite will be discussed in **Capítulo 10.**

Encontraron el avión en Petén.	*They found the plane in Petén.*
¿**Entendiste** las noticias?	*Did you understand the news?*
Perdieron el campeonato, ¿verdad?	*They lost the championship, right?*

⟦↗⟧ **Google**™ y **YouTube**™ BUSCA: preterite regular verbs; preterite

Heinle Grammar Tutorial: Preterite Part 1

¡A practicar!

A. Noticias. Paula está leyéndole las noticias a su esposo mientras él prepara el desayuno. ¿Qué le dice ella? Al contestar, completa estas oraciones con el pretérito.

1. La policía _____ (arrestar) al ladrón.
2. El presidente y su esposa _____ (recibir) al presidente de Guatemala.
3. Unos niños _____ (encontrar) un millón de dólares.
4. Una actriz _____ (vender) sus diamantes.
5. El equipo de Antigua _____ (perder) anoche.

B. Me interesan los detalles. El marido de Paula está muy interesado en lo que pasó ayer. Tú vas a decir qué pregunta el marido de Paula y tu compañero(a) va a inventar las respuestas de Paula.

1. ¿ _____ (encontrar) tú el libro que perdiste *(you lost)*?
2. ¿Cuándo _____ (llegar) tus padres a su casa tras la fiesta?
3. ¿Dónde _____ (comprar) ese perfume tan bueno?
4. ¿Sabes si yo _____ (dejar) mi coche dentro del garaje anoche?
5. ¿Contra quién _____ (jugar) tu equipo favorito?
6. ¿Crees que nosotros _____ (ganar) la lotería anoche?

> «**Salió** peor el remedio que la enfermedad». (proverbio)
>
> ____ *The worst illness is one without remedy.*
>
> ____ *The solution was worse than the problem.*

Paso 2

6.2 Preterite of verbs with spelling changes

Describing in past time

▪ To maintain the consonant sound of the infinitive, verbs that end in **-car, -gar,** and **-zar** undergo a spelling change in the preterite in the first person singular. (These rules apply not only to verbs in the preterite but to verbs in any tense whenever the following circumstances occur.)

1. Ending in **-car: c** changes to **qu** in front of **e**
   sacar: sa**qué,** sacaste, sacó...
   buscar: bus**qué,** buscaste, buscó...

2. Ending in **-zar: z** changes to **c** in front of **e**
   empezar: empe**cé,** empezaste, empezó...
   comenzar: comen**cé,** comenzaste, comenzó...

3. Ending in **-gar: g** changes to **gu** in front of **e**
   llegar: lle**gué,** llegaste, llegó...
   jugar: ju**gué,** jugaste, jugó...

▪ Whenever an unstressed **i** occurs between two vowels, it changes to **y.** Note that these verbs require a written accent in all persons except the third-person plural and **ustedes** forms.

leer		creer		oír	
leí	leímos	creí	creímos	oí	oímos
leíste	leísteis	creíste	creísteis	oíste	oísteis
leyó	leyeron	creyó	creyeron	oyó	oyeron

Google™
BUSCA: preterite spelling changes

Heinle Grammar Tutorial: Preterite Part IV

¡A practicar!

A. ¡Qué día! Ayer Angélica tuvo un día terrible. ¿Qué pasó?

Ayer (yo) _____ (empezar) el día con el pie izquierdo *(wrong side of the bed)*. Cuando _____ (comenzar) a preparar el café, _____ (oír) sonar el teléfono. Era mi mamá. Ella _____ (hablar) más de una hora. Luego _____ (buscar) las llaves de mi auto pero no las _____ (encontrar). Finalmente (yo) _____ (decidir) tomar el autobús, pero _____ (llegar) muy tarde a la parada. Yo _____ (regresar) a casa y no _____ (salir) el resto del día.

B. Norberto. Por lo general, Norberto lleva una vida muy aburrida. Con tu compañero(a), completa este párrafo para saber qué pasó ayer en la vida de Norberto. Luego, usen este párrafo como modelo para escribir un breve párrafo explicando qué pasó ayer en su vida. Lean su párrafo a la clase.

Norberto: «Ayer _____ (llegar) tarde a clase. Después de clase _____ (practicar) fútbol por dos horas. Cuando _____ (volver) a casa, _____ (preparar) la cena y _____ (leer) el periódico. Por la noche no _____ (empezar) a hacer mi tarea hasta que _____ (llegar) mi amigo Ricardo. Ricardo y yo _____ (estudiar) dos o tres horas. De repente Ricardo _____ (oír) un ruido. Yo _____ (buscar) por todas partes pero no _____ (encontrar) a nadie. ¡Parece que Ricardo tiene una imaginación muy activa!»

«Huyendo del toro **cayó** en el arroyo». (proverbio)

____ *The bull was running so hard, it tripped and fell in the stream.*

____ *Running away from the problem made it worse.*

Paso 3

6.3 Preterite of *estar, decir,* and *hacer*
Narrating about the past

estar		decir		hacer	
estuve	estuvimos	dije	dijimos	hice	hicimos
estuviste	estuvisteis	dijiste	dijisteis	hiciste	hicisteis
estuvo	estuvieron	dijo	dijeron	hizo	hicieron

🔼 Google™ y YouTube™ BUSCA: preterite **estar**; preterite **decir**; preterite **hacer**

Heinle Grammar Tutorial: Preterite Part V & VI

Note that these irregular verbs do not have written accents in the preterite.

¿Quién **hizo** eso?
Te **dije** que yo lo **hice** ayer cuando **estuve** aquí.

Who did that?
I told you I did it yesterday when I was here.

¡A practicar!

A. En busca de empleo. Completa el párrafo que sigue para saber qué pasó cuando Martín visitó Guatemala.

El verano pasado _____ (estar/yo) dos meses en Guatemala. Yo les _____ (decir) a mis padres: «Voy a vender mi carro. Necesito dinero porque quiero conocer Centroamérica». _____ (hacer) mis planes y el itinerario con un agente de viajes para pasar un mes en Centroamérica. Pero finalmente _____ (estar) por mucho más tiempo. Mi amigo Hernán me _____ (decir): «No puedes visitar Guatemala sin conocer Antigua. ¡Es impresionante!». La verdad es que tenía razón. _____ (estar/yo) en Antigua casi un mes completo. De allí _____ (ir/yo) a Tikal. ¡La vegetación, la naturaleza, las ruinas de Tikal y la gente son excelentes! Ellos me _____ (hacer) muchas comidas locales, y todas exquisitas. El próximo verano definitivamente tengo que volver, pero, ¿qué carro voy a vender ahora?

B. Cumpleaños. Con tu compañero(a), completa este párrafo para saber cómo celebraron el cumpleaños de Jaime. Luego, usen este párrafo como modelo para escribir un breve párrafo explicando cómo celebraron el cumpleaños de uno de sus amigos. Lean su párrafo a la clase.

Ayer fue el cumpleaños de Jaime. Jorge, su compañero de cuarto, _____ (organizar) una fiesta para él. Marta y yo _____ (ir) a la tienda para comprar champán. Carmen _____ (hacer) un pastel delicioso. Isabel y Juana _____ (hacer) unos sándwiches. Todos nosotros _____ (ir) a la casa de Jorge y esperamos a Jaime. Cuando Jaime _____ (llegar) todos le _____ (decir): «¡Felicitaciones!». La fiesta _____ (estar) estupenda. Jaime _____ (decir): «Fue la mejor fiesta de cumpleaños de mi vida».

«No se **hizo** la miel para la boca del asno». (refrán)

____ *This is too good for you.*

____ *A donkey's mouth does not taste of honey.*

6.4 The pronoun *se:* Special use

Making announcements

When writing notices such as classified ads, placards, recipes, and signs on windows or walls, the pronoun **se** is used in Spanish.

Se alquilan bicicletas.	*Bicycles for rent.*
Se necesita secretaria.	*Secretary wanted.*
Se habla inglés aquí.	*English spoken here.*
Se prohíbe estacionar.	*No parking.*

Note that the verb form following **se** is in the third-person singular when followed by a singular noun or an infinitive (**secretaria, inglés, estacionar**) and in the third-person plural when it is followed by a plural noun (**bicicletas**).

Google™
BUSCA: pronoun **se**

¡A practicar!

A. Anuncios. Imagínate que trabajas en el departamento de anuncios clasificados en las oficinas de un periódico de tu ciudad. Prepara algunos anuncios.

MODELO   vender / bicicleta nueva
              Se vende bicicleta nueva.

1. vender / televisor en buen estado
2. buscar / apartamento en el centro
3. vender / casa grande
4. necesitar / dos mecánicos
5. buscar / camarero competente

B. Ventas. Tú y tu compañero(a) están leyendo los anuncios clasificados en *Prensa Libre.* Decidan qué dicen los anuncios. Luego escriban otros cinco anuncios que fácilmente se pueden encontrar en un periódico de su ciudad universitaria. Lean sus anuncios a la clase.

1. vender / casa en lago de Atitlán
2. necesitar / alquilar casa cerca de Tolimán
3. comprar / todo tipo de artesanía maya-quiché
4. buscar / habitación para dos estudiantes en Antigua
5. reparar / coches

«Santa Rita, Rita, lo que **se** da, no **se** quita». (dicho popular)

____ *Saint Rita gives but does not take away.*

____ *Once you give a gift, you don't take it back.*

En preparación 7

7.1 Direct-object nouns and pronouns
Agreeing and disagreeing, accepting and refusing

■ Direct-object nouns and pronouns answer the questions *Whom?* or *What?* in relation to the verb of the sentence.

I'll see <u>her</u> tonight.	*(Whom will I see? Her.)*
They have <u>my tickets</u>.	*(What do they have? My tickets.)*

Identify the subjects and direct objects in the following sentences and check your answers.*

1. She doesn't expect her surprise birthday party.
2. Can you hear them now?
3. Shall I put flowers on this table?
4. Bring it tomorrow.

■ In Spanish, whenever the direct object is a specific person or persons, an **a** is *always* placed before it. This personal **a** is never translated into English.

¿Por qué no invitamos **a** tus padres?	*Why don't we invite your parents?*
En 2008 visité Bogotá.	*In 2008 I visited Bogotá.*
Siempre traen **a** Gloria.	*They always bring Gloria.*

■ Direct-object pronouns replace direct-object nouns. The direct-object pronouns in Spanish are shown below.

Singular		Plural	
me	me	**nos**	us
te	you *(fam.)*	**os**	you *(fam.)*
lo/la	you *(formal, m./f.)*	**los/las**	you *(formal, m./f.)*
lo	him, it *(m.)*	**los**	them *(m.)*
la	her, it *(f.)*	**las**	them *(f.)*

■ Direct-object pronouns must be placed *directly* in front of a conjugated verb.

Te amo.	*I love you.*
Nunca **me** escuchas.	*You never listen to me.*
Yo **la** quiero mucho.	*I love her very much.*

■ The direct-object pronoun may follow and be attached to an infinitive or a present participle.

Voy a traer**los** mañana. **Los** voy a traer mañana. }	*I'm going to bring them tomorrow.*
Está esperándo**me** ahora. **Me** está esperando ahora. }	*He's waiting for me now.*

Note that when a direct-object pronoun is attached to a present participle, a written accent is required to maintain the original stress: **esperando —> esperándome.**

Google™ y YouTube™ BUSCA: Spanish direct object pronouns

Heinle Grammar Tutorial: Direct object pronouns

*Answers: 1. *subject*: She / *direct object*: party; 2. *subject*: you / *direct object*: them; 3. *subject*: I / *direct object*: flowers; 4. *subject*: (you) / *direct object*: it

¡A practicar!

A. Examen. Juanita is taking the placement exam at the **Universidad Nacional de Colombia.** How does she answer the examiner's questions?

PROFESOR: ¿Me ves bien de allí?

JUANITA: Sí, profesor. _____ veo bien.

PROFESOR: ¿Tienes un lápiz número 2?

JUANITA: Sí, _____ tengo.

PROFESOR: ¿Escuchas bien el CD?

JUANITA: Sí, _____ escucho muy bien.

PROFESOR: ¿Me escuchas bien a mí y a la profesora Salas?

JUANITA: Sí, _____ escucho muy bien a los dos.

PROFESOR: ¿Entiendes bien las instrucciones?

JUANITA: Sí, sí, _____ entiendo.

PROFESOR: Bien, entonces empecemos.

B. ¿Me quieres? Pancho is unsure about his relationship with Salomé. He is now drilling her with dozens of questions about him- and herself. What does he ask and how does she respond?

MODELO   amar intensamente / a mí
         PANCHO: **¿Me amas intensamente?**
         SALOMÉ: **Sí, te amo intensamente.**

1. desear / a mí
2. comprender / a mí
3. admirar / a mí
4. querer para siempre / a mí
5. perdonar siempre / a mí
6. esperar todos los días / a mí

C. ¿Qué hacen ustedes? You are at a party and a new friend asks you several questions regarding you and your boyfriend (girlfriend). How do you answer?

MODELO   ¿Ven videos juntos *(together)*? ¿Dónde?
         Sí, los vemos en mi apartamento. o
         No, no los vemos juntos.

1. ¿Ven la televisión juntos? ¿Dónde?
2. ¿Escuchan discos juntos? ¿Dónde?
3. ¿Leen novelas o periódicos juntos? ¿Dónde?
4. ¿Preparan comidas juntos? ¿Dónde?
5. ¿Hacen las tareas juntos? ¿Dónde?
6. ¿Lavan el auto juntos? ¿Dónde?

D. ¡Qué casualidad! You and your new friend realize that you both love Colombia. What do you ask each other? How do you each respond? Alternate asking and answering.

MODELO   visitar / museo Fernando Botero
         —**¿Visitaste el museo Fernando Botero?**
         —**Sí, lo visité.** o **No, no lo visité.**

1. leer / la novela *Cien años de soledad*
2. visitar / el Museo del Oro
3. recorrer / las calles de Barranquilla
4. admirar / la periodista Sonia Uribe
5. escuchar / Shakira y Juanes
6. ver jugar al fútbol / a Faustino Asprilla

«El que tiene tienda, que **la** atienda». (dicho colombiano)

____ You need to look after your own things.

____ If you own the store, you have to work in it.

7.2 Irregular *-go* verbs

Telling what people do, say, or hear

In **Capítulo 2**, you learned the irregular verbs **tener, salir,** and **venir.** Following are several other Spanish verbs that have the same irregular ending in the **yo** form in the present tense: **-go.** Note that some of these verbs also have stem changes.

🔗 Google™ y
YouTube™ BUSCA:
Spanish irregular
-go verbs

**Heinle Grammar
Tutorial:**
Verbs with Irregular
First Persons

hacer	traer	poner	decir	oír
to do, make	*to bring*	*to put*	*to say, tell*	*to hear*
hago	traigo	pongo	digo	oigo
haces	traes	pones	dices	oyes
hace	trae	pone	dice	oye
hacemos	traemos	ponemos	decimos	oímos
hacéis	traéis	ponéis	decís	oís
hacen	traen	ponen	dicen	oyen

¡A practicar!

A. ¡No hay como un buen tinto colombiano! In Colombia, **un tinto** refers to black coffee. What does this person do when he is feeling a little depressed? To find out, complete the following paragraph with the appropriate form of the verb in parentheses.

Cuando yo estoy deprimido, siempre _____ (tener) mucho sueño y generalmente me _____ (hacer) un buen tinto. Todo el mundo _____ (decir) que el café no es bueno para la salud *(health)* pero nosotros, los colombianos, _____ (decir) que el tinto es ideal para la depresión. Yo nunca _____ (poner) demasiado azúcar *(sugar)* en mis tintos. Cuando yo _____ (llevar) café a las fiestas, siempre _____ (oír) lo que dicen todos: —¡Mmm! ¡Está delicioso!

B. Buena impresión. Raúl is from Medellín, the city of eternal spring, where flowers are abundant year round. María is dating Raúl. To find out what a typical date is like from her point of view, complete the following statements with the appropriate form of the verb in parentheses.

1. Cuando Raúl _____ (venir) a nuestra casa, siempre _____ (traer) unas orquídeas para mi mamá.
2. Mamá siempre _____ (decir) que las orquídeas son lindísimas.
3. Yo siempre las _____ (poner) en un florero y luego _____ (poner) el florero en la mesa.
4. Mi mamá y mi abuelo _____ (hacer) su refresco preferido, ponche.
5. Mi papá _____ (decir) que es obvio que nosotros queremos impresionarlo.

C. ¡Qué caballero! Now, working with a partner, complete the following paragraph with the appropriate form of the verb in parentheses to see Raúl's point of view. Then, with your partner, write a short paragraph telling what you do when you go to your girlfriend's/boyfriend's parents' home. Your instructor will call on volunteers to read their paragraph to the class.

Cuando yo _____ (venir) a tu casa siempre _____ (hacer) todo lo posible para impresionar a tu familia. Generalmente _____ (traer) orquídeas para tu mamá. A veces hasta _____ (traer) algo para tu papá. Yo sospecho que ellos lo agradecen *(appreciate)* porque _____ (oír) sus comentarios. Yo siempre _____ (decir) que la cortesía es muy importante.

«Oye lo que yo **digo** y no mires lo que **hago**». (refrán)

____ *Do as I say, not as I do.*

____ *Listen to what I say, and don't stare at me.*

7.3 Present tense of *e —> i* stem-changing verbs

Stating what people do

In **Capítulo 4,** you learned that some Spanish verbs have an **e —> ie** or an **o —> ue** vowel change whenever the stem vowel is stressed. A number of **-ir** verbs have an **e —> i** vowel change.

pedir		seguir	
to ask for		*to follow*	
pido	pedimos	sigo	seguimos
pides	pedís	sigues	seguís
pide	piden	sigue	siguen

Other frequently used **e —> i** stem-changing verbs include **decir** *(to say, tell)*, **repetir** *(to repeat)*, **vestir** *(to dress)*, and **servir** *(to serve)*. Note that derivatives of these verbs will also be stem-changing: **conseguir** *(to get, obtain)* and **despedir** *(to fire, dismiss)*. Remember that all **-ir** stem-changing verbs undergo a one-vowel change in the present participle:

e —> ie	o —> ue	e —> i
divirtiendo	durmiendo	pidiendo
prefiriendo	muriendo	siguiendo
sintiendo		diciendo

Heinle Grammar Tutorial:
Stem-changing Verbs e —> i

¡A practicar!

A. Dietas. What do these people think about dieting?

1. Yo siempre _____ (pedir) fruta; nunca _____ (pedir) postres.
2. Yo _____ (seguir) una dieta que me permite comer de todo.
3. Mi médico _____ (repetir) constantemente: «No es necesario estar a dieta, pero sí es necesario hacer ejercicio».
4. Pues yo solo voy a restaurantes donde _____ (servir) comida vegetariana.
5. Yo no _____ (seguir) los consejos de nadie. ¡Yo como lo que quiero, cuando quiero!

B. En un café de Cali. Justino, who has been spending his junior year studying in Cali, Colombia, has invited several of his friends for a farewell reunion as the school year comes to an end. Complete the following paragraph with the appropriate form of the verb in parentheses to find out what they do when they get to their favorite café.

Nosotros _____ (seguir) a Justino a una mesa grande. Él _____ (conseguir) sillas para todos y _____ (pedir) cervezas para Pedro y María. Él, Carmen y yo _____ (decir) que preferimos un refresco. Cuando la mesera _____ (servir) las bebidas, todos nosotros _____ (decir): —¡Salud!

C. Una noche con Miguel. Virginia Salazar always enjoys going out with Miguel, a Colombian friend. With a partner, complete the following paragraph with the appropriate form of the verb in parentheses to find out why. Then together write a brief paragraph telling what you do that makes your dates special. Your instructor will call on individuals to read their paragraphs to the class.

Cuando Miguel y yo _____ (salir), siempre es divertido. Él siempre se _____ (vestir) elegantemente. Nosotros nunca _____ (repetir) las mismas actividades; siempre _____ (hacer) algo diferente. Por ejemplo, a veces vamos a un restaurante colombiano que _____ (servir) comida exquisita. Él _____ (pedir) unos platos colombianos deliciosos. Todos los meseros conocen a Miguel y _____ (servir) la comida inmediatamente.

«El que la **sigue**, la **consigue**». (refrán)

____ *A determined stalker gets what he wants.*

____ *Only those who are tenacious enough, reach their objective.*

7.4 Review of direct-object nouns and pronouns

Referring to people and things indirectly

▦ Direct-object nouns answer the question *Whom?* or *What?* in relation to the verb. Identify the subjects and direct objects in the following sentences.*

1. Te adoro, Rodolfo. Y tú, ¿me amas?
2. Yo no lo puedo creer. Dice que ya no me quiere.

▦ Direct-object pronouns are always placed directly in front of a conjugated verb, but may be attached to the end of an infinitive or a present participle. They are always attached to an affirmative command. Identify the direct-object pronouns in the following sentences.†

1. ¿Bebidas alcohólicas? ¡Las detesto!
2. Mis abuelos me quieren mucho pero no me permiten salir de noche.
3. —Llámanos al llegar, por favor.
   —Sí, los llamo. Lo prometo.

Heinle Grammar Tutorial: Direct Object Pronouns

Note that, as with the case of present participles, when a direct-object pronoun is attached to an affirmative command of two or more syllables, a written accent is required to maintain the original stress: **Llama > Llámanos.**

¡A practicar!

A. ¿Quién va a traerlos? Your Spanish teacher is throwing a party this weekend for everyone in your class. Of course, all of you volunteered to help out! Answer these questions by telling who in your class is doing these things.

MODELO   ¿Quién va a traer los discos? (Francisco)
Francisco va a traerlos. o
Francisco los va a traer.

1. ¿Quién va a traer la bandeja paisa?
2. ¿Quién va a hacer el ajiaco?
3. ¿Quiénes van a preparar el tinto?
4. ¿Quién va a tocar la guitarra?
5. ¿Quiénes van a comprar los refrescos?
6. ¿Quiénes van a limpiar la casa después de la fiesta?

B. ¿Qué piensan de ti? With a partner, take turns telling each other how the following people feel about both of you.

Vocabulario útil

admirar	no querer	amar	querer
adorar	odiar	detestar	respetar

1. tus padres
2. tus hermanos(as)
3. tu perro(a) o gato(a)

4. tu profesor(a) de español
5. tu novio(a)
6. tus abuelos

«**Decirlo** y **hacerlo**, serás bien servido». (refrán)

____ *You are better off doing it yourself.*

____ *Say it and do it, if you expect to be served.*

* Answers: 1. *subjects:* Yo / tú; *direct objects:* Te / me; 2. *subjects:* yo / Él (or Ella); *direct objects:* lo / me
† Answers: 1. Las 2. me 3. nos / los / Lo

CAPÍTULO 8

Chile te lo da... ¡todo!

In this chapter, you will learn how to . . .

- shop at a market.
- order a meal at a restaurant.
- describe your favorite foods.
- describe your vacation.

Comunicación

¿QUÉ SE DICE...?
- Al hacer compras en el mercado
- Al pedir la comida en un restaurante
- Al describir las vacaciones

Cultura

¿SABÍAS QUE...?
Variedad en los nombres de las comidas
La uva carménère
La isla Robinson Crusoe

NOTICIERO CULTURAL
Chile: un paraíso alto y largo

VIDEO CULTURAL
Isabel Allende: contadora de cuentos

EL RINCÓN DE LOS LECTORES
«Oda al tomate», poema de Pablo Neruda

En preparación

PASO 1
8.1 Indirect-object nouns and pronouns
8.2 Review of **gustar**

PASO 2
8.3 Double object pronouns

PASO 3
8.4 Review of **ser** and **estar**
8.5 The verb **dar**

Destrezas

¡A ESCUCHAR!
Linking sounds

¡A VER!
Anticipating specific information

¡A ESCRIBIR!
Describing an event

¡A LEER!
Using punctuation to help interpret poetry

Busca deportes invernales Chile *en Google™ Images para ver fotos de la gran variedad de deportes de nieve en Chile.*

Busca Chile cosecha de uva *en Google™ Images para familiarizarte con la elaboración del vino chileno.*

Busca pesca chilena *en Google™ Images para ver más fotos de esta importante industria nacional.*

¡Las fotos hablan!

A que ya sabes... Indica si las siguientes oraciones describen a Chile (**Ch**) o a California (**Ca**). Puedes seleccionar los dos, si crees que describe a los dos.

Ch Ca 1. Produce una gran variedad de vino.

Ch Ca 2. Produce y exporta una gran variedad de fruta

Ch Ca 3. Produce y exporta una gran cantidad de verduras.

Ch Ca 4. Tiene una gran industria de pescado y marisc

Ch Ca 5. A pocos kilómetros de la capital hay grandes pistas de esquí.

Ch Ca 6. El fútbol es su principal deporte, siendo en 1972 anfitriona de la Copa del Mundo.

A disfrutar de las riquezas naturales

TAREA

Antes de empezar este *Paso,* estudia la lista de vocabulario de la página 284 y escucha el corte 7 de tu Text Audio CD3. Luego estudia *En preparación.*

1er día   8.1 Indirect-object nouns and pronouns, páginas 286–287

2do día   8.2 Review of **gustar,** página 288

Haz por escrito los ejercicios de *¡A practicar!* correspondientes.

¿Eres buen observador?

DESCUBRIENDO EL DESIERTO DE ATACAMA

Día 1. Calama
Llegada a Calama. Día libre.

Día 2. San Pedro de Atacama y Petroglíficos
Desayuno en el hotel. Salida a las 8:30 de la mañana para visitar los Petroglíficos y las áreas de Hierba Buena y Río Grande. Continuar a San Pedro de Atacama para visitar la iglesia y la casa de Pedro de Valdivia, entre otras atracciones. Almuerzo en San Pedro de Atacama por la tarde, visita al Mirador del Valle de la Luna y Valle de la Muerte. Un paseo de 30 minutos en el Valle de la Luna. Cena en el corazón del valle. Regreso a Calama. Llegada a Calama aproximadamente a las 9:00 de la noche.

Atacama

Valle de la Muerte

Día 3. Caspana – Pukará de Turi
Desayuno en el hotel. Muy temprano, a las 5:00 de la mañana, salida hacia los géisers de Tatio. Visita a los campos geotermales admirando los animales de la región. Baño en las piscinas geotermales. Visita al Mirador Los Volcanes. Más tarde, descubrir Pukará de Turi y parada para el almuerzo. Regreso al hotel a las 4:00 de la tarde.

Géisers y fumarolas

Volcán en el desierto

🔲 **Por el ciberespacio... a la naturaleza en Chile**

Keywords to search:

Patagonia
Atacama
Isla Negra
Isla Grande de Chiloé

To learn more about **la naturaleza en Chile,** go to the *¡Dímelo tú!* website at academic. cengage.com/spanish/dimelotu

Día 4. Mina Chuquicamata

Desayuno continental. Por la mañana, viaje a Chuquicamata para visitar la mina de cobre a tajo abierto. Más tarde, excursión a Saltpeter. Primero a María Elena, para visitar el museo y una casa típica que data de 1800. Almuerzo en el camino a la abandonada refinería Chacabuco Saltpeter. Visita al cementerio de Unión Pampa y regreso a Calama. Llegada a las 5:00 de la tarde.

Mina de cobre Chuquicamata

Día 5. Calama

Transporte al aeropuerto de regreso a casa.

Mina abandonada en Chacabuco

Ahora, ¡a analizar!

1. En el desierto de Atacama se encuentran...

   ☐ géisers.　　☐ impresionantes catedrales.　　☐ minas activas.

   ☐ lagos grandes.　　☐ museos.　　☐ piscinas geotermales.

   ☐ hoteles.　　☐ restaurantes elegantes.　　☐ volcanes.

2. ¿Qué es lo que más te interesa a ti de Atacama? Explica.

¿Qué se dice...?

Al hacer compras en el mercado

CD3,
Track 2

VENDEDOR: ¡Pescado fresco! ¿Qué puedo servirle hoy, señorita?

ANA MARÍA: ¿Me puede vender un kilo de merluza?

VENDEDOR: Por supuesto, señorita. Está riquísima. La trajeron hoy por la mañana de Viña del Mar. Puedo ofrecerle también unos camarones de mar buenísimos.

ANA MARÍA: No me gustaron los últimos que me vendió.

VENDEDOR: ¿En serio, señorita? ¿Segura que fui yo? Aquí hay otros pescaderos, y yo vendo lo mejor de lo mejor.

ANA MARÍA: Si me promete que estos están buenos, me llevo medio kilo.

VENDEDOR: Le juro, señorita, que son los camarones más sabrosos del mercado. Si no le gustan estos, mañana me lo dice, y le devuelvo su plata.

CD3,
Track 3

VENDEDORA: ¿Le gustan los duraznos?

LUIS MANUEL: Me encantan, pero los encuentro un poco verdes, ¿no?

VENDEDORA: Para mañana ya están maduros. ¿Cuántos kilos le pongo?

LUIS MANUEL: ¿Kilos? Si me da tres duraznos tengo suficiente. Vivo solo.

VENDEDORA: Le redondeo y le pongo el kilo, ¿está?

LUIS MANUEL: ¿Y a cuánto está el kilo?

VENDEDORA: Barato, caballero. Por ser usted, cuatrocientos pesos. Una ganga.

LUIS MANUEL: ¿Cuatrocientos? Pero si en el puesto de al lado los venden por 200...

VENDEDORA: ¿Me va a regatear unos pobres duraznos, caballero? Bueno, pues por ser la primera venta de hoy, se los dejo a 300. Pero no les gano nada.

LUIS MANUEL: Bueno, está bien.

VENDEDORA: ¿No le apetece llevarse una buena papaya?

SATURNINO: ¿Entonces no te gustan estos melones?

ROSA: No están mal, pero son un poco caros.

SATURNINO: Los tomates tienen buena cara.

ROSA: Pero tenemos un montón de tomates en casa.

SATURNINO: ¿Y porotos?

ROSA: También hay bastantes porotos.

SATURNINO: Pues nada. ¿Te decides por los melones?

ROSA: Venga. Compra tres o cuatro, por si tenemos visita este fin de semana.

SATURNINO: ¡Qué rica es la fruta chilena!

¿Sabías que...?

Hay mucha variedad en los nombres de las comidas en distintas regiones de las Américas, por ejemplo, entre México y Centroamérica y entre los países del Cono Sur: Chile, Argentina, Uruguay y Paraguay. A continuación aparecen algunos ejemplos.

Frutas y verduras	México y Centroamérica	El Cono Sur
avocado	aguacate	palta
beans	frijoles	porotos
string beans	ejotes	porotos verdes
chili pepper	chile	ají
corn	elote	choclo
peach	durazno	durazno/melocotón
peanut	cacahuate	maní
peas	chícharos	arvejas
pineapple	piña	ananá
potato	papa	papa/patata

En tu opinión: ¿Por qué crees que varían tanto los nombres de frutas y verduras en el mundo hispano? ¿Ocurre algo similar en inglés? ¿Puedes dar algunos ejemplos?

Ahora, ¡a hablar!

A. Cumpleaños. ¿Recuerdas la última vez que le hiciste una fiesta de cumpleaños de sorpresa a un(a) amigo(a)? ¿Qué hiciste para esa persona?

EP 8.1

MODELO   preparar una fiesta
               Le preparé una fiesta.

1. preparar una cena especial
2. hacer un pastel
3. regalar un libro de...
4. desear «feliz cumpleaños»
5. comprar un CD de...
6. sacar muchas fotos
7. servir... para tomar
8. ¿...?

B. ¿Frutas y verduras chilenas? En invierno, la mayoría de las frutas y verduras de los supermercados de los Estados Unidos viene de Chile. Con tu compañero(a), túrnense para preguntar qué frutas o verduras chilenas le ponen a sus comidas.

EP 8.1

MODELO   TÚ: **¿Qué le pones a tus queques?**
COMPAÑERO(A): **Les pongo unas excelentes manzanas chilenas.**

Comida	Fruta	Verdura
sopa	fresa	apio
estofado	manzana	col
omelet	durazno	lechuga
ensalada	melón	papa
queque	piña	rábano
cóctel de fruta	plátano	tomate
jugo	naranja	zanahoria

C. Gustos individuales. No a todos nos gustan las mismas comidas. En grupos de cuatro, hablen de sus gustos relacionados a estas comidas y a las verduras y frutas en la actividad anterior y otras como espinacas *(spinach)*, pulpo *(octopus)*, tofu, ... que ustedes quieran mencionar. Empiecen por preguntarse si les gustan o no las siguientes comidas hasta encontrar una que no le gusta a uno de ustedes pero sí a los demás. Terminen por informar a la clase sobre los gustos de cada individuo en su grupo diciendo: «A todos nos gustan los calamares excepto a (nombre)» o «A (nombre) le gusta el tofu pero al resto de nosotros no nos gusta».

EP 8.1, 8.2

Productos lácteos	Pescados y mariscos	Carnes y fiambres
leche	cangrejo	carne de puerco/de res
helado	calamar	jamón
mantequilla	camarón	salchicha
queso	langosta	pollo/pavo
huevos	salmón	hamburguesa

D. Un día de mercado. Hoy es día de mercado y tienes que empezar el día poniéndole precio a tu mercancía. Suponiendo que un dólar es igual a aproximadamente 600 pesos chilenos, en grupos de cuatro decidan el precio y preparen unas etiquetas *(labels)* con el nombre y el precio del producto. Luego, cuando la clase les pregunte por los precios, entre todos van a decidir quiénes son los más caros del mercado.

EP 8.1

Y ahora, ¿por qué no conversamos?

E. Hábitos culinarios. ¿Qué conexión hay entre lo que comes y cuándo, dónde y con quién comes? Para saberlo, completa este cuadro con información sobre lo que comiste ayer. Luego, en grupos de tres comparen sus formularios y contesten las preguntas que siguen.

	¿Qué comiste?	¿Dónde comiste?	¿Con quién comiste?	¿De qué hora a que hora?
desayuno				
almuerzo				
cena				
entre comidas				

1. ¿Cuál es la comida más común para el desayuno? ¿El almuerzo? ¿La cena? ¿Entre comidas?
2. ¿Dónde y con quién comen con más frecuencia?
3. ¿Cuánto tiempo toman para desayunar? ¿Almorzar? ¿Cenar?
4. ¿Cuál es la hora más popular para comer entre comidas?

F. ¡Luces! ¡Cámara! ¡Acción! Tú y tu compañero(a) de cuarto llegan al mercado municipal de Santiago. Hay otras personas esperando, hablando de cosas irrelevantes, como lo caros que están los precios, la telenovela de anoche, etcétera. Cuando les llega su turno, el (la) vendedor(a) les pregunta qué se les ofrece, y ustedes compran la fruta y verdura que más les gusta. Trabajen en grupos de cinco: uno(a) de vendedor(a), dos personas esperando y dos comprando.

Un paso atrás, dos adelante

Capítulo 7

Repasemos. En el Capítulo 7 aprendiste a proponer y a decir que no a una cita. También aprendiste a expresar tus preferencias y tus emociones. Repasa lo que sabes, completando el siguiente texto con las palabras necesarias.

Una cita en la biblioteca

TU AMIGO(A): ¿El libro, ya no _____ [pron. objeto directo] necesitas más?

Tú: No, ya no lo _____ [**necesitar**]. Aquí está.

TU AMIGO(A): Gracias. Oye, _____ [pron. objeto directo] molesto si te _____ [**decir**] una cosa?

Tú: No, no _____ [pron. objeto directo] molestas.

TU AMIGO(A): _____ [**Tener**] dos entradas para el recital de Shakira del sábado y quiero _____ [**invitar** + pron. objeto directo].

Tú: El sábado sí. Normalmente _____ [**hacer**] mi tarea los sábados. Pero _____ [**preferir**] ir a oír a Shakira.

TU AMIGO(A): Yo no _____ [**saber/conocer**] dónde queda la Biblioteca Luis Ángel Arango. ¿Tú _____ [pron. objeto directo] _____ [**saber/conocer**]?

Tú: Yo sí _____ [pron. objeto directo] _____ [**saber/conocer**]. Creo que _____ [**ser/estar**] en la calle 11.

Saber comprender

Estrategias para escuchar: enlace de sonidos

In Chapter 5, you learned that linking is the combining of the final sound of one word with the beginning sound of the word that follows. Linking is common to all languages. In English, for example, "What did you eat?" becomes something similar to "Whadjeet?" when final and initial word sounds are linked. This perfectly normal phenomenon can make listening comprehension very challenging for the beginning student. In Chapter 5 you also learned the three basic rules for linking in Spanish:

1. *Vowel to vowel: Always link a final vowel with an initial vowel.*

   Vuelv**o_e**nseguida con sus bebidas.
   No teng**o_h**ambre.

2. *Consonant to consonant: Always link identical final and initial consonant sounds.*

   La**s_s**alchichas están ricas y la**s_z**anahorias* exquisitas.
   Me gusta prepara**r_r**ábanos con tomate y cebolla.

3. *Consonant to vowel: Always link a final consonant with an initial vowel.*

   Para mí, u**n_a**gua mineral co**n_h**ielo.
   E**l_a**pio no me gusta del todo.

Understanding linking will greatly help you improve your listening comprehension.

Enlace de sonidos. Ahora, antes de escuchar hablar a Claudio Téllez y a Elena Contreras, que acaban de llegar a su restaurante favorito en Viña del Mar, marca dónde en sus primeros intercambios con el mesero debe haber enlace, según las tres reglas básicas de enlace en español. Luego al escuchar el diálogo, fíjate si en efecto enlazan sus palabras según tus indicaciones.

Mozo: ¿Está bi**en e**sta mes**a o** prefier**en u**na má**s c**erca de la ventana?
Elena: Aqu**í e**stá bien, gracias.
Mozo: Muy bien. ¿Dese**an a**lgú**n a**peritivo, un vino blanco, una cerveza... ?
Elena: Para m**í a**gua mineral co**n h**ielo.

![Una playa en Viña del Mar]
Una playa en Viña del Mar

¡Ahora, a escuchar!

Claudio Téllez y Elena Contreras, dos estudiantes de la Universidad de Santiago, están celebrando su primer aniversario de novios en Delicias del Mar, un restaurante en Viña del Mar. Escucha su conversación, y luego indica quién hace cada una de estas cosas: el mozo (**M**), Elena (**E**) o Claudio (**C**).

_____ 1. Los lleva a una mesa.
_____ 2 Pregunta si prefieren una mesa cerca de la ventana.
_____ 3. Ofrece un aperitivo.
_____ 4. Pide un vaso de agua mineral.
_____ 5. Pide vino tinto.
_____ 6. Sugiere una ensalada de zanahorias.
_____ 7. Dice que no le gustan las zanahorias.
_____ 8. Imagina que la sopa es buena.

*Notice that the same sounds may have different spellings.

Chile: un paraíso alto y largo

Antes de empezar, dime...

¿Cuáles son tus impresiones de Chile? Simplemente expresa tu opinión.

1. La extensión territorial de Chile es más o menos la misma distancia que de...
   a. Nueva York a Chicago.
   b. Miami a Nueva Orleans.
   c. San Francisco a Nueva York.
2. El promedio de anchura de Chile es más o menos...
   a. 25 millas.
   b. 100 millas.
   c. 200 millas.
3. Chile es número dos en el mundo en exportación de...
   a. salmón.
   b. vino.
   c. productos agrícolas.

Chile se encuentra en el extremo suroeste de Sudamérica. Su nombre viene de la palabra aimara «chilli» que significa «confines de la tierra», porque está prácticamente aislado del resto de Sudamérica por la cordillera de los Andes. Chile tiene más de 16 millones de habitantes, de los cuales un 6% son indígenas aimaras, atacameños y mapuches, entre otros. El resto de la población es mestiza y proveniente de la inmigración española y europea.

Hasta la década de los setenta, la economía de Chile dependió principalmente de la exportación del cobre y nitratos. Gracias a una exitosa estrategia económica durante la década de los ochenta, el país pasó a depender de las exportaciones de una variedad de productos agrícolas: frutas, verduras y vino, entre otros y, debido a su extensa zona costera junto al océano Pacífico, Chile produce y exporta una gran variedad de pescados y mariscos. Gracias a las diferencias de estaciones climáticas, el mercado de todos estos productos chilenos se extiende ahora a los Estados Unidos y Europa, entre otras muchas regiones del mundo.

Chile destaca también en Latinoamérica por tener gobiernos constitucionales democráticos y civiles a lo largo de su historia moderna, excepto en dos ocasiones, la más reciente en 1973, cuando el General Augusto Pinochet, apoyado por la CIA, derrocó al presidente electo Salvador Allende, que murió durante el ataque de las fuerzas armadas de Pinochet al palacio presidencial. En 1990, asumió el poder un presidente elegido democráticamente, Patricio Aylwin, después de perder Pinochet un referéndum en 1988. En el año 2006 asumió la presidencia la socialista Michelle Bachelet, la primera mujer presidenta del país.

CHILE

Nombre oficial
República de Chile

Capital
Santiago

Población
16.454.143 (julio 2008 est.)

Unidad monetaria
peso (Ch$)

Índice de longevidad
77,15 años

Alfabetismo
95,7 por ciento

Datos interesantísimos sobre Chile

- Chile tiene más de 5800 islas e islotes, incluyendo la enigmática Isla de Pascua.
- Chile tiene más de 2000 volcanes, unos 50 de ellos en actividad.
- Actualmente Chile ocupa el segundo lugar en el mundo en exportación de salmón y también exporta grandes cantidades de frutas.
- Atacama, en el norte de Chile, es el desierto más árido del mundo.
- Casi la mitad de la población de Chile vive en Santiago, la capital, o en sus alrededores.
- Chile se extiende más de 4300 km o 2700 millas de largo (más o menos la distancia de San Francisco a Nueva York) y tiene un promedio de 140 kilómetros u 87 millas de ancho.
- En el año 2006 los chilenos eligieron a Michelle Bachelet como la primera mujer presidenta del país.

⊡ **Por el ciberespacio... a Chile**
Keywords to search:
Salvador Allende y Augusto Pinochet
Los volcanes y lagos de Chile
Isla de Pascua

To learn more about Chile, go to the
¡Dímelo tú! website at academic.
cengage.com/spanish/dimelotu

Y ahora, dime...

Con un(a) compañero(a) de clase, haz la siguiente comparación.

	Chile	Estados Unidos
1. Geografía		
2. Población indígena		
3. Historia democrática		
4. Sistema de gobierno actual		
5. Productos de exportación		

¿Qué se les ofrece... en Valparaíso?

¿Eres buen observador?

TAREA

Antes de empezar este *Paso*, estudia la lista de vocabulario de la página 284 y escucha el corte 8 de tu Text Audio CD3. Luego estudia *En preparación*.

1er día   8.3 Double object pronouns, páginas 289–290

Haz por escrito los ejercicios de *¡A practicar!* correspondientes.

Ahora, ¡a analizar!

Imagina que tú y tres amigos van a comer en este restaurante de Valparaíso y les preguntan al mozo cómo les preparan las comidas del menú. ¿Qué les responde?

1. El congrio, ¿cómo nos lo preparan, a la napolitana o a la Neruda?
2. La reyneta, ¿cómo nos la preparan, a la porteña o a la Neruda?
3. La merluza, ¿cómo nos la preparan, frita o al vapor?
4. El ceviche, ¿cómo nos lo preparan, a la peruana o a la ecuatoriana?
5. ¿De qué son las empanadas?
6. ¿Cuántos tipos de café preparan?
7. ¿Qué tragos sirven?

¿Qué se dice...? CD3, Track 5

Al pedir la comida en un restaurante

MOZA: A sus órdenes. Me llamo Esperanza y estoy aquí para servirles. ¿Están de visita en Valparaíso?

ELISABETTA: ¡Hola! Sí, estamos de visita.

GIOVANNI: Buenas. Sí. Esta es nuestra primera experiencia pidiendo la comida en español. Va a tener que ayudarnos con el menú, porque no lo comprendemos muy bien.

MOZA: Ah, no son chilenos. Con mucho gusto. ¿Y puedo preguntarles de dónde son y qué los trajo a Valparaíso?

ELISABETTA: Claro que puede preguntárnoslo. Somos italianos y venimos para estudiar español.

GIOVANNI: Y para conocer un poco Chile. Es un país fascinante.

MOZA: Me alegro, señor. Seguro que les va a encantar.

GIOVANNI: ¡Qué vino tan bueno!

ELISABETTA: Sí, es excelente. Muchísimas gracias por recomendárnoslo.

MOZA: Con mucho gusto. Si en otra ocasión prefieren el tinto, les recomiendo el Carménère, un excelente vino tinto que se produce solo en Chile.

GIOVANNI: Muchas gracias, otro día lo probamos.

MOZA: De acuerdo. ¿Qué quieren para comer?

GIOVANNI: No entiendo bien el menú. ¿Qué es la lubina?

MOZA: Tenemos una lubina muy fresca. Es un pescado del Mediterráneo y del Atlántico. Se la podemos preparar a la sal. Es deliciosa. Se la puedo escoger grandecita para que sea suficiente para los dos.

ELISABETTA: ¡Delicioso! ¡Ya tengo hambre!

MOZA: Si quieren hacer algo diferente en Chile, les recomiendo el festival de La Tirana. Yo soy de allí. Es muy interesante. Es esta semana y no deben perdérselo.

ELISABETTA: ¿Y es aquí en Valparaíso?

MOZA: No, es en un pueblo que se llama La Tirana. No está cerca. Pero de verdad vale la pena.

ELISABETTA: Lo tenemos que pensar. El problema es que no tenemos coche, y tenemos clase de español todos los días.

GIOVANNI: Pero si nos dice cómo llegar, tal vez podemos organizarnos.

La uva carménère es exclusiva de Chile, ya que esta cepa *(root stock)* se extinguió en Europa en el siglo XIX por una plaga. La cepa carménère se consideró extinta, hasta que a principios de la década de 1990 unos enólogos franceses descubrieron que en Chile esta uva se cultivaba inadvertidamente, mezclada con cepas de Merlot. No es la primera vez que en Chile una cepa se confunde con otra. A fines del siglo XIX se introdujo en Chile el Cabernet Sauvignon y en la década de los 70, un grupo de enólogos descubrió que entre las cepas del Cabernet Sauvignon se mezclaba otra cepa de origen francés: el Merlot. Esas son cosas de la historia. Hoy en Chile puedes pedir una copa de vino tinto Carménère, Cabernet Sauvignon o Merlot entre muchos otros de excelente calidad.

En tu opinión: ¿Sabes de otros casos donde una planta o animal se cree extinguido y de repente aparece de nuevo? ¿Qué se puede hacer para evitar la extinción de distintas especies de plantas y animales?

Ahora, ¡a hablar!

EP 8.3

A. ¿Cómo se lo sirvo? Estás en un restaurante con tu pareja, y el mozo les pregunta cómo quieren cada una de las cosas. ¿Qué les dice?

> MODELO   el vino espumoso / ¿servir / frío?
> **El vino espumoso, ¿se lo sirvo frío?**

1. la lubina / ¿preparar / a la sal?
2. el agua / ¿servir / con gas?
3. el pan / ¿traer / calentito?
4. el café / ¿servir / con azúcar?
5. el queque / ¿traer / cortado?
6. la botella de vino / ¿traer / abierta?

EP 8.3

B. ¡Por favor! Tú y dos amigos(as) están comiendo y cada uno necesita que le pasen varias cosas. Túrnense en pedir lo que necesitan.

> MODELO   la sal   **Cristina, la sal... ¿me la pasas, por favor?**

1. el pan
2. la cuchara y el tenedor
3. el cuchillo
4. la servilleta
5. el agua
6. la sal y la pimienta

EP 8.3

C. Gustos particulares. El padre de Margarita, una amiga chilena, es muy particular y siempre insiste en que su mujer le prepare la comida de cierta manera. Con tu compañero(a), digan cómo pide esta comida y qué le contesta su esposa.

> MODELO   el pescado / a la parrilla
> Tú: **Quiero el pescado a la parrilla.**
> Compañero(a): **Pero, mi amor, siempre te lo preparo a la parrilla.**

1. los huevos / revueltos
2. los camarones / a la plancha
3. el bistec / a la parrilla
4. la carne / asada
5. el pollo / frito
6. la corvina / al ajillo

EP 8.3

D. ¿Cómo se los sirvo? La familia San Martín está de fiesta celebrando el cumpleaños de Rita, la mamá. Con tu compañero(a), escriban el diálogo que cada miembro de la familia mantiene con el mozo, lo que pide cada uno y cómo quiere que se lo preparen.

Y ahora, ¿por qué no conversamos?

E. ¿Tu comida y bebida favorita? Indica tu cosa favorita de cada categoría. Luego, en grupos pequeños comparen sus gustos y prepárense para decirle a la clase si tienen algunos gustos en común.

1. Entremeses:
   a. cóctel de mariscos   b. jamón   c. queso   d. otro: _____
2. Ensalada:
   a. de papas   b. verde   c. mixta   d. otra: _____
3. Sopa de:
   a. pollo   b. cebolla   c. pescado   d. otra: _____
4. Plato principal:
   a. bistec   b. pollo   c. pescado   d. otro: _____
5. Bebidas:
   a. café   b. vino   c. leche   d. otra: _____
6. Postre:
   a. helado   b. fruta   c. pastel   d. otro: _____

F. ¡Luces! ¡Cámara! ¡Acción! Tú y dos amigos(as) están comiendo en un restaurante pero cada uno necesita que los otros le pasen algunas cosas (como, por ejemplo, la sal, un tenedor). También tienen que pedirle al (a la) mozo(a) que les traiga varias cosas. Dramaticen la situación.

G. ¡Nuestra comunidad! En tu universidad o comunidad, entrevista a una persona hispana, de origen chileno preferiblemente. Luego compara los resultados de tu entrevista con los de dos compañeros(as) de clase. Pregúntale a la persona que entrevistes...

1. a qué hora desayuna, almuerza y cena.
2. si le gusta comer entre comidas. ¿Qué come?
3. cuándo tiene más hambre.
4. si come comida de su país. ¿Preparada en casa o en restaurantes locales?
5. qué piensa de la comida rápida o basura. ¿La come? ¿Con qué frecuencia?

¡Escríbelo!

Estrategias para escribir: descripción de un evento

Las descripciones normalmente incluyen muchos detalles y se hacen siguiendo el orden cronológico del evento. Este tipo de descripción es importante particularmente en algunas profesiones como las de los policías, los abogados y los periodistas.

Orden cronológico. La lista que sigue incluye todos los detalles de un incidente que ocurrió en Coco Loco, un restaurante chileno muy elegante. Ocurrió cuando el reportero de la serie *Los mejores restaurantes de Santiago* fue a cenar allí. El problema es que la lista no está en orden cronológico. Reorganízala, numerando las oraciones de 1 a 8, para que esté en el orden apropiado. La primera oración ya está numerada.

  1   a. Anoche tuve ganas de cenar en mi restaurante favorito.

_____ b. Decidí irme.

_____ c. Al mozo le pregunté por Ernesto, la persona que normalmente sirve en el restaurante.

_____ d. «Ernesto está enfermo», me dijo.

_____ e. En ese momento recordé mi cumpleaños y regresé para celebrar con mis amigos del Coco Loco.

_____ f. Llegué al restaurante a las ocho de la noche.

_____ g. Antes de salir, escuché la música del piano y vi a Ernesto con un gran sombrero mexicano cantando «¡Cumpleaños feliz!».

_____ h. Entonces le pedí el menú, pero me dijo «Hoy cerramos en cinco minutos».

Ahora, ¡a escribir!

A. En preparación. El periódico estudiantil de tu universidad va a publicar una serie de artículos sobre los mejores restaurantes de la ciudad y te han escogido para que tú escribas el reporte del que tú consideras el mejor restaurante. Aquí está una guía para tu reporte.

Párrafo 1: Escribe el nombre del restaurante y describe un poco cómo es este restaurante. No olvides incluir algún detalle de interés para captar la atención del lector.

Párrafo 2: Señala dónde está el restaurante, si es grande o pequeño, cuándo está abierto... Incluye alguna información adicional para atraer a más clientes a este restaurante, como por ejemplo, la calidad del servicio.

Párrafo 3: Indica qué tipo de comida tiene. Sé lo más específico(a) que puedas al describir el menú. Si es buena la comida, indica por qué. Si tiene platos especiales el menú, menciona cuáles son. Menciona también cuál es tu comida favorita del menú.

Párrafo 4: Describe cómo es el servicio en el restaurante. ¿Es bueno o malo? ¿Es bonito o feo este restaurante? ¿Es formal o informal? ¿Qué tipo de ropa se debe llevar para ir a este restaurante?

Párrafo 5: Finaliza tu reporte indicando si recomiendas el restaurante a tus lectores y explica por qué sí o por qué no. No olvides también indicar cuánto pagaste y cualquier otro detalle que consideres de interés.

Empieza por hacer una lista de ideas sobre todo lo que puedes decir de tu restaurante favorito, teniendo en cuenta la guía que se te dio. Tal vez quieras organizar tu lista en cinco categorías, correspondiendo con cada uno de los cinco párrafos.

B. El primer borrador. Ahora prepara un primer borrador de tu artículo. Incluye la información basándote en la guía que se te dio en la sección previa.

C. Ahora, a compartir. Comparte tu primer borrador con un(a) compañero(a). Haz comentarios sobre el contenido y el estilo de la descripción de tu compañero(a) y escucha los comentarios de él/ella sobre tu descripción. ¿Comunican bien sus ideas? ¿Hay bastantes detalles o necesitan más? ¿Es lógica la organización de los reportes? Asegúrate de que hay una introducción y de que mencionan el servicio y ambiente, la variedad y calidad de la comida, y de que hacen recomendaciones finales.

D. Ahora, a revisar. Ahora haz comentarios sobre la estructura, la ortografía y la puntuación. Concéntrate específicamente en el uso de los complementos directos e indirectos. ¿Los usan cuando deben usarlos? ¿Los ponen frente al verbo o los conectan con infinitivos, mandatos o participios de presente? Indica todas las correcciones o sugerencias a los reportes de tus compañeros(as) y luego decide si necesitas hacer cambios en tu artículo basándote en sus correcciones o sugerencias.

E. La versión final. Prepara la versión final de tu reporte y entrégalo. Escribe la versión final en la computadora siguiendo las instrucciones recomendadas por tu instructor(a).

La Isla de Pascua...
¡fascinante!

¿Eres buen observador?

TAREA

Antes de empezar este *Paso*, estudia la lista de vocabulario de las páginas 284–285 y escucha el corte 9 de tu Text Audio CD3. Luego estudia *En preparación*.

1er día 8.4 Review of **ser** and **estar**, páginas 291–292

2do día 8.5 The verb **dar**, páginas 292–293

Haz por escrito los ejercicios de *¡A practicar!* correspondientes.

visitchile.cl
Tour Operator- Chile

| *Home* | *Paquetes* | *Billetes aereos* | *Hoteles* | *Como lo podemos ayudar* | *Cruceros* | *Consultas* | *Quienes somos* |

Consultas a Chile +56 65 284 242

VC150 TREN DEL VINO "Programa "Tinto 1" por el día

- **08:00 hrs.** Presentación en "Hotel Galerias" (San Antonio 65, Santiago Centro) o en Tienda de vinos "Uno Markett" (Av. Tobalaba 911, Providencia).

- **08:30 hrs.** Salida del bus rumbo a San Fernando.

- **10:30 hrs.** Salida del Tren del Vino rumbo a Santa Cruz, con degustación a borde de vinos varietales, quesos de la zona, animación folclórica y guias billingües.

- **12:00 hrs.** Liegada a la estación de trenes de Paniahue. Los pasajeros son recibidos con un esquinazo presentado por un Grupo Folclórico Juvenil.

- **12:45 hrs.** Visita guiada (billingüe) a unviñedo, que considera un tour porla(s) bodega(s) y degustación de vinos.

- **14:15 hrs.** Almuerzo menú Campestre en viñedo.

- **15:45 hrs.** Visita al Museo de Colchagua.

- **17:30 hrs.** Salida del bus rumbo a Santiago.

- **20:00 hrs.** Liegada a Santiago.

FECHAS DE SALIDAS AÑO 2008	
ENERO	05 - 12 - 19 - 26
FEBRERO	02 - 09 - 16 - 23
MARZO	01 - 08 - 15 - 22 - 29
ABRIL	05 -12 - 19 - 26
MAYO	03 - 17 - 31
JUNIO	07 - 21 - 28
JULIO	12 - 19 - 26
AGOSTO	02 - 16 - 30
SEPTIEMBRE	06 - 13 - 20 - 27
OCTUBRE	04 - 11 - 18 - 25
NOVIEMBRE	01 - 08 - 15 - 22 - 29
DICIEMBRE	06 - 13 - 20 - 27

Desde 01 de Enero, 2008

Ahora, ¡a analizar!

Indica si estas afirmaciones son ciertas (C) o falsas (F) según la información de las rutas del vino de Chile.

_____ C _____ F 1. Una de las comidas es en el viñedo.

_____ C _____ F 2. El tour dura doce horas.

_____ C _____ F 3. Después de comer pueden degustar vinos.

_____ C _____ F 4. En verano hay menos tours que en invierno.

_____ C _____ F 5. Parte del trayecto es en tren.

¿Qué se dice...?

Al describir las vacaciones

Hola amigos:

Finalmente llegamos a la Isla de Pascua. Este es un lugar maravilloso. Todo es enorme, y la naturaleza es tan variada y tan llena de paz.... La isla está lejísimos del continente y de Chile, a unos 3700 kilómetros, pero pertenece a la región de Valparaíso.

Cuando llegamos aquí, inmediatamente nos dimos cuenta de que este es un lugar especial, por las gigantescas figuras de piedra y por lo misterioso de la ancestral cultura Rapa Nui. Las estatuas, que son grandísimas, pertenecen a sus ancestros, y se las conoce como «moais». La UNESCO declaró esta isla Patrimonio de la Humanidad en 1995.

Dar un paseo a caballo por la Isla de Pascua es uno de los placeres que nos recomendaron y tengo que decir que lo pasamos como nunca.

Tuvimos la suerte de asistir a la competencia tradicional de los Rapa Nui que se llama Haka Pei. La competencia consiste en deslizarse en el tronco de un árbol del banano desde la colina de Maunga Pui con una inclinación de 50 grados y alcanzando una velocidad de 80 kms por hora. Da vértigo verlos venir a tanta velocidad.

Finalmente nos dimos un baño en las increíbles aguas de la Isla de Pascua. Este es un lugar extraordinario para sumergirse: las aguas son transparentes y están calentitas, con una temperatura media anual de 65 grados Farenheit. Si no les dio sana envidia al leer y ver estas fotos, ¡pueden prepararse para cuando le contemos nuestro viaje en persona!

¿Sabías que...?

Además de la Isla de Pascua, en Chile se encuentra la isla Robinson Crusoe, en el conjunto llamado Juan Fernández con un área de unas 9,3 millas cuadradas, a 423 millas de la costa central chilena. Allí vivió durante cuatro o cinco años el marinero Alexander Selkirk, cuya vida inspiró la novela *Robinson Crusoe*. En ella viven en la actualidad unos 550 habitantes, con una flora grandiosa y una fauna muy rica en un ambiente natural que las Naciones Unidas proclamó en 1977 Reserva de la Biosfera.

En tu opinión: ¿Cuáles son otras islas legendarias como Isla de Pascua y la de Robinson Crusoe? Imagínate que tienes la oportunidad de vivir en una de ellas por cinco años. ¿Cuál vas a escoger y por qué?

Ahora, ¡a hablar!

EP 8.4

A. **¡Hay que ver cómo son!** Tras tus vacaciones en Chile, ¿cómo describes estos lugares y cosas fantásticas?

MODELO   **Chile es un país estrecho y larguísimo*.**

1. La Isla de Pascua
2. El clima de la isla Robinson Crusoe
3. La ciudad de Santiago
4. El agua en las playas de la Isla de Pascua
5. Los vinos chilenos
6. El 18 de septiembre

ser/estar

muy cosmopolita
calentita casi todo el año
la fiesta de la independencia de Chile
riquísimos
templado y suave de octubre a marzo
lejísimos de la costa chilena

A propósito...
Adjectives ending in **-ísimo(a/os/as)** represent the absolute superlative and are used to express a high degree of a quality or exceptional qualities. Final vowels are always dropped before adding the **-ísimo** endings. English equivalents are expressed as *extremely/exceptionally/very, very* + an adjective: **Los moais son** *grandísimos*. *(The moais are very, very large.)*

EP 8.4

B. **¡Qué hermosa es!** Estás en una fiesta y alguien te pregunta sobre tu viaje a Chile, y más concretamente, sobre tu estancia en la isla Robinson Crusoe. ¿Qué le respondes?

MODELO   la isla Robinson Crusoe / parte del conjunto llamado Juan Fernández
La isla Robinson Crusoe es parte del conjunto llamado Juan Fernández.

1. el área de la isla / de unas 9,3 millas cuadradas
2. la isla / a 423 kilómetros de la costa central chilena
3. la isla no / muy poblada ahora
4. la población de la isla / de unos 550 habitantes
5. la vida del marinero Alexander Selkirk / la inspiración de la novela *Robinson Crusoe*
6. la isla / repleta de una flora grandiosa y una fauna muy rica

C. **¡Qué isla la de Chiloé!** Otra persona de la fiesta también visitó Chile, pero fue a la gran isla de Chiloé. Como tú también visitaste Chiloé, le haces varias preguntas. Tu compañero(a) va a contestar las preguntas.

MODELO   la cueca de Chiloé: encantar / preciosa y diferente
TÚ: **¿Te gustó la cueca de Chiloé?**
COMPAÑERO(A): **Me encantó. Es preciosa y diferente.**

1. las leyendas de Chiloé: impresionar / interesante y misteriosa
2. las iglesias de Chiloé: gustar mucho / de madera y muy hermosa
3. las aguas del mar de Chiloé: impresionar / muy transparente y cálida
4. el viaje en trasbordador de Chiloé: encantar / romántico y tranquilo
5. el turismo en la isla de Chiloé: impresionar / sostenible y muy interesante

EP 8.4

A propósito...
El verbo **impresionar** es similar a los verbos **gustar** y **encantar**. Todos siempre son precedidos por un complemento indirecto.

D. **La cueca.** La cueca chilena es un baile tradicional que consiste en una serie de movimientos muy específicos. ¿Cómo describe la cueca tu amigo(a) chileno(a)?

MODELO   primero / hombre / dar / brazo a / mujer
Primero el hombre da el brazo a la mujer.

1. luego / hombre / dar / primer paso
2. luego / dos / dar / breve paseo antes de / iniciar / baile
3. luego / dos / dar inicio / baile
4. durante / baile / mujer / dar / impresión de coquetear
5. para terminar / hombre / dar / zapateo final / mucha fuerza / elegancia

EP 8.5

*When forming the absolute superlative of adjectives that end in **-co** or **-go**, the following spelling change occurs:

c → **qu**   **g** → **gu**
rico → ri**qu**ísimo   largo → lar**gu**ísimo

E. ¡Una de cangrejos! En la feria libre de El Arenal, los vecinos están disfrutando de lo lindo. Con tu compañero(a), describan la profesión de estas personas, qué están haciendo en este momento y si les gusta lo que están comiendo.

Y ahora, ¿por qué no conversamos?

F. Entrevista. Entrevista a un(a) compañero(a) y luego que él (ella) te entreviste a ti.

1. ¿A qué das más importancia, al amor o al dinero? ¿Por qué?
2. ¿Qué te da más satisfacción, hacer regalos o recibirlos? ¿Qué haces más a menudo, darlos o recibirlos?
3. Si te dan a elegir entre vivir cerca del mar y vivir en la montaña, ¿qué eliges? ¿Por qué?
4. ¿Das a las personas el beneficio de la duda siempre? ¿Te lo dan los demás siempre a ti? ¿Cómo te sientes cuando te juzgan sin conocerte?
5. ¿Cuál de tus clases te da más problemas? ¿Por qué?

G. ¿Son generosos? ¿Son generosos tus amigos? Pregúntale a tu compañero(a) a quién le da estas cosas y bajo qué circunstancias.

MODELO   flores
TÚ: **¿A quién le das flores y cuándo se las das?**
COMPAÑERO(A): **Se las doy a mi mamá el Día de las Madres.**

1. dinero
2. propina
3. consejos
4. regalos
5. tu palabra de honor
6. la hora

H. ¡Luces! ¡Cámara! ¡Acción! Tú y tu compañero(a) representan a la pareja de italianos de visita en Chile que ahora regresan tras dos años de ausencia, y comentan con otros dos amigos lo que les encanta de Chile, y las cosas que cambiaron durante estos dos años. Representen frente a la clase.

Saber comprender

Estrategias para ver y escuchar: predecir información específica

*En el Capítulo 3 aprendiste que siempre puedes sacar una buena idea de lo que vas a ver
y escuchar en un video si revisas con cuidado las preguntas que vas a tener que contestar
después de ver el video. Aprendiste también que esa estrategia es válida tanto con preguntas
cerradas como con preguntas abiertas, como las de este video.*

Predecir información específica. Usa ahora la misma estrategia al prepararte para ver
Isabel Allende: contadora de cuentos. Lee las oraciones para completar en **Después de
ver el video** y trata de extraer información que predices que vas a necesitar entender y
recordar para completar cada oración correctamente.

1. _____
2. _____
3. _____
4. _____
5. _____

Isabel Allende

Isabel Allende: contadora de cuentos

Al ver el video

¿Comprendes lo que se dice? Mientras ves el video por primera vez, escribe la información
que predijiste que vas a necesitar para completar cada oración.

1. _____
2. _____
3. _____
4. _____
5. _____

Después de ver el video

Ahora, usa la información que predijiste para completar estas oraciones. ¿Predijiste
la respuesta correcta de cada oración? Compara tus resultados con los de dos de tus
compañeros(as).

1. La razón por la cual Isabel Allende salió de Chile es...
   a. su esposo.   b. su madre.   c. la dictadura.

2. Las arpilleras fueron prohibidas en Chile porque su arte se consideraba
   propaganda...
   a. comunista.   b. estadounidense.   c. comercial.

3. Probablemente, Isabel Allende se interesó en contar cuentos porque los oía...
   a. en la televisión.   b. en el cine.   c. de su madre.

4. De todos sus libros, el que más valora es *Paula*, la historia de su...
   a. madre.   b. hija.   c. abuela.

5. En *Paula*, la protagonista muere...
   a. en coma.   b. a manos de los militares.   c. con su tío, el Presidente Allende.

> **⬈ Por el ciberespacio... a Chile**
>
> If you are a cyberspace surfer,
> try entering one of the following
> keywords to get to many fascinating
> sites in **Chile:**
>
> *Literatura chilena*
> *Los desaparecidos y exiliados
> chilenos*
> *Isabel Allende*
>
> To learn more about Chile, go to the
> *¡Dímelo tú!* website at academic.
> cengage.com/spanish/dimelotu

El rincón de los lectores

Estrategias para leer: uso de la puntuación para interpretar la poesía

En el Capítulo 5 aprendiste a interpretar la puntuación en la poesía. En este poema, el poeta chileno Pablo Neruda usa comas, dos puntos, signos de exclamación y puntos. Observa esa puntuación ahora para ayudarte a entender este poema.

Prepárate para leer. Contesta estas preguntas basándote en el poema de Pablo Neruda, «Oda al tomate».

1. ¿Cuántas oraciones completas tiene el poema? ¿Cómo lo sabes?
2. ¿Cuál es el tema de cada oración?
3. ¿Hay un mensaje específico en cada oración? Si así es, ¿cuál es?

El autor

Pablo Neruda (1904–1973) es, sin duda, el poeta latinoamericano mejor conocido del siglo pasado. Su madre murió cuando él tenía un mes de edad. A los diez años escribió sus primeros poemas. En 1924 publicó *Veinte poemas de amor y una canción desesperada,* una de sus obras más leídas.

Paralelamente a su labor de poeta, se desempeñó como diplomático. En 1927 empezó su carrera como cónsul en Asia y posteriormente en Europa. Entre 1935 y 1936 trabajó como diplomático en España, donde se hizo gran amigo de otros famosos poetas. Neruda, con ideas opuestas a Franco, tuvo que renunciar a su trabajo en España. En 1971, recibió el Premio Nobel de Literatura. Pablo Neruda murió el 23 de septiembre de 1973, pocos días después del golpe militar en Chile que resultó en la muerte de su buen amigo, el presidente Salvador Allende.

Oda al tomate

La calle
se llenó de tomates,
mediodía,
verano,
la luz
se parte
en dos
mitades
de tomate,
corre
por las calles
el jugo.
En diciembre
se desata° *is turned loose*
el tomate,
invade
las cocinas,
entra por los almuerzos,
se sienta
reposado° *relaxed*
en los aparadores,° *cupboards*
entre los vasos,
las mantequilleras,
los saleros azules.
Tiene
luz propia,
majestad benigna.
Debemos, por desgracia,° **por...** *unfortunately*
asesinarlo:
se hunde° *sinks*
el cuchillo
en su pulpa viviente,° **pulpa...** *living pulp*
es una roja
víscera,
un sol
fresco,
profundo,
inagotable,° *inexhaustible*
llena las ensaladas
de Chile,
se casa alegremente
con la clara cebolla,

y para celebrarlo
se deja
caer
aceite,
hijo
esencial del olivo,
sobre sus hemisferios entreabiertos,° *half-open*
agrega° *adds*
la pimienta
su fragancia,
la sal su magnetismo:
son las bodas° *weddings*
del día,
el perejil° *parsley*
levanta
banderines,° *little flags*
las papas
hierven° *boil*
vigorosamente,
el asado
golpea
con su aroma
en la puerta,
es hora
¡vamos!
sobre
la mesa, en la cintura° *waist*
del verano
el tomate,
astro° *star*
de tierra,
estrella repetida y fecunda,
nos muestra
sus circunvoluciones,
sus canales,
la insigne plenitud° **insigne...** *famous fullness*
y la abundancia
sin hueso,° *bone*
sin coraza,° *shell*
sin escamas ni espinas,° **escamas...** *scales nor fishbone*
nos entrega
el regalo
de su color fogoso° *spirited*
y la totalidad de su frescura.

A ver si comprendiste

Contesta según el poema «Oda al tomate» del poeta chileno Pablo Neruda.

1. ¿En qué mes del año hay más tomates en Chile, según el poeta?
2. ¿Por qué dice el poeta que «Debemos, por desgracia, asesinarlo»?
3. ¿Qué se prepara con el tomate, la cebolla, perejil y aceite de oliva: una sopa, una ensalada o una salsa?
4. ¿A qué se refiere el poeta cuando habla de «la cintura del verano»?
5. ¿Con qué elementos de la naturaleza compara el poeta al tomate?
6. ¿Qué imágenes evoca este poema para ti?

Vocabulario

Paso 1 CD3, Track 7

Bebidas
pisco	alcoholic drink made from muscatel grape
vino blanco	white wine
vino tinto	red wine

Carnes y aves
pavo	turkey
pollo	chicken
carne de puerco (f.)	pork
carne de res (f.)	beef
salchicha	sausage

Frutas
durazno	peach
fresa	strawberry
manzana	apple
melón (m.)	melon
naranja	orange
piña	pineapple
plátano	banana

Pescados y mariscos
calamar (m.)	squid
cangrejo	crab
langosta	lobster
pulpo	octopus
salmón (m.)	salmon

Verduras
aguacate (m.)	avocado
apio	celery
col (f.)	cabbage
lechuga	lettuce
papa	potato
rábano	radish
tomate (m.)	tomato
verdura	vegetable
zanahoria	carrot

Palabras relacionadas con la comida
desayunar	to eat breakfast
desayuno	breakfast
lácteo(a)	milky

Mercado
cerámica	ceramics
guantes (m. pl.)	gloves
mercancía	merchandise
poncho	cloak, square piece of fabric with opening for the head

Palabras y expresiones útiles
feliz cumpleaños	happy birthday
helado(a)	cold
lago	lake
mina	mine
natural	natural
ramo	bouquet (of flowers)
riqueza	richness, wealth
sorpresa	surprise

Comida y preparaciones
al ajillo	sautéed in garlic
cóctel de fruta	fruit cocktail
empanada	turnover
ensalada	salad
estofado	stew
fiambres (m. pl.)	cold cuts
frito(a)	fried
helado	ice cream
hamburguesa	hamburger
huevo	egg
mantequilla	butter
pan (m.)	bread
pastel (m.)	cake, pie
queque (m.)	cake

Verbos y expresiones útiles
desear	to desire
devolver	to reimburse, to return
regalar	to give a gift
sacar fotos	to take pictures

Paso 2 CD3, Track 8

Bebidas
café cortado	espresso with a tiny bit of milk
con gas	carbonated
jugo	juice
vino espumoso	sparkling wine
vino rosado	rosé wine

Mariscos y pescado
ceviche (m.)	raw fish marinated in lemon juice
congrio	conger eel
corvina	meagre (fish)
lubina	sea bass
merluza	hake
reyneta (reineta)	angel fish

Comidas
arroz (m.)	rice
bistec (m.)	steak
cebolla	onion
comida basura	junk food
entremés (m.)	appetizer
plato principal	main dish

Condimentos
azúcar (m.)	sugar
pimienta	pepper
sal (f.)	salt

Preparación de comidas
a la parrilla	grilled
a la plancha	griddle fried
a la sal	covered with salt
asado(a)	roasted
calentito(a)	warm
cazuela	casserole
cortado(a)	cut
gusto	taste, flavor
mixto(a)	mixed
revuelto(a)	scrambled

Cubiertos
cuchara	spoon
cuchillo	knife
servilleta	napkin
tenedor (m.)	fork

Verbos y expresiones
probar	to try, to taste
recomendar (ie)	to recommend
valer la pena	to be worthwhile

Palabras útiles
botella	bottle
copa	(wine) glass
exigente	demanding
extinción (f.)	extinction
mozo(a)	waiter/waitress
por favor	please
zapatilla	slipper

Paso 3 CD3, Track 9

Islas
área (el área/las áreas)	area
conjunto	group, collection

costa	coast	misterioso(a)	misterious	habitantes (m. pl.)	inhabitants
fauna	fauna, animal life	poblado(a)	populated	marinero	sailor
flora	flora, plant life	primer	first	población (f.)	population
isla	island	repleto(a)	replete, full		
kilómetro	kilometer	transparente	transparent		
mar	sea				

costa — coast
fauna — fauna, animal life
flora — flora, plant life
isla — island
kilómetro — kilometer
mar — sea
millas cuadradas — square miles
trasbordador (m.) — ferry
turismo — tourism

Clima
cálido(a) — warm
clima (m.) — climate
sostenible — sustainable
suave — gentle, mild
templado(a) — moderate

Descripción
a menudo — frequently
breve — brief, short
cosmopolita — cosmopolitan
elegancia — elegance
estrecho(a) — narrow
fascinante — fascinating
fuerza — strength
generoso(a) — generous
grandioso(a) — grand, magnificent
largo(a) — long

misterioso(a) — misterious
poblado(a) — populated
primer — first
repleto(a) — replete, full
transparente — transparent

Cueca
cueca — Andean folk dance
paseo — walk
paso — step
zapateo — heel-tapping

Leyendas
impresión (f.) — impression
inspiración (f.) — inspiration
legendario(a) — legendary
leyenda — legend

Cuerpo humano
brazo — arm
cintura — waist
cuerpo — body
humano(a) — human

Gente
arpilleras — hand-sewn art scenes made of fabric
dictadura — dictatorship

habitantes (m. pl.) — inhabitants
marinero — sailor
población (f.) — population

Verbos y expresiones verbales
asesinar — to assassinate
contar (ue) — to tell (a story)
coquetear — to flirt
dar — to give
dar problemas — to cause problems
degustar — to taste, to sample
escoger — to choose, to select
iniciar — to initiate, to begin
valorar — to value

Palabras y expresiones útiles
beneficio de la duda — benefit of a doubt
Día de las Madres — Mother's Day
demás — other
luego — then
perfume (m.) — perfume
pipa — pipe
propina — tip
tema (m.) — topic
trayecto — trajectory
viñedo — vineyard

EL ESPAÑOL... del Cono Sur
ají (m.) — chili pepper
ananá — pineapple
arvejas (f. pl.) — peas
choclo — corn
maní (m.) — peanut
melocotón (m.) — peach
palta — avocado
patata — potato
plata — money
porotos (m. pl.) — beans
porotos verdes (m. pl.) — string beans

En preparación 8

8.1 Indirect-object nouns and pronouns
Stating to whom and for whom people do things

- You learned in **Capítulo 7** that direct objects answer the question *Whom?* or *What?* in relation to the verb of the sentence. Indirect objects answer the questions *To whom/what?* or *For whom/what?* in relation to the verb.

  Identify the direct and indirect objects in the following sentences. Note that in English the words *to* and *for* are often omitted. Check your answers below.*

  1. She doesn't want to tell me the price.
  2. No, I will not buy any more bones for your dog!
  3. We'll write you a letter.
  4. Give us the keys and we'll leave the door open for you.

  Now identify the indirect objects in the following Spanish sentences. Check your answers below.†

  5. Bueno, ¿van a traernos el menú, o no?
  6. Me puedes traer un café.
  7. ¿Te sirvo algo más?
  8. Voy a pedirte un aperitivo, ¿está bien?

- Study this chart of indirect-object pronouns in Spanish.

Indirect-object pronouns			
me	*to me, for me*	**nos**	*to us, for us*
te	*to you, for you* (familiar)	**os**	*to you, for you* (familiar)
le	*to you, for you* (formal) *to her, for her* *to him, for him*	**les**	*to you, for you* (formal) *to them, for them*

In Spanish, both the indirect-object pronoun and the indirect-object noun may be included in a sentence for *emphasis* or for *clarity* when using **le** or **les**. The preposition **a** always precedes the indirect-object noun.

¿**Le** pido más café **al mozo**?　　　*Shall I ask the waiter for more coffee?*
A ustedes les voy a servir un postre　　*I'm going to serve you a very special dessert.*
　muy especial.

---

*ANSWERS: 1. D.O.: price / I.O.: me; 2. D.O.: bones / I.O.: dog; 3. D.O.: letter / I.O.: you; 4. D.O.: keys, door / I.O.: us, you
†ANSWERS: 5. nos; 6. Me; 7. Te; 8. te

■ Like direct-object pronouns, indirect-object pronouns in Spanish are placed in front of conjugated verbs. They may also be attached to the end of infinitives and present participles. Note the placement of the object pronouns in the following sentences and indicate if a change in word order is possible. Check your answers below.*

1. ¿Qué puedo servirle, señorita?
2. Les recomiendo la sopa de mariscos. ¡Está exquisita!
3. Están preparándonos algo muy especial.
4. ¿Nos puede traer una botella de vino tinto, por favor?

When object pronouns are used with affirmative commands, they also follow and are attached to the verb, which usually requires a written accent to keep the original stress of the verb.

Pregúntele si quiere café o té.   *Ask him/her if he/she wants coffee or tea.*
Dígame si quiere más.   *Tell me if you want more.*

Heinle Grammar Tutorial: Indirect Object Pronouns I, II, III

¡A practicar!

A. En Viña del Mar. La familia Carrillo está en Armandita, su restaurante preferido en Viña del Mar. ¿Qué les sirve la camarera?

MODELO   a nosotros / empanadas
Nos sirve empanadas.

1. a mí / camarones al ajillo
2. a mi papá / sopa de mariscos
3. a mis hermanos / pescado frito
4. a todos nosotros / café helado
5. a mi mamá / calamares fritos
6. a mis hermanas / ensalada de camarones

B. En el viaje al norte. Ramón acaba de regresar de un viaje al Valle de Elqui, en el norte de Chile, y trae regalos para todos sus familiares y amigos. ¿Qué les trae?

MODELO   a Paloma / pulsera de plata (*silver bracelet*)
A Paloma le trae una pulsera de plata.

1. a mamá / cerámicas
2. a ustedes / tarjetas postales
3. a ti / charango (*small Andean guitar*)
4. a mí / libro de la historia de Chile
5. a su papá / botella de pisco
6. a Pepe y a Paco / discos compactos

C. ¿Y en el viaje al sur? ¿Qué les compró Ramón a todos en su viaje a la Región de Lagos, en el sur de Chile?

MODELO   a Paloma / chaqueta de lana
A Paloma le compró una chaqueta de lana.

1. a mamá / ramo de copihues (*Chilean national flower*)
2. a ustedes / ponchos
3. a ti / suéter de lana
4. a mí / libro de la Patagonia
5. a su papá / otra botella de pisco
6. a Pepe y a Paco / camisetas de Puerto Montt

«A los tontos no **les** dura el dinero». (proverbio)

____ *Fools have a hard time making money.*

____ *Only fools don't save for a rainy day.*

---

*ANSWERS: 1. ¿Qué le puedo servir...? 2. No change 3. Nos están preparando... 4. ¿Puede traernos...?

8.2 Review of *gustar*

Talking about likes and dislikes

Remember that the verb **gustar** means *to be pleasing to* and is the Spanish equivalent of *to like.* The forms of **gustar** are *always preceded* by an indirect-object pronoun.

Me gusta la sopa, pero no **me gustan** las hamburguesas.

I like soup but I don't like hamburgers. (Soup is pleasing to me, but hamburgers are not.)

Heinle Grammar Tutorial: Gustar and Similar Verbs

If what is liked is an action (**cantar, leer, trabajar,** etc.) or a series of actions, the singular form of **gustar** is generally used.

Me **gusta** hacer ejercicio.
Nos **gusta** correr y caminar rápido.

I like to exercise.
We like to run and walk fast.

¡A practicar!

A. ¡Qué rico! ¿A todos les gusta la comida que les sirven en el restaurante del Hotel Pérez Rosales en Puerto Montt?

> MODELO   a nosotros / mariscos
> **Nos gustan mucho los mariscos.** [o] **No nos gustan los mariscos.**

1. a mí / carne de puerco
2. a nosotros / salchicha
3. a mi mejor amigo(a) / calamares
4. a mis compañeros(as) de cuarto / ensalada de zanahorias
5. a mi mamá / pescado frito
6. a mis hermanos / ensalada

B. Gustos. ¿Conoces los gustos de tus familiares y amigos? ¿Y qué no les gusta?

> MODELO   abuela: postre sí, verduras no
> **A mi abuela le gusta el postre. No le gustan las verduras.**

1. hermano: jugar al fútbol sí, estudiar no
2. hermana: el verano sí, el invierno no
3. papá: el tomate sí, los porotos no
4. mamá: las flores sí, el vino no
5. mejor amigo(a): lavar platos sí, cocinar no
6. ¿y a mí?: los postres sí, el pescado no

«Cuanto más conozco a los hombres, más **me gustan** los perros». (frase célebre)

____ *Men look a lot like their dogs.*

____ *The more I get to know people, the more I like dogs.*

8.3 Double object pronouns

Referring indirectly to people and things

■ When both a direct- and an indirect-object pronoun are present in a sentence, a specific word order must be maintained. The two pronouns must always be together, with the indirect-object pronoun preceding the direct-object pronoun. *Nothing may separate them.* As with single object pronouns, the double object pronouns are placed directly in front of conjugated verbs, or may be attached to infinitives, present participles, and affirmative commands.

Te lo recomiendo.   *I recommend it to you.*
Ella va a traér**noslo.**   *She is going to bring it to us.*

■ Remember that the first pronoun in the sentence is not always the subject of the verb. As subject pronouns are often not stated in Spanish, the first pronoun in a sentence may well be the object of the verb.

Translate the following sentences. Check your answers below.*

1. Prefiero la sopa del día, pero me la sirve caliente.
2. Y la cuenta, ¿cuándo nos la van a traer?
3. ¿Es posible? ¿Todavía están preparándotelo?
4. ¿Puedes pasármelos, por favor?

Notice in examples 3 and 4 that whenever two object pronouns are attached to a present participle or an infinitive, the original stress of the verb form is maintained by a written accent, which is always necessary.

Indicate where written accents need to be placed on the italicized verb forms of the following sentences. Check your answers below.†

1. ¿Piensas *devolvernoslo* esta tarde?
2. ¿Están *preparandomelo* ahora mismo?
3. Estoy *pensandomelo* bien.

■ In Spanish, whenever two object pronouns beginning with the letter **l** occur together in a sentence, the indirect-object pronoun (**le, les**) changes to **se.**

$$
\text{se} \begin{cases} \text{lo} \\ \text{la} \\ \text{los} \\ \text{las} \end{cases} \qquad \text{se} \begin{cases} \text{lo} \\ \text{la} \\ \text{los} \\ \text{las} \end{cases}
$$

— El vino «Casillero del Diablo» es exquisito.
— ~~Les~~ lo recomiendo. → **Se** lo recomiendo.
— ¿Vas a comprar dos botellas?
— Sí, voy a regalár~~les~~las a papá. → Sí, voy a regalár**se**las a papá.

Since **se** may refer to **le** or **les,** it is often necessary to use the preposition **a** plus a noun or prepositional pronoun to clarify its meaning.

Voy a regalár**se**las **a papá.**   *I'm going to give them to Dad.*
Se lo recomiendo **a ustedes.**   *I recommend it to you.*

**Heinle Grammar
Tutorial:** Direct and
Indirect Objects
Together

*ANSWERS: 1. I prefer the soup of the day, but serve it to me hot. 2. And the bill, when are they going to bring it to us? 3. Is it possible? They are still preparing it for you? 4. Can you pass them to me, please?
†ANSWERS: 1. devolvérnoslo; 2. preparándomelo; 3. pensándomelo

¡A practicar!

A. Tenemos hambre. Tú y tus amigos están en el café Bravísimo de Viña del Mar. ¿Qué hace el mozo?

MODELO   servir arroz a Mariano
El mozo le sirve arroz a Mariano.
El mozo se lo sirve a Mariano.

1. traer el menú a nosotros
2. traer los entremeses a Mariano y a Juanita
3. traer jamón a mí
4. servir vino blanco a nosotros
5. servir ensalada a Juanita
6. servir sopa de cebolla a Mariano y a mí

B. ¡Ay, qué sabroso! El mozo del restaurante Los Adobes de Argomedo, en Santiago, conoce bien los gustos de cada miembro de la familia Gamboa. ¿A quiénes les recomienda estos platos?

MODELO   el pescado frito / al señor Gamboa
Se lo recomienda al señor Gamboa.

1. la cazuela de pollo / a papá y a mí
2. los calamares / a mi hermana mayor
3. los huevos fritos / a mi hermanito
4. el arroz blanco / a toda la familia
5. las empanadas de queso / a mí
6. el helado / a mi hermana menor

C. ¿Tantos regalos? Paquito, el hermanito menor de Ramón, quiere saber para quién son todos los regalos. ¿Qué le dice Ramón?

MODELO   ¿Para quién son los discos compactos? ¿Para Paloma?
Sí, se los traigo a Paloma.

1. ¿Para quién son los capihues? ¿Para mamá?
2. ¿Para quién son las camisetas? ¿Para mí?
3. ¿Para quién son las dos botellas de pisco? ¿Para papá?
4. ¿Para quién es el libro? ¿Para Miguel?
5. ¿Para quiénes son los ponchos? ¿Para nosotros?
6. ¿Para quién es el suéter? ¿Para él?

«¡Dí**melo** tú!» (expresión popular)

____ *Don't tell me your problems!*

____ *You tell me!*

8.4 Review of *ser* and *estar*

Describing, identifying, expressing origin, giving location, and indicating change

Ser is used

- with adjectives to describe physical attributes, personality, and inherent characteristics.
  Chile **es** un país largo y angosto.

- to identify people or things.
  Nosotros **somos** estudiantes.

- with impersonal expressions.
  Es importante estudiar mucho.

- to tell time.
  Son las cinco y media.

- to express nationality.
  El vino **es** chileno.

Ser is used with **de**

- to express origin.
  Elisabetta y Giovanni **son** de Italia.

- to tell what material things are made of.
  El poncho **es** de lana.

Estar is used

- with adjectives to describe temporal evaluation of states of being, behavior, and conditions.
  Elisabetta y Giovanni **están** encantados con su visita a La Tirana.

- to indicate location.
  La Tirana **está** cerca de Iquique.

- to form the progressive tense.
  Giovanni y Elisabetta **están** celebrando el cumpleaños de Giovanni.

Heinle Grammar Tutorial: Ser and **Estar** IV Contrasting Uses

¡A practicar!

A. Nuevos amigos. Rebeca es de Antofagasta, en el norte de Chile. Ahora está estudiando en la Universidad de Chile en Valparaíso. Completa este correo electrónico con la forma correcta de **ser** o **estar** para saber qué les escribe a sus padres.

Queridos papás:

¿Cómo _____ ustedes? Recibí su carta y _____ muy contenta porque vienen a visitarme este domingo. Hace tres semanas que vivo en el nuevo departamento y mis compañeras _____ simpatiquísimas. Rosa _____ alta y morena como yo; siempre nos preguntan si _____ hermanas. Marina siempre _____ ocupada porque _____ una estudiante muy diligente. Toni, el hermano de Marina, y Rosa _____ novios. Él _____ muy tímido y cuando nos visita siempre _____ muy nervioso.

Me despido ahora porque Marina y Rosa me _____ diciendo: «Rebeca, tú _____ muy perezosa hoy. ¿Cuándo vas a preparar la comida?».

Hasta pronto,

Rebeca

B. ¡En Santiago! Ahora Rebeca está en Santiago durante las vacaciones de primavera. Completa la carta que le escribe a su prima Lorena con la forma correcta de **ser** o **estar**.

Querida prima:

¿Cómo _____ tú? Yo _____ muy bien y _____ contentísima aquí en Santiago. La gente en general _____ muy simpática. Casi todos _____ amistosos y siempre dicen que _____ impresionados conmigo porque yo estudio y también trabajo en una tienda. Bueno, tú sabes, el dinero... no me gusta pedirles tanto a mis padres. Y ahora, unos amigos y yo _____ estudiando inglés y el curso _____ caro. Todos _____ estudiantes de un instituto privado. ¡Ah! ¿Te gusta Ricky Martin? Él _____ aquí en Santiago ahora. Ayer lo vi. ¡Él _____ guapísimo! No _____ mi cantante favorito, pero canta muy bien y baila... ¡uuuh!

Bueno, ya casi _____ las dos de la mañana y yo_____ muy cansada. Buenas noches y hasta pronto.

Rebeca

«No **son** todos los que **están**, ni **están** todos los que **son**». (proverbio)

___ *Many are called, but few are chosen.*

___ *Not all that belong are present, nor do all that are present, belong.*

8.5 The verb *dar*

Telling what people give

Heinle Grammar Tutorial: Irregular Verbs: **estar, ir, dar**

The verb **dar** is irregular in both the present tense and in the preterite.

Present tense		Preterite tense	
dar *(to give)*		**dar** *(to give)*	
doy	damos	di	dimos
das	dais	diste	disteis
da	dan	dio	dieron

¡A practicar!

A. La propina. Tú y unos amigos salieron a cenar juntos al restaurante del Hotel O'Higgins en Viña del Mar. Ahora están decidiendo cuánto deben dejarle de propina al mozo. ¿Cuánto le da cada uno?

MODELO   Antonio / 500 pesos
Antonio le da quinientos pesos.

1. Pablo / 650 pesos
2. María y Juan / 425 pesos
3. yo / 700 pesos
4. Ana / 250 pesos
5. Carmen y Pedro / 475 pesos
6. en total, / ¿...?

B. Navidad. Es el 25 de diciembre y Rebeca está pasando las vacaciones de verano en Antofagasta, en casa de sus padres. ¿Qué regalos se dieron todos en la Nochebuena (24 de diciembre), para las Navidades?

MODELO   tú / papá
Yo le di una botella de pisco a papá. Él me dio una blusa.

Vocabulario útil

una camisa	un perfume	un teléfono
una corbata	un perro	un televisor
unas flores	una pipa	unas vacaciones
un pastel	un suéter	un vestido

1. mamá / papá
2. tú / hermano(a)
3. tú y tus hermanos / abuelos
4. tú / mamá
5. tu mejor amigo(a) / tú

«Te **doy** un dedo y me quieres tomar el brazo». (dicho popular)

___ *You are going to cost me an arm and a leg.*

___ *I give you an inch and you take a mile.*

CAPÍTULO 9

¡Qué buen día para... los hispanos en los Estados Unidos!

In this chapter, you will learn how to . . .

- discuss the weather and how it affects you.
- describe your daily routine.
- ask for and give directions.
- describe a typical weekend.

Busca Puerto Rican Day Parade *en* Google™ *Images para ver más fotos de este gran desfile.*

Busca Calle Ocho *en* Google™ *Images para ver más fotos de esta fascinante calle.*

Busca Hispanic murals en Google™ Images para ver una colección emocionante de murales hispanos.

¡Las fotos hablan!

A que ya sabes... Completa estas oraciones y explica por qué seleccionaste cada respuesta.

1. El desfile en la primera foto probablemente tiene lugar en...
   a. Puerto Rico.   b. Nueva York.   c. Los Ángeles.
2. La segunda foto probablemente se sacó en la ciudad de...
   a. San Juan, Puerto Rico.   b. La Habana, Cuba.   c. Miami, Florida.
3. La tercera foto es de un mural en...
   a. San Francisco.   b. Miami.   c. Dallas.

¡Hace frío por todo el suroeste de los EE.UU.!

TAREA

Antes de empezar este *Paso*, estudia la lista de vocabulario de la página 320 y escucha el corte 14 de tu Text Audio CD3. Luego estudia *En preparación*.

1er día   9.1 Weather expressions, página 322

2do día   9.2 **Mucho** and **poco**, página 323

Haz por escrito los ejercicios de *¡A practicar!* correspondientes.

¿Eres buen observador?

El tiempo hoy en México

Simbología			
☀	Despejado	⛅	Intervalos Nubosos
☁	Cielos Nubosos	☁	Cielos Cubiertos
☁	Intervalos nubosos con lluvia débil	☁	Cielos nubosos con lluvia débil
☁	Cielos cubiertos con lluvia débil	☁	Intervalos nubosos con lluvia moderada
☁	Cielos nubosos con lluvia moderada	☁	Cielos cubiertos con lluvia moderada
☁	Intervalos nubosos con chubascos tormentosos	☁	Cielos nubosos con chubascos tormentosos
☁	Cielos cubiertos con chubascos tormentosos	☁	Intervalos nubosos con chubascos tormentosos y granizo
☁	Cielos nubosos con chubascos tormentosos y granizo	☁	cielos cubiertos con chubascos tormentosos y granizo
☁	Intervalos nubosos con nevadas	☁	Cielos nubosos con nevadas
☁	Cielos cubiertos con nevadas		

y los Estados Unidos

Ahora, ¡a analizar!

1. Hace buen tiempo en el norte de México.

   _____ cierto   _____ falso

2. Está lloviendo en el sur de México.

   _____ cierto   _____ falso

3. En Texas, Nuevo México y Arizona el cielo está cubierto de nubes hoy.

   _____ cierto   _____ falso

4. En el sur de California está despejado y hace sol.

   _____ cierto   _____ falso

5. En la costa este de los Estados Unidos llueve muchísimo.

   _____ cierto   _____ falso

6. Nieva en Alaska pero no en los Estados Unidos continentales.

   _____ cierto   _____ falso

¿Qué se dice...? CD3, Track 10

Al hablar del clima

Y ahora, el tiempo en los Estados Unidos. Como pueden ver en el mapa, tenemos alta presión en casi todo el país, con temperaturas superiores a los 80 grados en muchas regiones de los Estados Unidos, especialmente en California.

En San Francisco, por ejemplo, nos informan que están sufriendo una ola de calor que no es normal para esta temporada del año, con temperaturas mucho más altas de lo normal, en torno a los 80 grados.

En el noroeste, lluvias generalizadas en los estados de Washington y Oregón donde la temperatura no sobrepasa los 60 grados Fahrenheit.

La intensa lluvia que cayó en las últimas horas y la poca visibilidad en el estadio han provocado la cancelación del partido de béisbol entre los Mariners de Seattle y los Red Sox de Boston.

En el noreste, muchos chubascos y nevadas, con temperaturas por debajo de los 20 grados Fahrenheit. El tráfico se encuentra detenido en muchas de las carreteras y autopistas, aunque se espera que dentro de poco todo vuelva a la normalidad.

Ahora, ¡a hablar!

EP 9.1

A. ¿Qué tiempo hace aquí y en Sudamérica? ¿Qué tiempo hace generalmente donde vives en los siguientes días de fiesta? Tú vas a contestar primero y luego tu compañero(a) va a decir qué tiempo hace en Buenos Aires durante la misma época.

MODELO   Navidad

Tú: **En Navidad nieva y hace mucho frío en...**
Compañero(a): **En Buenos Aires hace calor y llueve un poco en el verano.**

1. Pascua Florida *(Easter)*
2. Día de Acción de Gracias
3. Día de San Valentín
4. el 4 de julio
5. Día de las Madres
6. el día de tu cumpleaños

> **A propósito...**
> **¡Ojo!** Al hablar del tiempo, no olvides que **nieve** y **lluvia** son sustantivos. Los verbos son **nieva** y **llueve** en presente y **nevó** y **llovió** en pretérito. Recuerda también que para hacer pronósticos del tiempo, puedes usar el verbo **ir** + *infinitivo*, como por ejemplo: **va a nevar** o **va a llover.**

B. ¿**Qué te gusta hacer... ?** Con tu compañero(a), túrnense para decir qué les gusta hacer en estas situaciones.

MODELO   cuando está nevando

TÚ: **Cuando está nevando me gusta esquiar.**

COMPAÑERO(A): **A mí, no. Cuando está nevando me gusta permanecer en casa.**
o A mí también. Cuando está nevando me gusta esquiar.

Vocabulario útil

esquiar	pasear por el campo	ir de compras
pasear por el parque	montar en bicicleta	ir a la playa
permanecer en casa	correr	estar cerca de la chimenea

1. cuando llueve
2. cuando hace sol
3. cuando hay neblina
4. cuando hace mucho viento
5. cuando hace buen tiempo
6. si hace mucho frío
7. cuando nieva
8. si hace muchísimo calor

C. ¿**Qué tiempo hace y cómo se siente?** Describe estos dibujos.

MODELO   **Hace mucho calor y el señor está sudando.**

1.

2.

3.

4.

5.

6.

D. El tiempo. Imagina que estás en un parque de tu ciudad. Hay mucha actividad a tu alrededor. Con tu compañero(a), describan qué pasa en cada escena, qué tipo de clima hace y todos los detalles posibles sobre las personas que están en ella: ¿Quiénes son ellos? ¿Cuál es su profesión? ¿Qué ropa llevan? ¿Por qué se mueven los árboles?...

Y ahora, ¿por qué no conversamos?

E. Lugares favoritos. Con tu compañero(a), túrnense para decir cuáles de estos lugares les gustaría visitar y en qué temporada. Cada uno debe seleccionar tres. Expliquen por qué seleccionaron esos lugares y temporadas. Mencionen qué tiempo hace allí durante su temporada preferida.

Anchorage, Alaska	Isla de Pascua, Chile
Antigua, Guatemala	Ciudad de México
Atacama, Chile	Madrid, España
Buenos Aires, Argentina	Playa en Tyrona, Colombia
El Yunque, Puerto Rico	San Juan, Puerto Rico
Hawai	Tikal, Guatemala

F. **¡Luces! ¡Cámara! ¡Acción!** Tú y dos compañeros(as) trabajan para la estación de radio de su universidad. Son meteorólogos. Cada uno(a) de ustedes va a informar al público sobre el clima en una de estas regiones de los Estados Unidos. Preparen su parte del pronóstico. Luego preséntenselo a la clase. No olviden incluir las presentaciones y saludos típicos de los meteorólogos.

La costa del Este   El Noreste   El Sudoeste

G. **¡Nuestra comunidad!** En tu universidad o comunidad, entrevista a una persona hispana. Luego compara los resultados de tu entrevista con los de dos compañeros(a) de clase. Pregúntale a la persona que entrevistes...

1. ¿Cómo es el clima en el país de origen de su familia?
2. ¿Les gusta a él (ella) y a su familia el clima de la ciudad donde viven? ¿Cómo les afecta?
3. ¿Qué actividades les gusta hacer al aire libre cuando hace buen tiempo? ¿Cuando nieva? ¿Cuando hace calor? ¿Cuando hace viento?
4. ¿Creen que el clima es una buena razón para cambiar de ciudad o de país? ¿Bajo qué circunstancias?
5. ¿Qué piensan del tema del calentamiento global? ¿Creen que es algo real o piensan que es algo ficticio? ¿Cómo lo justifican?

Un paso atrás, dos adelante

Capítulo 8

Repasemos. En el Capítulo 8 aprendiste a comprar en un mercado. También aprendiste a hablar de tus comidas favoritas y de tus viajes. Repasa lo que sabes, completando el siguiente texto con las palabras necesarias.

Día de mercado

VENDEDORA: ¿Qué _____ [pron. objeto indirecto] _____ [dar] hoy?

Tú: Buenos días. ¿Me _____ [poner] un kilo de naranjas, por favor?

VENDEDORA: ¿Cómo _____ [pron. objeto indirecto] _____ [pron. objeto directo] _____ [poner]? ¿Grandes o pequeñas?

Tú: Grandes, por favor.

VENDEDORA: Aquí tiene. ¿Algo más?

Tú: Las cebollas, ¿a cuánto _____ [ser / estar] de precio?

VENDEDORA: [Ser / Estar] _____ muy bien de precio. A 250 pesos el kilo. Y _____ [ser / estar] sabrosísimas.

Tú: ¿Puede _____ [dar + pron. objeto indirecto] dos kilos, por favor?

VENDEDORA: Por supuesto. ¿_____ [pron. objeto indirecto] _____[pron. objeto directo] _____ [poner] en la misma bolsa con las naranjas?

Tú: Sí, muchas gracias.

Saber comprender 🎧 CD3, Track 11

Estrategias para escuchar: escuchar «de arriba hacia abajo»

If you are thoroughly familiar with the subject of a conversation and can anticipate what will be said, you are able to listen casually to the general flow, picking out the occasional specific words that convey the gist of what is being said and letting your knowledge of the topic fill in the blanks on everything else. This approach is known as listening "from the top down."

Escuchar «de arriba hacia abajo». Para familiarizarte con lo que es el verano en San Francisco, escucha a tu profesor(a) leer esta descripción de un día típico de verano en la ciudad. Luego completa las oraciones que siguen.

1. El día típico de verano en San Francisco empieza con...
   a. frío.
   b. neblina.
   c. calor.

2. A mediodía en verano, usualmente los cielos en San Francisco están...
   a. llenos de neblina.
   b. despejados.
   c. nublosos.

3. A eso de las cuatro de la tarde en los días de verano en San Francisco, la neblina...
   a. desaparece.
   b. se convierte en lluvia.
   c. reaparece.

4. Por la noche, en verano en San Francisco, con frecuencia...
   a. hace viento y frío.
   b. llueve.
   c. hay mucha neblina.

5. Según Mark Twain, el invierno más frío que él pasó fue en San Francisco en...
   a. otoño.
   b. invierno.
   c. verano.

¡Ahora, a escuchar!

Escucha el pronóstico del tiempo en San Francisco para el 15 de julio. Luego, con un(a) compañero(a), decidan cómo la información de la columna B se combina con la información de la columna A según el pronóstico que escucharon.

A	B
1. por la mañana	a. de 45 grados
2. a mediodía	b. más neblina
3. por la tarde	c. neblina
4. por la noche	d. sol y temperaturas de 65 grados
5. una temperatura por la noche	e. viento

Los hispanos en los Estados Unidos

Antes de empezar, dime...

¿Cuáles son tus impresiones? Simplemente expresa tu opinión.

1. Los tres grupos más grandes de latinos en los Estados Unidos son...
   a. mexicanos, cubanos y salvadoreños.
   b. mexicanos, cubanos y puertorriqueños.
   c. mexicanos, puertorriqueños y dominicanos.
2. El porcentaje de la población de los Estados Unidos que representa los hispanos en este país es aproximadamente...
   a. 5%.   b. 15%.   c. 25%.
3. Los hispanos han impactado la cultura estadounidense en las áreas de...
   ☐ arquitectura.   ☐ pintura.   ☐ literatura.   ☐ música.
   ☐ cocina.   ☐ moda.   ☐ cine.   ☐ política.

Cuando se habla de los «hispanos» en los Estados Unidos no se habla de un solo grupo ni de una sola cultura. Los hispanos en los Estados Unidos representan un gran número de grupos y una gran variedad cultural. Los tres grupos más numerosos son los mexicoamericanos (65%), los puertorriqueños (12%) y los cubanoestadounidenses (5%). También hay miles de nicaragüenses, salvadoreños, guatemaltecos, hondureños, dominicanos... Cada uno de estos grupos tiene sus propias costumbres y su propia cultura: costumbres culinarias, manera de hablar, de vestir, literatura, música,...

La influencia de la población hispana en los Estados Unidos se hace notar en todos los aspectos de la vida de este país: en la arquitectura, la pintura, la literatura, la música, la cocina, la moda y el cine, entre otros. Los hispanos estadounidenses participan activamente del arte, la política y áreas fundamentales de la administración del país. A continuación puedes disfrutar de unas listas muy incompletas de grandes hispanos en los Estados Unidos conocidos como grandes novelistas, poetas, dramaturgos, músicos, actores y deportistas. Podríamos seguir nombrando a hispanos sobresalientes en las artes visuales, la arquitectura, la moda, la cocina, el gobierno y otros campos.

Los hispanos de los Estados Unidos, para concluir, son un grupo multicolor, cada vez con más relevancia y confianza en un futuro mejor y en su capacidad de poder unir como en un arco iris *(rainbow)* cultural, lo mejor de los Estados Unidos y el mundo de habla hispana.

Edward James Olmos

Dolores Prida

Cristina Aguilera

Actores

Anthony Quinn
César Romero
Raúl Julia
Rita Moreno
Andy García
Edward James Olmos
Salma Hayek
Cameron Díaz
Emilio Estévez
Jennifer López
Jimmy Smits
Penélope Cruz

Dramaturgos

María Irene Fornes
Eduardo Machado
Carlos Morton
Gregorio Nava
Miguel Piñero
Dolores Prida
Reinaldo Provod
Luis Valdez

Músicos

Cristina Aguilera
Carlos Santana
Gloria Estefan
Ricky Martin
Rubén Blades
Shakira
Marc Anthony
Tito Puente

Novelistas

Rudy Anaya
Ricardo Aguilar
Melantzón
Isabel Allende
Julia Álvarez
María Teresa Babín
Ángel Castro
Sandra Cisneros
Junot Díaz
José Luis González
Óscar Hijuelos
Rolando Hinojosa Smith
Francisco Jiménez
Tomás Rivera
Esmeralda Santiago
Pedro Juan Soto
John Peter «Piri» Thomas

Poetas

Francisco Alarcón
Alurista
Jorge Argueta
Lorna Dee Cervantes
Daisy Cubias
Rodolfo «Corky» Gonzales
Orlando González Esteva
Elías Miguel Muñoz
Juana Rosa Pita
Gary Soto
Chiqui Vicioso

Deportistas

Carlos Beltrán
Guillermo Coria
Milka Duno
Mary Jo Fernández
Óscar de la Hoya
Pau Gasol
Manu Ginobil
Nancy López
Pedro Martínez
Juan Pablo Montoya
Eduardo Nájera
David Nalbandian
Fabricio Oberto
Albert Pujols
Mariano Rivera
Sammy Sosa

Esmeralda Santiago

Jorge Argueta

Juan Antonio Marichal

⤴ **Por el ciberespacio… a los Estados Unidos**

Keywords to search:
políticos hispanos
arquitectura hispana
artistas hispanos
To learn more about the United States, go to the *¡Dímelo tú!* website at academic.cengage.com/spanish/dimelotu

Y ahora, dime...

Con un(a) compañero(a) de clase, seleccionen a una persona de cada una de las seis listas. Luego divídanselas entre los dos para que cada uno investigue a tres de las personas en Internet e informe a la clase de sus resultados.

¡Mi rutina en San Francisco, California!

TAREA

Antes de empezar este *Paso*, estudia la lista de vocabulario de la página 320 y escucha el corte 15 de tu Text Audio CD3. Luego estudia *En preparación*.

1er día   9.3 Reflexive verbs, páginas 323–325

Haz por escrito los ejercicios de *¡A practicar!* correspondientes.

¿Eres buen observador?

1. Cuando te laves los dientes, **utiliza un vaso**. No dejes el grifo abierto. Llena moderadamente el lavabo para lavarte la cara, las manos o afeitarte. Ahorrarás 12 litros al minuto.
2. No uses el inodoro como **cubo de basura**, coloca una papelera. Ahorrarás de 6 a 12 litros cada vez.
3. Cierra levemente la **llave de paso** de vivienda, no apreciarás la diferencia y ahorrarás una gran cantidad de agua diariamente.
4. **Repara** los grifos o ducha que gotean o cámbiales por sistemas monomando. Ahorrarás una media de 170 litros de agua al mes. Pon **dispositivos de ahorro** en los grifos y duchas, reducirás el consumo casi en un 50%.
5. Utiliza la lavadora y el lavavajillas con la **carga completa** y el programa adecuado. Cuando lavas a mano consumes un 40% más de agua.
6. Riega tus plantas y el jardín al **anochecer** o amanecer. Utiliza sistemas de riego automáticos, por goteo o aspersión.
7. Instala una cisterna de **doble pulsador**. Reducirás a la mitad el consumo de agua.
8. **Dúchate** en vez de bañarte y cierra el grifo mientras te enjabonas. Ahorrarás un media de 150 litros cada vez.
9. Ponte en contacto con tu ayuntamiento para comunicar pérdidas de agua.
10. Utiliza siempre el sentido común y no desperdicies ni una gota de agua.

Consumir agua de forma eficiente es mucho más fácil de lo que imaginas.

Siguiendo algunos consejos puedes ahorrar una enorme cantidad de agua.

Ahora, ¡a analizar!

1. Ahorramos agua si al lavarnos los dientes...
   (__) usamos un vaso.   (__) dejamos el grifo abierto.
2. Si nos afeitamos, es mejor...
   (__) dejar correr el agua.   (__) poner un poco de agua en el lavabo.
3. Es preferible arrojar la basura...
   (__) al inodoro.   (__) a una papelera.
4. Lavar los platos a mano es... que lavarlos a máquina.
   (__) más eficiente   (__) menos eficiente
5. Ahorras mucha agua si...
   (__) te duchas en vez de bañarte.   (__) te bañas en vez de ducharte.

Al describir la rutina diaria

Mario es estudiante de la Universidad de California en San Diego. También trabaja medio tiempo en un supermercado. Vive solo.

Se despierta muy temprano y siempre se levanta enseguida cuando oye los despertadores (porque no confía en un solo despertador).

Generalmente se prepara un buen desayuno. Pero hoy desayuna algo ligero porque tiene prisa. Tiene que estar en el trabajo a las 9 y en clase a las 11.

Primero se ducha y luego se peina. Lo único que hace lentamente es afeitarse para no cortarse.

Después del trabajo y de las clases, Mario llega a casa muy cansado. Primero se quita el suéter y los pantalones y se pone unos jeans para estar más cómodo. A veces su hermano Santiago lo acompaña para ver su programa de deportes favorito.

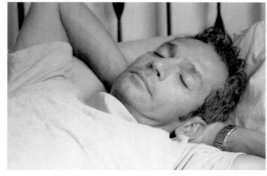

Después de cenar se sienta a ver la tele un rato. Se acuesta a eso de las once y se duerme enseguida.

Como estudiaste en *Para empezar*, página 13, hay muchas palabras del español incorporadas al inglés: *plaza, rodeo, corral, sierra...* También hay palabras del inglés incorporadas al español: **champú, jeans, shorts, béisbol...** Debido al contacto diario con el inglés, los hispanohablantes en algunas comunidades de los Estados Unidos usan un gran número de «palabras prestadas» del inglés que van formando una versión de «Spanglish». Estas palabras, por tener equivalentes en el español normativo, no comunican fuera de las comunidades que las usan. Algunos ejemplo son:

Español estadounidense	Español más común
armi	ejército
bas	autobús
biles	cuentas
breca	freno
colegio	universidad
daime	diez centavos
escuela alta	escuela secundaria
gasolín	gasolina
magazín	revista
sainear	firmar

En tu opinión: ¿Por qué crees que unas palabras del inglés estadounidense como champú y béisbol son aceptadas en el español normativo y otras como biles y daime no son aceptadas?

Ahora, ¡a hablar!

EP 9.3

A. Dos rutinas. Compara tu rutina diaria con la rutina de Mario en *¿Qué se dice... ?* ¿Hacen las mismas cosas o hay algunas que él hace que tú no haces y viceversa? ¿Hacen todo en el mismo orden o se organizan de distintas maneras?

MODELO **Mario se levanta temprano; yo siempre me levanto tarde.** o **Mario y yo siempre nos levantamos temprano.**

EP 9.3

B. Un sábado típico. La rutina de Toñi y Gregory durante el fin de semana depende bastante del clima, pero nunca hacen las mismas cosas. Explica lo que Toñi hace y tu compañero(a) va a decir lo que hace Gregory.

MODELO hacer viento: Toñi–quedarse / casa / leer / novela; Gregory–salir / correr como siempre

Tú: **Cuando hace viento Toñi se queda en casa a leer una novela.**
COMPAÑERO(A): **Gregory sale a correr como siempre.**

1. llover: Toñi–quedarse / cama / hasta 11 A.M.; Gregory–salir / correr como siempre
2. no llover: Toñi–levantarse / 7:00 A.M. y hacer / ejercicio; Gregory–salir / correr como siempre
3. hacer buen tiempo: Toñi–desayunar / terraza; Gregory–prepararse / licuado / manzanas, fresas y plátanos / el desayuno
4. hacer mal tiempo: Toñi–quedarse / casa / todo el día; Gregory–sentarse / ver programas / deportes / todo el día
5. hacer calor: Toñi–bañarse / piscina; Gregory–practicar fútbol / mañana e / irse al gimnasio / tarde
6. hacer frío: Toñi–¿... ?; Gregory–¿... ?

C. Planes. ¿Qué planes tienen tú y tu compañero(a) para este fin de semana? Tomen turnos para preguntarse.

EP 9.3

MODELO   levantarse tarde/temprano

Tú: **¿Vas a levantarte tarde?**

COMPAÑERO(A): **¡Claro! No voy a levantarme hasta las 12. o No, voy a levantarme a las 7 porque tengo que escribir un trabajo para la profesora Lozano.**

Vocabulario útil

despertarse tarde/temprano	irse de compras por la mañana/tarde/noche
vestirse formalmente/informalmente	salir con amigos/novio(a)/padres
desayunar mucho/poco	divertirse en...
bañarse en la playa/piscina	acostarse tarde/temprano

D. Actividades diarias. Los Rodríguez comienzan el día de una manera bastante común. ¿Qué hacen? Con tu compañero(a), túrnense en decir lo que hacen los dos. Luego imagínense que hablan en nombre de ella y de él, y cuéntennos su rutina en primera persona.

EP 9.3

Y ahora, ¿por qué no conversamos?

E. ¿Qué haces tú? Hazle preguntas a un(a) compañero(a) de clase para saber cómo pasa el fin de semana.

Pregúntale...

1. a qué hora se acuesta y a qué hora se levanta los viernes. ¿Y los sábados? ¿Y los domingos?
2. qué hace después de levantarse. ¿Y de ducharse? ¿Se afeita todos los días el fin de semana o solo los domingos?
3. si desayuna los sábados y domingos. ¿Qué come? ¿Quién le prepara el desayuno?
4. si generalmente se queda en casa los sábados y domingos o si sale con sus amigos. ¿Qué hace durante el día? ¿Qué hace de noche?
5. ¿...?

F. ¡Luces! ¡Cámara! ¡Acción! Tú estás tratando de convencer a un(a) amigo(a) de que la vida en tu universidad es más tranquila o más divertida que la vida en su universidad. Dramatiza esta situación con un(a) compañero(a). Comparen su rutina diaria al hacerlo.

GENTE... Gloria y Emilio Estefan, Sandra Cisneros y Marc Anthony

Antes de empezar, dime...

Contesta estas preguntas sobre hispanos famosos de los Estados Unidos.

1. ¿Has leído *(Have you read)* un libro o cuento de un autor hispano de los Estados Unidos? ¿Cuál? ¿Te gustó? ¿Por qué?
2. ¿Tienes algún cantante hispano favorito? ¿Quién es? ¿Cuál es tu disco favorito de este cantante?
3. ¿Quiénes son tus actores hispanos favoritos? ¿En qué películas actuaron?

Gloria y Emilio Estefan

Esta es, sin duda, la pareja hispana del nuevo milenio. Juntos, han creado uno de los imperios musicales más impresionantes del mundo entero: él con su banda Miami Sound Machine, ella con sus dos Grammys y los dos con la venta de más de 60 millones de discos. Han establecido una fundación que ayuda a los más necesitados y han servido de mentores a grandes estrellas latinas como Shakira, Jennifer López, Jon Secada y Ricky Martin.

Sandra Cisneros

Esta poeta y cuentista chicana nacida en Chicago en 1954 escribe en inglés, pero incorpora mucho español en sus cuentos y en su poesía. Su libro, *The House on Mango Street,* recibió el premio «American Book Award» en 1985. Su novela *Caramelo,* escrita 18 años después, entusiasmó a la crítica hasta el punto que ha obtenido un gran reconocimiento internacional. Sandra Cisneros, con sus libros traducidos a más de diez idiomas y su nombre en las más importantes antologías, es considerada hoy día el máximo exponente de lo que se conoce como la nueva «narrativa chicana».

Marc Anthony

Marc Anthony (Marco Antonio Muñiz) nació de padres puertorriqueños en Manhattan. Comenzó cantando en inglés en clubes de Nueva York, especializándose en un tipo de música llamada «House Music». En 1993, después de su participación en una convención nacional musical, sus canciones comenzaron a sonar en todas las emisoras del país y pronto comenzó a ser conocido fuera de los Estados Unidos cantando en español. En 2007, junto con Jennifer López, Marc Anthony actuó en la película *El cantante*, donde interpreta a Héctor Lavoe, el legendario artista puertorriqueño muerto en 1993 a los 46 años.

♪ *¡Dímelo tú! Playlist* Escucha: «Dímelo» de Marc Anthony

Y ahora, dime...

Usa un diagrama Venn como este para comparar a uno de estos latinos sobresalientes con tus escritores, cantantes o músicos favoritos.

Gloria y Emilio Estefan, Sandra Cisneros o Marc Anthony
1.
2.
3.
4.
5.

Lo que tienen en común
1.
2.
3.
4.
5.

Mi escritor(a), cantante o músico(a) favorito(a)
1.
2.
3.
4.
5.

⊡ Por el ciberespacio... al mundo latino estadounidense

If you are a cyberspace surfer, try entering one of the following keywords to get to know some of the many fascinating Hispanics in the United States:
Cristina Aguilera
Jennifer Rodríguez
Julia Álvarez
Cameron Díaz
Ryan Suárez
Andy García
Jennifer López
Jorge Ramos
France Córdova

¡Escríbelo!

Estrategias para escribir: organización de información detallada en el correo electrónico

Nos hemos acostumbrado a escribir correos electrónicos rápidamente sin poner mucha atención a los detalles. Sin embargo, para escribir un correo electrónico formal a una persona que no conoces personalmente o a personas mayores, debes poner más atención al detalle y proveer toda la información que se espera de ti.

Organización de información detallada. Tus padres y/o tu instructor(a) quieren que mejores tu español y por eso, te piden que mantengas correspondencia con un(a) estudiante de la Universidad Nacional Autónoma de México. ¿Qué aspectos de tu vida piensas que le interesaría a un(a) estudiante universitario(a) de México conocer sobre tu vida y tu universidad? Piensa y contesta las siguientes preguntas para ayudarte a organizar esa información.

1. ¿Quién eres? ¿De dónde eres? ¿Cuántos años tienes?
2. ¿Dónde estudias? ¿Qué estudias? ¿Cuáles son tus clases favoritas?
3. ¿Qué haces para divertirte?
4. ¿Cuál es tu rutina diaria?
5. ¿Cómo es el clima en tu ciudad?

Ahora, ¡a escribir!

A. **En preparación.** Para empezar, basa tu correo electrónico en las preguntas anteriores. Añade a la lista más información para escribir una buena descripción que destaca las actividades importantes de un(a) estudiante como tú.

B. **El primer borrador.** Ahora usa toda esa información para formar la base de la escritura. Tu correo electrónico debe seguir el orden de las preguntas que hiciste.

C. **Ahora, a compartir.** Intercambia tu escritura con la de dos compañeros(as). Haz comentarios sobre el contenido y el estilo de la escritura de tus compañeros(as) y escucha los comentarios de ellos sobre tu escritura. Pídeles que te indiquen qué más les interesaría que incluyeras en tu correo electrónico. Si hay errores de ortografía o de gramática, menciónalos.

D. **Ahora, a revisar.** Agrega a tu escritura la información que consideres necesaria, basada en los comentarios de tus compañeros(as). Revisa los errores de gramática, de puntuación y de ortografía.

E. **La versión final.** Escribe ahora la última versión de tu correo electrónico y entrégasela a tu profesor(a).

De visita en San Francisco, California

¿Eres buen observador?

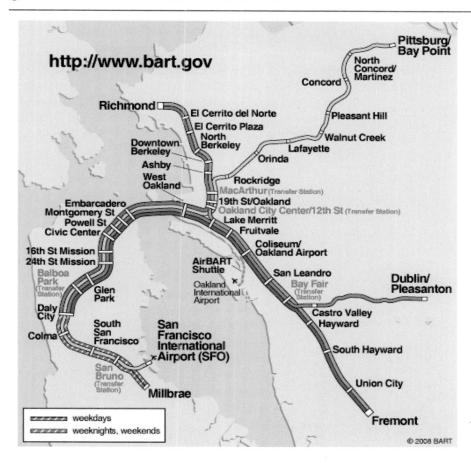

TAREA

Antes de empezar este *Paso*, estudia la lista de vocabulario de las páginas 320–321 y escucha el corte 16 de tu Text Audio CD3. Luego estudia *En preparación*.

1er día   9.4 Affirmative **tú** commands, páginas 326–327

Haz por escrito los ejercicios de *¡A practicar!* correspondientes.

Ahora, ¡a analizar!

Indica si las siguientes instrucciones te llevan a los lugares que dicen.

1. Sí _____   No _____   Para ir de Fremont a Pleasanton, bájate en Bay Fair y cambia a la línea celeste.

2. Sí _____   No _____   Para ir de Concord a Orinda, toma la línea amarilla y bájate en la segunda parada.

3. Sí _____   No _____   Para ir al aeropuerto internacional de San Francisco desde Oakland, toma la línea amarilla y bájate en South San Francisco.

4. Sí _____   No _____   Para ir de San Leandro a Castro Valley, bájate en la segunda parada.

5. Sí _____   No _____   Para ir de Mission a Downtown Berkeley, toma cualquiera de las líneas.

¿Qué se dice...?

Para pedir direcciones

ADRIANA: Disculpa. ¿Puedes decirme cómo llegar a la Misión Dolores?

NOELIA: Sí, ¡cómo no! Sigue por esta calle seis o siete cuadras, hasta la calle Church y el parque Dolores. Allí toma la calle Church a la izquierda y sigue hasta la calle dieciséis. Gira a la derecha en la calle dieciséis, y a una cuadra, en la esquina con la calle Dolores, está la misión.

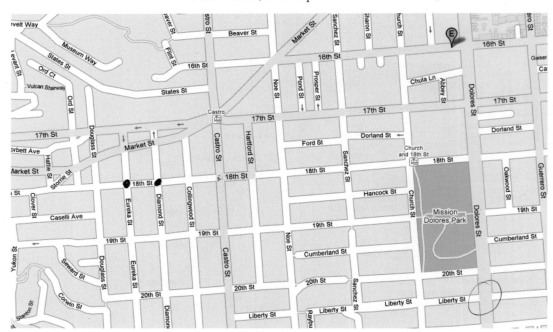

NOELIA: También puedes tomar el autobús en la calle Castro y bajar por la calle dieciséis.

ADRIANA: ¿Y cómo sé en qué parada bajarme?

NOELIA: Pregúntale al conductor. Dile que vas a la Misión Dolores y seguro que te dice cuándo bajarte.

ADRIANA: Muy bien. Muchísimas gracias. Muy amable.

NOELIA: De nada. Buena suerte.

GONZALO: ¿Dónde puedo encontrar una panadería?

AMALIA: Creo que la panadería más cercana está en la calle Castro. Para ir a la calle Castro, sigue por esta calle y rodea el parque Misión Dolores por la derecha. En la calle dieciocho, gira a la izquierda y sigue por la calle dieciocho cinco o seis cuadras hasta llegar a la calle Castro. Allí vas a encontrar varias panaderías.

La población hispana es la que crece con más rapidez en todo el país con 31%, o unos 11 millones de hispanos ya establecidos en California. Se dice que para el año 2020 los hispanos representarán el 43% de la población en California, mientras que los blancos serán aproximadamente el 34%. Ya para el año 2010 las poblaciones de blancos e hispanos serían iguales, cuando cada grupo representará un 39% de la población del estado. En el área de la bahía de San Francisco, la población latina ya supera los 1,5 millones, con siete emisoras de televisión y otros siete periódicos en español. La riqueza de culturas hispanas en California se refleja en la gran variedad culinaria en el distrito de La Misión en San Francisco, donde fácilmente se encuentran el batido de guanábana ecuatoriano, las pupusas salvadoreñas, las arepas venezolanas, los chuchitos guatemaltecos, el nacatamal nicaragüense y claro, los taquitos mexicanos.

En tu opinión: ¿Por qué crees que California es el destino predilecto de tantos inmigrantes latinos? ¿Cuál será la atracción de San Francisco? ¿Crees que es fácil o difícil mezclar varias culturas como la ecuatoriana, salvadoreña, venezolana, guatemalteca, nicaragüense y mexicana en el distrito de La Misión en San Francisco? Explica tu respuesta.

Ahora, ¡a hablar!

EP 9.4

A. ¿Cómo llego? Ricardo, un estudiante de la Universidad Estatal de San Francisco, va a la casa de Patricia, pero no sabe dónde vive. ¿Qué instrucciones le da Patricia?

MODELO   llamar antes de venir
Llama antes de venir.

1. tomar el autobús #5
2. bajarse en la parada de la calle Judah
3. doblar a la izquierda en la esquina de la carnicería Ramírez
4. caminar unas tres cuadras
5. entrar en el edificio 34
6. subir al tercer piso
7. tocar la puerta B

B. Consejos de un buen amigo. Tu amigo José es compañero de la universidad y es muy tímido. Ahora está triste porque no conoce a ninguna chica con quien salir. ¿Qué consejos le das?

EP 9.4

MODELO   preocuparse / por tu imagen
Preocúpate por tu imagen.

1. cortarse / el pelo
2. vestirse / más informalmente
3. comprarse / ropa a la moda
4. interesarse / por los otros
5. divertirse / mucho
6. ir / a los partidos de fútbol
7. invitar / a tus amigos al cine

C. Y tú... Están organizando una fiesta para celebrar el comienzo del curso académico en la universidad y tú y tu compañero(a) están organizándolo todo. ¿Qué les piden a sus amigos? Túrnense para dar instrucciones.

MODELO   Marcelo ir / comprar las sodas, por favor
Marcelo, ve a comprar las sodas, por favor.

1. Adela comprar / ingredientes para los bocadillos en el supermercado
2. Pamela traer / los discos de Gloria Estefan, por favor
3. Bárbara venir / temprano para ayudar a preparar los bocadillos, por favor
4. Anselmo limpiar / las sillas de la terraza
5. Cristina salir / a recibir a los invitados
6. ¿... ?

D. Cuídalo, por favor. Tú y tu compañero(a) se van a pasar las vacaciones de primavera fuera y antes de salir dan las instrucciones a su compañero(a) de departamento sobre lo que tiene que cuidar en la casa. ¿Qué le dicen?

MODELO   cambiarle / agua / pez una vez / semana
Cámbiale el agua al pez una vez por semana.

1. bañar / perro una vez / lo menos
2. ponerle / agua / las plantas una vez / por semana
3. abrir / ventanas / el día
4. cerrar / ventanas / noche
5. recoger / correspondencia / mediodía
6. contestar / el teléfono y escribe / nombre / persona que llamó
7. darle / de comer / gato cada día / la noche

E. En mi pueblo, de todo. Tu compañero(a) va a pasar las vacaciones en tu pueblo y ahora le estás mostrando los lugares más importantes de la plaza del pueblo (dibujo en la página 315). Mientras tanto, él/ella aprovecha para preguntarte dónde puede hacer o comprar distintas cosas. ¿Qué te pregunta? ¿Qué le respondes?

MODELO

Compañero(a): **¿Qué hago para tomar el autobús?**
Tú: **Para tomar el autobús, ve a la parada que está al lado de la iglesia.**

Vocabulario útil

carnicería
cervecería
esquina
frutería
panadería
papelería
perfumería
tabaquería
zapatería

Y ahora, ¿por qué no conversamos?

F. Problemas anónimos. Comparte con la clase un problema que tienes tú o uno(a) de tus amigos (o inventa uno). El resto de la clase va a darte consejos para solucionar el problema. Escribe tu problema en una hoja de papel, pero no la firmes. Tu profesor(a) va a seleccionar varios para que la clase dé consejos. (El resto se van a usar en la Actividad G.) Todos los problemas van a ser anónimos.

G. ¡Luces! ¡Cámara! ¡Acción! Trabajas para un periódico y escribes la sección «Consejos para los jóvenes». Tú y dos compañeros(as) forman un equipo de escritores que dan consejos a los problemas que reciben. Preparen consejos a los problemas que su profesor(a) les va a dar. Presenten sus consejos frente a la clase: uno(a) presenta la situación y los otros dos leen los consejos que prepararon.

Saber comprender

Estrategias para ver y escuchar: ver y escuchar «de arriba hacia abajo»

In Paso 1 you learned that, if you are thoroughly familiar with the subject, you can listen casually to the general flow of a conversation, picking out the occasional specific words that convey the gist of what is being said and letting your knowledge of the topic fill in the blanks on everything else. This approach, known as "listening from the top down," works the same way when viewing a video on a very familiar topic.

Ver y escuchar «de arriba hacia abajo». Aunque nunca hayas visitado San Diego, probablemente sabes bastante de esa encantadora ciudad. Usa ahora ese conocimiento *(knowledge)* que ya tienes para determinar el significado de las palabras subrayadas *(underlined)* en estas oraciones y seleccionar la palabra con el mismo sentido *(meaning)*.

1. San Diego, California, está situada en el extremo sur de la costa pacífica a solo unas dieciocho millas <u>de la frontera</u> con México.
   a. de la reunión   b. del límite   c. de la resolución
2. Los habitantes de San Diego están muy orgullosos de su interesante <u>ambiente</u> artístico.
   a. atmósfera   b. salón   c. museo
3. La influencia española mexicana se puede experimentar en *Old Town,* un barrio animado y <u>pintoresco.</u>
   a. atractivo   b. sin color   c. peligroso
4. Casa Bandini es el muy premiado restaurante donde pueden <u>probar</u> una auténtica comida mexicana.
   a. cocinar   b. preparar   c. comer

Primera parte: San Diego, ¡intensamente artístico y cultural!

Al ver el video

¿Comprendes lo que se dice? Mientras ves el video por primera vez, anota tres cosas que aprendiste que no sabías antes, y tres que ya sabías.

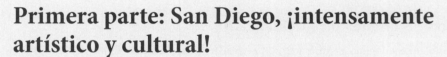

SAN DIEGO

Lo que no sabía	Lo que ya sabía
1.	1.
2.	2.
3.	3.

Después de ver el video

Ahora, usa el conocimiento que ya tenías de San Diego y la nueva información que aprendiste al ver el video para contestar estas preguntas. Compara tus resultados con los de dos compañeros(as).

1. ¿Cuál es la población de San Diego: más de un millón, dos millones o tres millones?
2. ¿En qué consiste *Old Town* San Diego?
3. ¿Qué se puede comprar en el Café Coyote por un dólar?
4. ¿Cuál es la importancia histórica de Presidio Park?
5. ¿Cuál es el atractivo más popular de Balboa Park?

Segunda parte: Texas, ¡el segundo estado más grande!

Ver y escuchar «de arriba hacia abajo». Usa la misma estrategia al prepararte para ver la segunda parte del video: *Texas, ¡el segundo estado más grande!* Usa el conocimiento que ya tienes del gran estado de Texas para determinar el significado de las palabras subrayadas en estas oraciones y seleccionar la palabra con el mismo sentido.

1. Seis <u>banderas</u> han ondeado sobre Texas incluyendo las de España y México.
   a. estandartes
   b. aviones
   c. presidentes

2. La <u>herencia</u> mexicana también se encuentra en las comidas, la música y las fiestas.
   a. alegría
   b. inteligencia
   c. influencia

3. Millones de visitantes llegan a San Antonio cada año a visitar el Paseo del Río con sus cafés <u>al aire libre</u>.
   a. en terrazas y patios
   b. elegantes
   c. en barcos

4. Texas, por su historia, su diversidad y su aire mexicano es un estado <u>sin igual</u>.
   a. típico
   b. único
   c. informal

Al ver el video

¿Comprendes lo que se dice? Mientras ves el video por primera vez, anota tres cosas que aprendiste que no sabías antes, y tres que ya sabías.

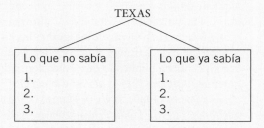

Después de ver el video

Ahora, usa el conocimiento que ya tenías de Texas y la nueva información que aprendiste al ver el video para contestar estas preguntas. Compara tus resultados con los de dos compañeros(as).

1. ¿Es Texas el estado más grande de los Estados Unidos?
2. ¿De qué es buen ejemplo la misión de San José en San Antonio?
3. ¿Qué porcentaje de la población de San Antonio es mexicoamericano?
4. ¿Cuáles son algunas de las atracciones de San Antonio?

El rincón de los lectores

Estrategias para leer: reconocer versos, estrofas y la lógica de la puntuación en la poesía moderna

En la poesía tradicional siempre encontramos una puntuación que sigue las reglas tradicionales de la sintaxis. La poesía moderna, sin embargo, no siempre tiene puntuación, como tampoco estrofas claramente delineadas. Algunos poetas como Francisco X. Alarcón, el poeta chicano que escribió el poema que sigue, con frecuencia no usa ni puntuación ni estrofas. Sin embargo, todos sus poemas tienen oraciones completas —solo les falta la puntuación— y se pueden dividir fácilmente en estrofas. Si la ausencia de puntuación te hace más difícil entender la poesía moderna, ponle la puntuación mentalmente mientras la lees.

Reconocer versos, estrofas y la lógica de la puntuación en la poesía moderna. En parejas, lean el poema y decidan dónde falta la puntuación. Pongan las letras mayúsculas que faltan, los puntos finales, las comas y las comillas. Si es necesario, escriban el poema de nuevo.

1. ¿Cuántas oraciones completas tiene el poema? ¿Cuáles son?
2. ¿En cuántas estrofas se puede dividir el poema? ¿Cuántos versos habría *(would there be)* en cada estrofa?

El autor

El poeta **Francisco Xavier Alarcón** nació en Wilmington, California, pero se crió tanto en los Estados Unidos como en México. Totalmente bilingüe, se educó en escuelas primarias y secundarias en el Este de Los Ángeles y en Guadalajara, México. Empezó sus estudios universitarios en la Universidad Comunitaria del Este de Los Ángeles y terminó su licenciatura en la Universidad Estatal de California en Long Beach. Hizo sus estudios graduados en la Universidad de Stanford. Poeta, crítico y editor chicano, ha publicado diez colecciones de poemas: *Tattoos* (1985); *Ya vas, Carnal* (1985); *Quake Poems* (1989); *Body in Flames / Cuerpo en llamas* (1990); *Loma Prieta* (1990); *Snake Poems* (1992); *Poemas zurdos* (1992); *No Golden Gate for Us* (1993); *From the Other Side of Night / Del otro lado de la noche* (2002). También ha publicado una serie de libros de poemas bilingües para niños: *Laughing Tomatoes and Other Spring Poems / Jitomates risueños y otros poemas de primavera* (1997); *From the Bellybutton of the Moon and Other Summer Poems / Del ombligo de la luna y otros poemas de verano* (1998); *Angels Ride Bikes and Other Fall Poems / Los Ángeles andan en bicicleta y otros poemas del otoño* (1999); *Iguanas in the Snow and Other Winter Poemas / Iguanas en la nieve y otros poemas de invierno* (2001). Actualmente es catedrático de la Universidad de California en Davis.

Lectura

Una pequeña gran victoria

esa noche de verano
mi hermana dijo
no
ya nunca más
se iba a poner ella
a lavar los trastes°
mi madre sólo
se le quedó viendo
quizás deseando
haberle dicho°
lo mismo
a su propia madre
ella también había odiado°
sus tareas de «mujer»
de cocinar limpiar siempre estar al tanto°
de sus seis hermanos
y su padre
un pequeño trueno°
sacudió° la cocina
cuando silenciosos
nosotros recorrimos
con los ojos la mesa
de cinco hermanos
el repentino aprieto°
se deshizo cuando
mi padre se puso
un mandil° y abrió
la llave del agua
caliente en el fregadero°

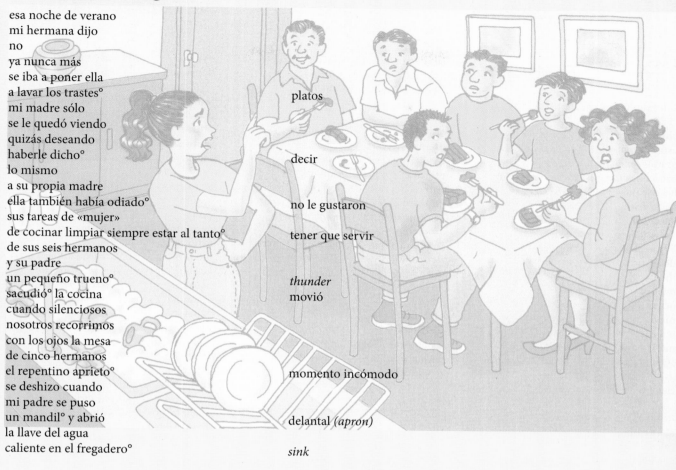

platos

decir

no le gustaron
tener que servir

thunder
movió

momento incómodo

delantal *(apron)*

sink

A ver si comprendiste

Contesten estas preguntas en parejas.

1. ¿Dónde se encuentra el poeta esa «noche de verano»? ¿Quiénes lo acompañan? ¿Cuántos miembros tiene la familia en total?
2. ¿Quién dijo no? ¿A qué y a quiénes dijo no? ¿Por qué crees que lo dijo?
3. ¿Cómo reaccionó la madre? ¿Por qué cree el poeta que su madre reaccionó de esa manera? ¿Estás de acuerdo con el poeta? ¿Por qué?
4. Explica por qué el poeta menciona a seis hermanos y luego a cinco hermanos. ¿Es un error?
5. ¿Cómo se solucionó el problema? ¿Quién lavó los platos al final? ¿Qué opinas de eso? ¿Puede ocurrir esta situación en tu familia? ¿Por qué?
6. Explica el título del poema.

⚡ Por el ciberespacio... los poetas hispanos en los Estados Unidos
Keywords to search:

Lily Rodríguez
poetas hispanos
Francisco Alarcón

To learn more about **los poetas hispanos,** go to the **¡Dímelo tú!** website at academic.cengage.com/spanish/dimelotu

Vocabulario

Paso 1   CD3, Track 14

Clima
calor (m.)	heat
cielo	sky
clima (m.)	weather
estar despejado	to be clear
grados (m. pl.)	degrees
hacer buen tiempo	to be nice weather
hacer calor	to be hot
hacer frío	to be cold
hacer sol	to be sunny
hacer viento	to be windy
hay neblina	it's foggy
llover (ue)	to rain
lluvia	rain
neblina	fog
nevar (ie)	to snow
nieve (f.)	snow
nube (f.)	cloud
nublado(a)	cloudy
¿Qué tiempo hace?	What's the weather like?
tiempo	weather

Relacionado con el clima
al aire libre	in the open air
calentamiento global	global warming
chimenea	fireplace
congelado(a)	frozen
empapado(a)	soaking wet
meteorólogo(a)	meteorologist
pronóstico	forecast
sudar	to perspire
temblar	to shiver

Profesiones
deportista (m./f.)	athlete
dramaturgo (m./f.)	playwright
músico (m./f.)	musician
novelista (m./f.)	novelist
poeta (m./f.)	poet
político(a)	politician

Días feriados
Año Nuevo	New Year
Día de Acción de Gracias	Thanksgiving
Día de las Madres	Mother's Day
Día de San Valentín	St. Valentine's Day
Navidad	Christmas
Pascua Florida	Easter

Materias
arquitectura	arquitecture
literatura	literature
moda	fashion, style
pintura	painting

Palabras útiles
aculturación (f.)	acculturation
árbol (m.)	tree
contaminación (f.)	pollution
ficticio(a)	ficticious
poco	little

Verbos
afectar	to affect
justificar	to justify
montar en bicicleta	to ride a bicycle
permanecer	to remain, to stay
reaparecer	to reappear

Paso 2   CD3, Track 15

Rutina diaria
acostarse (ue)	to go to bed
afeitarse	to shave
bañarse	to bathe
despertarse (ie)	to wake up
dormirse (ue)	to fall asleep
ducharse	to shower, to take a shower
lavarse	to wash oneself
levantarse	to get up
peinarse	to comb one's hair
ponerse	to put on
quitarse	to take off
sentarse (ie)	to sit down
vestirse (i, i)	to dress oneself, to get dressed

Otros verbos
acordarse (ue)	to remember
ahorrar	to save
arrojar	to throw
bajarse	to get off
callarse	to become quiet
divertirse (ie)	to have a good time, to enjoy oneself
irse	to go away
llamarse	to be named, to be called
llevarse	to take away
marcharse	to leave
salirse	to leave unexpectedly
sentirse (ie, i)	to feel
turnarse	to take turns

En la casa
basura	trash
cama	bed
despertador (m.)	alarm clock
grifo	faucet
inodoro	toilet, lavatory
lavabo	wash basin, sink
licuado	mixed, blended (drink)
máquina	machine
papelera	wastepaper basket
vaso	glass

Palabras útiles
capitolio	capital building
chaqueta	jacket
cuero	leather
diario(a)	daily
dientes (m. pl.)	teeth
eficiente	efficient
estadio	stadium
rutina	routine

Paso 3   CD3, Track 16

Lugares
carnicería	butcher shop
cervecería	pub, brewery
esquina	corner
frutería	fruit store
panadería	bakery
papelería	stationery store, book store
perfumería	perfume store
piso	floor
tabaquería	tobacco store
zapatería	shoe store

Para dar direcciones
a la derecha	to the right
a la izquierda	to the left
cuadra	block

doblar	to turn	pertenecer	to belong	**Palabras y expresiones útiles**
girar	to veer	preocuparse	to worry	celeste	light blue
línea	line	solucionar	to solve	correspondencia	mail
		tocar	to knock (at a door), to ring (a doorbell)	cualquiera	any, anybody

doblar — *to turn*
girar — *to veer*
línea — *line*

Verbos y expresiones verbales
aportar — *to contribute*
cortarse — *to cut oneself*
estar de acuerdo — *to be in agreement*
interesarse — *to become interested*
mencionar — *to mention*

pertenecer — *to belong*
preocuparse — *to worry*
solucionar — *to solve*
tocar — *to knock (at a door), to ring (a doorbell)*

Bebidas y bocadillos
bocadillo — *snack, tidbit*
ingredientes *(m. pl.)* — *ingredients*
soda — *carbonated beverage*

Palabras y expresiones útiles
celeste — *light blue*
correspondencia — *mail*
cualquiera — *any, anybody*
fusión *(f.)* — *fusion*
imagen *(f.)* — *image*
miembros — *members*
pez *(m.)* — *(live) fish*
planta — *plant*

EL ESPAÑOL... estadounidense

armi	*ejército*
bas	*autobús*
biles	*cuentas*
breca	*freno*
colegio	*universidad*
daime	*diez centavos*
escuela alta	*escuela secundaria*
gasolín	*gasolina*
magazín	*revista*
sainear	*firmar*

En preparación 9

Paso 1

9.1 Weather expressions

Talking about the weather

◼ In Spanish, **hacer, estar,** and the verb form **hay** are commonly used to describe weather conditions.

¿Qué tiempo **hace** hoy?	*What's the weather like today?*
Hace mucho frío.	*It's very cold.*
Sí, pero no **hace** viento.	*Yes, but it's not windy.*
Está despejado.	*It's clear.*
En el norte **está** nublado.	*In the north it's cloudy.*
¿**Hay** neblina hoy?	*Is it foggy today?*
No, pero **hay** mucha contaminación.	*No, but there is a lot of pollution (smog).*

Heinle Grammar Tutorial: Weather Expressions

◼ The verb **tener** is used to describe how a person feels as a result of the weather conditions.

¿No **tienes** frío?	*Aren't you cold?*
No, en realidad, **tengo** mucho calor.	*No, actually, I'm very hot.*

*Heinle Grammar Tutorial: Verbal expressions (**tener, haber, deber**)*

◼ The verb **estar** can also be used to describe a person's condition as a result of the weather.

Estoy congelado.	*I'm frozen.*
Está temblando.	*He's shivering.*
Están sudando.	*They are perspiring/sweating.*
Estamos empapados.	*We are soaking wet.*

¡A practicar!

A. ¿Qué tiempo hace? Unos amigos quieren saber qué tiempo hace en diferentes partes de los Estados Unidos. ¿Qué les dices tú?

1. verano en Phoenix, Arizona
2. invierno en Buffalo, Nueva York
3. primavera en Des Moines, Iowa
4. otoño en Boston, Massachusetts
5. todo el año en Chicago, Illinois
6. todo el año en Seattle, Washington

B. ¿Es igual? Di ahora qué tiempo hace en diferentes lugares del mundo, en las siguientes fechas.

1. la Navidad en San Francisco
2. la Navidad en Buenos Aires
3. el 4 de julio en California
4. el 4 de julio en Alaska
5. el Año Nuevo en París
6. el Año Nuevo en Santiago de Chile

> «Cuando **llueve** y **hace** viento, quédate adentro». (proverbio)
>
> ___ *When it's rainy and windy it is best not to go out.*
>
> ___ *Neither rain nor wind will keep us from doing our job.*

9.2 *Mucho* and *poco*

Expressing indefinite quantity

■ **Mucho** and **poco** may modify a noun or a verb. When the former is the case, **mucho** and **poco** act as adjectives and must agree in number and gender with what is being modified.

Hay **pocos** carros pero **mucha** contaminación.   *There are few cars but a lot of pollution.*
Hay **mucha** nieve pero hace **poco** frío.   *There is a lot of snow, but it's not very cold.*

■ When **mucho** and **poco** modify a verb, they are adverbs and do not vary in form.

Nieva **mucho** en el invierno.   *It snows a lot in the winter.*
Llueve **poco** aquí en el verano.   *It rains very little here in the summer.*

■ **Muy** is never used to modify **mucho.** Use the word **muchísimo** instead.

Hay **muy poca** nieve pero **muchísima** lluvia.   *There is very little snow but a lot of rain.*

¡A practicar!

A. Así es mi vida. Completa el párrafo con **mucho** o **poco** según tu propio (*your own*) estilo de vida.

Yo tengo _____ amigas y _____ amigos y por eso salgo _____. Este semestre estudio _____ porque tengo _____ clases. Trabajo _____ y gano (*earn*) dinero. Tengo _____ tiempo libre. En mi tiempo libre practico _____ deportes y miro _____ la televisión. En mi ciudad hay _____ cosas que hacer.

B. Problemas de un estudiante. ¿Cómo se prepara Rafael, estudiante de la Universidad de Nuevo México en Albuquerque, para empezar las clases después de las vacaciones de verano? Para saberlo, completa el párrafo con **mucho** o **poco.**

El semestre empezó esta semana y yo tuve que comprar _____ libros. ¡Ay, qué caros son! Por eso, ahora yo tengo muy _____ dinero. ¡Estoy pobre! Además, tengo _____ clases, pero _____ energía. Debo organizar mi vida. Necesito trabajar _____ horas y pasar _____ tiempo en la biblioteca. Este semestre voy a tener _____ tarea y _____ tiempo. ¡Qué horror!

> «Quien **mucho** abarca, **poco** aprieta». (proverbio)
>
> ____ *If you take on too much, you're not likely to do a good job.*
> ____ *The harder you try, the more likely you are to succeed.*

Paso 2

9.3 Reflexive verbs

Talking about what people do for themselves

lavarse			
to wash			
I wash (myself)	**me** lavo	**nos** lavamos	*we wash (ourselves)*
you wash (yourself) informal	**te** lavas	**os** laváis	*you wash (yourselves)*
you wash (yourself) formal	**se** lava	**se** lavan	*you wash (yourselves)*
he/she/it washes (himself/herself/itself)	**se** lava	**se** lavan	*they wash (themselves)*

■ A verb is called *reflexive* when the subject does the action to or for himself, herself, themselves, and so on, that is, when the subject receives the action of the verb. A reflexive pronoun always accompanies such a verb; it agrees in person and number with the subject of the verb. Reflexive pronouns precede a conjugated verb.

Los niños **se bañan** de noche.	*The children bathe (themselves) at night.*
Yo siempre **me acuesto** a las once.	*I always go to bed at eleven.*

■ Reflexive verbs appear in vocabulary lists with the reflexive pronoun **-se** attached to the infinitive ending. The following is a list of frequently used reflexive verbs. Some of these verbs have been used in previous chapters nonreflexively.

acostarse (ue)	*to go to bed*
afeitarse	*to shave*
bañarse	*to take a bath, to bathe*
despertarse (ie)	*to wake up*
divertirse (ie, i)	*to have a good time, to enjoy oneself*
dormirse (ue, u)	*to fall asleep*
ducharse	*to shower, to take a shower*
lavarse	*to wash oneself*
levantarse	*to get up, to stand up*
llamarse	*to be named, to be called*
peinarse	*to comb one's hair*
ponerse	*to put on (clothing)*
quitarse	*to take off (clothing)*
sentarse (ie)	*to sit down*
sentirse (ie, i)	*to feel*
vestirse (i, i)	*to get dressed*

The reflexive pronoun is necessary only when the subject does something to or for itself.

Mamá **se despierta** primero y luego **despierta** a los niños.	*Mom wakes up first and then wakes up the children.*
Primero **me baño** y luego **baño** a los niños.	*First I bathe, and then I bathe the children.*

■ Reflexive pronouns, like direct- and indirect-object pronouns, are always placed directly in front of conjugated verbs. They are attached to the end of infinitives, present participles, and affirmative commands. As with object pronouns, a written accent is often necessary to keep the original stress of present participles and affirmative commands when reflexive pronouns are attached.

Siempre **me** afeito antes de duchar**me.**	*I always shave before taking a shower.*
No vamos a levantar**nos** hasta el mediodía.	*We're not going to get up until noon.*
Los jóvenes están divirtiéndo**se** muchísimo.	*The young people are enjoying themselves very much.*
Quíta**te** la ropa y acuésta**te** en seguida.	*Take your clothes off and go to bed right away.*

■ Making a verb reflexive can change its meaning. These are some common examples. Some of these words may have other meanings not included here.

Verbo		Forma reflexiva	
acordar	*to agree, to decide*	acordarse	*to remember*
bajar	*to go down*	bajarse	*to get off*
callar	*to be quiet*	callarse	*to become quiet*
dormir	*to sleep*	dormirse	*to fall asleep*
ir	*to go*	irse	*to go away*
llevar	*to carry*	llevarse	*to take away*
marchar	*to march*	marcharse	*to leave*
poner	*to put*	ponerse	*to put on, to wear*
salir	*to leave*	salirse	*to leave unexpectedly*

Heinle Grammar Tutorial: Reflexive Verbs

¡A practicar!

A. Todos los días... ¿Cuál es la rutina en casa de los Chávez según Marta, la hija mayor?

1. Yo (levantarse) a las 6:30.
2. Yo (ducharse) rápidamente pero no (lavarse) el pelo todos los días.
3. Papá (afeitarse) después de (ducharse).
4. Mamá (peinarse) y luego (peinar) a mi hermanita.
5. Mi hermana y yo (vestirse) rápidamente.

B. ¡Un pájaro raro! La rutina del profesor Gamboa es muy interesante. Para saber por qué, completa el párrafo con la forma apropiada de los verbos que están entre paréntesis.

Por lo general, el profesor Gamboa (acostarse) muy temprano, a eso de las 9:30 o las 10:00 de la noche. ¿Por qué tan temprano? Porque (levantarse) cuando todo el mundo está durmiendo, a las 4:00 de la mañana. ¿Qué hace a esa hora? Pues, primero (prepararse) una taza de café. Luego (sentarse) a trabajar frente a la computadora. No (bañarse) ni (afeitarse) hasta las 11:30 porque no tiene que ir a la universidad hasta el mediodía. Ah, ¡y nunca (peinarse)! Es un pájaro raro *(rare bird)*.

C. ¿Y tú? Responde a las siguientes preguntas sobre tu propia rutina diaria.

1. ¿A qué hora te despiertas diariamente?
2. ¿Prefieres ducharte o bañarte?
3. ¿Cuántas veces al día te peinas?
4. ¿A qué hora te levantas los fines de semana?
5. ¿A qué hora te acuestas normalmente?
6. ¿Desayunas antes o después de vestirte?
7. ¿Qué te quitas antes de acostarte?
8. ¿Te duermes con música?

D. Una nueva rutina extraordinaria. Manuel habla con sus padres de su rutina y su vida en su nueva universidad, la Universidad del Estado en Sacramento. Para saber qué les dice, decide cuál de los verbos completa correctamente estas frases.

1. Marta y yo (acordamos / nos acordamos) reunirnos todos los sábados para estudiar.
2. En esta ciudad, como no hace mucho frío, (ponemos / nos ponemos) una chaqueta de cuero en invierno.
3. Yo (me duermo / duermo) todos los días a las 10 de la noche.
4. Quiero participar en la banda de la universidad para (marcharme / marchar) en el estadio.
5. Cuando nos cansamos de la vida en la ciudad (nos vamos / vamos) a disfrutar del campo.
6. Cuando venimos de la universidad, Marta y yo (bajamos / nos bajamos) en la parada enfrente del Capitolio.

«Quien borracho **se acuesta**, con agua **se desayuna**». (proverbio)

____ *If you drink too much, you're likely to wake up in the shower.*

____ *If you go to bed drunk, you're going to wake up with a hangover.*

9.4 Affirmative *tú* commands

Giving orders and directions

Commands are used to order someone to do or not to do something. **Tú** commands are used with people with whom you are familiar or whom you address as **tú.** There are different forms for affirmative and negative **tú** commands. In this chapter, you will learn only affirmative **tú** commands.

■ In general, the affirmative **tú** command is identical to the third-person singular of the present indicative.

Infinitive	Command
tomar	**Toma** café.
leer	**Lée**lo.
dormirse	**Duérme**te.

Habla con el profesor y **explíca**le tu problema.	*Talk to the professor and explain your problem to him.*
Trae el mapa.	*Bring the map.*

■ There are eight irregular affirmative **tú** command forms. Note that most are derived from irregular first-person singular forms ending with **-go.**

Infinitive	*yo* present tense	*tú* command
decir	digo	**di**
poner	pongo	**pon**
salir	salgo	**sal**
tener	tengo	**ten**
venir	vengo	**ven**
hacer	hago	**haz**
ir	voy	**ve**
ser	soy	**sé**

■ Object and reflexive pronouns always follow and are attached to affirmative commands. The placement of pronouns follows this order: reflexive, indirect, direct.

Tráe**melas.**	*Bring them to me.*
Acuésta**te.**	*Go to bed.*
Lléva**selo.**	*Take it to him.*

Heinle Grammar Tutorial: Informal Commands (**tú**)

Notice that whenever pronouns are added to a verb, accents are often necessary in order to maintain the original stress.

¡A practicar!

A. ¡Organízate! El hermano menor de Olga es muy desorganizado. ¿Qué consejos le da Olga a su hermano?

MODELO   acostarse / más temprano
            Acuéstate más temprano.

1. levantarse / más temprano
2. vestirse / rápidamente
3. poner / la ropa en tu cuarto
4. salir / antes de las 7:30
5. ir / directamente a clase
6. hacer / tu tarea todas las noches

B. ¡Por favor! Tú decides establecer un poco de orden en el uso del baño en tu casa o apartamento. Dile a tu hermano(a) o a tu compañero(a) de cuarto lo que tiene que hacer para evitar que todos quieran usar el cuarto de baño a la vez. Usa mandatos en la segunda persona (**tú**).

1. levantarse temprano
2. ducharse rápidamente
3. vestirse en su cuarto
4. lavarse el pelo por la noche
5. peinarse rápidamente
6. ¿... ?

C. ¡Dímelo tú! El título de este libro de texto tiene dos significados según el contexto dentro del cual se usa: *You tell me* (*it*)! o *You don't say!* Explica la estructura del título a base de las reglas que acabas de aprender —la forma del verbo, el acento, los pronombres, etcétera.

«**Dame** pan y **dime** tonto». (dicho popular)

____ *I don't care what people say as long as I get what I want.*

____ *Let them eat cake!*

CAPÍTULO 10

Nicaragua: tierra de lagos, volcanes, terremotos y poetas

In this chapter, you will learn how to . . .

- talk about proper action to take in case of an emergency.
- talk about the past.
- describe what happened.
- talk about the lives and works of a writer.

Busca terremoto en Managua *en Google*™ *Images y YouTube*™ *para aprender sobre los daños del terremoto de Managua.*

Busca huracán Félix Nicaragua *en Google*™ *Images y YouTube*™ *para aprender sobre su desastroso efecto en octubre 2007.*

Busca Nicaragua tierra de lagos y volcanes *en Google*™ *Images y YouTube*™ *para ver una variedad de fotos de este hermoso paisaje.*

¡Las fotos hablan!

A que ya sabes... Mirando las fotos, trata de completar estas afirmaciones.

1. El volcán en la primera foto es uno de los _____ que rodean Managua, la capital de Nicaragua.
   a. tres   b. cinco   c. veinticinco
2. La destrucción del edificio de gobierno en la segunda foto probablemente fue causada por un _____.
   a. terremoto   b. golpe militar c. huracán
3. Nicaragua, por su cercanía al Caribe, está expuesta a _____.
   a. tornados   b. huracanes   c. sequías

¡Viviendo seguros en... Nicaragua!

TAREA

Antes de empezar este *Paso,* estudia la lista de vocabulario de la página 350 y escucha el corte 21 de tu Text Audio CD3. Luego estudia *En preparación.*

1er día   10.1 Present subjunctive: Theory and forms, páginas 352–353

10.2 Subjunctive with expressions of persuasion, página 353

Haz por escrito los ejercicios de *¡A practicar!* correspondientes.

¿Eres buen observador?

¿QUÉ HACER EN CASO DE TERREMOTO?

ANTES: Se recomienda que...
• prepares un plan de emergencia para la familia en caso de terremoto.
• practiques cómo cortar la electricidad, el agua y el gas rápidamente.
• dispongas de un equipo de emergencia: linterna, radio transistor, botiquín de primeros auxilios...
• tengas agua en recipientes de plástico para al menos una semana para toda la familia.

DURANTE: Te sugerimos que...
• mantengas la calma y reacciones deliberadamente.
• estés lejos de cuadros, chimeneas y objetos que puedan caerse.
• te protejas debajo de los huecos de las puertas o de algún mueble sólido.
• si estás en el exterior, procures mantenerte a distancia de los edificios altos, postes de energía eléctrica y otros objetos que te puedan caer encima.

DESPUÉS: Te pedimos que...
• no muevas a los heridos con fracturas.
• cierres las llaves de paso del agua y del gas y comuniques cualquier escape a sus compañías.
• no camines por cristales rotos o cables eléctricos y sigas las instrucciones de las autoridades.

Ahora, ¡a analizar!

1. Localiza Managua en el mapa de Nicaragua en las primeras páginas de este libro y mira este mapa de las zonas sísmicas de Nicaragua. La ciudad capital de Managua tiene una amenaza de terremoto...
   a. muy alta.   b. alta.   c. mediana.   d. baja.
2. En el noreste, en la Costa del Caribe de Nicaragua, la amenaza es...
   a. muy alta.   b. alta.   c. mediana.   d. baja.
3. En caso de un terremoto, nos recomiendan...
   a. que llevemos rápidamente a los heridos al hospital más cercano.
   b. que no movamos a los heridos.

¿Qué se dice...?

CD3, Track 17

En caso de emergencia

CAMPAÑA DE PREVENCIÓN DE DESASTRES NATURALES

Nicaragua es un paraíso natural que es a menudo azotado por los desastres naturales. Tanto los habitantes de Nicaragua como los visitantes deben observar estos consejos de la Cruz Roja Nicaragüense, que de todos modos son válidos para cualquier parte del mundo.

Para evitar incendios forestales, se pide que...

- no arrojen fósforos ni cigarros encendidos.
- no enciendan fuego para cocinar fuera de los lugares preparados para ello.
- no lancen cohetes ni ningún otro fuego artificial.

Si caminan a pie por el monte y hay un incendio en las proximidades les recomendamos que...

- se alejen del incendio lo antes posible.
- no corran ladera arriba a menos que sepan que existe un lugar seguro.
- no intenten cruzar las llamas, salvo que vean claramente lo que hay detrás de ellas.

Ante una posible erupción de un volcán les recomendamos que...

- conozcan la situación del volcán. ¿Está activo? ¿Cuándo fue la última vez que entró en erupción?
- eviten los terrenos erosionados o deforestados.
- usen el tiempo desde el comienzo de la actividad hasta la crisis volcánica para buscar refugio fuera de la zona y para seguir las directrices de las autoridades.

Como preparación para un huracán, les aconsejamos que...

- se informen sobre los planes de emergencia de su comunidad, las señales de advertencia y las rutas de evacuación.
- desconecten las fuentes de alimentación de gas y de agua antes de abandonar la casa.
- compren un extinguidor de incendios y se aseguren de que todos sepan dónde está y cómo usarlo.
- pongan en un sitio seguro los documentos importantes, como pólizas de seguro y testamentos, y mantengan un inventario para su seguro del hogar.
- anoten los números de teléfono de emergencia junto a cada aparato de teléfono.

Ante los constantes terremotos de Nicaragua, les aconsejamos que...

- escojan un lugar seguro en cada sala —debajo de una mesa resistente, de un escritorio o contra una pared interior donde nada pueda caerles encima.
- elijan un contacto familiar que resida fuera de la zona para mantenerse en contacto con el resto de la familia.
- tomen un curso de primeros auxilios en la oficina local de la Cruz Roja de su localidad y mantengan actualizada su capacitación.

Ante un tornado, les aconsejamos que...

- identifiquen un lugar donde los miembros de la familia puedan reunirse si un tornado se dirige hacia su casa.
- se cuiden de los cables eléctricos caídos y se queden fuera de la zona dañada.
- si están fuera, se protejan en una zona baja o bajo un puente.
- escuchen la radio para recibir información e instrucciones.
- usen una linterna para inspeccionar los daños a su hogar, nunca una vela.

Los maremotos *(tsunamis)* son raros pero devastadores. Para minimizar su impacto les sugerimos que...

- aprendan cómo llegar a una zona de evacuación que está a por lo menos 10 metros de elevación (o 30 pies).
- preparen un paquete de emergencia con agua, medicinas, ropa, botiquín de primeros auxilios y comida para ustedes y sus mascotas.
- apaguen el gas, la electricidad y el agua de su casa, cierren la puerta y busquen refugio en una zona elevada.

¿Sabías que...?

Con el descubrimiento de oro en California en 1848, miles de aventureros se pusieron rumbo al oeste, guiados por lo que se ha dado por llamar «fiebre del oro». Pero en contra de lo que muestran las famosas películas de Hollywood, gran parte de los viajeros de la costa este de los Estados Unidos viajaban a California por mar y no por tierra. La ruta iba de Nueva York a San Juan del Norte (Greytown), Nicaragua. De ahí cruzaban por el río San Juan, el lago de Nicaragua y el istmo por San Jorge, y se embarcaban hasta San Francisco, California. Basándose en esa experiencia y en la idea de que hay demanda para otro canal además del de Panamá, el presidente Bolaños anunció en 2006 la construcción de un canal siguiendo una ruta similar a la de los aventureros, que reduciría el transporte entre Nueva York y San Francisco en más de un día, y que podría hacer de Nicaragua uno de los países más ricos de las Américas en cuanto a renta per cápita. El proyecto crearía 40.000 puestos de trabajo directamente y 200.000 indirectamente.

En tu opinión: ¿Por qué crees que los aventureros preferían viajar por Nicaragua para ir de Nueva York a California? ¿Crees que es buena idea construir un nuevo canal? Explica tu respuesta.

Ahora, ¡a hablar!

A. ¿Qué debes hacer? El Centro Nacional de Riesgos Naturales de la Universidad de Colorado en Boulder se dedica, entre otras cosas, a ayudar a la gente en distintas partes del país a prepararse para la posibilidad de un desastre natural en la región donde viven. Trabajando con un(a) compañero(a), decidan para qué ciudades o estados de los Estados Unidos son apropiados estos consejos. Algunos pueden ser apropiados para todo el país.

EP 10.1, 10.2

1. Recomendamos que hagan un plan con su familia para reunirse en caso de emergencia.
2. Sugerimos que compren un extintor de incendios y aprendan a usarlo con su familia.
3. Invitamos a que mantengan la calma y busquen un lugar elevado en caso de alerta de tsunami.
4. Recomendamos que hagan un paquete con un botiquín de primeros auxilios, comida, ropa...
5. Pedimos que no arrojen fósforos ni cigarros al suelo.
6. Sugerimos que tomen un curso de primeros auxilios.
7. Recomendamos que tengan un radio transistor y que escuchen las instrucciones de las autoridades.
8. Pedimos que no muevan a los heridos salvo en caso de incendio u otro peligro.

B. Supervivencia. ¿Saben algo sobre casos de emergencia? Con tu compañero(a), decidan si lo siguiente es cierto o falso. Si es falso, corríjanlo.

EP 10.2

Vocabulario útil

dar los primeros auxilios	esperar la llegada de una ambulancia
dar masaje cardíaco	llamar a un médico
dar respiración artificial	llamar un servicio de emergencia

C F 1. Se recomienda que no hagas nada a una persona que no respira, porque puede morirse.

C F 2. Es recomendable que busques ayuda inmediatamente si ves que una persona sufre un ataque cardíaco.

C F 3. Es aconsejable que le des mucha leche a una persona que sufre de envenenamiento (*poisoning*).

C F 4. Si una persona sufre un ataque cardíaco, se recomienda que, antes que nada, le des un masaje cardíaco.

C F 5. En caso de dosis excesiva de alguna medicina, te recomendamos que llames inmediatamente al departamento de toxicología del hospital más cercano.

C. ¿Qué debo hacer? Pregúntale a tu compañero(a), que es un(a) experto(a) en protección civil, lo que debes hacer en estos casos de emergencia.

EP 10.1, 10.2

MODELO   una persona está inconsciente: proporcionar los primeros auxilios / inmediato

TÚ: **¿Qué me recomiendas si una persona está inconsciente?**

COMPAÑERO(A): **Te recomiendo que le proporciones los primeros auxilios inmediatamente.**

1. una persona es víctima de un choque (*shock*) eléctrico: verificar si la víctima respira / normal
2. una persona sufre de ataque cardíaco: llamar al servicio de emergencia / urgente
3. una persona se está ahogando (*drowning*): sacarla del agua y empezar a administrarle respiración artificial / rápido
4. una persona sufre de lesiones en la cabeza: observar si hay hemorragia / cuidadoso
5. una persona es víctima de envenenamiento y está inconsciente: llamar al departamento de toxicología del hospital más cercano y hablar / lento y claro

A propósito...

The ordinal numbers—**primero, segundo, tercero, cuarto, quinto, sexto, séptimo, octavo, noveno, décimo**—are adjectives and must agree in number and gender with the nouns they modify, as in **primeros auxilios.** When preceding a singular masculine noun, **primero** and **tercero** become **primer** and **tercer.**

D. En caso de emergencia. Estas situaciones representan varios tipos de emergencias. Con un(a) compañero(a), tomen turnos para dar recomendaciones sobre lo que se debe hacer y en qué orden se deben hacer en caso de emergencia.

Vocabulario útil

llamar a...	dar respiración artificial	cubrir al lastimado con una manta
servicios de urgencia	mantener la calma	verificar si la víctima respira
los bomberos	lanzar una cuerda o salvavidas	proporcionar un masaje cardíaco
ambulancia	pedir ayuda	no mover al lastimado

ahogarse

sufrir un ataque cardíaco

caerse

sufrir un choque eléctrico

envenenarse

incendio

huracán

beber demasiado

Y ahora, ¿por qué no conversamos?

E. Incendio. Recomiéndale a tu compañero(a) en qué orden y cómo debe hacerse lo siguiente si hay un incendio. Luego tu compañero(a) te va a decir qué se debe hacer y no hacer en caso de un terremoto.

MODELO **Primero te sugiero que llames a los bomberos inmediatamente. Segundo...**

1. poner una toalla *(towel)* húmeda debajo de la puerta / rápido
2. ayudar a otras personas / cortés
3. caminar por el pasillo *(hall)* / lento
4. ver si la puerta está caliente / cuidadoso
5. buscar la salida más cercana / tranquilo
6. llamar a los bomberos / inmediato

F. ¡Luces! ¡Cámara! ¡Acción! Tú y otros(as) tres compañeros(as) acaban de completar un curso de prevención ante distintas emergencias y quieren mostrar a sus instructores que están preparados. Uno hace el papel de víctima, otro de ayudante y los otros dos de instructores que dan consejos adicionales sobre cómo reaccionar. Los instructores van a inventar una posible situación. Dramaticen la situación delante de la clase.

G. ¡Nuestra comunidad! En tu universidad o comunidad, entrevista a una persona hispana, preferiblemente nicaragüense, y pregúntale si recuerda algún desastre natural, si él o ella se vio afectado(a) por ese desastre y qué medidas de información y de prevención ante esos desastres se toman en su país.

Capítulo 9

Repasemos. En el Capítulo 9 aprendiste a hablar del tiempo y de cómo el clima te afecta. Aprendiste también a hablar de tus costumbres y tu rutina diaria, así como pedir y dar instrucciones sobre cómo llegar a los lugares. Finalmente, aprendiste a describir un fin de semana típico. Repasa lo que sabes, completando el siguiente texto con las palabras necesarias.

Tu AMIGO(A): ¡Qué _____ [20°F] hace hoy!

Tú: Sí, yo _____ [**ser/estar**] congelado(a).

Tu AMIGO(A): Este clima no es normal _____ [**por/para**] mayo, ¿no?

Tú: Sí, es que con el cambio climático, el clima _____ [**ser/estar**] un poco loco.

Tu AMIGO(A): Si quieres podemos _____ [**sentarse**] ahí, al sol.

Tú: Sí, es buena idea. _____ [**Traer/tú** command] los libros y podemos estudiar _____ [**por/para**] el examen de español.

Tu AMIGO(A): _____ [**pensar/tú** command] que la semana próxima vamos a estar en Argentina, con ese clima tan bueno.

Tú: Pues no _____ [**saber/conocer**], porque allí ahora es _____ [*season*].

Tu AMIGO(A): _____ [**Ser/tú** command] positivo(a) y _____ [**considerar/tú** command] lo bien que lo vamos a pasar.

Saber comprender CD3, Track 18

Estrategias para escuchar: escuchar «de abajo hacia arriba»

*In **Capítulo 9** you learned that listening is easier when you know something about the subject. However, this is often not the case. When you know nothing about what you are listening to, it is helpful and sometimes necessary to listen for grammatical and linguistic structures that you already know. For example, listening to verb endings can tell you not only who is carrying out the action, but when it is occurring. Listening for adverbs derived from adjectives can tell you how the action is carried out. This method is known as listening «from the bottom up.»*

Escuchar «de abajo hacia arriba». Escucha este noticiero especial de Radio Managua. Luego, con un(a) compañero(a), hagan una lista de por lo menos cuatro cosas que ocurrieron y expliquen con un adverbio o en breves palabras cómo ocurrió cada cosa.

Ahora, ¡a escuchar!

Completa estas oraciones, según lo que se escuchó en el noticiero.

1. Los bomberos sofocaron...
2. El fuego se debió al hecho de que...
3. La policía respondió...
4. El ataque no resultó...
5. Los equipos médicos lograron...

Nicaragua: de la realidad a la esperanza

Antes de empezar, dime...

1. ¿Cuál es el origen del nombre de los Estados Unidos?
2. ¿Qué tipo de desastres naturales ocurren en los Estados Unidos?
3. ¿Cuáles son algunos de los más recientes? ¿De los más destructivos?
4. ¿Por qué sigue viviendo la gente en esos sitios?

NICARAGUA

Nombre oficial
República de Nicaragua

Capital
Managua

Población
5.785.846 (julio 2008 est.)

Unidad monetaria
córdoba oro

Índice de longevidad
71,2 años

Alfabetismo
67,5 por ciento

Nicaragua recibió su nombre del cacique Nicarao, jefe indígena de la tribu que en época precolombina pobló las orillas del Cocibolca, el actual lago de Nicaragua (3000 kms^2). Se trata del país más grande de América Central y, con Belice, el menos poblado, con casi 6.000.000 de habitantes.

Nicaragua ofrece una gran variedad de rutas para explorar su belleza natural. La ruta colonial nos lleva a explorar las ciudades de León y Granada. León, al igual que la famosa ciudad de Pompeya en la antigua Roma, fue enterrada en 1614 por el volcán Momotombo. Esta ciudad fue transladada posteriormente al lugar que ocupa hoy en día. La ruta de la abundante agua nos lleva a nadar y disfrutar del clima y a descubrir los lagos, ríos y misteriosas lagunas en los cráteres de los volcanes, además de las playas de la costa del Pacífico y Atlántico. Para los turistas más aventureros existe la ruta del fuego que nos transporta a explorar

exuberantes volcanes, algunos todavía activos, que bordean la costa del Pacífico. Poder subir hasta la punta del cráter o divisar la naturaleza en todo su esplendor es llevarse memorias inolvidables de Nicaragua. Para los amantes de la naturaleza, la ruta del café nos envuelve en sus majestuosas zonas cafetaleras de Matagalpa y Jinoteca.

La gran mayoría de la población nicaragüense es mestiza, con un sector en la costa del Atlántico de herencia africana. La población indígena predominante es la de los indígenas misquitos. El 60% de la población de Nicaragua tiene menos de 17 años.

Nicaragua ocupa una de las zonas más geológicamente inestables y jóvenes de la tierra, el istmo centroamericano: una gran depresión de casi 600 kms que separa América del Norte y América del Sur.

Nicaragua está también llena de volcanes, de tal modo que un día despejado es posible ver entre veinte y veinticinco volcanes desde el centro de la capital, Managua. A solo dieciséis kilómetros de Managua se halla el cráter del volcán Xiloá, con un hermoso lago donde se puede nadar, pescar y dar un paseo en bote.

Datos interesantísimos sobre Nicaragua

- El lago de Nicaragua mide 92 millas de largo por 34 millas de ancho. Hay 302 isletas en el lago.
- Managua, la capital, fue casi totalmente destruida por un terremoto en 1972.
- León es considerada «la capital intelectual» de Nicaragua. Su catedral es la más grande de toda Centroamérica.
- Granada, una hermosa ciudad colonial, es la ciudad más antigua de toda Centroamérica.
- En 2006, Presidente Enrique Bolaños anunció un plan para construir un nuevo canal entre el océano Pacífico y el océano Atlántico. Se proyecta completarlo para el año 2018.
- Violeta Barrios de Chamorro, Presidenta de Nicaragua de 1990 a 1996, fue la primera mujer elegida presidenta democráticamente en el mundo hispanohablante.

⊙ Por el ciberespacio... a Nicaragua

If you are a cyberspace surfer, try entering one of the following keywords to get to know some of the fascinating sites of **Nicaragua**:

Lago de Nicaragua
Terremotos de Nicaragua
Geografía de Nicaragua

To learn more about Nicaragua, go to the *¡Dímelo tú!* website at academic. cengage.com/spanish/dimelotu

Y ahora, dime...

Con un(a) compañero(a), preparen dos listas: una con los atractivos de Nicaragua que descubrieron en este capítulo (pueden repasar también los Pasos 2 y 3) y otra con los inconvenientes naturales que tiene Nicaragua, según esta lectura.

¡Qué hermosa la vida... en Solentiname!

¿Eres buen observador?

TAREA

Antes de empezar este *Paso,* estudia la lista de vocabulario de las páginas 350–351 y escucha el corte 22 de tu Text Audio CD3. Luego estudia *En preparación.*

1er día   10.3 Irregular verbs in the preterite, páginas 354–355

2do día   10.4 Negative and indefinite expressions, páginas 355–356

Haz por escrito los ejercicios de *¡A practicar!* correspondientes.

Ahora, ¡a analizar!

1. ¿Qué evento anuncia este póster?
2. ¿Cuándo tuvo lugar este evento? ¿A qué hora fue?
3. ¿Dónde tuvo lugar? ¿En qué ciudad?
4. ¿Quién lo organizó?
5. ¿Cuánto costaron los boletos de entrada?
6. ¿Qué anticipas que se va a tratar en este documental?

🎵 *¡Dímelo tú! Playlist* Escucha: «El Cristo de Palacagüina» de Carlos Mejía Godoy

Al describir lo que ocurrió

Querida Isabel:

Cuando llegamos al archipiélago de Solentiname en el lago de Nicaragua, encontramos un paraíso formado por 36 isletas. ¡Nos quedamos impresionados! Cuando Santiago y yo caminamos un poco por la isla nos sentimos libres del estrés y las preocupaciones de nuestra vida diaria. Jamás nos sentimos tan cómodos y tan relajados como aquí. A propósito, el nombre Solentiname viene de una palabra náhuatl que significa «lugar de muchos huéspedes» o «lugar de hospedaje».

Solentiname es uno de los lugares más atractivos de Nicaragua. La naturaleza se conserva en su estado primitivo, y muchos de sus habitantes son pintores, artesanos y escultores.

Pero deja contarte un poco la historia de Solentiname. En 1966, Ernesto Cardenal, un sacerdote, poeta y escultor originario de Granada, Nicaragua,

vino a Solentiname y pronto se dejó impresionar por la habilidad artística de los habitantes del archipiélago al tallar la madera de balsa, una madera muy ligera y maleable, y la corteza de jícaro, una fruta de la zona. Tanto se impresionó que en 1967 trajo a su amigo Róger Pérez de la Rocha, un joven pintor de 17 años, y juntos fundaron la escuela de arte primitivista de Solentimane, que pusieron a disposición de todos los habitantes de la isla.

El joven artista supo atraer el interés de los habitantes, e impartió talleres de pintura a niños, jóvenes y ancianos. No solo les enseñó las técnicas de la pintura, sino que también supo ayudarles a valorar y pintar la belleza natural del archipiélago.

Tienes que ver lo hermosas que son las pinturas primitivistas. El arte primitivista normalmente representa la vida diaria e incluye siempre pájaros, reptiles y también peces. Casi siempre pintan montañas y fondos volcánicos, envueltos en maravillosos amaneceres y atardeceres. A veces los cuadros dividen el lienzo en escenas del día y de la noche. En los cuadros primitivistas que yo vi, no hay nada violento ni trágico, y tampoco vi nada importado, solo temas locales.

La familia Arellano es un buen ejemplo de la vida artística de Solentiname: seis miembros de la familia son pintores, siendo los más jóvenes Hazel de 16 años y Julio, de 15. Pudimos disfrutar de sus cuadros en el Museo de las Musas, en la isla Elvis Chavarría. Uno de los cuadros, *Vida Silvestre del Archipiélago de Solentiname*, es el resultado de la colaboración entre todos los miembros de la familia.

Bueno. Te escribo otro día. Tengo que contarte muchas cosas más.

Abrazos,

Mónica

El Viejo del Monte, por Rodolfo Arellano

Ernesto Cardenal, poeta, revolucionario y sacerdote nicaragüense participó, desde 1954, en las luchas contra el dictador Anastasio Somoza García. Residió durante un tiempo en un monasterio de Kentucky en los Estados Unidos, bajo la dirección espiritual de Thomas Merton. A su regreso a Nicaragua fundó una comunidad en la isla de Solentiname. Algunos miembros de su comunidad de Solentiname participaron en la lucha contra Somoza, y este destruyó la comunidad y obligó a Ernesto Cardenal a huir a Costa Rica. Tras la caída del dictador Somoza, Ernesto Cardenal regresó a Nicaragua y fue nombrado ministro de cultura del gobierno sandinista, cargo que ocupó por casi diez años. También participó de la teología de la liberación, y junto a los habitantes de Solentiname escribió el Evangelio en Solentiname. Una imagen que se hizo famosa fue la de Ernesto Cardenal recibiendo al Papa Juan Pablo II en el aeropuerto de Managua. Allí, el Papa riñó a Ernesto Cardenal por su liderazgo en la teología de la liberación y su implicación en la política, a pocos metros del avión y a la vista de todo (literalmente todo) el mundo.

En tu opinión: ¿Es positivo o negativo que un sacerdote sea también poeta? ¿Político? ¿Revolucionario? ¿Por qué?

Ahora, ¡a hablar!

EP 10.3

A. Pintura primitivista. Combina las frases de las columnas para escribir cinco oraciones sobre la información de *¿Qué se dice... ?*

1. La pintura primitivista nunca — trajo — pintores primitivistas.
2. Ernesto Cardenal — se hicieron — a la isla a Róger Pérez de la Rocha.
3. Somoza — destruyó — temas de las ciudades o de otros lugares.
4. La llegada de Ernesto y Róger — pinta — que los habitantes se interesaran por la pintura.
5. Algunas familias enteras — hizo — los edificios de la comunidad de Solentiname.

EP 10.3

B. Maravillosas islas. Ahora son Santiago y Mónica quienes narran lo que más les gustó de su estancia en Nicaragua. ¿Qué dicen?

1. En Managua Santiago y yo (tener) la oportunidad de asistir a una obra en el Teatro Nacional Rubén Darío.
2. Nuestro guía turístico (traernos) café con leche para tomar en el bus.
3. También nosotros (querer) visitar el Parque Nacional Volcán Masaya, en las afueras de Managua.
4. A nosotros (producirnos) gran placer disfrutar de las playas de Bluefields.
5. En nuestra visita a Masaya (haber) cosas muy bonitas: mucho folklore y muchas actuaciones de teatro.

EP 10.3

C. ¿Qué hiciste tú? Santiago y Mónica describieron sus vacaciones en Solentiname, Nicaragua. ¿Qué hicieron tú y tu compañero(a) en sus últimas vacaciones? Hazle estas preguntas y luego tu compañero(a) te va a hacer las mismas preguntas a ti.

1. ¿Adónde fuiste en tus últimas vacaciones? ¿Con quién fuiste?
2. ¿Cuánto tiempo estuvieron allí?
3. ¿Tuviste que hacer reservaciones o pudiste conseguir un cuarto sin reservaciones?
4. ¿Cómo llegaron allí? ¿Volaron o condujeron?
5. ¿Hubo algún tipo de incidente? Si así es, descríbelo.
6. ¿Te pudiste comunicar sin problemas con tu familia o tuviste que esperar que ellos llamaran?

D. Servicio de urgencia. ¿Qué dice este miembro de un equipo de urgencia y qué le contesta la persona con quien habla al llegar a un barrio destruido por un tornado? Tú vas a hacer las preguntas y tu compañero(a) va a contestarlas usando expresiones negativas e indefinidas.

MODELO   haber / en esta casa: no
Tú: **¿Hay alguien en esta casa?**
Compañero(a): **No, no hay nadie aquí.**

1. estar / seguro(a) que no quedar / persona en el interior: sí
2. cerrar / todas las llaves de paso: no
3. ver / indicio de incendio: no
4. oír / pidiendo auxilio: no
5. estar / tornado / vez: no

E. ¡Qué accidente! Tu compañero(a) y tú observaron este accidente y ahora están redactando para el periódico de la universidad todos los detalles de lo que ocurrió. Escriban un reporte en el que incluyen los datos típicos del artículo periodístico: qué, quién, cómo, cuándo, dónde, por qué, si hubo víctimas, en qué estado se encuentran las víctimas, y todo lo demás.

Vocabulario útil

accidente	chocar	oxígeno
ambulancia	grúa	primeros auxilios
bomberos	lastimados	servicio de urgencia

Y ahora, ¿por qué no conversamos?

F. ¡Qué susto pasamos! Todos hemos tenido experiencias fuera de lo normal durante un desastre natural, unas vacaciones, un viaje... ¿Cuál fue tu experiencia? Cuéntasela a tu compañero(a) que va tomar nota. Luego, él (ella) te contará su experiencia mientras tú tomas nota. Compartan con la clase la experiencia de su compañero(a) y voten para decidir cuál de las historias resulta la más extraña de todas las de la clase.

G. ¡Luces! ¡Cámara! ¡Acción! En este momento está ocurriendo o ha ocurrido un desastre natural o un accidente. Sin decir qué fue lo que ocurrió, preparen la situación entre cuatro o cinco estudiantes, y represéntenla delante de la clase. Observen las reacciones de las distintas personas. La clase tiene que adivinar qué pasó y juzgar si las acciones de todos fueron las correctas, y si no, corregirlas.

¡Escríbelo! ✎

Estrategias para escribir: decidir qué información presentar

Una composición es un trabajo escrito que requiere tres pasos principales:

1. *decidir qué información presentar sobre el tema,*
2. *conseguir esa información y*
3. *comunicar la información por escrito de una manera clara y organizada.*

Para decidir qué información presentar, es necesario pensar en las preguntas específicas sobre el tema que quieres que tu composición conteste. Ya habiendo decidido qué información quieres incluir, tendrás que conseguir la información necesaria usando varias fuentes: el Internet, entrevistas a personas nativo hablantes, libros de referencia como una enciclopedia, revistas, periódicos, etcétera. Para comunicar la información de una manera clara y organizada deben seguir el proceso de redacción que ya han usado en los trabajos escritos desde el principio.

Decidir qué información presentar. Al escribir una composición, es importante empezar por proponerte preguntas específicas que quieres que tu composición conteste. A continuación están las preguntas que los autores del *Noticiero cultural* del *Paso 1*, «Nicaragua: de la realidad a la esperanza», se propusieron contestar. ¿Las contestaron todas? Si no, ¿cuáles no y por qué crees que no las contestaron todas?

1. ¿Dónde está? ¿Cuál es el origen de su nombre?
2. ¿Cómo es su clima y geografía?
3. ¿Qué bellezas naturales puedes encontrar al visitar este país?
4. ¿Cómo es su gente?
5. ¿Cómo es la artesanía que se produce y vende?

Ahora, ¡a escribir!

A. **En preparación.** La secretaría de turismo de Nicaragua ha anunciado un concurso para ver quién puede desarrollar una promoción de Nicaragua tipo folleto o «brochure» que se pueda usar para inspirar a estudiantes universitarios estadounidenses a visitar Nicaragua. La secretaría sugiere que titulen su folleto «¡Visite Nicaragua!». En preparación para escribir su brochure, piensen en los temas que quieren presentar y en las preguntas específicas que quieren contestar. Su folleto puede tratar un solo tema, como por ejemplo, presentar la ciudad de León o Granada, un nicaragüense famoso o puede ser un tema más general como la belleza natural de Nicaragua o la artesanía del país. Tú y dos compañeros(as) han decidido colaborar para desarrollar un folleto. Empiecen por preparar preguntas apropiadas al tema que su brochure debe desarrollar. Si necesitan ayuda, miren como guía las preguntas que contesta la composición del *Noticiero cultural* y las que se pueden deducir de *¿Sabías que...?* y de *¿Qué se dice...?* Pueden usar una variedad de fuentes para encontrar la información necesaria para contestar sus preguntas sobre el tema. Se recomienda que incluyan fotografías, dibujos, gráficas o promociones de vacaciones para hacer su folleto más interesante.

B. **El primer borrador.** Cada miembro del grupo es responsable de encontrar información sobre una sección específica de su folleto y traerla por escrito a clase para discutirla y mejorarla junto con sus compañeros(as). Usen la información que prepararon en **A** para escribir un primer borrador como parte del grupo. Pongan toda la información relacionada con la misma pregunta en un párrafo. En grupo, preparen una introducción pequeña para su folleto que capte todo lo que se encuentra en su folleto.

C. **Ahora, a compartir.** Ahora con su grupo ustedes son responsables de pulir el primer borrador entre sus compañeros(as). Comenten sobre el título, el contenido y el estilo de cada sección de su folleto y escuchen los comentarios de sus compañeros sobre su sección. Si hay errores de ortografía o de gramática, corríjanlos.

D. **La versión final.** Prepara una versión final de su folleto con fotos y/o dibujos y entrégalo.

Nos hablaron de... ¡la poesía nicaragüense!

¿Eres buen observador?

Estuvieron en Nicaragua y lo pasaron fenomenal.
¿Quieres saber 20 cosas que hicieron?

1. Visitaron la catedral de León y sus 17 iglesias coloniales.
2. Recorrieron las ruinas de León Viejo.
3. Visitaron el Santuario de la Inmaculada Concepción (El Viejo Chinandega).
4. Hicieron ecoturismo en el volcán Cosigüina (Chinandega).
5. Sintieron la emoción de subir al volcán Momotombo.
6. Hicieron surfing en la Laguna de Xiloa.
7. Visitaron Diriamba, cuna del Güegüense, y degustaron el Mondongo de Masatepe.
8. Bucearon en la Laguna de Apoyo (Masaya).
9. Se divirtieron al comprar artesanía en los Pueblos Blancos: Catarina, San Juan de Oriente, Diriá y Diriombo.
10. Durmieron en Masaya y asistieron a los Jueves de Verbenas en el Mercado de Artesanías.
11. Consiguieron ascender al cráter del volcán Masaya.
12. Recorrieron en coche la Ciudad Colonial de Granada, la más antigua de América Latina en tierra firme.
13. Disfrutaron de la Bahía de San Juan del Sur y sus playas vírgenes.
14. Hicieron ecoturismo en río San Juan y descansaron un fin de semana en Solentiname.
15. Visitaron en Managua las Huellas de Acahualinca, el Teatro Rubén Darío, el Palacio de la Cultura, las Ruinas de la Catedral y la Catedral nueva.
16. Ascendieron hasta la Peña de la Cruz en Jinotega.
17. Siguieron senderos excitantes al visitar el Salto de la Estanzuela, la Reserva Tisey y la Laguna de Miraflor en Estelí.
18. Se zambulleron en las aguas termales de Boaco.
19. Navegaron por el río Escondido, de Ciudad Rama hasta Bluefields.
20. Sintieron la frescura y la suavidad de las arenas blancas de Corn Island en el Caribe Sur Nicaragüense.

Instituto Nicaragüense de Turismo INTUR   www.visitanicaragua.com
Centro de Información Turística
Managa, Nicaragua

Ahora, ¡a analizar!

Indica si estas personas hicieron o no lo que se dice a continuación.

1. Sí____ No____ Hicieron ecoturismo en varios lugares de Nicaragua.
2. Sí____ No____ Hicieron deportes acuáticos.
3. Sí____ No____ No visitaron ningún edificio famoso.
4. Sí____ No____ No subieron a ningún volcán.
5. Sí____ No____ Adquirieron artesanía en al menos dos ciudades distintas.

¿Qué se dice...?

Al hablar de lo que hicieron otros

Querida Isabel,

Fijate que ya empiezo a hablar con el voseo tan típico de Centroamérica. ¡Cualquiera diría que es contagioso!

Bueno, pues te quería contar que ayer, durante nuestro viaje de Managua a Masaya, uno de los guías nos habló de algunos poetas nicaragüenses, y quiero compartir con vos lo que aprendí, porque sé que a vos te encanta la poesía, especialmente por lo que me dijiste de la poesía de Ernesto Cardenal. El guía leyó el poema «Oración por Marilyn Monroe» y la verdad es que me emocioné mucho. Te recomiendo que lo leás.

Pues mirá, el guía nos habló de Rubén Darío, un poeta del siglo diecinueve y principios del veinte, que sintió el llamado a la poesía desde muy niño. También dijo que Darío publicó sus primeros poemas con solo doce años. ¡Imaginate! Y ya de adulto, Darío llegó a ser conocido como el máximo exponente del movimiento literario llamado modernismo —una literaria que se caracteriza por el gusto por lo fantástico, lo exótico, un lenguaje refinado y musical y el uso de los símbolos para evocar emociones. Rubén Darío murió en 1916, pero su poesía sigue siendo muy importante para todos los que hablamos español.

También nos habló de un poeta muy interesante que se llama Joaquín Pasos. Este poeta murió en 1947, con apenas treinta y tres años, pero escribió bastantes poemas muy vanguardistas. Como Darío, también empezó a escribir desde muy joven, con catorce años, porque sintió la poesía de las calles de Managua, donde vivió temporalmente durante su infancia. Qué querés que te diga... ¡La creatividad de estos nicaragüenses es impresionante! Cuando murió, sus amigos agruparon sus obras y siguieron el plan que el mismo Joaquín diseñó antes de morir: *Poemas de un joven que no ha viajado nunca* (con poemas sobre países que nunca visitó); *Poemas de un joven que no ha amado nunca* (que incluye sus poemas de amor) y *Poemas de un joven que no sabe inglés* (con sus poemas en inglés, que aprendió desde niño sin maestro). ¿Podés creerlo? Fue un genio el tipo. Y a propósito, el guía nos recomendó su poema «Canto de guerra de las cosas».

El guía también nos habló de Gioconda Belli, una poeta nicaragüense que reside en California. Es novelista y poeta. Siguió los estudios de periodismo en los Estados Unidos, y luego regresó a Nicaragua. Durante algunos años formó parte del gobierno sandinista que derrocó al dictador Somoza, pero en 1994 prefirió salir del gobierno por desacuerdos con los sandinistas. Durante esos años siguió escribiendo y consiguió pronto reconocimiento internacional. El guía me recomendó una novela suya muy famosa que se llama *La mujer habitada* y hoy mismo Santiago me la pidió y voy a comprársela por Internet. Estoy deseando leerla. Te la prestaré por si la querés leer.

¿Sabías que...?

Nicaragua es conocida en Latinoamérica como «la tierra de los poetas». Ser poeta en este país es como ser médico o profesor universitario. Uno de los poetas más reconocidos de las letras hispanas de todos los tiempos es el nicaragüense Rubén Darío (Félix Rubén García-Sarmiento, 1867–1916). Fue el líder del movimiento literario hispanoamericano conocido como el modernismo, que floreció hacia principios del siglo XX. Entre sus obras más famosas se cuentan *Azul* (1888) y *Prosas profanas y otros poemas* (1895).

En tu opinión: ¿Por qué crees que hay tanto respeto hacia los poetas en Nicaragua? En general, ¿qué se opina de poetas en los Estados Unidos? ¿Se considera una buena profesión? ¿Por qué sí o por qué no? ¿En qué crees que consiste el modernismo? ¿Por qué crees eso?

Ahora, ¡a hablar!

A. Lo que hicimos. Vuelve a escribir estas oraciones para recordar lo que se habló en *¿Qué se dice... ?* sobre estos poetas nicaragüenses tan famosos.

EP 10.5

1. Rubén Darío (sentir) el llamado a la poesía desde muy niño.
2. El modernismo (elegir) la pasión, el arte visual y los ritmos de la música.
3. Joaquín Pasos (morir) con apenas treinta y tres años.
4. Los amigos de Joaquín Pasos (seguir) el plan establecido por Joaquín para sus obras.
5. Gioconda Belli, en 1994, (preferir) salir del gobierno por divergencias con los sandinistas.
6. Gioconda Belli (conseguir) pronto reconocimiento internacional.

B. ¡Qué día! Ayer un amigo tuyo tuvo un día fatal. Cuéntale a tu compañero(a) lo que le pasó. Luego tu compañero(a) te va a contar lo que le pasó a su amigo.

MODELO En primer lugar, no / (seguir) mis consejos.
En primer lugar, no siguió mis consejos.

1. Le (pedir) dinero prestado a su papá.
2. Le (mentir) diciendo que lo necesitaba para comprar libros para sus clases.
3. Luego (sentirse) mal por haber mentido.
4. En lugar de decir la verdad, (preferir) seguir con la mentira.
5. A continuación (entrar) en un restaurante y (pedir) la langosta más cara del menú.
6. El mesero se la (servir) con una botella de vino chileno Carménère.
7. Su padre (saberlo) todo y (preferir) no decir nada hasta por la noche.

C. Las cosas de la vida. Con tu compañero(a), hablen de las cosas interesantes de su vida. Hazle preguntas a partir de estos hechos. Recuerda las palabras que puedes usar para preguntar: qué, cuándo, cómo, dónde, por qué, a quién, con quién.

conseguir el primer empleo
pedir a un chico o una chica salir con él o ella
vestirse con traje formal
reírse en una situación un poco inapropiada
morirse su mascota favorita
despedirse de su mejor amigo para venir a la universidad
seguir el ejemplo de un héroe o persona importante

D. Mi actor/actriz favorito(a). ¿Conoces al actor de origen nicaragüense José Solano? Con un(a) compañero(a), hablen de él y luego hablen de sus actores favoritos. Mencionen qué premios recibieron, por qué lo consiguieron, si se divirtieron haciéndolo, etcétera.

José Solano

Y ahora, ¿por qué no conversamos?

E. Extraño. ¿De vez en cuando haces algo totalmente fuera de lo normal? Comparte estos momentos con tus compañeros(as) en grupos de tres o cuatro.

MODELO dormir... horas
Generalmente duermo ocho horas, pero un día dormí quince horas porque...

1. mentir
2. pedir dinero
3. reírse en clase
4. seguir a una persona
5. tener mucho miedo
6. vestirse de manera extravagante
7. ¿...?

F. ¡Luces! ¡Cámara! ¡Acción! Tú y tu amigo(a) están hablando de su escritor (cuentista, novelista, poeta) favorito. Cada uno trata de impresionar al otro con lo mucho que saben de la vida de su escritor favorito. Dramaticen la conversación y la clase va a decir cuál de los dos conoce mejor a las personas que describen.

Saber comprender

Estrategias para ver y escuchar: ver y escuchar «de abajo hacia arriba»

*In **Paso 1** of this chapter, you learned that listening "from the bottom up," or listening for grammatical and linguistic structures that you already know, can greatly help comprehension when you know nothing about the material you are listening to. You learned, for example, that listening to verb endings can tell you not only who is carrying out the action, but when it is occurring. Listening for adjectives can tell you what people or things are like.*

Ver y escuchar «de abajo hacia arriba». Practica el escuchar los adjetivos al ver el video. Presta atención especial a la descripción de los lugares y personas que aparecen en la segunda columna. Luego, indica qué adjetivo de la primera columna se usa para describir cada lugar o persona.

1. colonial	a. Rubén Darío
2. nicaragüense	b. centro
3. intelectual	c. catedral
4. grande	d. calles

Nicaragua, ¡en la búsqueda de un futuro mejor!

Al ver el video

Mira el video y al ver y escuchar la parte sobre la ciudad de León, presta atención especial a la descripción de Rubén Darío, el centro de la ciudad, la catedral y las calles para poder indicar qué adjetivos se usaron en cada descripción.

Fuente frente al Teatro Nacional Rubén Darío

Después de ver el video

Ahora mira todo el video sobre Nicaragua y, según lo que ves, explica la relación que hay entre lo siguiente.

1. caballos / carros
2. León / Rubén Darío
3. la catedral metropolitana de León / Latinoamérica
4. el mercado de León / la iguana
5. Managua / tráfico
6. estatuas / guerra civil nicaragüense
7. al anochecer / la diversión en Managua

El rincón de los lectores

Estrategias para leer: versos y estrofas

En el Capítulo 3 aprendiste que un verso es una línea de un poema y una estrofa es una agrupación de versos dentro de un poema. También aprendiste que un verso puede ser una oración completa, tanto como lo puede ser una estrofa. En algunos poemas, una oración puede ocupar varios versos y hasta varias estrofas.

Versos y estrofas. Contesta estas preguntas sobre los versos y estrofas en este poema de Gioconda Belli.

1. ¿Cuántos versos tiene el poema «¿Qué sos Nicaragua?»?
2. ¿Cuántas estrofas tiene el poema?
3. ¿Cuántos versos hay en cada estrofa?
4. ¿Hay versos en «¿Qué sos Nicaragua?» que forman una oración completa? Explica.
5. ¿Hay estrofas que forman una oración completa? Explica.
6. ¿Cuántas oraciones completas hay en el poema? ¿Cuáles son?

Pistas de contexto. Practica usando las técnicas que ya sabes para reconocer las pistas de contexto en este poema. Busca las palabras de la columna A en la lectura y estudia el contexto de las oraciones donde las encuentres. Luego selecciona según el contexto las palabras de la columna B que tienen el mismo significado de cada palabra de la columna A.

A	B
1. pulidas	a. que tienen punta
2. pisadas	b. mano cerrada
3. pechos	c. voz muy alta algo esforzada
4. puntudos	d. huellas de los pies
5. gritos	e. partes del cuerpo femenino
6. puño	f. suaves

La autora

Gioconda Belli (Managua, 1948), poeta, ensayista y narradora, participó activamente en la lucha contra la dictadura de Somoza. Tuvo que exiliarse en 1975 a Costa Rica y regresó a Nicaragua después del triunfo revolucionario en 1979. Participó en el gobierno del Frente Sandinista de Liberación Nacional (FSLN), hasta que en 1986 decidió dedicar todo su tiempo a su trabajo como escritora. Posteriormente, en 1994, descontenta con el FSLN como partido, lo abandonó. Actualmente vive en Santa Mónica, California.

Su obra literaria incluye «Sobre la grama» (1974), «Línea de fuego» (1978), «Truenos y arcoiris» (1982), «De la costilla de Eva» (1986) y «Apogeo» (1997), las novelas *La mujer habitada* publicada en los Estados Unidos como *The Inhabited Woman* (1988) y *Sofía de los presagios* (1990), sus memorias, *El país bajo mi piel* (2003), y un libro sobre Juana la Loca, *El pergamino de la seducción* (2006). En 2008 publicó su novela *El infinito en la palma de la mano*.

Lectura

¿Qué sos° Nicaragua?   *eres*

¿Qué sos
sino un triangulito de tierra
perdido en la mitad del mundo?

¿Qué sos
sino un vuelo de pájaros
guardabarrancos°   el ave nacional de Nicaragua
cenzontles°   *mockingbirds*
colibríes°?   *hummingbirds*

¿Qué sos
sino un ruido de ríos
llevándose las piedras **pulidas** y brillantes
dejando **pisadas** de agua por los montes?

¿Qué sos
sino **pechos** de mujer hechos de tierra,
lisos°, **puntudos** y amenazantes°?   *smooth; que hacen sentir miedo*

¿Qué sos
sino cantar de hojas en árboles gigantes
verdes, enmarañados° y llenos de palomas?   *sin orden*

¿Qué sos
sino dolor y polvo° y **gritos** en la tarde,   *dust*
«gritos de mujeres, como de parto°»?   *in childbirth*

¿Qué sos
sino **puño** crispado y bala en boca°?   *bullet ready to be used*

¿Qué sos, Nicaragua
para dolerme tanto?

A ver si comprendiste

1. ¿Cómo define el poema a Nicaragua?
2. Relaciona ambas columnas por medio de las imágenes o metáforas que se transmiten en el poema.

   A. pisadas de agua por los montes   1. volcanes
   B. pechos de mujer hechos de tierra   2. lagos
   C. dolor y polvo y gritos en la tarde   3. guerra
   D. puño crispado y bala en boca   4. viento
   E. cantar de hojas en árboles gigantes   5. violencia

3. ¿Por qué crees que las opiniones de la poeta son tan fuertes?
4. Explica el título de este poema.

Vocabulario

Paso 1 CD3, Track 21

Desastres naturales

desastre natural (m.)	natural disaster
erupción de volcán (f.)	volcanic eruption
incendios forestales (m. pl.)	forest fires
huracán (m.)	hurricane
maremoto	tsunami
tornado	tornado
zona sísmica	earthquake zone

Emergencias

ambulancia	ambulance
ahogarse	to drown
ataque cardíaco (m.)	heart attack
caerse	to fall down
choque eléctrico (m.)	electric shock
emergencia	emergency
envenenamiento	poisoning
hemorragia	hemorrhage
lesión (f.)	injury
riesgo	hazzard
sofocar	to smother, to put out

Víctimas

herido(a)	wounded or injured person
inconsciente	unconscious
lastimado(a)	injured person

Tratamientos

botiquín de primeros auxilios (m.)	first aid kit
dosis (f.)	dosage
masaje cardíaco (m.)	cardiac massage
medicina	medicine

Servicios de urgencia

autoridad (f.)	authority
Cruz Roja	Red Cross
cuerda	rope
extintor de incendios (m.)	fire extinguisher
mantener la calma	to stay calm
primeros auxilios (m. pl.)	first aid

reanimar	to revive
respiración artificial (f.)	artificial respiration
respirar	to breathe
salvavidas (f. pl.)	life preserver
servicios de emergencia/ urgencia (m. pl.)	emergency services
toxicología	toxicology

Casa

escalera	ladder; stairs, staircase
estufa de gas	gas stove
fósforos (m. pl.)	matches
paquete (m.)	package
pasillo	hall, hallway
suelo	floor
toalla	towel
vecino(a)	neighbor

Descripción

aconsejable	advisable
alerto(a)	alert
alto(a)	high
amenaza	threat
bajo(a)	low
de sol a sol	from dawn to dusk
destructivo(a)	destructive
elevado(a)	elevated
en caso de	in case of
encendido(a)	lit up
excesivo(a)	excessive
húmedo(a)	wet, humid
lento(a)	slow
mediano(a)	medium
peligro	danger
reciente	recent
salvo	except

Números ordinales

primer(o)	first
segundo	second
tercer(o)	third
cuarto	fourth
quinto	fifth
sexto	sixth
séptimo	seventh
octavo	eighth
noveno	ninth
décimo	tenth

Verbos

aconsejar	to advise
cubrir	to cover
insistir (en)	to insist
lanzar	to throw, to hurl
morirse	to die
observar	to observe
proporcionar	to provide
quedarse	to stay, to remain
reunirse	to get together, to reunite
romperse	to break, to shatter
sugerir	to suggest
verificar	to verify

Paso 2 CD3, Track 22

Accidente automovilístico

carro	car
chocar	to crash
chofer (m. f.)	chauffeur
conducir	to drive
culpa	fault
grúa	wreaker, tow truck
oxígeno	oxygen
pegar	to hit
peligro	danger
tener la culpa	to be at fault, to be to blame

Descripción

afueras	suburbs, outskirts
entero(a)	whole, entire
extraño(a)	strange
indicio	indication, sign
interior (m.)	interior
sospechoso(a)	suspicious
turístico(a)	tourist

Viajar

destinación (f.)	destination
llegada	arrival
placer (m.)	pleasure
reservación (f.)	reservation

Expresiones indefinidas

alguien	someone, anyone
alguna vez	sometime, ever
alguno	some, any
o... o	either . . . or

Expresiones negativas

jamás	*never*
ni... ni	*neither . . . nor*
ninguno(a)	*none, not any*

Verbos

andar	*to walk*
anticipar	*to anticipate*
anunciar	*to announce*
estar seguro(a)	*to be sure*
evitar	*to avoid*
haber *(aux. verb)*	*to have*
notar	*to notice*
producir	*to produce*
traducir	*to translate*
tratar de	*to try*

Palabras y expresiones útiles

a tiempo	*on time*
actuación *(f.)*	*performance*
comunidad *(f.)*	*community*
guerra	*war*
incidente *(m.)*	*incident*
llaves de paso *(f. pl.)*	*water valves*
objeto	*object*

oportunidad *(f.)*	*opportunity*
por suerte	*luckily*
primitivista	*primitive or naïve art, characterized by vivid colors and simple figures*
si así es	*if so*

Paso 3 CD3, Track 23

Poesía

estrofa	*verse*
metáfora	*metaphor*
oración *(f.)*	*sentence*
pasión *(f.)*	*passion*
ritmo	*rhythm*
verso	*line of a poem*

Ladrón

billetera	*wallet*
documentos de identidad *(m. pl.)*	*identification documents*
miedo	*fear*
pistola	*gun*

Descripción

a continuación	*next, following*
anochecer	*dusk, nightfall*
apenas	*barely*
con el pie izquierdo	*on the wrong foot*
en lugar de	*in place of*
enorme	*enormous*
extravagante	*extravagant*
intelectual	*intelectual*

Verbos

consistir	*to consist*
definir	*to define*
despedirse	*to take leave, to say good-bye*
perseguir (i,i)	*to pursue*
prestar	*to lend*

Palabras útiles

caballo	*horse*
despertador *(m.)*	*alarm clock*
divergencia	*divergence*
estatua	*statue*
reconocimiento	*recognition*
respeto	*respect*
sandinistas	*Nicaraguan revolutionary group*

En preparación 10

10.1 Present subjunctive: Theory and forms
Giving advice and making recommendations

◼ The verb forms you have learned up to now—present, present progressive, present perfect, preterite, imperfect, future, and conditional—are all part of the indicative mood. The indicative mood is used in statements or questions that reflect factual knowledge or certainty.

◼ A second system of verb forms, the subjunctive mood, is used for statements or questions that reflect doubt, desire, emotion, or uncertainty. The subjunctive is so named because it is usually *subjoined* or *subservient* to another dominating idea. Because of their subservient nature, the subjunctive tenses normally occur in a secondary or dependent clause (a group of words with a subject and a verb) of a sentence, and are often introduced by **que.** The verb in the main clause is usually in the indicative.

> main clause (indicative) + **que** + dependent clause (subjunctive)
> Mamá quiere **que** ustedes **coman** con nosotros esta noche.

◼ To form the present subjunctive, personal endings are added to the stem of the **yo** form of the present indicative. The present subjunctive of -**ar** verbs take endings with -**e,** while -**er** and -**ir** verbs take endings with -**a.**

-ar	preparar
-e	prepare
-es	prepares
-e	prepare
-emos	preparemos
-éis	preparéis
-en	preparen

-er, -ir	correr	asistir
-a	corra	asista
-as	corras	asistas
-a	corra	asista
-amos	corramos	asistamos
-áis	corráis	asistáis
-an	corran	asistan

◼ Since the personal endings of the present subjunctive are always added to the stem of the **yo** form of the present indicative, verbs that have an irregular stem in the first person (e.g., **conozco, digo, hago, oigo, pongo, salgo, tengo, traigo, vengo, veo**) maintain that irregularity in all forms of the subjunctive.

tener	venir	conocer	ver
tenga	venga	conozca	vea
tenga	vengas	conozcas	veas
tenga	venga	conozca	vea
tengamos	vengamos	conozcamos	veamos
tengáis	vengáis	conozcáis	veáis
tengan	vengan	conozcan	vean

Heinle GrammarTutorial: Subjunctive Part I: Introduction; The Present Subjunctive

¡A practicar!

¡Nunca se sabe! Cristina, una estudiante de español, está haciendo su tarea de hoy, pero tiene problemas decidiendo si las siguientes frases usan verbos en indicativo o subjuntivo. Para ayudarla, marca los verbos en subjuntivo.

1. Es importante que los nicaragüenses reciban los beneficios de su trabajo.
2. Muchos nicaragüenses no reciben el fruto de su trabajo.
3. Las mujeres de este rancho trabajan de sol a sol.
4. A las mujeres les exijen que trabajen de sol a sol.
5. Nicaragua es una tierra fértil para la agricultura y la poesía.
6. No es justo que, tras muchos años de intervencionismo, nos hayamos olvidado de Nicaragua.

«No hay mal que por bien no **venga**». (proverbio)

___ *Out of bad, some good things come.*

___ *Things always turn out to be OK.*

10.2 Subjunctive with expressions of persuasion

Persuading

Whenever the verb in the main clause expresses a request, a suggestion, a command, or a judgment, the verb in the dependent clause is expressed in the subjunctive, provided there is a subject change. This is because the action in the dependent clause is nonfactual and yet to occur.

main clause (indicative) + **que** + dependent clause (subjunctive)

El médico recomienda	que yo **corra** todos los días.
The doctor recommends	*that I run every day.*
También aconseja	que **comamos** menos carne.
He also advises	*that we eat less meat.*
Insiste en	que yo **deje** de fumar.
He insists	*that I stop smoking.*

The following are some frequently used verbs of persuasion.

aconsejar	*to advise*	preferir	*to prefer*
insistir (en)	*to insist*	recomendar	*to recommend*
permitir	*to permit*	sugerir	*to suggest*

Heinle Grammar
Tutorial: Subjunctive
Part V: Desire;
Verbal expressions
(tener, haber, deber)

¡A practicar!

A. ¡Problemas en el paraíso! Paco y Lupita, una pareja de recién casados, acaban de mudarse a Ancón, Panamá. Desgraciadamente, ya tienen algunos problemas en su matrimonio. ¿Qué les sugiere el consejero matrimonial?

MODELO   recomendar / cambiar la rutina **Recomienda que cambien la rutina.**

1. sugerir / salir más
2. aconsejar / no quedarse / casa / fines de semana
3. recomendar / tener / más paciencia
4. sugerir / no mirar / tanto / televisión
5. recomendar / hacer / viaje juntos

B. ¡El primer baile! Ángela va a asistir a su primer baile en la Universidad de Santa María la Antigua. ¿Qué le dicen sus padres?

1. tu madre y yo insistir / tú regresar / antes de la medianoche
2. yo recomendar / tú no beber / alcohol / fiesta
3. mamá y yo / insistir / ustedes / decir no a las drogas
4. tu madre preferir / tu amigo conducir / el coche al baile
5. yo insistir / tú / no fumar
6. nosotros querer / ustedes llamarnos / en caso de emergencia

---

«**Te recomiendo que** tomes una cucharada de tu misma medicina». (proverbio)

___ *I suggest you experience for yourself what you wish on others.*

___ *I recommend you taste some of my medicine.*

10.3 Irregular verbs in the preterite

Describing what already occurred

In **Capítulo 4**, you learned the preterite of **ir, ser, poder,** and **tener** and in **Capítulo 6** you learned the preterite of **estar, decir,** and **hacer**. The following is a more complete list of irregular verbs in the preterite. Note that all have irregular stems, as well as unstressed first- and third-person singular verb endings.

i-stem verbs		
hacer:	hic-*	
querer:	quis-	} -e, -iste, -o, -imos, -isteis, -ieron
venir:	vin-	

venir	
vine	**vin**imos
viniste	**vin**isteis
vino	**vin**ieron

u-stem verbs		
andar:	**anduv-**	
estar:	**estuv-**	
haber:	**hub-**	
poder:	**pud-**	} -e, -iste, -o, -imos, -isteis, -ieron
poner:	**pus-**	
saber:	**sup-**	
tener:	**tuv-**	

saber	
supe	**sup**imos
supiste	**sup**isteis
supo	**sup**ieron

j-stem verbs		
conducir:	**conduj-**	
decir:	**dij-**	
producir:	**produj-**	} -e, -iste, -o, -imos, -isteis, -eron
traducir:	**traduj-**	
traer:	**traj-**	

traer	
traje	**traj**imos
trajiste	**traj**isteis
trajo	**traj**eron

■ Note that any verb whose stem ends in **j** drops the **i** in the third-person plural ending of the preterite: **dijeron, produjeron,** and so on.

■ The preterite of **hay** is **hubo** (*there was, there were*). As in the present indicative, it has only one form, which is used for both singular and plural objects.

Hubo un accidente en la carretera esta mañana.	*There was an accident on the highway this morning.*
¿**Hubo** muchos heridos?	*Were there many injured?*
Afortunadamente, no **hubo** heridos.	*Fortunately, no one was injured.*

* Remember that the **c** changes to **z** in the third-person singular to maintain the proper pronunciation.

A. ¡Hubo un accidente! ¿Cómo ocurrió? Para saber lo que ocurrió en el pueblo de San Juan del Sur, completa estas oraciones con el pretérito de los verbos entre paréntesis.

Elena y Esteban _____ (tener) un accidente ayer. Esteban _____ (perder) el control del carro y no _____ (poder) parar a tiempo. Ellos _____ (chocar) con otro carro. Cuando la policía _____ (llegar), _____ (decir) que el otro chofer no había tenido la culpa (*had not been at fault*). Por suerte no_____ (haber) heridos. Ellos _____ (tener) que dejar el carro allí y _____ (andar) a casa.

B. ¡Fue terrible! Ahora Esteban está explicándole a su agente de seguros cómo ocurrió el accidente. Cambia los verbos entre paréntesis al pretérito para saber qué le dice Esteban.

¡ _____ (Ser) terrible! El chofer que iba delante de mí _____ (parar) de repente. Yo _____ (hacer) todo lo posible para evitarlo pero no _____ (poder) parar a tiempo. _____ (Perder) totalmente el control del carro. La policía _____ (decir) que fue por mi culpa. Mi señora _____ (estar) muy nerviosa por varios días después del accidente. Ah, _____ (yo / traer) la descripción del accidente que nos pidió escribir.

«El que **hizo** la ley, **hizo** la trampa». (proverbio)

____ *Laws are written to be broken.*

____ *The persons that write the laws also provide the prisons.*

10.4 Negative and indefinite expressions

Denying information and referring to nonspecific people and things

Negative and indefinite expressions			
nada	*nothing*	algo	*something, anything*
nadie	*no one, nobody*	alguien	*someone, anyone*
ninguno	*none, not any*	alguno	*some, any*
nunca	*never*	alguna vez	*sometime, ever*
jamás	*never*	siempre	*always*
tampoco	*neither*	también	*also*
ni... ni	*neither . . . nor*	o... o	*either . . . or*

■ **Alguno** and **ninguno** are adjectives and therefore must agree with the words they modify. As with all numbers ending in -**uno,** the -**uno** ending becomes -**ún** when it precedes a masculine singular noun: **algún, ningún.**

¿Tiene usted **algunos** amigos bomberos? *Do you have any friends who are firefighters?*
No, no tengo **ningún** amigo bombero. *No, I don't have any friends who are firefighters.*

¿Conoce usted a **alguna** persona en esta foto? *Do you know anyone in this photo?*

■ Unlike English, a double negative construction is used in Spanish quite often. Whenever a negative word follows the verb, another negative word (usually **no**) must precede the verb.

Ni oí **nada, ni** vi a **nadie.** *I neither heard anything nor did I see anyone.*
No recuerdo **ningún** momento. *I don't remember (even) one moment.*
Nadie está en la casa. *No one is in the house.*
No hay **nadie** en la casa. *There isn't anyone in the house.*

Heinle Grammar
Tutorial: Negation

¡A practicar!

A. Primeras informaciones. Temprano en la mañana hubo un gran incendio en Granada, ciudad que está a orillas del lago de Nicaragua. Para saber cuáles fueron las primeras preguntas que hicieron los bomberos, completa estas preguntas y respuestas con las expresiones indefinidas y negativas apropiadas.

1. —¿Hay todavía _____ en el interior?
   —No, no hay_____.
2. —¿Está seguro que no hay _____ en el interior?
   —Sí, lo estoy.
3. —¿Hay aquí _____ testigo?
   —No, no hay _____ testigo; solo yo.
4. —Señor, ¿usted no vio _____ a la víctima _____ a nadie sospechoso?
   —No, no vi a la víctima ni _____ a nadie sospechoso.
5. —¿Está seguro de que **no** ha entrado _____ persona?
   —Estoy seguro: no vi a _____.

B. ¡Contradicciones! El problema con los testigos es que con frecuencia se contradicen *(they contradict each other)*. ¿Cómo contradice Salvador a Lupe? ¿Qué dice?

LUPE: Vi a alguien cerca de la casa.
SALVADOR: Yo no vi a _____.
LUPE: Noté algo extraño.
SALVADOR: Yo no noté _____.
LUPE: Siempre hay problemas en este barrio.
SALVADOR: Al contrario, _____.
LUPE: Yo sé que hay algunos testigos.
SALVADOR: No, no hay _____.
LUPE: Oí algo extraño a las diez y media.
SALVADOR: Yo no oí _____.
LUPE: Vi a un hombre o a un muchacho entrar en el edificio.
SALVADOR: Yo no vi _____.

«**Nunca** digas: de esta agua no he de beber». (proverbio)

____ *Never say that this water is not good to drink.*

____ *Never say never.*

Paso 3

10.5 Preterite of stem-changing *-ir* verbs

Talking about past events

In **Capítulo 6,** you learned that -**ar** and -**er** stem-changing verbs in the present indicative tense are regular verbs in the preterite. However, all -**ir** verbs whose stems change in the present indicative also have a stem change in the *second-person* formal and the *third-person* singular and plural forms of the preterite. In these verbs, there is only a single-vowel change: **e → i** or **o → u**.

seguir (*e → i*)		dormir (*o → u*)	
seguí	seguimos	dormí	dormimos
seguiste	seguisteis	dormiste	dormisteis
siguió	siguieron	durmió	durmieron

Following are some frequently used stem-changing **-ir** verbs. Note that the present-tense stem change is given first, followed by the preterite stem change.

conseguir (i, i)	*to obtain*	preferir (ie, i)	*to prefer*
despedir (i, i)	*to fire, to discharge*	reírse* (i, i)	*to laugh*
divertirse (ie, i)	*to have a good time*	repetir (i, i)	*to repeat*
dormir (ue, u)	*to sleep*	seguir (i, i)	*to follow, to continue*
mentir (ie, i)	*to lie*	sentir (ie, i)	*to feel, to hear*
morir (ue, u)	*to die*	servir (i, i)	*to serve*
pedir (i, i)	*to ask (for)*	vestirse (i, i)	*to get dressed*
perseguir (i, i)	*to pursue*		

¡A practicar!

Heinle Grammar **Tutorial:** The Preterite Tense, Part III

A. ¡Con el pie izquierdo! Jaime, un estudiante de la Universidad Politécnica de Nicaragua, dice que ayer se levantó con el pie izquierdo. Veamos qué dice él.

> **MODELO**   Anoche (acostarme) muy tarde.
> **Anoche me acosté muy tarde.**

1. No (dormir) muy bien.
2. Casi no (conseguir) descansar.
3. Por la mañana no (oír) el despertador.
4. (Vestirse) rápidamente.
5. (Preferir) ir a la universidad en autobús.
6. (Llegar) tarde a la parada y (perder) el autobús.
7. Cuando (llegar) finalmente (ver) que era sábado.
8. Cuando (regresar) a casa mis compañeros (reírse) de mí.

B. ¡Un día fatal! A veces es mejor no levantarse por la mañana. Ayer fue uno de esos días para Francisco, otro estudiante de la Universidad Politécnica de Nicaragua. Completa el párrafo con la forma correcta del verbo entre paréntesis para saber por qué.

Anoche Francisco _____ (dormir) muy mal. Por la mañana _____ (perder) el autobús para ir al trabajo y no _____ (conseguir) un taxi hasta las nueve y media. Obviamente, _____ (llegar) tarde al trabajo. Después de un día dificilísimo, al regresar a casa un ladrón lo _____ (seguir) y le _____ (pedir) la billetera. Se la _____ (llevar) con todo su dinero y sus documentos de identidad. Francisco casi _____ (morirse) de miedo.

C. ¡Sí, hay justicia! Ahora la policía está interrogando al ladrón que le robó la billetera a Francisco. Completa el párrafo con la forma correcta del verbo entre paréntesis para saber qué dice el ladrón.

¡Fue facilísimo! Yo _____ (repetir) lo que siempre hago cuando se presenta la oportunidad. _____ (Yo / seguir) al señor por dos cuadras. Como no había *(there was)* nadie en la calle, le _____ (decir) que tenía una pistola y le _____ (pedir) la billetera. Cuando él _____ (sentir) mi pistola a su lado, casi se muere de miedo. Yo _____ (reírme) de lo fácil que fue y _____ (despedirme) cortésmente. Desafortunadamente, ustedes _____ (seguirme) y aquí estoy.

> «No pidas a quien **pidió**, ni sirvas a quien **sirvió**». (proverbio)
>
> ___ *Beggars can't be choosers.*
>
> ___ *Don't expect handouts from the nouveau rich.*

* Note that **reír** drops an **e** in the third-person singular and plural: **rio, rieron.**

CAPÍTULO 11

Costa Rica... naturalmente mágica

In this chapter, you will learn how to . . .

- describe what you and others used to do.
- discuss your youth.
- tell what happened while something else was going on.
- talk about what you have or have not done.

Comunicación

¿QUÉ SE DICE...?
- Al hablar del pasado
- Al hablar de lo que pasó mientras ocurrían otras cosas
- Al hablar de lo que (no) has hecho

Cultura

¿SABÍAS QUE...?
Sitio del 5% de las especies de flora y fauna mundial
Ecoturismo
Franklin Chang-Díaz

NOTICIERO CULTURAL
Costa Rica: un paraíso natural

VIDEO CULTURAL
Costa Rica, ¡tierra de bosques y selvas, paz y armonía!

EL RINCÓN DE LOS LECTORES
«La leyenda de Iztarú», una leyenda costarricense

En preparación

PASO 1
11.1 Imperfect of regular verbs
11.2 Imperfect of **ser, ir,** and **ver**

PASO 2
11.3 Preterite and imperfect: Completed and continuous actions
11.4 Preterite and imperfect: Beginning/end and habitual/customary actions

PASO 3
11.5 Present perfect

Destrezas

¡A ESCUCHAR!
Recognizing verb endings

¡A VER!
Anticipating

¡A ESCRIBIR!
Stating facts

¡A LEER!
Identifying the main idea

Busca **Costa Rica flora y fauna** *en Google*™ *Images y YouTube*™ *para saber más de la riqueza natural de este hermoso país.*

Busca **Costa Rica ecología** *en Google*™ *Images y YouTube*™ *para aprender algo del impresionante compromiso de esta pequeña nación con la ecología.*

Busca Costa Rica volcán *en Google*™ *Images y YouTube*™ *para ver la gran variedad de volcanes en este pequeño país.*

¡Las fotos hablan!

A que ya sabes... Indica si los siguientes datos, referentes a Costa Rica, son ciertos (C) o falsos (F). Si no estás seguro(a), puedes adivinar.

C F 1. Tiene la pirámide más alta de Centroamérica.
C F 2. Tiene más de 50 volcanes.
C F 3. Un 25% de su territorio es desierto.
C F 4. Tiene una flora y fauna tropical.
C F 5. Tiene varios programas ecoeducativos para jóvenes.

La vida era hermosa

TAREA

Antes de empezar este *Paso*, estudia la lista de vocabulario de la página 379 y escucha el corte 28 de tu Text Audio CD3. Luego estudia *En preparación*.

1er día   11.1 Imperfect of regular verbs, páginas 380–382

2do día   11.2 Imperfect of **ser**, **ir**, and **ver**, páginas 382–383

Haz por escrito los ejercicios de *¡A practicar!* correspondientes.

¿Eres buen observador?

Áreas de anidamiento

Las Tortugas y Lugares de Desove

Especie	Lugar	Temporada
Verde	Parque Nacional Tortuguero	Jul. - Oct.
Baula	Todas las Costas del Caribe Parque Nacional Baulas Playa Naranjo (Pacífico Norte)	Feb. - Jun.
Pico de Lora	Todas las Costas del Caribe	Dic. - Abr.
Carey	Refugio de Fauna Silvestre Ostional Playa Grande	Ago. - Set.

Ahora, ¡a analizar!

1. ¿Cuántas especies de tortugas hay en Costa Rica? ¿Cuáles son?
2. ¿Cuáles desovan (ponen sus huevos) en un solo lugar? ¿Cuáles desovan en varios lugares?
3. ¿En qué temporadas desovan las tortugas verdes? ¿Las carey? ¿En qué meses lo hacen?
4. ¿Qué especies desovan por temporadas más largas? ¿En qué meses desovan esas especies?
5. ¿Dónde desovan más las tortugas, en la costa del océano Pacífico o en la del mar Caribe?

¿Qué se dice...?

Al hablar del pasado

QUICO: Cuando era estudiante de secundaria vivíamos en San José. Era estudiante en el Colegio La Salle. Estudiaba mucho, no faltaba a mis clases y hacía mi tarea a tiempo; siempre sacaba buenas calificaciones. Jugaba al fútbol para el equipo del colegio y hacía mis quehaceres en casa. Pero más que nada me gustaba pasar los fines de semana acampando con mis amigos en los parques nacionales. Costa Rica tiene una gran cantidad de parques nacionales, reservas biológicas y refugios para fauna... en total unos 160 parques, reservas y refugios...

GINGER: ¡Es increíble! Porque Costa Rica es mucho más pequeña que el estado de Maine, ¿verdad? Pero con todas esas opciones, ¿cómo decidías adónde ir los fines de semana?

QUICO: Ah, eso era fácil... ¡a la playa! Nos encantaba ir a la playa de noche. Muchas veces veíamos las tortugas marinas que venían a desovar. Para mí ese era uno de los espectáculos más impresionantes de la naturaleza. Creo que esa fue una experiencia fundamental para mí, y por eso decidí que quería dedicarme a estudiar y a cuidar animales toda mi vida.

QUICO: Mis papás me decían que teníamos mucha suerte de vivir en Costa Rica, porque es un paraíso natural. Yo pensaba que todo el mundo era como Costa Rica, pero mis padres me dijeron que no, que había muchos países que apenas tenían animales, o que eran como desiertos.

¿Sabías que...?

En Costa Rica, país con un territorio equivalente a más o menos la mitad del estado de Ohio, se encuentra el 5 por ciento de todas las especies de plantas y animales del mundo, en total, entre 500.000 y un millón de especies de flora y fauna. Esto incluye 50.000 especies de insectos, 1.000 especies de orquídeas, más especies de helechos *(ferns)* que en todo México y Norteamérica, 208 especies de mamíferos, 850 especies de pájaros y 200 especies de reptiles. Además, tiene unos 55 volcanes, varios de ellos todavía activos.

En tu opinión: ¿Por qué crees que hay tanta variedad en la flora y fauna de Costa Rica? ¿Más o menos cuántas especies de pájaros hay en tu estado? ¿De reptiles? ¿Cómo crees que sería tu estado si el 5% de todas las especies de flora y fauna del planeta creciera allí?

Costa Rica... naturalmente mágica ■ trescientos sesenta y uno **361**

Ahora, ¡a hablar!

EP 11.1, 11.2

A. Antes yo... Indica si los siguientes comentarios son ciertos (**C**) o falsos (**F**) según el *¿Qué se dice...?*

Cuando era estudiante en el Colegio La Salle, Quico...

C F 1. tocaba la trompeta en una banda.
C F 2. pensaba que Costa Rica era un país típico.
C F 3. faltaba a clases con frecuencia.
C F 4. nunca hacía sus quehaceres.
C F 5. escribía para el periódico escolar.
C F 6. veía el desovar de las tortugas.

EP 11.1

B. ¡Sigue mi ejemplo! El profesor José Páez, uno de los profesores de la Universidad de Costa Rica en San José, le está explicando a su hijo cómo llegó a ser profesor. ¿Qué dice que hacía cuando estaba en la escuela secundaria?

MODELO   estudiar / cuatro horas / todo / días
               Yo estudiaba cuatro horas todos los días.

1. pasar / mucho tiempo con / familia
2. siempre ayudar / mamá por / noche
3. no salir / con / amigos / fines / semana
4. no tomar / bebidas alcohólicas
5. leer / muchos libros
6. practicar / muchos deportes y tocar / banda mi escuela
7. no fumar / ni usar / drogas

EP 11.1, 11.2

C. Recuerdos. Durante los años de la escuela secundaria generalmente se vive una vida muy activa. Pregúntale a tu compañero(a) con qué frecuencia hacían él (ella) y sus amigos lo siguiente.

MODELO   hablar por teléfono
          Tú: **¿Con qué frecuencia hablaban por teléfono?**
   Compañero(a): **Nosotros hablábamos por teléfono todos los días.**

Vocabulario útil

a menudo
cada cuatro semanas
casi nunca
cuando es posible
horas y horas
todas las tardes
todos los domingos
todos los fines de semana

1. jugar videojuegos
2. ir a ver partidos al estadio o a la cancha
3. ver deportes en la televisión
4. hablar por teléfono con sus padres
5. hacer las compras para toda la familia
6. irse de vacaciones fuera de la ciudad

D. En la primaria. Cuando estabas en la escuela primaria, tu vida era diferente. Compara tu vida actual con la de tu infancia respondiendo a las preguntas de tu compañero(a).

EP 11.1, 11.2

MODELO   Ahora trabajo mucho.
COMPAÑERO(A): **Y antes, ¿trabajabas mucho?**
        Tú: **Antes no trabajaba nunca.**

1. Ahora sufro de estrés.
2. Ahora tengo muchas responsabilidades.
3. Ahora tengo que ganar dinero.
4. Ahora duermo [...] horas.
5. Ahora soy muy responsable.
6. Ahora veo poca televisión.

E. Lo que hacían. Ginger está recordando lo que su familia acostumbraba a hacer los domingos de verano cuando iban al parque. Con un(a) compañero(a), describan lo que la familia de Ginger hacía. Luego digan lo que sus familias hacían los domingos de verano cuando eran niños.

EP 11.1, 11.2

Y ahora, ¿por qué no conversamos?

F. Y tú, ¿qué hacías? La vida cambia constantemente. ¿Qué pasaba en tu vida hace unos tres o cuatro años? Escribe cinco cosas que hacías y compártelas con un(a) compañero(a).

> **MODELO** **En 2006 yo asistía a la escuela secundaria. Vivía en Trenton y trabajaba en un supermercado los fines de semana...**

G. De joven. Pregúntale a tu compañero(a) si cuando era más joven...

1. estudiaba mucho y si era buen estudiante.
2. participaba en muchas actividades. ¿Cuáles?
3. le gustaban los deportes y a cuáles jugaba.
4. le gustaba la música y si tocaba algún instrumento.
5. hacía quehaceres domésticos, y cuáles eran.

H. ¡Luces! ¡Cámara! ¡Acción! Es el año 2020 y ahora eres padre o madre y le quieres dar un buen ejemplo a tu hijo(a). Le dices lo que hacías cuando asistías a la universidad. Acuérdate que tienes que darle un buen ejemplo; exagera lo bueno si es necesario. Dramatiza la situación con un(a) compañero(a) de clase.

I. ¡Nuestra comunidad! En tu universidad o comunidad, entrevista a alguna persona hispana, preferiblemente costarricense, y pregúntale por su país, por la ecología y el cuidado que su gobierno y la gente tiene con el legado natural de su país. Pregúntale cómo se relaciona la gente en su país de origen con el medio ambiente, y si piensa que en los Estados Unidos la vida es tan cercana a la naturaleza o menos o más que en su país.

Un paso atrás, dos adelante

Capítulo 10

Repasemos. En el Capítulo 10 aprendiste a hablar de desastres naturales y de lo que ocurrió. Repasa lo que sabes, completando el siguiente texto con las palabras necesarias.

Un buen susto

Tu AMIGO(A): ¡Estoy todavía impresionado(a) con el terremoto que _____ [pretérito = **ocurrir**] anoche!

Tú: ¿Sí? Yo no _____ [pretérito = **sentir**] _____ [*negative expression*] terremoto, ni me _____ [pretérito = **despertar**]. ¿A qué hora _____ [pretérito = **ocurrir**]?

Tu AMIGO(A): A las tres de la mañana, más o menos, la cama _____ [pretérito = **comenzar**] a moverse y no _____ [pretérito = **saber**] qué hacer. Yo _____ [pretérito = **levantarse**] rápidamente y_____ [pretérito = **traer**] a mi hijo debajo de la cama. No puedo creer que no _____ [pretérito = **sentir**] _____ [*negative expression*].

Tú: Pues no. Y tú ¿debajo de la cama? ¿Pero los dos _____ [pretérito = **caber**] ahí debajo?

Tu AMIGO(A): Pues yo no _____ [pretérito = **caber**], pero _____ [pretérito = **poner**] a mi hijo a salvo y yo _____ [pretérito = **esperar**].

Tú: Pues hay _____ [*indefinite expression = some*] especialistas que sugieren que nosotros no _____ [subjuntivo = **estar**] debajo de los objetos grandes, sino que _____ [subjuntivo = **quedarse**] al lado de ellos para mayor seguridad.

Saber comprender 🎧 CD3, Track 25

Estrategias para escuchar: reconocer las terminaciones de verbos

In **Capítulo 10** you learned that when you come upon people who are already having a conversation, you may have to employ the "from the bottom up" method of listening until you discover the topic of their conversation and are able to join in. Take a moment to review the new verb endings you studied in **En preparación 11.1.** Then, as you listen to Quico talking with three friends, identify the conversations that talk about the past.

Reconocer las terminaciones de verbos. Con un(a) compañero(a), escuchen estas tres conversaciones. Luego indiquen si las conversaciones hablan del pasado o no.

	Habla del pasado	**No habla del pasado**
Conversación 1	(__)	(__)
Conversación 2	(__)	(__)
Conversación 3	(__)	(__)

Ahora, ¡a escuchar!

Ahora, con un(a) compañero(a), escuchen otra vez las conversaciones. Luego escriban un resumen de cada conversación.

Conversación 1 _____

Conversación 2 _____

Conversación 3 _____

🎵 *¡Dímelo tú! Playlist* Escucha: «Boceto para esperanza» de Mal País

Costa Rica: un paraíso natural

Antes de empezar, dime...

1. ¿Por qué crees que el país se llama «Costa Rica»? ¿Crees que se refiere a riqueza natural, mineral o cultural?
2. Inventa nombres para tres o cuatro estados de los Estados Unidos a los que se puede aplicar el adjetivo «rico(a)» por diferentes razones. Explica las razones.

COSTA RICA

Nombre oficial
República de Costa Rica

Capital
San José

Población
4.195.914 (julio 2008 est.)

Unidad monetaria
colón

Índice de longevidad
77,4 años

Alfabetismo
95 por ciento

La República de Costa Rica se sitúa en la parte meridional de América Central y tiene a Nicaragua al norte, el mar Caribe al este, Panamá al sudeste y el océano Pacífico al sur y al oeste. Su superficie es de 51.100 kms^2 (la mitad del estado de Virginia), y tiene más de cuatro millones de habitantes. La capital del país es San José.

Costa Rica se define a sí misma en su constitución de 1949 como una república democrática, y como tal, la democracia costarricense es una de las más consolidadas de América Latina. Tiene también el honor de ser el primer país del mundo en hacer la educación obligatoria y gratuita para todos, y en disolver el ejército (1 de diciembre de 1948) y dedicar ese presupuesto a la educación y la salud. El índice de alfabetización del país es del 95%.

Presidente Óscar Arias, premiado con el Premio Nobel de la Paz en 1987

La mayor riqueza de Costa Rica es la diversidad de su flora y fauna. A pesar de contar con solo el 0,03% del territorio mundial, Costa Rica posee el 5% de todas las especies del planeta con más de 9.000 variedades de plantas, entre ellas más de 1.300 especies de orquídeas.

En Costa Rica viven 850 especies de aves (más que en Estados Unidos y Canadá juntos), 205 especies de mamíferos, 383 especies de reptiles y anfibios y unas 2.000 especies de mariposas. El sistema de Parques Nacionales se extiende a casi todos los ecosistemas de Costa Rica, y ocupa el 24% del territorio del país.

La gran oferta ecoturística de Costa Rica encuentra su respuesta en los millones de turistas que visitan cada año el país, lo que hace de Costa Rica el destino más visitado de Centroamérica.

Y ahora, dime...

Usa este diagrama Venn para comparar Costa Rica con los Estados Unidos. Indica las diferencias y lo que tienen en común con respecto a tamaño, educación, ejército, flora y fauna, parques nacionales, ecoturismo, etcétera.

Costa Rica
1.
2.
3.
4.
5.
6.

Costa Rica y los Estados Unidos
1.
2.
3.
4.
5.
6.

Los Estados Unidos
1.
2.
3.
4.
5.
6.

Datos interesantísimos sobre Costa Rica

- Con ingresos de 1.900 millones de dólares al año en la industria turística, Costa Rica se destaca como el destino más visitado de América Central.
- Costa Rica da cobijo a 205 especies de mamíferos, 850 especies de aves, 169 especies de anfibios, 214 especies de reptiles y 130 especies de peces de agua dulce.
- El río Savegre, ubicado en San Isidro del General, es uno de los ríos más limpios del continente americano.
- En Costa Rica se explotan cinco fuentes de energía, en orden de importancia: hídrica, térmica, geotérmica, eólica y solar.
- La primera planta hidroeléctrica del país, llamada Aranjuez y ubicada en el centro de San José, entró en operación en 1884.
- Costa Rica es el país preferido por muchas compañías multinacionales para situar sus centrales de servicios dentro de la región, destacando Procter & Gamble, Coca-Cola, Intel, HP, Sykes y Dole.

🔼 **Por el ciberespacio... a Costa Rica**

Keywords to search:

Historia de Costa Rica
Parques Nacionales de Costa Rica
Avifauna de Costa Rica

To learn more about Costa Rica, go to the *¡Dímelo tú!* website at academic. cengage.com/spanish/dimelotu

Cuando era niño era muy feliz en... ¡Costa Rica!

TAREA

Antes de empezar este *Paso,* estudia la lista de vocabulario de la página 379 y escucha el corte 29 de tu Text Audio CD3. Luego estudia *En preparación.*

1er día   11.3 Preterite and imperfect: Completed and continuous actions, páginas 383–384

2do día   11.4 Preterite and imperfect: Beginning/end and habitual/customary actions, páginas 384–385

Haz por escrito los ejercicios de *¡A practicar!* correspondientes.

¿Eres buen observador?

¡Irazú entra en erupción! Estaba lloviendo ceniza cuando llegamos a San José.

¡Monos aulladores! Caminábamos por la selva lluviosa cuando vimos los monos aulladores.

¡Un quetzal! ¡Un quetzal! No lo podía creer. Íbamos caminando cuando de repente vi un quetzal.

Ahora, ¡a analizar!

1. ¿Qué efecto tuvo Irazú en San José cuando entró en erupción?
2. ¿Qué animales vieron los turistas mientras caminaban en la selva lluviosa en Costa Rica?
3. Si aullar es hacer un ruido fuerte de animal, ¿por qué crees que esos monos se llaman así?
4. ¿Qué no podía creer un turista cuando iba caminando por el bosque?
5. ¿Ocurrió algo interesante cuando estabas de vacaciones este verano? Si así es, ¿qué ocurrió?

¿Qué se dice...?

Al hablar de lo que pasó mientras ocurrían otras cosas

ANDREA: Cuando yo era niña tenía muchos amigos y jugábamos todo el tiempo. Un día fuimos de excursión a ver mariposas y orquídeas en una finca de mariposas cerca de San José. Yo gocé muchísimo con todas las mariposas tan exuberantes y de hermosos colores que había allí. Pero sin darme cuenta, mientras caminaba por uno de aquellos senderos... ¡aplasté una mariposa! Fue horroroso. ¡Me sentía tan culpable! Por suerte, uno de los cuidadores del parque estaba por allí y me vio, vino hasta donde estaba yo con la mariposa herida, y me animó diciéndome que no era culpa mía, que no era normal tener una mariposa en medio del sendero, que tal vez estaba enferma. Eso me hizo sentir todavía peor, pero no podía hacer nada. Fue una experiencia difícil de olvidar.

SIMONE: ¡Pobrecita! Seguro que pasaste un mal rato.

Pues yo también tuve una experiencia interesante aunque no tan traumática como la tuya en una de las excursiones que hicimos al volcán Poás. Como sabés, este volcán es uno de los tres volcanes del continente a los que se puede acceder por carretera, y que tiene uno de los cráteres más grandes del mundo. Pues bien, mientras subíamos en nuestro coche con mi papá y toda la familia, íbamos cantando canciones que conocíamos de la infancia. De pronto, dos de las llantas del coche reventaron al mismo tiempo, y como no teníamos recambio para cambiar las dos llantas, llamamos al servicio de ayuda en carretera, que dijo que ese día no podía venir, que teníamos que esperar hasta el día siguiente.

Como llevábamos comida, agua y ropa, no nos preocupamos demasiado, y pasamos toda la noche en el volcán. Pasamos toda la noche cantando y riéndonos; aquello fue pura vida... Cuando amaneció y vimos el volcán de cerca, me asusté un poco.

¿Sabías que...?

Costa Rica fue pionera en lo que se ha dado en llamar «ecoturismo» o turismo en el ambiente natural, con el menor impacto posible en el ambiente. La rica flora y fauna, playas y microclimas hacen de Costa Rica uno de los destinos ecoturísticos más importante del mundo. Con el ecoturismo, Costa Rica logró, por un lado, garantizar unos ingresos económicos importantes para el mantenimiento y protección de su biodiversidad, y por otro, beneficiar a las poblaciones ayudándolas a reducir su dependencia de otras actividades que podrían dañar la naturaleza. Como consecuencia, la experiencia de este paraíso natural sirve para que el mundo se plantee seriamente la necesidad de promover un turismo sostenible y que respete escrupulosamente el medio ambiente.

En tu opinión: ¿Crees que turismo y sostenible son una contradicción u oxímoron? ¿Crees que los Estados Unidos hacen lo suficiente para promover el ecoturismo en el continente? ¿Cuáles son algunos ejemplos? ¿Qué más podrían hacer?

Costa Rica... naturalmente mágica ■ trescientos sesenta y nueve **369**

Ahora, ¡a hablar!

EP 11.3

A. ¡No dormí en toda la noche! Marcos, un estudiante de la Universidad de Costa Rica, faltó a todas sus clases esta mañana. Para saber por qué, selecciona el verbo correcto en cada oración.

1. Anoche yo (dormí / dormía) cuando un sonido muy fuerte me (despertó / despertaba).
2. El sonido que (oí / oía) (fue / era) la sirena de un coche de policía.
3. Como (tuve / tenía) que trabajar al día siguiente, (intenté / intentaba) dormirme cuando (sonó / sonaba) el teléfono.
4. Me (levanté / levantaba) para contestar el teléfono pero la llamada no (fue / era) para mí.
5. Como (tuve / tenía) mucho sueño, me (acosté / acostaba) otra vez.
6. Luego, el perro de mi vecino (empezó / empezaba) a hacer ruido y me (desperté / despertaba) otra vez.
7. Cuando (sonó / sonaba) el despertador, no lo (oí / oía) porque para entonces (dormí / dormía) profundamente.

EP 11.3

B. Interrupciones. Ernesto, el mejor amigo de Marcos en la Universidad de Costa Rica, tenía la intención de hacer muchas cosas ayer, pero las interrupciones no le dejaron terminar nada. Según Ernesto, ¿qué pasó?

MODELO estudiar / historia / cuando / teléfono / sonar veinte veces
Yo estudiaba historia cuando el teléfono sonó veinte veces.

1. buscar / información / Internet / cuando / perder / la conexión por el resto de la noche
2. ordenar / cuarto / cuando / amigo / llegar / para irnos al centro
3. leer / libro muy interesante / cuando / novia / llamarme / para hablar de muchas cosas
4. manejar / tienda / cuando / llanta / pincharse
5. preparar / cena / cuando / amigos / invitarme a comer
6. nosotros mirar / televisión / cuando / electricidad / cortarse

EP 11.4

C. ¡No era perfecto! Jaime era un adolescente por lo general responsable, pero, como todos los jóvenes, también cometía errores. Di lo que hacía generalmente y tu compañero(a) va a decir qué errores cometió.

MODELO generalmente (estudiar) mucho antes de un examen,...
pero una vez no (abrir) el libro hasta después del examen
Tú: **Generalmente Jaime estudiaba mucho antes de un examen,...**
Compañero(a): **pero una vez no abrió el libro hasta después del examen.**

1. siempre (ser) buen estudiante,... pero un día (sacar) una F
2. siempre (respetar) el límite de velocidad,... pero un día (recibir) una multa por exceso de velocidad
3. normalmente no (faltar) a clase,... pero una semana (decidir) faltar a clase sin razón alguna
4. siempre (decir) la verdad,... pero una vez (mentir) para salir de un problema
5. nunca (tomar) bebidas alcohólicas,... pero una noche (tomar) un poco más de lo normal para él

D. ¡No fue culpa mía! Juan Carlos tiene mucho que mejorar, pero siempre tiene excusas. Con tu compañero(a), túrnense para decir qué le pasó la semana pasada.

EP 11.4

> **MODELO**   lunes: llegar tarde / la llanta reventarse
> **El lunes llegó tarde porque la llanta del coche se reventó.**

1. lunes: llegar tarde / el despertador no sonar
2. martes: no ir a trabajar / estar enfermo
3. miércoles: no pagar los recibos del mes / no encontrar los cheques
4. jueves: no sacar el perro a pasear / no tener tiempo
5. viernes: no limpiar la casa / no encontrar los útiles de limpieza
6. sábado: dormir hasta las once de la mañana / el despertador no funcionar
7. domingo: no salir a correr por la mañana / tener que preparar el desayuno para su hermanito

E. Un mal día. Con tu compañero(a) decidan las razones por las no pudieron hacer hoy estas actividades que querían hacer. Sean creativos(as) y expliquen con detalle.

EP 11.3, 11.4

Y ahora, ¿por qué no conversamos?

F. ¿Mejores excusas? ¿Qué excusas dan ustedes? Trabajando en grupos de tres, preparen una lista de posibles excusas para estas situaciones.

> **MODELO**   ¿Por qué no fuiste al laboratorio ayer?
> **Estaba demasiado cansado. Tuve que preparar un trabajo**
> ***(paper)* para la clase de inglés.**

1. ¿Por qué faltaste al trabajo ayer?
2. ¿Por qué no asististe a clase anteayer?
3. ¿Por qué perdiste el avión el domingo?
4. ¿Por qué no fuiste a visitar a tu familia el sábado?
5. ¿Por qué faltaste al último examen?

G. Esta es mi vida. Tu vida va a servir de base para un cuento moderno. Escribe tu versión personal de tu propia vida. Luego compártela con un(a) compañero(a).

> **MODELO**   **Había una vez un(a) muchacho(a) que se llamaba... Vivía en...**

H. ¡Luces! ¡Cámara! ¡Acción! Ayer fue el cumpleaños de una persona importante para ti y lo olvidaste completamente. ¡No lo (la) llamaste! ¡No le mandaste ni un correo electrónico ni una tarjeta de felicitación! Sabes que se sintió muy mal. Ahora hablas con ella (él) por teléfono para explicarle por qué no llamaste ayer. Dramatiza la situación con tu compañero(a).

Escríbelo! ✐

Estrategias para escribir: conseguir información específica

En el capítulo anterior aprendiste los tres pasos importantes al escribir una composición: decidir qué información presentar sobre el tema, conseguir esa información y comunicar la información por escrito de una manera clara y organizada. Lo mismo ocurre con el reportaje periodístico. Para escribir un reportaje periodístico es necesario conseguir información específica y partir de hechos concretos y confiables. Es importante que el reportaje conteste siempre las siguientes preguntas esenciales: ¿qué?, ¿cuándo?, ¿dónde?, ¿cómo?, ¿por qué?, ¿quiénes?, ¿cuánto tiempo? y ¿cuáles fueron los resultados?

Ahora, ¡a escribir!

Reportaje. Elige un tema actual relacionado con el medio ambiente y que sea apropiado para reportar en el periódico local de tu ciudad. Puede ser un tema a favor o en contra de... el calentamiento global, la concentración de dióxido de carbono en la atmósfera, la basura y/o la falta de reciclaje, extinción masiva de animales (escoje uno específico), destrucción de los bosques, falta o destrucción de espacios naturales protegidos o uno que te interese a ti en particular.

A. **Conseguir información.** Pensando en el tema específico relacionado con el medio ambiente que vas a reportar, contesta las preguntas de reportaje mencionadas en las estrategias. Luego añade otra información que consideres pertinente a cada respuesta y otras ideas que debes investigar. Es importante que busques la información en Internet, entrevistes a personas nativo hablantes y leas libros de referencia como una enciclopedia, revistas, periódicos, etcétera.

B. **El primer borrador.** Usa las preguntas y la información que conseguiste en **B** para escribir un primer borrador. Pon toda la información relacionada con la misma idea en un párrafo. No te olvides de poner un título que llame la atención del público lector y que informe sobre lo que va a decir tu artículo.

C. **Ahora, a compartir.** Comparte tu primer borrador con dos o tres compañeros(as). Haz comentarios sobre el título, contenido y estilo de los reportajes de tus compañeros(as) y escucha los comentarios de ellos sobre tu reportaje. Fíjate, en particular, en cada uso del pretérito y del imperfecto. Si hay errores, menciónalos. Si necesitas hacer cambios basados en los comentarios de tus compañeros(as), hazlos ahora.

D. **La versión final.** Prepara una versión final de tu composición y entrégala.

No lo he hecho... pero dónde mejor que en Costa Rica

¿Eres buen observador?

Nuestro Programa Especial
3 días/2 noches

Incluye:

• Transporte ida y regreso desde San José

• 2 noches de alojamiento

• Alimentación completa

• Recorridos en bote por los canales

• Visita al Parque Nacional de Tortuguero

• Guías bilingües especializados

• Salidas diarias

Tortuguero, el sitio de desove más importante de la tortuga verde.

PACHIRA LODGE TORTUGUERO

COSTA RICA TORTUGUERO

TELEFONOS: (506) 256-7080 • FAX.: (506) 223-1119
BIPPER 225-2500 (24 HOUR SERVICE)
P.O. BOX 1818-1002 SAN JOSE, COSTA RICA
E-mail: pacira@sol.racsa.co.cr

TAREA

Antes de empezar este *Paso,* estudia la lista de vocabulario de la página 379 y escucha el corte 30 de tu Text Audio CD3. Luego estudia *En preparación.*

1er día   11.5 Present perfect, páginas 386–387

Haz por escrito los ejercicios de *¡A practicar!* correspondientes.

Ahora, ¡a analizar!

Beto y Arturo son dos estadounidenses que están de vacaciones en Costa Rica. Acaban de hacer el programa especial de Pachira Lodge en Tortuguero. Indica si han hecho lo siguiente o no.

sí   no   1. Han pasado dos noches y tres días en Tortuguero.

sí   no   2. Han jugado al golf en el campo de golf de Pachira Lodge.

sí   no   3. Han recibido tres comidas al día en el Lodge.

sí   no   4. Han escuchado a guías bilingües en sus salidas diarias.

sí   no   5. Han visitado el Parque Nacional de Tortuguero.

sí   no   6. Han recibido transporte gratis de ida y regreso al aeropuerto de San José.

¿Qué se dice...? CD3, Track 27

Al hablar de lo que (no) has hecho

LAURA: Hay muchas cosas que yo no he hecho todavía en la vida y que quiero hacer. Lo primero, las que dicen que son las tres cosas más importantes: escribir un libro, plantar un árbol y tener un hijo. Yo no he escrito ningún libro, aunque he escrito algunos poemas. Tampoco he plantado ningún árbol, aunque sí he plantado algunas plantas. Y tampoco he tenido ningún hijo... pero por ahora quiero sobre todo terminar mis estudios y hacer un viaje por Europa, que todavía no he visitado.

ANDRÉS: Pues yo tengo muchas ganas de visitar muchas cosas del país que hasta ahora no he visto. Para empezar, no he hecho todavía lo que llaman «canopy», o subir a la copa de los árboles en la selva. Me han dicho que es una experiencia inolvidable. Y tampoco he subido al volcán Irazú, ni he visto desde su cima los dos océanos, el Pacífico y el Atlántico. Ni he estado todavía en un descenso por el río Reventazón y me han dicho que es una aventura extraordinaria. Dicen mis amigos que lo han hecho que es excitante, pero que no es nada del otro mundo. Y, sin embargo, aún no me atrevo a hacerlo.

SIMONE: Pues te voy a invitar un día y vamos juntos. Yo lo he hecho, y te puedo decir que tiene algunos rápidos que son de la clase 6 (la clase 7 ya son imposibles). Pero no vas a tener ningún problema, porque yo soy una experta.

¿Sabías que...?

Franklin Chang-Díaz, un costarricense, fue el primer astronauta hispanoamericano en viajar en el transbordador espacial *Challenger*. Franklin nació en San José, Costa Rica, en una familia humilde: su padre era jefe de construcción, su madre ama de casa. En 1968, a los dieciocho años, Franklin viajó a los Estados Unidos con solamente cincuenta dólares en su bolsillo y sin saber inglés, y en 1977 ya había 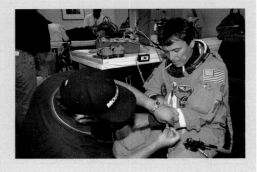 terminado un doctorado en física del plasma en el Instituto de Tecnología de Massachusetts (MIT). Después de mucho esfuerzo personal, en 1981 logró ser astronauta. Fue el primer director latino del Laboratorio de Propulsión en el Centro Espacial Johnson, en Houston. Ha estado en órbita más de mil horas y ha igualado el récord mundial de salidas del planeta con su misión a bordo del *Endeavor*. Por ser un excelente ejemplo para todas las nuevas generaciones de ticos en el mundo, Costa Rica le ha premiado con el título de «ciudadano de honor».

En tu opinión: ¿Por qué crees que Franklin Chang-Díaz decidió ir a los Estados Unidos? ¿Cómo crees que logró ser astronauta? ¿Qué tuvo que hacer? En tu opinión, ¿qué responsabilidades tiene al ser el primer astronauta hispano?

Ahora, ¡a hablar!

A. **¡Falta tiempo!** Es diciembre en San José, y Ana María y Rafael están en los últimos días de su visita a Costa Rica. ¿Qué dicen que les falta hacer antes de regresar a los Estados Unidos?

EP 11.5

> **MODELO**   visitar el volcán Poás
> **Todavía no hemos visitado el volcán Poás.**

1. ver el Museo Nacional
2. ir al Museo del Jade
3. pasear por el Parque Nacional Braulio Carrillo
4. estar en la Plaza de la Cultura
5. hacer la ruta del río Pacuare en canoa
6. escribir correos electrónicos a sus amigos en los Estados Unidos

B. **¿Qué has hecho hoy?** Pregúntale a un(a) compañero(a) si ha hecho lo siguiente.

EP 11.5

> **MODELO**   desayunar
> Tú: **¿Ya has desayunado?**
> Compañero(a): **No, todavía no he desayunado.** o **Sí, ya desayuné.**

1. hacer ejercicio
2. almorzar
3. hacer la cama
4. oír las noticias
5. leer el periódico
6. hacer las compras

C. **¡Inolvidable!** Hay experiencias que dejan una impresión más profunda que otras. Con dos compañeros(as), túrnense para decir qué han hecho este año que consideran inolvidable. Pueden elegir entre las actividades de esta lista o añadir otras. Informen a la clase quién en su grupo ha tenido las experiencias más interesantes.

EP 11.5

> **MODELO**   leer
> **He leído** *El ingenioso hidalgo, Don Quijote de la Mancha.*
> **Y he corrido mi primer maratón.**

conocer	hacer	viajar
leer	aprender	terminar
ver	ir	olvidar

D. **¿Lo has hecho hoy?** Con tu compañero(a), digan cuáles de estas actividades han hecho hoy y cuáles no. Expliquen por qué las han hecho o no las han hecho.

EP 11.5

Y ahora, ¿por qué no conversamos?

 E. Y tú, ¿qué has hecho? Trata de recordar todo lo que has hecho esta semana. Prepara una lista y luego léesela a dos compañeros(as). Escriban en la pizarra todo lo que ustedes hayan hecho en común.

F. ¡Luces! ¡Cámara! ¡Acción! Tú has llegado a ser una persona muy famosa. Ahora un(a) reportero(a) te va a entrevistar para saber los secretos de tu éxito. Cuéntale cómo has llegado a ser tan famoso(a). Dramatiza la situación con tu compañero(a).

Saber comprender

Estrategias para ver y escuchar: predecir lo que vas a ver y a escuchar

In previous chapters you learned that anticipating what you are going to hear or see makes it much easier to understand. You also learned various techniques for anticipating or predicting what you will hear and see. You learned to predict based on

1. *knowledge you may already have about the topic,*
2. *the title of the work, and*
3. *any visuals—art, photos—that accompany the work.*

Costa Rica, ¡tierra de bosques y selvas, paz y armonía!

Al ver el video

Predecir. Before viewing **Costa Rica, ¡tierra de bosques y selvas, paz y armonía!** use all three of these techniques for anticipating the content of the video. Write down two things that you think you will hear or see on this video based on what you already know about Costa Rica, two things that you predict you will see or hear based on the title, and two based on the photos. Then view the video and check to see if you anticipated correctly.

Lo que predigo ver y escuchar basándome en...

Lo que ya sé de Costa Rica	El título del video	Las fotos
1. _____	_____	_____
2. _____	_____	_____

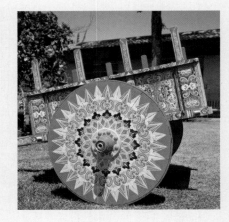

Después de ver el video

Ahora mira la selección del video sobre Costa Rica y explica el significado o la importancia de lo siguiente.

1. áreas protegidas
2. Sarchí
3. carretas de madera
4. taller Eloy Alfaro e hijos
5. finca de mariposas

El rincón de los lectores

Estrategias para leer: encontrar la idea principal

Generalmente, cada párrafo comunica una idea principal. Al leer, es muy importante siempre reconocer la idea principal de cada párrafo. Con frecuencia esa idea se expresa en la primera o segunda oración del párrafo y se desarrolla con más detalle en las oraciones que siguen. Trata siempre de estar consciente de la idea principal de cada párrafo en las lecturas que hagas.

Encontrar la idea principal. «La leyenda de Iztarú» (en la página 378) tiene cuatro párrafos. A continuación, expresamos en pocas palabras la idea principal del primer párrafo y del último. Lee las primeras oraciones del segundo y tercer párrafo y escribe brevemente la idea principal de esos dos párrafos. Luego lee la leyenda completa y verifica si identificaste las ideas principales correctamente.

Párrafo 1: Los líderes indígenas del norte y del sur de Costa Rica vivían en conflicto.

Párrafo 2: _____.

Párrafo 3: _____

Párrafo 4: Los habitantes de Guarco recibieron una maldición *(curse)*.

Lectura

Esta hermosa leyenda, parte del rico folclore de Costa Rica, trata de explicar un fenómeno natural del país, el volcán Irazú.

La leyenda de Iztarú

Hace muchos años, antes de la llegada de los españoles a Costa Rica...

La parte Norte era gobernada por un cacique llamado Coo, de gran poder y experto agricultor. La parte Sur la gobernaba Guarco, cacique déspota invasor.

Guarco y Coo sostenían una lucha por el dominio de todo el territorio (Valle Central del Guarco). La lucha fue grande; poco a poco, Guarco iba derrotando° la resistencia de Coo, hasta que este murió y dejó el mando° a Aquitaba, un enérgico y fuerte guerrero. Cuando Aquitaba vio que iba a ser derrotado por Guarco, tomó a su hija Iztarú, la llevó al monte más alto de la parte Norte de la región y la sacrificó a los dioses, implorando la ayuda para la guerra.

defeating
el control

Estando en una dura batalla con Guarco, Aquitaba imploró la ayuda de «Iztarú» sacrificada. Del monte más alto salió fuego, ceniza, piedra° y cayeron sobre los guerreros de Guarco que huyeron°. Del costado° del monte salió un riachuelo° que se convirtió en agua caliente destruyendo los palenques° de Guarco.

stone
ran away / lado /río pequeño
defensive fences

Una maldición cundió° y se decía que los habitantes de Guarco trabajarían la tierra, haciendo con ella su propio techo° (teja); el pueblo se llamó luego Tejar de Cartago, la región Norte Cot, y el monte alto volcán Irazú.

se extendió sobre
tile

A ver si comprendiste

1. ¿Quiénes eran Coo, Guarco y Aquitaba? ¿Qué ocurrió entre ellos?
2. ¿Quién era Iztarú? ¿En qué se transformó?
3. ¿Qué efecto tuvo esa transformación en los habitantes de Guarco?
4. La leyenda explica la existencia de ciertos lugares en la Costa Rica moderna. ¿Cuáles son esos lugares?

Vocabulario

Paso 1 CD3, Track 28

La ecología
bosque (bosque lluvioso) *(m.)*	*forest (rain forest)*
desovar	*to lay eggs*
especie *(f.)*	*species*
excursión *(f.)*	*excursion*
medio ambiente *(m.)*	*environment*
océano	*ocean*
pájaro	*bird*
reptil *(m.)*	*reptile*
tortuga	*turtle*

Diversión
cancha	*court*
trompeta	*trumpet*
videojuego	*video game*

Enfermedad
cirugía	*surgery*
droga	*drug*
ginecología	*gynecology*

Protesta
contra	*against*
discriminación racial *(f.)*	*racial discrimination*
ejército	*army*
estrés *(m.)*	*stress*

Niñez
escolar	*school, scholastic*
primaria	*elementary school*
quehaceres *(m. pl.)*	*chores, tasks*

Verbos
dirigir	*to direct*
faltar	*to be absent, to be missing*
filmar	*to film*
ganar	*to earn*
invadir	*to invade*
obtener	*to obtain, to get*

Palabras útiles
barril *(m.)*	*barrel*
doméstico(a)	*domestic*
ocasión *(f.)*	*occasion*
orgulloso(a)	*proud*
tamaño	*size*
unido(a)	*united*
variedad *(f.)*	*variety*

Paso 2 CD3, Track 29

Selva
llover a cántaros	*to rain cats and dogs*
mono(a)	*monkey*
paraguas *(m.)*	*umbrella*
selva lluviosa	*rain forest*

Volcanes
ceniza	*ash*
entrar en erupción	*to erupt*
reventarse	*to blow up*

Coches
exceso de velocidad *(m.)*	*speeding*
límite de velocidad *(m.)*	*speed limit*
llanta	*tire*
multa	*fine*
pinchar(se)	*to puncture, to get a flat tire*

Computadoras
cortarse	*to cut off*
desconectar	*to disconnect*
electricidad *(f.)*	*electricity*
oprimir	*to press*
pantalla	*screen*
teclas *(f. pl.)*	*keys*

Ruidos
aullar	*to howl, to wail*
sirena	*siren*
sonido	*sound*
sonar (ue)	*to ring*

Verbos
dejar de	*to stop, to quit (doing something)*
sacar	*to take out (your dog); to earn (a grade)*
tranquilizarse	*to calm down, to relax*

Palabras y expresiones útiles
anteayer *(m.)*	*the day before yesterday*
cheque *(m.)*	*check*
gente desconocida	*strangers*
llamada	*telephone call*
retraso	*delay*
sin razón	*wrong*
útiles de limpieza *(m. pl.)*	*cleaning materials*

Paso 3 CD3, Track 30

Atletas
atreverse	*to dare*
campo de golf	*golf course*
canoa	*canoe*
experto(a)	*expert*
hacer la ruta	*to follow the trail*
ida y regreso	*round trip*
maratón *(m.)*	*marathon*

Selva
cima	*top (of a mountain)*
copa de los árboles	*tree tops*
plantar	*to plant*

Transbordador espacial
astronauta *(m.)*	*astronaut*
descenso	*descent*
existencia	*existence*
éxito	*success*
inolvidable	*unforgetable*
transbordador espacial *(m.)*	*space ship*
transformación *(f.)*	*transformation*
transporte *(m.)*	*transport*

Verbos
hacer la cama	*to make the bed*
hacer las compras	*to go shopping*
olvidar	*to forget*
transformarse	*to transform oneself*

Palabras y expresiones útiles
bilingüe	*bilingual*
gratis	*free*
nada del otro mundo	*not a big deal*
postal *(f.)*	*postcard*
zoológico	*zoo*

Paso 1

11.1 Imperfect of regular verbs

Talking about past events

In **Capítulos 4, 6,** and **10,** you learned about the preterite. In this chapter, you will learn about another aspect of the past tense: the imperfect. You will also learn how to distinguish between the preterite and imperfect.

-ar verb endings	trabajar
-aba	yo trabaj**aba**
-abas	tú trabaj**abas**
-aba	usted trabaj**aba**
-aba	él, ella trabaj**aba**
-ábamos	nosotros(as) trabaj**ábamos**
-abais	vosotros(as) trabaj**abais**
-aban	ustedes trabaj**aban**
-aban	ellos, ellas trabaj**aban**

-er, -ir verb endings	saber	escribir
-ía	yo sab**ía**	escrib**ía**
-ías	tú sab**ías**	escrib**ías**
-ía	usted sab**ía**	escrib**ía**
-ía	él, ella sab**ía**	escrib**ía**
-íamos	nosotros(as) sab**íamos**	escrib**íamos**
-íais	vosotros(as) sab**íais**	escrib**íais**
-ían	ustedes sab**ían**	escrib**ían**
-ían	ellos, ellas sab**ían**	escrib**ían**

- Note that the first- and third-person singular endings are identical. Also, *all* the imperfect **-er** and **-ir** endings require a written accent.

- There are no stem-changing verbs in the imperfect.

- The imperfect of **hay** is **había** *(there was/were, there used to be),* from the infinitive **haber.**

- There are only three irregular verbs in the imperfect: **ser, ir,** and **ver.** They are presented in section 11.2.

Heinle Grammar Tutorial: The Imperfect Tense

Uses of the imperfect

■ The imperfect has several English equivalents.

Trabajaba todos los días.
$\left\{\begin{array}{l} \textit{I worked every day.} \\ \textit{I used to work every day.} \\ \textit{I was working every day.} \\ \textit{I would work every day.} \end{array}\right.$

■ Like the preterite, the imperfect is used to talk about an act that has already occurred. However, the imperfect focuses on the continuation of an act or an act in progress rather than on the completed act. Continuation includes repeated habitual action, background action, actions in progress, and certain physical, mental, or emotional states.

Repeated habitual action

Viajaba mucho en el invierno.	*I would travel a lot in the winter.*
Nunca **dormía** más de ocho horas al día.	*I never slept more than eight hours a day.*

Actions in progress

El bebé **dormía** en el otro cuarto.	*The baby was sleeping in the other room.*
Escuchaba mi disco favorito mientras **limpiaba** la casa.	*I was listening to my favorite record while I cleaned the house.*

Background action

Hacía mucho calor, pero todos **estaban** trabajando.	*It was very hot, but everyone was working.*

Physical, mental, or emotional states

En esos días **estábamos** muy enamorados.	*In those days we were very much in love.*
Me **gustaban** mucho las exhibiciones de arte.	*I used to like art exhibits a lot.*

¡A practicar!

A. Hace diez años. ¿Quiénes en el pasado hacían lo siguiente: tus padres, tú, tú y tus hermanos, etcétera?

1. _____ vivía con mis padres.
2. _____ no estudiábamos en la universidad.
3. _____ mayor trabajaba en un supermercado.
4. _____ me daban dinero.
5. _____ no conducía el coche de mis padres.
6. ¿Y _____ ? ¿Qué hacías hace diez años?

B. Gente famosa. Las personas famosas no tienen vida privada. Todos sabemos lo que hacen y dicen a cada minuto. ¿Qué hacían estas personas hace unos años?

MODELO   1986 / Tom Cruise / filmar película *Top Gun*
En mil novecientos ochenta y seis Tom Cruise filmaba la película *Top Gun*.

1. 1960 / Martin Luther King, Jr. / protestar contra la discriminación racial
2. 1965 / los Beatles / cantar por todo el mundo
3. 1969 / Richard Nixon / dirigir el país
4. 1969 / Neil Armstrong / trabajar en la NASA
5. 1987 / el costarricense Óscar Arias Sánchez / ser propuesto para el Premio Nobel de la Paz
6. 1989 / los alemanes / celebrar la Alemania unida
7. 1990 / el sudafricano Nelson Mandela / viajar como hombre libre
8. 1996 / Bill Clinton / servir de presidente de los Estados Unidos
9. 2003 / George Bush / insistir en invadir Irak
10. 2008 / Hillary Clinton y Barak Obama / combatir por la nominación presidencial de los demócratas

---

«**Buscaba** el necio su asno y lo **llevaba** debajo». (proverbio)

____ *Only fools search for the evident.*

____ *It takes a fool to find a donkey.*

11.2 Imperfect of *ser, ir,* and *ver*

Describing how you used to be, where you used to go, what you used to see

There are three irregular verbs in the imperfect.

ser		ir		ver	
era	éramos	iba	íbamos	veía	veíamos
eras	erais	ibas	ibais	veías	veíais
era	eran	iba	iban	veía	veían

Heinle Grammar
Tutorial: The
Imperfect Tense;
Verbal expressions
(**tener, haber, deber**)

¡A practicar!

A. ¡Cómo nos cambia la vida! Completa los espacios en blanco para saber cómo era la vida de Ana Rosa, una estudiante de la Universidad Latina en Costa Rica.

Antes, cuando mis hermanos y yo _____ (ser) pequeños y vivíamos con mis padres en Puntarenas, todo _____ (ser) más fácil. Primero, _____ (yo / ser) una buena estudiante y nunca _____ (ver) la televisión por la noche. Tampoco _____ (ir) a trabajar todos los fines de semana como trabajo ahora. A veces, cuando yo _____ (ver) que la ocasión lo _____ (permitir), mis amigos y yo _____ (ir) al cine durante el fin de semana y _____ (ver) películas divertidísimas. Bueno, es verdad que ahora nada es fácil, pero también sé que ahora soy una persona muy responsable.

B. ¡Cuántos sacrificios! Marta y Ramiro Roque se conocieron en la Universidad de Costa Rica. Lee lo que ellos dicen y completa con los verbos en imperfecto para saber cómo era su vida estudiantil en la universidad.

Nosotros _____ (ser) estudiantes de medicina y _____ (trabajar) en la Clínica Santa Rita en San José. Marta _____ (ser) estudiante de ginecología, y yo _____ (estudiar) cirugía. Nosotros _____ (ir) a la clínica dos o tres veces por semana pero no nos _____ (ver) mucho porque _____ (trabajar) en diferentes secciones. A pesar de que _____ (ser) novios, no _____ (poder) salir mucho juntos porque _____ (tener) que estudiar día y noche.

> «Cuando tú **ibas,** yo **venía**». (proverbio)
>
> ___ *I have already been down that road.*
>
> ___ *Lead and I will follow.*

11.3 Preterite and imperfect: Completed and continuous actions

Describing completed actions and actions in progress in the past

You have learned that both the preterite and the imperfect are used to talk about the past, but there is a difference in how the two tenses are used. Compare the following.

■ The preterite is used to describe completed past actions.

| La conferencia **duró** dos horas. | *The lecture lasted two hours.* |
| **Hablé** con mis padres anoche. | *I spoke with my parents last night.* |

■ The imperfect is used to focus on continuation or actions in progress and background actions. It is also used to tell time in the past.

Siempre **charlábamos** por horas.	*We always used to chat for hours.*
El teléfono **sonaba** continuamente.	*The phone would ring continuously.*
Eran las seis.	*It was 6:00.*

■ When the preterite and imperfect are used in the same sentence, the imperfect often describes a continuous background action that is interrupted by a completed action expressed in the preterite.

| **Miraba** televisión cuando **llamaste.** | *I was watching television when you called.* |
| Nos lo **dio** mientras **comíamos.** | *He gave it to us while we were eating.* |

■ The imperfect may be used to focus on a future event related to a situation planned in the past.

| Debo irme. Tita dijo que la clase | *I must leave. Tita said the class would begin* |
| **empezaba** a las ocho. | *(was going to begin) at 8:00.* |

Heinle Grammar Tutorial: The Preterite versus the Imperfect

¡A practicar!

A. ¡Qué día! Marcela Freire, una estudiante del Instituto Centroamericano para Asuntos Internacionales, tuvo un día muy malo ayer. Según ella, ¿qué le pasó? Para saberlo, pon los verbos entre paréntesis en pasado.

Ayer _____ (ser) un día terrible. Para empezar, yo _____ (estar) furiosa porque mi novio no me _____ (llamar) la noche anterior. Luego, cuando yo _____ (salir) de casa, _____ (estar) lloviendo a cántaros. _____ (Buscar) mi paraguas pero no lo _____ (encontrar). Luego, _____ (perder) el autobús y _____ (tener) que esperar el siguiente. Cuando yo finalmente _____ (llegar) a clase, la secretaria _____ (anunciar) que la profesora _____ (estar) enferma. ¡Qué día!

B. ¡No más! Tomás decidió no ir a clase de práctica en la Sinfónica Nacional de Jóvenes. Para saber por qué, pon los verbos en el pasado.

1. ya / ser tarde / cuando / despertarme
2. preparar / desayuno / cuando / teléfono / sonar
3. mientras / bañarse / agua / cortarse
4. cuando / salir / casa / perro / escaparse
5. estar manejando / y de repente / llanta / pincharse
6. mientras / cambiar / llanta / empezar a / llover
7. finalmente / decidir / regresar / casa

C. ¿De veras? Martín, estudiante de la Universidad Latinoamericana, también tuvo muchos problemas. Completa con los verbos en pasado para saber qué pasó.

Es verdad. Anoche mi computadora _____ (dejar) de funcionar. _____ (Ser) las diez y yo _____ (estar) preparando la tarea cuando _____ (sonar) el teléfono. _____ (Ser) mi madre, y nosotros _____ (hablar) por una hora, más o menos. Cuando _____ (regresar) a la computadora, no _____ (haber) imagen en la pantalla. _____ (Oprimir) varias teclas *(keys)* pero sin ningún resultado. No _____ (descubrir) hasta esta mañana que mi compañero de cuarto la había desconectado.

«Hasta que **conocí** a la iguana, **no supe** los colores que **tenía**». (dicho popular)

____ *Until you get to know someone well, you won't know their true colors.*

____ *Because the iguana has many colors, one never knows its true color.*

11.4 Preterite and imperfect: Beginning/end and habitual/customary actions

Describing the beginning or end of actions and habitual past actions

In section 11.3 you learned that the preterite focuses on completed actions and the imperfect focuses on actions in progress.

■ Since the preterite focuses on completed actions, it often emphasizes the beginning or end of an act.

Cuando **vi** a Carlota, **corrí** a saludarla.	*When I saw Carlota, I ran to greet her.*
Salieron corriendo.	*They left running. (They took off running.)*
De repente la computadora no **funcionó.**	*Suddenly the computer did not work. (It just stopped.)*
Me **sentí** muy mal después de la clase de informática.	*I felt very sick after computer science class. (But I got over it.)*

Heinle Grammar Tutorial: The Preterite versus the Imperfect

■ The imperfect is used to describe habitual or customary actions or events in progress.

Siempre **daba** la misma excusa.	*I always gave the same excuse.*
Yo nunca **iba** a la biblioteca de noche.	*I never used to go to the library at night.*

¡A practicar!

A. ¡Excusas! José Carlos no trata bien a su novia, pero siempre tiene una excusa. ¿Qué le dice a su novia?

1. Esta mañana cuando tú (llamaste / llamabas) yo no (contesté / contestaba) porque (estuve / estaba) en el baño.
2. Yo no te (llamé / llamaba) la semana pasada porque (desconectaron / desconectaban) mi teléfono.
3. La llanta de mi coche (se pinchó / se pinchaba) y por eso (llegué / llegaba) tarde.
4. Anoche (trabajé / trabajaba) hasta tan tarde que (decidí / decidía) no llamarte para no despertarte.
5. El sábado pasado no (fui / iba) a tu casa porque mi coche no (funcionó / funcionaba).
6. Ayer no te (invité / invitaba) a la fiesta porque tú no (conociste / conocías) a nadie.

B. ¿Qué le voy a decir? Mauricio Parra, estudiante del Instituto Monteverde en San José, no fue ayer a su clase de química. ¿Por qué? Para saberlo, pon los verbos en el pasado.

¡Qué horror! Yo no _____ (acostarse) hasta muy tarde anoche. Esta mañana cuando _____ (despertarse), ya _____ (ser) las diez menos cinco. Mi clase de química _____ (empezar) en cinco minutos. _____ (Decidir) no ir a clase. Más tarde _____ (hablar) con un compañero de clase y él me _____ (decir) que el profesor _____ (estar) furioso porque yo no había ido a clase. Ahora no sé qué le voy a decir al profesor.

C. ¡Aguafiestas! Pon los verbos entre paréntesis en el pasado para saber lo que ocurrió el sábado pasado en la fiesta de Enrique, en Cartago.

El sábado pasado Enrique _____ (organizar) una fiesta en su casa. Sus padres no _____ (estar) y él _____ (invitar) a muchísima gente. Todos nuestros amigos _____ (ir) y también _____ (llegar) gente desconocida. _____ (Haber) mucha comida y mucha cerveza. Todos _____ (bailar) y _____ (cantar) cuando a eso de la una de la mañana unos vecinos _____ (llamar) a la policía. La policía nos _____ (obligar) a terminar la fiesta. Enrique no les _____ (decir) nada a sus padres.

> «Jugué con quien no **sabía** y me llevó lo que **tenía**». (proverbio)
>
> ____ I played with an idiot and he had all the luck.
>
> ____ I gambled with a stranger and he took everything I had.

11.5 Present perfect
Talking about what people have or haven't done

As in English, the present perfect tense in Spanish is a compound past tense. It is formed by combining the present indicative of the auxiliary verb **haber** *(to have)* with the past participle.

Present indicative	
haber (to have)*	
yo **he**	nosotros(as) **hemos**
tú **has**	vosotros(as) **habéis**
usted **ha**	ustedes **han**
él, ella **ha**	ellos, ellas **han**

Present perfect tense	
sentir (to feel)	
he sentido	hemos sentido
has sentido	habéis sentido
ha sentido	han sentido

* Do not confuse the auxiliary verb **haber** with the verb **tener,** which is used to express possession.

■ The past participle of most verbs in English is formed by adding *-ed* to the verb; for example, *to travel* ⟶ *traveled, to study* ⟶ *studied, to open* ⟶ *opened.* In Spanish, past participles are formed by adding **-ado** to the stem of **-ar** verbs, and **-ido** to the stem of **-er** and **-ir** verbs.

viajar		**querer**		**sentir**	
viaj**ado**	*traveled*	quer**ido**	*wanted*	sent**ido**	*felt*

■ As in English, some Spanish verbs have irregular past participles; the following are those most frequently used.

abrir	**abierto**	poner	**puesto**
cubrir	**cubierto**	resolver	**resuelto**
decir	**dicho**	romper	**roto**
escribir	**escrito**	ver	**visto**
hacer	**hecho**	volver	**vuelto**
morir	**muerto**		

Note that the past participles of verbs related to those listed are also irregular: **descubrir** *(to discover)* ⟶ **descubierto; maldecir** *(to curse)* ⟶ **maldicho; devolver** *(to return something)* ⟶ **devuelto;** and so on.

■ In general, the use of the present perfect tense in Spanish parallels its use in English.

No me **he sentido** bien.	*I haven't felt well.*
Han estado muy enfermos.	*They have been very sick.*
Todavía no **se ha levantado.**	*He hasn't gotten up yet.*
No **hemos devuelto** los libros a la biblioteca.	*We haven't returned the books to the library.*

Note that when used in the present perfect, the past participle is invariable; it does not agree in number or in gender with the noun. Reflexive and object pronouns are always placed before the conjugated form of the verb **haber.**

■ With few exceptions, **haber** functions only as an auxiliary verb. The verb **tener** is used to indicate possession or obligation.

No **me he sentido** nada bien.	*I haven't felt well at all.*
Tengo que llamar al médico.	*I have to call the doctor.*

Heinle Grammar Tutorial: The Present Perfect Tense

¡A practicar!

A. ¡Qué organizado! Cuando una persona organizada viaja, siempre prepara listas de lo que le queda por hacer. ¿Qué dice esta persona de lo que todavía no ha hecho?

MODELO   escribirles a mis tíos en Puerto Limón
          Todavía no les he escrito a mis tíos en Puerto Limón.

1. ver el Jardín Lankaster
2. ir al Parque Bolívar, el zoológico de San José
3. sacar fotos del Teatro Nacional
4. viajar a Cartago
5. hacer compras en el Mercado Nacional de Artesanía
6. visitar el Museo del Jade

B. ¡No he hecho nada! Inevitablemente cuando llega el domingo por la tarde, descubrimos que no hemos hecho algunas cosas que pensábamos hacer durante el fin de semana. Pon los verbos en presente perfecto para ver unos ejemplos típicos.

1. Miguel no _____ (ir) de compras.
2. José no _____ (hacer) la tarea.
3. Yo no les _____ (escribir) a mis padres.
4. Miguel y José no _____ (lavar) la ropa.
5. Nosotros no _____ (poder) limpiar el garaje.
6. Yo no _____ (abrir) los libros para estudiar.
7. Tú no _____ (limpiar) tu cuarto.
8. Ustedes no _____ (llamar) a sus padres.

«La miel no **se ha hecho** para la boca del asno». (proverbio)

____ *Honey should be used to develop a donkey's taste.*

____ *This person is too ignorant to understand this.*

CAPÍTULO 12

Por los caminos del Inca... en Perú

In this chapter, you will learn how to . . .

- describe what you will do on vacation.
- describe what you will do in the future.
- talk about what you would do if . . .
- give advice and instructions.
- give orders.

Busca Machu Picchu *en Google*™ *Images y YouTube*™ *para conocer en detalle la ciudad escondida de los incas.*

Busca fortaleza Sacsahuamán *en Google*™ *Images y YouTube*™ *para ver ejemplos del enorme talento arquitectónico de los incas.*

Busca **Tumbas Reales de Sipán** *en Google*™ *Images y YouTube*™ *para visitar este impresionante sitio arqueológico descubierto en 1987.*

¡Las fotos hablan!

A que ya sabes... Estas fotos vienen de un folleto que la agencia de viajes les mandó a Olga Montoya y sus amigos para familiarizarlos con algunos sitios que van a visitar en su viaje a Perú. Indica si Olga y sus amigos harán lo siguiente.

sí   no   1. Visitarán las Tumbas Reales de Sipán.
sí   no   2. Caminarán por la fortaleza de Sacsahuamán.
sí   no   3. Asistirán a un partido de fútbol en Lima.
sí   no   4. Viajarán a Machu Picchu.
sí   no   5. Comprarán réplicas de los ornamentos de oro y turquesa de Sipán.

¡Mañana empezaremos el camino del Inca!

TAREA

Antes de empezar este *Paso*, estudia la lista de vocabulario de la página 411 y escucha el corte 6 de tu Text Audio CD4. Luego estudia *En preparación*.

1er día   12.1 Future tense of regular verbs, páginas 412–413

2do día   12.2 Future tense of verbs with irregular stems, páginas 413–414

Haz por escrito los ejercicios de *¡A practicar!* correspondientes.

¿Eres buen observador?

Ahora, ¡a analizar!

Según Andina de Turismo, sus clientes, muy pronto,...

sí   no   1. tendrán opciones para viajar de Perú a Colombia.

sí   no   2. podrán disponer de viajes dentro del país.

sí   no   3. viajarán a Cajamarca, Cuzco, Chiclayo...

sí   no   4. disfrutarán.

sí   no   5. visitarán la moderna capital de Perú.

sí   no   6. irán a Machu Picchu por avión.

¿Qué se dice...? CD4, Track 2

Al hablar de lo que harás en las vacaciones

OLGA: Hola, Enrique.

ENRIQUE: Hola, Olga.

OLGA: Te llamo desde Perú. ¡Acabamos de llegar! ¡Lima es fantástica! Si el resto del Perú es igual de interesante, estoy segura de que pasaremos un mes estupendo.

ENRIQUE: Muy bien. Me alegro. ¿Qué planes tienes para estos días?

OLGA: Hoy y mañana estaremos aquí en Lima. Esta mañana visitamos la catedral en la Plaza de Armas. Es hermosa. No sabía que allí estaba la tumba de Francisco Pizarro. También veremos el Palacio Arzobispal. Es de lo mejor de la arquitectura colonial. Esta noche comeremos en un restaurante lindísimo en el hermoso distrito de Barranco. Ya hemos reservado.

ENRIQUE: Pues yo te recomiendo que pruebes el ceviche. Es excelente.

Olga: ¡Ah! ¡Bien, gracias! Lo probaré y te diré qué me pareció. El miércoles visitaremos la ciudad sagrada de Caral. Gracias por recomendármela.

Enrique: De nada. Recuerda que es la ciudad más antigua de Perú y de América.

Olga: Sí, impresionante. ¡Sacaré todas las fotos que pueda! Seguro que me encantará.

Enrique: Y después de Lima, ¿dijiste que irán a Cuzco?

Olga: Sí, viajaremos por tren a Cuzco, la antigua capital de los incas. Dicen que es una ciudad única. Espero no sufrir de soroche, como me contaste.

Enrique: No te preocupes. Seguro que no lo sufrirás.

Olga: Y de Cuzco a... ¡Machu Picchu!

Enrique: Te encantará. Es un lugar mágico. Si tienen tiempo, les recomiendo el camino del Inca, una antigua e impresionante ruta prehispánica que conecta Cuzco y Machu Picchu y que hoy en día se puede recorrer.

¿Sabías que...?

Debido a que Cuzco está a 3.399 metros (11.155 pies) sobre el nivel del mar, muchos turistas sufren de soroche *(altitude sickness)* durante su visita a la ciudad. En el aeropuerto de Cuzco hay tanques de oxígeno puro para los viajeros que llegan, y los hay también en la mayoría de los grandes hoteles. Los hoteles también sirven té de coca *(coca leaf tea)* 24 horas al día, que es lo que los indígenas beben para evitar el soroche.

En tu opinión: ¿Por qué será necesario proveer té de coca en la mayoría de los grandes hoteles? ¿Hay ciudades importantes en los Estados Unidos construidas a la altura de Cuzco? ¿Cuáles? ¿Qué efecto tendrá el té de coca en el cuerpo humano?

Ahora, ¡a hablar!

A. Compañeros de viaje. En el *¿Qué se dice...?*, ¿quién dice lo siguiente, **él** (Enrique) o **ella** (Olga)?

EP 12.1

  él **ella** 1. Mañana estaremos todo el día en Lima.
  él **ella** 2. Te recomiendo el ceviche.
  él **ella** 3. Seguro que no sufrirás de soroche.
  él **ella** 4. Viajaremos por tren a Cuzco y Machu Picchu.
  él **ella** 5. Comeremos en un restaurante lindísimo que ya hemos reservado.

B. ¡Cuzco! Olga está entusiasmada y quiere saber todos los detalles de lo que harán en Cuzco. ¿Qué le dice el agente de viajes?

EP 12.1

MODELO   domingo: levantarse muy temprano
            El domingo se levantarán muy temprano.

1. lunes: llegar a las 17:30 y dormir dos o tres horas: ser necesario para evitar el soroche
2. lunes: por la tarde caminar por la ciudad
3. martes: visitar la catedral y conocer el Palacio de Manco Cápac
4. martes: por la tarde viajar a la fortaleza de Sacsahuamán
5. miércoles: despertarse a las seis y viajar en tren a Lima

C. Mis próximas vacaciones. Entrevista a un(a) compañero(a) de clase para saber cómo y dónde pasará las próximas vacaciones.

EP 12.1, 12.2

1. ¿Adónde irá? ¿Cómo viajará? ¿Viajará en avión? ¿En tren? ¿En auto?
2. ¿Viajará solo(a)?
3. ¿Dónde se quedará? ¿Cuánto pagará por el alojamiento?
4. ¿Cuánto tiempo estará de vacaciones? ¿Se quedará en el mismo lugar o viajará a otros sitios?
5. ¿Dónde comerá? ¿Comerá en restaurantes de comida típica?
6. ¿Qué hará durante el día? ¿Y de noche?
7. ¿Sacará fotos? ¿Comprará muchos recuerdos?
8. ¿Llevará la cámara de video?

D. Nuestros planes en Perú. Con tu compañero(a), miren este mapa y decidan cuáles son sus planes para las próximas vacaciones de primavera. ¿Qué lugares visitarán? ¿Dónde se quedarán en Lima?, ¿Cuzco?, ¿Machu Picchu? ¿Qué harán en Sacsahuamán?, ¿en el lago Titicaca?, ¿en Machu Picchu? ¿Cuánto tiempo estarán en Perú? ¿Dónde sacarán las mejores fotos? ¿Subirán Huayna Picchu?

EP 12.1, 12.2

E. ¡Qué futuro! El futuro está siempre lleno de promesas, de proyectos y de sueños. ¿Cómo ves tu propio futuro? ¿Cuáles son tus proyectos? ¿Será tu vida mejor que ahora? Con un(a) compañero(a), comparen su vida de ahora con la que piensan tener dentro de diez años.

EP 12.1, 12.2

MODELO   trabajo
        Tú: Ahora trabajo de mesero; dentro de diez años seré el dueño del restaurante.
  COMPAÑERO(A): Y yo trabajo en la librería; dentro de diez años trabajaré para una editorial en Nueva York.

1. trabajo   4. esposo(a) e hijos
2. estudios   5. vivienda (casa o apartamento)
3. coche   6. bienes (coches, casas, propiedad, etcétera)

Y ahora, ¿por qué no conversamos?

F. Resoluciones. En enero siempre empezamos el año con resoluciones y proyectos. ¿Cuáles serán tus resoluciones para el año próximo? Discútelas con un(a) compañero(a) y escucha mientras él (ella) te dice las suyas.

G. ¡El año 2025! ¿Qué te traerá el futuro? En grupos de tres o cuatro, digan qué creen que estarán haciendo en el año 2025. Decidan quién tendrá el futuro más interesante y cuéntenselo a la clase.

H. ¡Luces! ¡Cámara! ¡Acción! Tú sabes practicar el arte de la quiromancia *(palm reading)*. Tu amigo(a) quiere saber lo que le espera en el futuro: el trabajo, el amor, la salud y la familia. Lee su palma y cuéntale el futuro. Dramatiza la situación con un(a) compañero(a) delante de la clase.

I. ¡Nuestra comunidad! En tu universidad o comunidad, entrevista a alguna persona de origen hispano, preferiblemente peruano, y hazle preguntas relacionadas con el futuro de su país de origen y de América Latina en general: ¿Superará las dificultades económicas? ¿Se acabarán las barreras raciales? ¿Progresará mucho en materia de democracia y derechos humanos? —y otras preguntas que se te ocurran.

Un paso atrás, dos adelante

Capítulo 11

En el Capítulo 11 aprendiste a hablar de cuando eras más joven, a narrar cosas del pasado y a hablar de lo que has hecho o no has hecho recientemente. Repasa lo que sabes, completando el siguiente texto con las palabras necesarias.

Una semana loca

Tu AMIGO(A): ¿Dónde _____ [**estar**] cuando te _____ [**llamar**] la semana pasada?

TÚ: _____ [**Ir**] al Museo Nacional. _____ [**Haber**] una exhibición temporal con mariposas vivas del Valle Central. Se _____ [**llamar**] «El Jardín Secreto» y me _____ [**gustar**] muchísimo.

Tu AMIGO(A): ¿Y por qué no me _____ [**invitar**]?

TÚ: Te _____ [**buscar**] por todo el barrio, pero todo el mundo me _____ [**decir**] lo mismo: «_____ [presente perfecto de **estar**] aquí esta mañana»; «lo _____ [presente perfecto de **ver**] en el supermercado esta tarde» ...pero, la verdad, no te _____ [**encontrar**] por _____ [*negative expression*] parte.

Tu AMIGO(A): Sí, _____ [presente perfecto de **estar**] muy ocupado(a).

🎵 **¡Dímelo tú!** *Playlist* Escucha: «Yo vengo a ofrecer mi corazón» de Tania Libertad

Estrategias para escuchar: interpretar las pistas no verbales del contexto

Interpreting what you hear often requires knowing more than just the meaning of individual words. For example, if you hear the words **No he podido dormir** *without knowing the circumstances that prompted the speaker to say them, then you can't know whether the speaker just had a bad night's sleep due to illness or worries, or may simply be exaggerating to make a point. To understand fully the meaning of a conversation you must use numerous nonverbal cues as well as individual word meaning. In the remaining chapters you will be asked to interpret what you hear based not only on the meaning of the words, but on your own experience and cultural knowledge as well.*

Interpretar las pistas no verbales del contexto. Escucha el diálogo y trata de contestar estas preguntas. Basa tus respuestas en tu propia experiencia en viajes y en el conocimiento que ya tienes del Perú.

1. ¿Por qué no pudo dormir bien Olga?
   a. Hacía demasiado frío.
   b. Estuvo pensando en las actividades del día siguiente.

2. ¿Cuándo va a explicar Caral en detalle el guía?
   a. Explicará Caral en detalle en camino al sitio.
   b. Explicará Caral en detalle al llegar al sitio.
   c. Explicará Caral en detalle al caminar por el sitio.

3. ¿Cuál es más viejo, el Vaticano en Roma o Caral?
   a. El Vaticano es más viejo.
   b. Caral es más viejo.
   c. Caral y el Vaticano son de la misma época.

4. ¿Qué tiempo va a hacer durante la visita a Caral?
   a. Va a hacer sol.
   b. Va a llover.
   c. Va a hacer frío.

5. ¿Qué tienen en común Caral y el Vaticano?
   a. Fueron construidos durante la misma época.
   b. Los dos fueron centros religiosos.
   c. Los dos son centros cristianos.

Ahora, ¡a escuchar!

Con un(a) compañero(a), escucha otra vez la conversación y revisen las respuestas que escribieron en la sección anterior. Hagan las correcciones necesarias.

Perú, donde la altura y la profundidad se fusionan

Antes de empezar, dime...

1. ¿Cómo eran las civilizaciones indígenas en la región que ahora es los Estados Unidos? Describe su sociedad, arquitectura, ejércitos, etcétera.
2. ¿Cómo son los restos de esas civilizaciones? Describe algunas de sus ruinas.

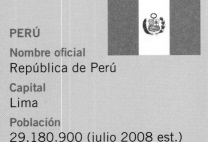

PERÚ

Nombre oficial
República de Perú

Capital
Lima

Población
29.180.900 (julio 2008 est.)

Unidad monetaria
nuevo sol

Índice de longevidad
70,44 años

Alfabetismo
87,7 por ciento

Cuando los españoles llegaron a Perú en 1531, los quechuas (también llamados incas) controlaban la cordillera andina desde Ecuador hasta Argentina. Los quechuas llamaban a su rey o emperador «el inca». La sociedad quechua o incaica estaba dividida en cuatro clases: los gobernantes, los nobles, la gente común y los esclavos. Esta sociedad mantuvo grandes ejércitos muy organizados, construyó edificios impresionantes y estableció un sistema de carreteras que se extendía de un extremo al otro del imperio incaico. Actualmente, la mayoría de sus descendientes viven en el altiplano de Ecuador, de Bolivia y de Perú, donde la lengua quechua todavía se habla extensamente.

La zona de Cuzco, la antigua capital del imperio de los incas, está situada en las mesetas andinas, al sureste de Lima, en el «corazón» mismo del antiguo imperio. Cuzco es una palabra quechua que significa ombligo *(navel)* en español y hace referencia a su localidad en el centro del universo. La ciudad y sus alrededores contienen innumerables ruinas preincaicas e incaicas que incluyen fortalezas como Sacsahuamán, el Templo del Sol y a unas cincuenta millas, la maravillosa ciudad escondida de los incas, Machu Picchu.

En la construcción de estas fortalezas se observa un ejemplo incomparable de cantería *(stone cutting)*: los bloques de granito están colocados uno sobre el otro sin haber utilizado cemento. Los expertos en el tema han llegado a decir que no existe otro tipo de construcción similar que pueda compararse con esta en cuanto a su calidad.

A pesar de ser la civilización incaica la que con más frecuencia se identifica con Perú, en el área peruana se destacaron otras grandes civilizaciones, como por ejemplo, la chavín con sus inmensos templos, la mochica con impresionantes pirámides y finas cerámicas, la chimú con su enorme capital en Chan Chan y sus magníficas obras de oro, la nazca, la huari, sicán y tantas más. La UNESCO ha declarado Patrimonio de la Humanidad a más de diez de estos sitios.

Y ahora, dime...

1. ¿Cómo se comparan las civilizaciones indígenas precolombinas de los Estados Unidos con las de Perú? ¿Por qué crees que fueron tan distintas?
2. ¿Qué quiere decir «Cuzco» en español? Explica su significado.
3. Además de la civilización incaica, ¿cuáles son otras civilizaciones de importancia en Perú? De las varias civilizaciones mencionadas, ¿cuál te interesa más? ¿Por qué?

⊙ **Por el ciberespacio... a Perú**

Keywords to search:
templos de Chavín
cerámica mochica
oro de Chan Chan
líneas de Nazca

To learn more about Peru, go to the *¡Dímelo tú!* website at academic. cengage.com/spanish/dimelotu

¡Imagínate...
un Perú todavía mejor!

TAREA

Antes de empezar este *Paso,* estudia
la lista de vocabulario de la página
411 y escucha el corte 7 de tu
Text Audio CD4. Luego estudia
En preparación.

1er día   12.3 Conditional of regular
            and irregular verbs,
            páginas 414–416

Haz por escrito los ejercicios de
¡A practicar! correspondientes.

¿Eres buen observador?

Plaza de San Martín

Catedral de Lima

El barrio de Miraflores

La playa en Lima

Ahora, ¡a analizar!

De visita en Lima. A Olga y a sus amigos les falta hacer varias cosas en Lima. ¿Adónde
(podrían / deberían / tendrían que) ir para hacer lo siguiente?

1. comprar un suéter de alpaca
2. sacar fotos de la estatua de San Martín
3. gozar del sol y la brisa del mar
4. comprar recuerdos de Lima
5. asistir a un servicio religioso

¿Qué se dice...? CD4, Track 4

Al hablar de lo que harías

Hola, Enrique. Quería enviarte este mensaje y unas fotos para responderte a la pregunta que me hiciste un día sobre cuál sería mi mundo ideal. Viajando por Perú, viendo la grandeza del pasado incaico y la realidad de la pobreza de muchos indígenas hoy día, quiero responderte, y me gustaría conocer tu opinión también.

Para alguien como yo, interesada en la sociología y la historia, te diría que mi mundo ideal sería necesariamente utópico. Para empezar, mi primer objetivo sería erradicar el hambre en zonas desfavorecidas de la tierra. Para ello, cada uno de los países ricos debería contribuir con parte de su Producto Interior Bruto al desarrollo de los países pobres. Para asegurarnos de que el dinero que se envía a estos países no es utilizado para comprar armamento o llenar los bolsillos de los gobernantes, habría que crear una organización internacional para distribuir los fondos no solo en alimentos, sino también como préstamos sin intereses o de bajo interés para personas emprendedoras.

En un mundo ideal no tendrían espacio las guerras. Para ello, yo aglutinaría a cada nación en una asociación de naciones muy especial, por la cual los países se comprometerían a nunca invadirse los unos a los otros, y buscarían soluciones negociadas a todas las crisis. Crearía un organismo para arbitrar y encontrar soluciones a los conflictos actuales.

Siguiendo el modelo de la Unión Europea, obligaría a los gobiernos a mantener unos niveles económicos, prohibiría la pena de muerte y aseguraría el reparto de agua potable de zonas con más agua a zonas con menos agua. Obligaría a todas las corporaciones a emplear parte de sus ganancias en iniciativas sociales y de ayuda a los más necesitados, y controlaría el precio de las medicinas, especialmente aquellas que sirven para los problemas de los ancianos y los más pobres.

Ahora, ¡a hablar!

EP 12.3

A. ¿Lo haría? Indica si Olga haría estas cosas según el *¿Qué se dice...?*

sí no 1. Crearía un comité para determinar cuáles de las guerras son útiles o no.
sí no 2. Formaría una nueva especie de Naciones Unidas.
sí no 3. Obligaría a los países ricos a ayudar a los países en desarrollo.
sí no 4. Aumentaría el presupuesto de los ejércitos.
sí no 5. Facilitaría préstamos de bajo interés para personas emprendedoras.

EP 12.3

B. ¡Vamos a ayudar! Tú y tu compañero(a) quieren ayudar a Olga a definir sus objetivos de cambiar el mundo. Tomen turnos en decir qué harían si pudieran ayudar.

MODELO   eliminar la deuda externa de los países en desarrollo
Eliminaría la deuda externa de los países en desarrollo.

1. potenciar la compra de productos de países en desarrollo
2. salir a manifestar contra el hambre en el mundo
3. dar a conocer la situación de los pobres del mundo
4. ir a ayudar como voluntario
5. rebajar el precio de las medicinas contra el SIDA
6. reducir los gastos militares a menos de la mitad
7. ¿...?

EP 12.3

C. ¿Ocho soluciones? Lo que para otros son propuestas, para ti y tu compañero(a) son soluciones. ¿Qué harían ustedes para erradicar la pobreza? Preparen un programa basándose en estas propuestas.

MODELO   reinterpretar / los derechos humanos en clave del siglo XXI
Reinterpretaríamos los derechos humanos en clave del siglo XXI.

1. erradicar / la pobreza extrema y el hambre
2. lograr / la educación primaria universal
3. establecer / la igualdad entre hombres y mujeres
4. reducir / la mortalidad de los menores de cinco años
5. mejorar / la salud materna
6. combatir / el SIDA y otras enfermedades
7. fomentar / la alianza mundial para el desarrollo humano
8. garantizar / la sostenibilidad del medio ambiente

D. Mis buenos deseos. Enrique y Miguel dicen que si ganaran la lotería, se comprarían una casa en Perú. ¿Qué harías tú?

> MODELO dar
> **Yo les daría dinero a todos los miembros de mi familia.**

1. ir
2. construir
3. no tener que
4. invertir / ahorrar
5. hacer
6. viajar
7. comprar
8. ayudar

E. Si yo fuera rico. Con tu compañero(a), digan qué harían con estas cosas si fueran multimillonarios(as).

Mi familia

ORFANATO

Jaguar

Sud América

Si yo fuera millonario

INSTITUTO DE INVESTIGACIONES

CRUCERO PRINCESA DEL PACÍFICO

La selva tropical

Mi empleo

Y ahora, ¿por qué no conversamos?

F. Los vecinos. En nuestra sociedad hay personas con necesidades económicas, de asistencia y de otros tipos. Con tu compañero(a) hablen de estas personas, del tipo de necesidades que tienen y de lo que harían para ayudarlas.

G. ¡Luces! ¡Cámara! ¡Acción! Tú y tu compañero(a) están hablando sobre el tema de los viajes en el tiempo. Si pudieran viajar por el tiempo, ¿a qué época del tiempo viajarían? ¿Viajarían al mundo del futuro o del pasado? ¿Cómo sería ese mundo? ¿Cómo sería la sociedad? Dramaticen la conversación que tienen delante de la clase.

Saber comprender

Estrategias para ver y escuchar: ver y escuchar «de arriba hacia abajo»

*In **Capítulo 10, Paso 3**, you learned that your previous knowledge of a topic can help you fill in the blanks when the topic of the video you are viewing is very familiar. This approach is known as listening "from the top down."*

Los Andes, ¡donde lo nuevo y lo antiguo se entrelazan!

Al ver el video

Ver y escuchar «de arriba hacia abajo». Tal vez tu conocimiento de los Andes no es muy extenso pero algo has de saber de esa majestuosa cordillera. Mira ahora el video **Los Andes, ¡donde lo nuevo y lo antiguo se entrelazan!** Luego combina el conocimiento que ya tenías de los Andes con lo que viste en el video para adivinar el significado de las palabras subrayadas.

1. Los Andes corren desde el <u>occidente</u> de Venezuela hasta el sur de Chile.
2. Los aimaras viven de la papa, un <u>alimento</u> nativo de los Andes.
3. Desde Quito se puede ver el <u>Pichincha</u> cubierto de nieve.
4. En los Andes, lo nuevo y lo antiguo <u>se entrelazan</u>.

Después de ver el video

Ahora vuelve a mirar la sección del video sobre los Andes y anota tres cosas que aprendiste que no sabías antes y tres que ya sabías.

LOS ANDES

Lo que no sabía	Lo que ya sabía
1.	1.
2.	2.
3.	3.

¡Escríbelo!

Estrategias para escribir: punto de vista

Cuando escribimos, es importante pensar cuidadosamente en el punto de vista que vamos a desarrollar. El punto de vista afecta muchísimo el resultado final de lo que escribimos. Por ejemplo, ¿crees que el chofer responsable del accidente va a describir el accidente de la misma manera que la víctima o que algún testigo? ¡Es dudoso! Lo más probable es que va a haber tres versiones distintas y los tribunales tendrán que decidir el caso.

Punto de vista. Ahora vuelve al *Noticiero cultural* de este capítulo, «Perú, donde la altura y la profundidad se fusionan». ¿Desde qué punto de vista se escribió esta lectura? ¿Quién es el narrador?

Cambiando el punto de vista. Piensa cómo cambiaría una lectura si el punto de vista fuera distinto. Por ejemplo, indica en una o dos oraciones cómo crees que las siguientes personas describirían al Perú precolombino. Luego compara tu trabajo con el de dos compañeros(as) de clase.

Un conquistador español	Un quechua en Perú ahora	Atahualpa, el último emperador de los incas
1.	1.	1.
2.	2.	2.
3.	3.	3.
4.	4.	4.
…	…	…

Ahora, ¡a escribir!

A. En preparación. Prepara una lista con tres características distintas de la sociedad del Perú precolombino. Luego descríbelas desde el punto de vista de un conquistador español, de un indígena quechua en Perú ahora o de Atahualpa, el emperador inca.

Características	Punto de vista de un conquistador	Punto de vista de un quechua en Perú ahora o de Atahualpa
1.	1.	1.
2.	2.	2.
3.	3.	3.
4.	4.	4.
…	…	…

B. El primer borrador. Usa la información que preparaste en la actividad anterior para decidir si vas a escribir sobre Cuzco desde el punto de vista de un conquistador español, de Atahualpa, el último emperador de los incas, o de un quechua de Perú de ahora. Escribe el primer borrador de una breve composición titulada «Cuzco: el centro del universo inca». No olvides que todo lo que relates tiene que ser desde el punto de vista de tu personaje.

C. **Ahora, a compartir.** Comparte tu primer borrador con dos o tres compañeros(as). Haz comentarios sobre el contenido y el punto de vista de las composiciones de tus compañeros(as) y escucha sus comentarios sobre tu trabajo. ¿Es lógico y consistente el punto de vista? Haz comentarios sobre los errores de estructura, ortografía o puntuación. Fíjate específicamente en el uso del pretérito, del imperfecto, del futuro y del condicional. Indica todos los errores de tus compañeros(as) y luego decide si necesitas hacer cambios en tu composición, teniendo en cuenta los errores que ellos te indiquen a ti.

D. **La versión final.** Prepara la versión final de tu composición y entrégasela a tu profesor(a). Escribe la versión final en la computadora, siguiendo las instrucciones recomendadas por tu instructor(a).

¡No te diviertas demasiado... en Perú!

¿Eres buen observador?

TAREA

Antes de empezar este *Paso,* estudia la lista de vocabulario de la página 411 y escucha el corte 8 de tu Text Audio CD4. Luego estudia *En preparación.*

1er día   12.4 **Tú** commands: A second look, páginas 416–417

Haz por escrito los ejercicios de *¡A practicar!* correspondientes.

Consejos para viajar a Perú

Para tu viaje a Perú, te recomendamos:

Para las ciudades

- Lima (La Ciudad de los Reyes) presenta muchos atractivos coloniales pero sobre todo Lima cuenta con una fabulosa infraestructura de restaurantes, hostales, centros comerciales, etcétera. Hay que tener en cuenta la seguridad. No te separes de tu grupo salvo en zonas garantizadas por los guías. Lima tiene más de ocho millones de habitantes y es una ciudad muy grande que fácilmente nos puede confundir. Sigue al guía y no tendrás de qué preocuparte.
- Ciudades como Arequipa, Cuzco, Ica, Puno, Huaraz, son más pequeñas, pero las medidas de seguridad no están de más. No pierdas de vista tus cámaras o equipaje de mano.
- No uses servicios por debajo del estándar de precios y calidad ya que puedes ser estafado fácilmente. Recuerda que pagando lo justo recibirás lo justo.
- No cambies dinero en la calle, ni lleves grandes cantidades de dinero en el bolso.

Para las excusiones

- Si vas por caminatas de un día, simplemente lleva un gorro o sombrero, ropa de acuerdo al lugar donde te encuentres. Lleva también un paraguas o casaca, ya que por las tardes, sobre todo en la sierra, suele haber fuertes vientos.
- Si vas por más de un día, como a Camino del Inca o a los senderos de Huaraz, ten cuidado con lo que llevas, ya que muchas cosas pueden pesar demasiado y ser incómodas. Lleva solo lo que los guías recomiendan para cada zona o dificultad.

Para la aventura

- Si vas a hacer canotaje, lleva más de una muda de ropa completa, también unos buenos anteojos sobre todo oscuros para evitar el reflejo del sol en las aguas. Todo debe estar bien asegurado a tu cuerpo, ya que no tendrás manos para sujetarlos, sobre todo pon mucha atención a la charla previa de tu monitor.
- Si vas de caminata por más de un día, una buena bolsa de dormir te ayudará mucho; empaca lo necesario: unas buenas botas y un impermeable para las lluvias sobre todo en la sierra.
- Si haces bicicleta de montaña, lleva unos buenos anteojos que protejan tus ojos.

Por lo demás no te preocupes, los guías se encargarán de todo: comida, bicicletas, cascos, protectores, carpas...

Ahora, ¡a analizar!

Indica si este anuncio te dice que hagas o no hagas lo siguiente.

sí no 1. A la menor oportunidad, sepárate de tu grupo para disfrutar de la ciudad.

sí no 2. Para la selva, olvídate de los repelentes de mosquitos.

sí no 3. Si vas de excursión por más de un día, ten cuidado con el peso de las cosas que llevas.

sí no 4. Si haces canotaje, sujeta bien con las manos las cosas, para evitar perderlas.

sí no 5. Lleva anteojos de sol si haces bicicleta de montaña o canotaje.

¿Qué se dice...? CD4, Track 5

Al hablar de lo que otras personas deben hacer

Querido Enrique:
Casi al final de mi impresionante viaje por Perú, quisiera compartir contigo unas cuantas fotos más y algunas sugerencias para ser un buen turista en este maravilloso país.

- En un sitio arqueológico, siempre mantente en los senderos.
- No dejes nada detrás de ti al realizar tu recorrido, excepto tus huellas.
- No recojas objetos ni muestras o restos de los edificios. Si estás en la selva, no recojas muestras de flora o fauna, incluyendo flores, semillas y rocas.
- Si visitas la selva, evita molestar a los animales que observas, especialmente si están cortejándose, desovando o alimentándose. No proporciones comida de ningún tipo a los monos u otros animales silvestres.
- Contrata guías locales, compra artesanías locales y hazte cliente de los hoteles y restaurantes de las zonas que visitas.

De pesca en el lago Titicaca

Puente inca moderno

- Apoya los proyectos que benefician las comunidades locales.
- Nunca compres plantas o animales silvestres.
- Compra solo artesanías hechas a base de productos naturales que son producidos específicamente para su comercialización o aquellos fabricados con recursos renovables, como la madera.

- Sé sensible a las tradiciones y a la cultura locales y trata de interactuar con la gente de los lugares que visitas. De esta manera la actividad del turismo será una experiencia positiva para todas las personas involucradas.
- Apoya los programas de conservación.

El condor pasa

El escritor peruano Mario Vargas Llosa nació en Arequipa, Perú, en el año 1936. Empezó a escribir en los años cincuenta, pero no logró su fama hasta 1963 cuando escribió su gran novela *La ciudad y los perros* que fue traducida inmediatamente a más de veinte idiomas y recibió el Premio Biblioteca Breve y el Premio de la Crítica (1963). En el año 1966 publicó su segunda gran obra, *La casa verde.* Sus novelas más recientes son *La fiesta del chivo* (2000), *El paraíso en la otra esquina* (2003), *Travesuras de la niña mala* (2006) y el ensayo *El viaje a la ficción.* Vargas Llosa, aparte de ser un escritor que ha alcanzado gran fama internacional, también ha tenido participación activa en la vida política del Perú. Fue candidato a la presidencia en las elecciones de 1990, en las cuales triunfó el ingeniero Alberto Fujimori.

En tu opinión: ¿Por qué crees que Vargas Llosa recibió el Premio de la Crítica Española en 1963, con tan solo 27 años de edad? ¿Sabes de autores en los Estados Unidos que han recibido premios importantes por sus obras literarias? ¿Por qué crees que el célebre Vargas Llosa perdió las elecciones contra el desconocido Alberto Fujimori? ¿Sabes si algún presidente de los Estados Unidos fue escritor antes de ascender a la presidencia?

Ahora, ¡a hablar!

A. ¿Quién? Indica si Olga aconseja esto o no en el *¿Qué se dice...?*

EP 12.4

  sí no   1. No te salgas de la ruta establecida.
  sí no   2. Recoge objetos y rocas para regalar a tus amigos.
  sí no   3. Apoya los programas de conservación.
  sí no   4. Haz hogueras para calentarte y para evitar los mosquitos.
  sí no   5. No seas respetuoso con la gente local.
  sí no   6. No compres productos locales.

B. ¡Por fin a Perú! Tú vas a estudiar en la Universidad San Marcos en Lima, y la oficina de estudios en el extranjero de tu universidad te da algunas recomendaciones sobre seguridad. ¿Qué te recomienda?

EP 12.4

MODELO   llamar a los Estados Unidos una vez por semana
              Llama a los Estados Unidos una vez por semana.

1. salir siempre con otros amigos(as) y regresar con ellos(as)
2. mantener informada a tu familia de dónde y cómo estás
3. no tomar taxis de noche solo(a)
4. hacer la tarea todos los días y practicar tu español en todo momento
5. ser prudente y respetuoso(a)
6. divertirse y no comparar constantemente

C. ¡No más, por favor! Tu familia y tus amigos también tienen consejos que darte (un poquito más radicales). Di lo que tu familia te dice y tu compañero(a) va a decir lo que tus amigos dicen.

MODELO   no beber el agua
No bebas el agua. o
Solo bebe agua embotellada.

Tu familia:

1. no salir solo(a) de noche
2. no ir a las discotecas
3. no acostarse tarde
4. no caminar por las calles solo(a) de noche
5. no gastar dinero
6. llamar, escribir y enviar correos electrónicos todos los días

Tus amigos

7. ser responsable
8. comprar un teléfono celular
9. salir con un(a) chico(a) peruano(a)
10. divertirte
11. ir a clase todos los días
12. escribirme en español

D. ¡Cuídate! Un amigo que viaja contigo en Cuzco se enferma y quiere saber qué debe hacer para mejorarse. Aconséjalo.

MODELO   **No comas nada sólido.**

Sugerencias

beber té caliente	no salir del cuarto
llamar al médico	pedir sopa de pollo
no beber agua sin purificar	tomar una aspirina

E. ¡Compórtate bien! Con tu compañero(a), traten de poner orden en esta escuela diciéndole a cada niño lo que debe o no debe hacer.

Y ahora, ¿por qué no conversamos?

  F. Viaje a Machu Picchu. Tú y un(a) compañero(a) están viajando por Sudamérica, visitando y explorando diferentes lugares. Ahora están en las famosas cataratas de Iguazú y quieren viajar por Uruguay, Argentina, Chile y Bolivia para llegar a Machu Picchu. Piensan hacer ocho escalas *(stopovers)* en su viaje. ¿Quién va a llegar primero? Para avanzar una escala, tienes que contestar la pregunta de tu compañero(a) correctamente. Tus preguntas están aquí; las de tu compañero(a) están en el Apéndice A.

1. ¿Cuál es la capital de Bolivia?
2. ¿Cuál es la capital de Ecuador?
3. Nombra tres países atravesados por la cordillera de los Andes.
4. Nombra dos países que tienen frontera con Colombia.
5. ¿De qué nacionalidad era Eva Perón?
6. ¿Quién escribió *¡Dímelo tú!*? Nombra uno de los autores.
7. ¿Cuántos países de habla hispana hay en Centroamérica?
8. ¿Cómo se llama la capital de Perú?
9. ¿Cuál es el país de habla hispana más pequeño de Sudamérica?
10. Nombra dos culturas indígenas de México.
11. Nombra el país en el que se intentó construir un canal similar al de Panamá.
12. Nombra cinco países de Sudamérica y sus capitales.

G. ¡Luces! ¡Cámara! ¡Acción! Tú acabas de regresar de tu viaje al Perú y ahora todos tus amigos te consideran un(a) experto(a). Tu mejor amigo(a) piensa visitar el mismo lugar que visitaste y te pide consejos. Con un(a) compañero(a), escriban el diálogo. Luego dramatícenlo delante de la clase.

El rincón de los lectores

Estrategias para leer: usar pistas del contexto

En el capítulo previo aprendiste a usar pistas de contexto cuando no sabes el significado de una palabra. Aprendiste que varias cosas te pueden ayudar a entender una palabra clave desconocida.

- *el contenido de la oración*
- *no preocuparse por saber el significado específico; basta con tener una idea general del significado*
- *fijarse en la puntuación y la estructura*
- *identificar las palabras clave y no preocuparse por palabras desconocidas que no sean clave*

Usar pistas del contexto. Ahora lee el segundo párrafo de la lectura («Bill Gates visitó de incógnito...») y prepara una lista de las palabras desconocidas cuyo significado no sabes. Luego, dentro de las palabras desconocidas que identificaste, decide cuáles son palabras clave y cuáles no. Trata de identificar el significado de las palabras clave siguiendo uno de los procesos mencionados arriba.

Palabras desconocidas	Palabras clave desconocidas	Significado de palabras clave
1.	1.	1.
2.	2.	2.
...	...	...

Lectura

Los multimillonarios y famosos visitan Machu Picchu

Muchos son los multimillonarios y famosos que últimamente se están dejando ver por Machu Picchu. La semana pasada lo hicieron Cameron Díaz y la pareja Brody-Pataky. Esta semana le ha tocado el turno a Bill Gates. ¿Será que la ciudad escondida de los incas se ha convertido en un destino de moda entre los multimillonarios y famosos?

Bill Gates visitó de incógnito la milenaria ciudadela inca el sábado, donde no pudo evitar ser reconocido por periodistas locales, informó el domingo la prensa limeña. Gates recorrió la edificación del siglo XV, descubierta un 24 de junio de 1911, acompañado de una reducida comitiva de amistades antes de retornar al Cuzco, la antigua capital del imperio inca situada a 100 kilómetros del lugar. En ese lugar asistió, en la explanada de Sacsahuamán, a las celebraciones de la tradicional fiesta del Dios Sol que marca el inicio del solsticio de invierno. En quechua esta fiesta se conoce como «Inti Raymi».

La presencia del cofundador de Microsoft coincide con la de la actriz estadounidense y estrella de Hollywood, Cameron Díaz, que participa en un documental del programa de televisión «4 Real» de la cadena MTV, de Canadá. La actriz norteamericana Cameron Díaz llegó a la ciudad peruana del Cuzco, en una visita que le permitirá conocer lugares históricos y turísticos como la famosa ciudadela de Machu Picchu y la celebración andina del «Inti Raymi».

La famosa actriz llegó el pasado miércoles por la mañana al aeropuerto de Cuzco, donde fue recibida por el responsable de una empresa privada de seguridad que protegerá a la actriz durante su permanencia en la antigua capital del imperio de los incas. Cameron Díaz se alojó en el hotel Libertador de Cuzco, en el centro histórico de la ciudad, y recorrió posteriormente ante la sorpresa de los transeúntes y turistas. La actriz visitó la Plaza de Armas cuzqueña y observó un desfile de alegorías de la Escuela de Bellas Artes de la ciudad.

El actor norteamericano Adrien Brody, ganador del Óscar por la película *El pianista*, también se encuentra en Perú desde hace una semana para acompañar a su novia Elsa Pataky en el rodaje de la película que la actriz está rodando en el departamento norteño de Piura.

Ahora en Perú, en lugar de hippies con ponchos peruanos, se ven modelos que son fotografiadas para las revistas de modas. En las inmediaciones del Machu Picchu y del Valle Sagrado de Cuzco, los turistas pueden recibir masajes con piedras calientes o inscribirse en sesiones de yoga al atardecer, tras una agotadora caminata.

A ver si comprendiste

1. ¿A qué época pertenece Machu Picchu?
2. ¿Dónde está situado Machu Picchu?
3. ¿Cómo se llama la fiesta del inicio del solsticio de invierno en Perú?
4. ¿Qué famosos han visitado últimamente Machu Picchu y Cuzco?
5. ¿Qué crees que atrae a los famosos que visitan Perú?
6. ¿Crees que este turismo es más rentable para los peruanos que el turismo de mochila y bolsa de dormir? Explica tu respuesta.

Vocabulario 🎧

Viajar en Perú

alojamiento	*housing*
cámara	*camera*
cámara de video	*video camera*
espectáculo	*show, exhibition*
fortaleza	*fortress*
precolombino(a)	*pre-Columbian*
restos *(m. pl.)*	*remains*
sitio	*site*
vivienda	*housing*

Descripción

antiguo(a)	*old, ancient*
arriba	*above*
lindo(a)	*pretty, lovely*
próximo(a)	*next*
solo(a)	*alone*

Propiedad

bienes *(m. pl.)*	*wealth, property, goods*
propiedad *(f.)*	*property*
tierra	*soil*

Verbos

cultivar	*to cultivate*
disponer	*to arrange, to prepare*
quejarse	*to complain*
reservar	*to reserve*

Palabras y expresiones útiles

dentro	*inside, within*
editorial *(f.)*	*publisher*
opción *(f.)*	*option*
otra vez	*again*
región *(f.)*	*region*

Un mundo ideal

alianza mundial *(f.)*	*world alliance*
derechos humanos *(m. pl.)*	*human rights*
desarrollo humano	*human development*
igualdad *(f.)*	*equality*
salud *(f.)*	*health*
salud materna *(f.)*	*maternal health*
sostenibilidad *(f.)*	*sustainability*
universal	*universal*

Pobreza

deuda	*debt*
disminución *(f.)*	*decrease, reduction*
en desarrollo	*under developmet, developing*
mortalidad *(f.)*	*mortality*
pobreza	*poverty*
SIDA *(m.)*	*AIDS*

Para combatir la pobreza

aglutinar	*to put together*
aumentar	*to increase*
combatir	*to combat*
crear	*to create*
dar a conocer	*to make known*
erradicar	*to erradicate*
facilitar	*to facilitate*
fomentar	*to promote, to encourage*
formar	*to form*
garantizar	*to guarantee*
manifestar	*to demonstrate*
mejorar	*to better*
potenciar	*to increase the power of*
reducir	*to reduce*
reinterpretar	*to reinterpret*

Viajar

agencia de viaje	*travel agency*
compra	*purchase*
gozar	*to enjoy*
hacer la maleta	*to pack a suitcase*
hospedar	*to lodge, to put up*
maleta	*suitcase*

Banco

comité *(m.)*	*committee*
emprendedor(a)	*enterprising*
interés *(m.)*	*interest*
invertir	*to invest*
presupuesto	*budget*
servicio	*service*
valer	*to be worth*

Palabras útiles

de esa manera	*that way*
en clave de	*having . . . as key*
externo(a)	*external*
mitad *(f.)*	*half*
religioso(a)	*religious*

siglo	*century*
sin duda	*without a doubt*
útil	*useful*

Viajar

aduana	*customs*
anteojos de sol *(m. pl.)*	*sunglasses*
atravesar	*to traverse, to cut across*
bolsa de dormir	*sleeping bag*
capital *(f.)*	*capital*
canotaje *(m.)*	*rowing, rafting*
cordillera	*mountain range*
frontera	*border*
moneda	*money, coin*
mosquito	*mosquito*
repelente *(m.)*	*repellent*

Descripción

pesado(a)	*heavy*
prudente	*prudent*
rentable	*profitable*
respetuoso(a)	*respectful*
situado(a)	*located*
sólido(a)	*solid*

Verbos

apoyar	*to support*
atraer	*to attract*
calentar	*to warm up*
intentar	*to attempt, to try*
purificar	*to purify*
sujetar	*to fasten*

Palabras y expresiones útiles

conservación *(f.)*	*conservation*
época	*epoch, period*
hoguera	*bonfire*
inicio	*beginning*
roca	*rock*
sierra	*mountain range*
solsticio	*solstice*

EL ESPAÑOL... de los Andes

alpaca	*alpaca*	cuy *(m.)*	*guinea pig*
andino(a)	*Andean*	incaico(a)	*Inca, Incan*
anticuchos	*barbequed pieces of marinated beef heart*	soroche *(m.)*	*altitude sickness*
ceviche *(m.)*	*raw fish marinated in lemon juice*	té de coca *(m.)*	*coca leaf tea*

Paso 1

12.1 Future tense of regular verbs

Talking about the future

■ In English, the future is usually expressed with the auxiliary verbs *will* or *shall: I will/shall see you later.* The future tense in Spanish is formed by adding the endings **-é, -ás, -á, -emos, -éis,** and **-án** to the infinitive of most **-ar, -er,** and **-ir** verbs.

estar	
estaré	estaremos
estarás	estaréis
estará	estarán

ser	
seré	seremos
serás	seréis
será	serán

ir	
iré	iremos
irás	iréis
irá	irán

Heinle Grammar Tutorial: The Future Tense

Este verano no **viajaré.**
En el invierno **iremos** a hacer andinismo en Perú.

This summer I will not travel.
In the winter we will go mountain climbing in Peru.

■ There are other ways to talk about future time in Spanish. Remember that the present indicative and **ir a** + *infinitive* are also used to express future time.

Carlos **llega** mañana a las diez.
Te **veo** más tarde.
Vamos a verla esta noche.
Ella **va a traer**los.

Carlos will arrive tomorrow at ten.
I'll see you later.
We are going to see her tonight.
She is going to bring them.

¡A practicar!

A. ¡Qué planes tengo! Andrés acaba de graduarse y antes que nada quiere pasar las vacaciones en Perú. ¿Qué planea hacer?

MODELO   (yo) / pasar / vacaciones / Perú
Pasaré las vacaciones en Perú.

1. primero ir / a descansar / playas / Santa María
2. estar / Lima / dos semanas
3. divertirme / todas las noches / discotecas
4. visitar Cuzco / donde poder / ver la fortaleza de Sacsahuamán
5. caminar / toda la ciudad / y ver / mucho de la antigua capital
6. regresar / los Estados Unidos / agosto

B. ¡Me escaparé! Unos amigos peruanos están hablando de lo que harán después de graduarse. Cambia los verbos al futuro para saber lo que dicen.

1. Yo _____ (ir) a visitar las ruinas de Chan Chan en el norte del país.
2. Alicia y yo _____ (descansar) y _____ (tomar) sol en las playas de Paracas.
3. Gloria y María _____ (viajar) a Machu Picchu.
4. José _____ (quedarse) aquí para descansar.
5. Cecilia y Roberto _____ (volver) a Arequipa durante el verano.
6. Fernando dice que _____ (visitar) a sus parientes en Ica. _____ (Estar) allá todo un mes.

«Aborrece y **serás** aborrecido; quiere y **serás** querido». (proverbio)

____ You will be treated the same way you treat others.

____ If you hate or love others, you will feel the same way.

12.2 Future tense of verbs with irregular stems

Talking about the future

The future tense of the following verbs is formed by adding the future tense endings to irregular stems.

Future tense: Irregular verbs		
decir:	**dir-**	
haber:	**habr-**	
hacer:	**har-**	
poder:	**podr-**	-é
poner:	**pondr-**	-ás
querer:	**querr-**	-á
saber:	**sabr-**	-emos
salir:	**saldr-**	-éis
tener:	**tendr-**	-án
valer:	**valdr-**	
venir:	**vendr-**	

poder	
podré	podremos
podrás	podréis
podrá	podrán

Note that a majority of the irregular stems are derived by eliminating the vowel of the infinitive ending or replacing it with a **d.**

Tendremos que visitar Chan Chan.   *We will have to visit Chan Chan.*
Los invitados **vendrán** de todas partes.   *The guests will come from all over.*
¿Quiénes **harán** el chuño?   *Who will make chuño?*

Heinle Grammar Tutorial: The Future Tense

¡A practicar!

A. ¡Hay tanto que hacer! Eva y Adolfo piensan hacer su primer viaje a Perú dentro de un mes. Ahora, Eva está explicándole a su mejor amiga lo que todavía le queda por hacer. ¿Qué dice Eva? Para saberlo, pon los verbos en el futuro.

Yo _____ (tener) que comprar los boletos del vuelo muy pronto. Adolfo, nuestros padres y yo _____ (hacer) la lista de todos los lugares que vamos a visitar. Mamá _____ (ponernos) en contacto con unos parientes en Lima. Mis tías _____ (darme) una lista de regalos que quieren que les compre. Adolfo _____ (poder) visitar a unos amigos suyos en Cuzco. Y mis abuelos dicen que _____ (venir) a despedirnos el día de nuestra salida.

B. ¡Los días pasan volando! La mejor amiga de Eva tiene algunas ideas de cómo ayudarla. Pon los verbos entre paréntesis en el futuro para saber qué le sugiere.

Yo _____ (poder) ir contigo a comprar los boletos. Podemos ir mañana por la tarde porque yo _____ (salir) del trabajo a las dos de la tarde. También nosotras _____ (tener) tiempo de ir a casa a cenar. Te _____ (hacer) una cena especial. Probablemente no _____ (haber) otra oportunidad de estar solas antes de tu viaje.

> «Madruga y **verás**, trabaja y **tendrás**». (proverbio)
>
> ____ *Early to bed and early to rise makes a man healthy, wealthy, and wise.*
>
> ____ *The early bird catches the worm.*

Paso 2

12.3 Conditional of regular and irregular verbs

Stating what you would do

■ The conditional is used to state conditions under which an action may be completed. In English, the conditional is expressed with *would: I would go if...* In Spanish, the conditional is formed by adding the endings **-ía, -ías, -ía, -íamos, -íais,** and **-ían** to the infinitive of most **-ar, -er,** and **-ir** verbs.

estar	
estaría	estaríamos
estarías	estaríais
estaría	estarían

ser	
sería	seríamos
serías	seríais
sería	serían

ir	
iría	iríamos
irías	iríais
iría	irían

Yo **iría** a un concierto de la peruana Tania Libertad.

Allí **podría** escuchar la música de Ciro Hurtado también.

I would go to one of the concerts of the Peruvian Tania Libertad.

There I would also be able to listen to Ciro Hurtado's music.

■ The conditional of the following verbs is formed by adding the conditional endings to irregular stems. Note that the irregular stems of these verbs are identical to those of the irregular future tense verbs.

Conditional: Irregular verbs		
decir:	**dir-**	
haber:	**habr-**	
hacer:	**har-**	
poder:	**podr-**	-ía
poner:	**pondr-**	-ías
querer:	**querr-**	-ía
saber:	**sabr-**	-íamos
salir:	**saldr-**	-íais
tener:	**tendr-**	-ían
valer:	**valdr-**	
venir:	**vendr-**	

hacer	
haría	haríamos
harías	haríais
haría	harían

Haría todo lo posible por conseguir entradas al concierto.
Tú **podrías** ir conmigo.

I would do everything possible to get tickets to the concert.
You could go with me.

Heinle Grammar Tutorial: The Conditional Tense

¡A practicar!

A. ¡Yo lo haría así! Tu mejor amigo(a) desea viajar este verano pero no tiene la mínima idea adónde. Quiere saber adónde irías tú y qué harías en el viaje. ¿Qué le dices?

MODELO   primero, buscar información por Internet
           Primero, buscaría información por Internet.

1. sin duda, yo decidir viajar a Perú
2. llamar a varias agencias de viaje
3. empezar a trabajar más horas
4. de esa manera, ahorrar más dinero
5. también tomar una clase de historia de Cuzco o de Perú
6. luego, comprar mis boletos
7. hacer mis maletas
8. irme a Perú por todo un mes

B. ¡Me encantaría ir contigo! Ahora que todos los planes están hechos, tu mejor amigo insiste en que hagas el viaje a Perú con él. ¿Qué tendrían que hacer para poder viajar juntos?

MODELO   Los dos (tener) que trabajar más horas.
           Los dos tendríamos que trabajar más horas.

1. Mi amigo y yo (hablar) con nuestros amigos peruanos.
2. Los dos (tener) que organizar nuestro presupuesto *(budget)*.
3. Los dos (poder) tomar la clase de historia de Perú juntos.
4. Yo definitivamente (tomar) otra clase de español.
5. Mi amigo y yo (practicar) español veinticuatro horas al día.
6. Yo (saber) exactamente qué lugares visitar.

C. ¡Nunca! Como es la primera vez que tu amigo(a) viaja tan lejos, sus padres están un poco preocupados. Tú los llamas para convencerlos. Completa los espacios con los verbos en condicional para saber qué les dices.

¡ _____ (Ser) una excelente oportunidad para hacernos bilingües! Nosotros(as) _____ (practicar) más que nunca. _____ (Hablar) continuamente con los miembros de la familia donde nos vamos a hospedar y también _____ (tener) amplia oportunidad de hablar con la gente en la calle, porque _____ (tomar) el autobús a la universidad todos los días. Claro que ya estando allí, _____ (viajar) a Bolivia y a Ecuador, y si nuestro presupuesto lo permitiera, _____ (ir) también al Cono Sur, a Chile, Argentina y Uruguay.

«Menos lobos **irían** en la banda...» (proverbio)

____ *Perhaps there were not enough musicians in the band.*

____ *Perhaps you are stretching the truth.*

Paso 3

12.4 *Tú* commands: A second look

Requesting, advising, and giving orders to people

■ In **Capítulo 9,** you learned that affirmative **tú** commands are identical to the third-person singular of the present indicative.

Llama a la agencia de viajes.	*Call the travel agency.*
Haz* las reservaciones.	*Make the reservations.*
Pide información sobre Sipán.	*Ask for information about Sipán.*

■ To form a negative **tú** command, drop the final **-o** from the first-person singular of the present indicative and add **-es** to **-ar** verbs and **-as** to **-er** and **-ir** verbs.

Negative *tú* commands			
tomar:	tomø	No **tomes** cerveza.	*Don't drink beer.*
comer:	comø	No **comas** nada.	*Don't eat anything.*
dormir:	duermø	No **duermas** aquí.	*Don't sleep here.*
salir:	salgø	No **salgas** hoy.	*Don't go out today.*

■ Reflexive and object pronouns must precede the verb in negative commands and must follow and be attached to the verb in affirmative commands. When two pronouns are present in a sentence, the reflexive pronoun always comes first, and the indirect-object pronoun always precedes the direct-object pronoun.

Heinle Grammar Tutorial: Informal Commands

Llámanos cuando lleguen y no **te olvides** de llamar a tus abuelos.	*Call us when you arrive and don't forget to call your grandparents.*
¡Ah, el pasaporte! **Tráemelo**, por favor.	*Oh, the passport! Bring it to me, please.*

*You have also learned that there are eight irregular affirmative **tú** commands: **di, pon, sal, ten, ven, haz, ve,** and **sé.**

¡A practicar!

A. ¡El soroche! Es tu primer día en Cuzco y tu amigo(a) sufre de soroche. ¿Qué consejos le das?

1. quedarte / en casa
2. hablar / con el médico
3. tomar / té de coca
4. descansar / todo el día
5. no salir / y no hacer / nada en la casa
6. acostarte / y no levantarte
7. dormir / todo el día
8. si suena el teléfono / no contestarlo

B. ¡Estás enfermo(a)! Ahora tu amigo(a) de cuarto está hablando por teléfono con su mamá. ¿Qué le dice ella?

1. no comer / nada
2. no mirar / televisión
3. no leer / mucho
4. no tomar / cerveza
5. no salir / al frío
6. no hacer / ejercicios pesados

C. ¡Instrucciones! Los padres de tu amigo(a) tienen instrucciones muy específicas para ti. ¿Qué te dicen?

MODELO   servirle sopa de pollo dos veces al día
Sírvele sopa de pollo dos veces al día. o
Sírvesela dos veces al día.

1. tomarle la temperatura cada cuatro horas
2. no hablarle si se siente cansado(a)
3. darle una aspirina cada seis horas
4. no despertarlo(la) si suena el teléfono
5. prepararle té todo el día
6. servirle un vaso de agua fresca cada media hora

«**Haz** el bien y **no mires** a quien». (proverbio)

___ *Be nice to everybody.*
___ *One good deed deserves another.*

CAPÍTULO 13

Y el techo del mundo... ¡Bolivia!

In this chapter, you will learn how to . . .

- give advice.
- lead a group in aerobic exercise.
- tell someone what to do or not to do.
- express fear, joy, sadness, pity, surprise, or hope.

Comunicación

¿QUÉ SE DICE...?
- Al dar consejos
- Al hablar de tonificar el cuerpo
- Al sugerir y recomendar

Cultura

¿SABÍAS QUE...?
La hoja de coca
Carnaval de Oruro
Bolivia y el acceso al mar

NOTICIERO CULTURAL
Bolivia: un potosí de cultura y biodiversidad

VIDEO CULTURAL
Bolivia, en el corazón de Sudamérica y del mundo

EL RINCÓN DE LOS LECTORES
Juvenal Nina (fragmento) de Gaby Vallejo

En preparación

Destrezas

¡A ESCUCHAR! & ¡A VER!
Interpreting key words

¡A ESCRIBIR!
Being persuasive

¡A LEER!
Outlining a historical reading

Busca Carnaval Oruro *en Google*™ *Images y YouTube*™ *para disfrutar de esta festividad con más de 50.000 danzantes.*

Busca Madidi Bolivia *en Google*™ *Images y YouTube*™ *para saber más sobre una de las áreas protegidas más ricas del planeta.*

Busca **Salar de Uyuni** *en Google*™ *Images y YouTube*™ *para disfrutar de este lugar tan espectacular.*

¡Las fotos hablan!

A que ya sabes... Completa los siguientes comentarios sobre Bolivia basando tus respuestas en estas fotos.

1. En Bolivia se mezcla...
   a. lo natural y lo folclórico.   b. lo industrial y lo indígena.   c. lo moderno, industrial e indígena.
2. El Parque Nacional Madidi en Bolivia...
   a. es una gran reserva natural.   b. es una salina.   c. es una ciudad.
3. El Carnaval de Oruro...
   a. es una tradición moderna de baile y disfraz.   b. es un movimiento social de Bolivia.
   c. es una ocasión tradicional y religiosa donde lucen preciosos disfraces.

¡Te recomiendo que visites Bolivia!

¿Eres buen observador?

Te invitamos a hacerte socio de la Asociación Estudiantil Masculina ZTE

Ahora, ¡a analizar!

Los socios de la Asociación Estudiantil Masculina ZTE hacen varias actividades, algunas muy buenas para la salud, otras no tan buenas. ¿Qué consejos les puedes dar?

Les recomiendo / sugiero / aconsejo / insisto en / digo que...

tomen más agua	duerman más	coman muchas verduras
no fumen	bajen de peso	coman más pescado
no beban bebidas alcohólicas	bailen más	no tomen tanta cerveza
coman más verduras	jueguen más deportes	corran más

¿Qué se dice...?

Al dar consejos

NARCISO: No me lo vas a creer: ¡Nos vamos a Bolivia!

DAVID: ¿En serio? ¡Me muero de envidia!

AMAYA: ¡Estamos contentísimos!

NARCISO: Pues sí, antes de empezar a trabajar, hemos decidido tomarnos un año libre y pasarlo en Bolivia.

DAVID: Me parece una idea genial. Pero, ¿por qué Bolivia?

NARCISO: Elegimos Bolivia porque es un país que todavía no ha sido arruinado completamente por la modernidad y porque tiene una grandiosa herencia indígena.

DAVID: ¿Y dónde piensan vivir?

AMAYA: Primero pasaremos unos meses en La Paz. Luego en Cochabamba, Sucre y finalmente en Santa Cruz.

DAVID: La Paz es hermosa y hay tanto que ver y hacer ahí. Además es ideal para visitar Copacabana y el lago Titicaca, y también Tiwanaku. Pero mucho cuidado con el soroche. El aeropuerto de La Paz, llamado El Alto, está a cuatro mil metros o trece mil cien pies de altura. Se recomienda tomar dos tazas de mate de coca en cuanto se llega al hotel y descansar inmediatamente durante un par de horas antes de salir a caminar por la ciudad. También se le puede pedir al médico una receta de pastillas para el mal de altura antes de salir de los Estados Unidos.

AMAYA: No te preocupes. Ya he hablado con el médico del soroche y nos ha recetado unas pastillas precisamente para eso. Pero cuéntame algo de Copacabana, Titicaca y Tiwanaku.

DAVID: El lago Titicaca es el lago navegable más alto del mundo. Allí hay dos islas muy visitadas. Una es la Isla del Sol y la otra, la Isla de la Luna. La leyenda cuenta que Manco Cápac (o Manko Qhapaj), el primer inca, y su esposa Mama Ocllo, aparecieron por primera vez en la Isla del Sol con el encargo de Inti, el dios Sol, de fundar el imperio incaico. Copacabana, a orillas del lago, es donde se encuentra el santuario de la Virgen de Copacabana, patrona de Bolivia. Ahí se pueden tomar pequeñas embarcaciones para visitar las dos islas.

NARCISO: Y Tiwanaku, ¿queda lejos de La Paz?

DAVID: No, queda bastante cerca, a menos de dos horas de la ciudad de La Paz. Pueden visitar Tiwanaku y les recomiendo que lo hagan porque es verdaderamente fascinante. Imagínense, la cultura incaica perduró por unos cien años, la tiwanacota más de mil años. ¡Es impresionante!

El cultivo de la coca está muy extendido en Bolivia. Los indígenas del altiplano consumen las hojas secas de coca desde épocas remotas para soportar mejor los efectos de la altura y para darles fortaleza física. Es muy común tomar una taza de mate de coca, trimate (manzanilla, anís y coca) u otra combinación con hojas de coca. Desde siempre, la hoja de coca ha sido utilizada dentro de la medicina casera para combatir el dolor de estómago, el mal de altura y el cansancio. Pero esta hoja también se utiliza para elaborar la cocaína, droga ilegal. Actualmente se intenta controlar su producción ofreciendo incentivos a los agricultores para que reemplacen esas plantaciones por otros cultivos, como el del café y el de frutas.

En tu opinión: ¿Por qué crees que el mate de coca tiene tantos usos medicinales? ¿El hecho de que se usa también para elaborar la cocaína justifica la erradicación del cultivo de la hoja de coca?

Ahora, ¡a hablar!

EP 13.1

A. ¡El primer coche! Jaime, un joven boliviano, acaba de recibir su licencia de manejar. Según él, ¿qué consejos recibe de su familia?

MODELO   mamá (insistir) en que nunca (manejar) después de tomar alcohol
Mi mamá insiste en que nunca maneje después de tomar alcohol.

1. padres (recomendarme) que siempre (usar) cinturón de seguridad
2. papá (insistir) en que siempre (observar) los límites de velocidad
3. hermano mayor (sugerirme) que siempre (guardar) coche en el garaje
4. hermana (insistir) en que nunca (beber) alcohol si tengo que manejar
5. papá (aconsejarme) que (lavar) con frecuencia el coche
6. padres (decirme) que siempre (tener) la llanta de repuesto en el coche

EP 13.1

B. ¡En el techo del mundo! Narciso y Amaya acaban de llegar a La Paz. Ahora están hablando con el administrador de su hotel. ¿Qué recomendaciones les hace?

MODELO   **Les recomiendo que se sienten a tomar una o dos tazas de mate de coca.**

	sentarse a tomar una o dos tazas de mate de coca
	acostarse y descansar un par de horas
aconsejar	no caminar demasiado estos primeros días
insistir en	comer ligero los primeros días
sugerir	evitar la comida de la calle
recomendar	seguir tomando mate de coca a lo largo de su estadía
	no salir a caminar solos de noche
	gozar de nuestra ciudad

EP 13.1

C. El primer semestre. El primer semestre en la universidad puede ser una experiencia algo traumática para algunas personas. ¿Qué le aconsejas a un(a) nuevo(a) estudiante que acaba de entrar a la Universidad Mayor de San Simón de Cochabamba?

MODELO   estudiar todos los días un poco
Te recomiendo que estudies todos los días un poco.

1. participar activamente en las clases
2. limitar tu vida social
3. entregar los trabajos a tiempo
4. organizar grupos de estudio
5. administrar tu tiempo
6. leer muchísimo
7. mantener una vida sana

D. ¡Únete a nosotros! Con un(a) compañero(a), miren estos dibujos y escriban EP 13.1 diálogos entre la monitora y los clientes del Club Deportivo Azuero. Usen verbos como **recomendar, sugerir, querer, desear**... Estén preparados para presentar los diálogos a la clase.

Y ahora, ¿por qué no conversamos?

E. Doctor Sabelotodo. Tú y tu compañero(a) trabajan para el doctor Sabelotodo, un señor que da consejos en un periódico de su comunidad. ¿Qué consejos puede darles a estas personas? Sugieran varios consejos para cada situación.

Vocabulario útil

aconsejar	permitir	recomendar
insistir	preferir	sugerir

1. Una pareja quiere saber cómo se puede tener un matrimonio feliz.
2. Una joven de dieciocho años necesita conseguir un buen trabajo inmediatamente.
3. Tres compañeros de cuarto quieren saber cómo pueden sacar buenas notas. ¡Es urgente!
4. Dos amigos quieren vivir juntos; necesitan consejos para poder vivir sin problemas.
5. Un joven acaba de divorciarse. Está muy deprimido.

F. ¿Nosotros? ¿Consejeros? Todos tenemos problemas: de salud, de dinero, de trabajo o de lo que sea. En grupos de tres, preparen una descripción por escrito de dos o tres problemas típicos de estudiantes universitarios y dénsela a su profesor(a). Él (Ella) va a redistribuir las listas para que cada grupo haga varias recomendaciones a fin de solucionar los problemas de su nueva lista.

G. Sueños. Todos tenemos sueños que queremos que se hagan realidad algún día. Con un(a) compañero(a), comparte tus sueños. Tu compañero(a) va a darte algunos consejos que te ayudarán a lograr lo que quieras.

MODELO   TÚ: **Yo quiero vivir en una mansión grande y elegante.**
COMPAÑERO(A): **Te sugiero que trabajes mucho y ahorres mucho dinero o que te cases con un(a) millonario(a).**

H. ¡Luces! ¡Cámara! ¡Acción! Tú y tu compañero(a) de cuarto están hablando con un(a) amigo(a) que tiene problemas serios debido al alcohol, las drogas o el tabaco. ¿Qué consejos le dan? Dramatiza la situación con dos compañeros(as) de clase.

I. ¡Nuestra comunidad! En tu universidad o comunidad, entrevista a una persona de origen sudamericano, boliviano si es posible. Puedes entrevistar a más de una persona si fuera necesario para obtener mayor información. Pregúntale sobre la situación económica, los desafíos y su opinión sobre el nivel de vida en ese país. Informa a la clase de lo que aprendiste.

Un paso atrás, dos adelante

Capítulo 12

Repasemos. En el Capítulo 12 aprendiste a hablar de lo que harás en el futuro en general o durante unas vacaciones en particular; aprendiste también a hablar de lo que harías en diferentes situaciones, y a dar consejos y órdenes a los demás. Repasa lo que sabes, completando el siguiente texto con las palabras necesarias.

Un plan ilusionante

Tu amigo(a): Entonces, ¿cuándo _____ [futuro de **tomar**] las vacaciones este año? Yo las _____ [futuro de **hacer**] en agosto.

Tú: Y yo también. Y creo que _____ [futuro de **ir**] a Perú. ¿Y tú?

Tu amigo(a): Yo no lo _____ [presente perfecto de **pensar**] todavía, pero sí, creo que a mí también _____ [condicional de **gustarme**] ir a Perú.

Tú: Si quieres podemos ir juntos; _____ [*command* de **pensar**] en una fecha y podemos comprar el billete para ir juntos.

Tu amigo(a): Muy bien. ¿Y qué lugares _____ [condicional de **gustarte**] visitar en Perú? Yo no _____ [condicional de **perderme**] Cuzco ni las ruinas de Machu Picchu por nada del mundo.

Tú: Yo tampoco; además, mi profesor de español nos _____ [presente perfecto de **hablar**] muy bien de la reserva de la biosfera del Manú.

Tu amigo(a): Muy bien, pues _____ [futuro de **visitar**] ese lugar también.

Tú: ¡Perfecto! _____ [*command* de **llamarme**] cuando encuentres unos billetes a buen precio. _____ [*command* de **recordar**] que soy vegetariano(a) y que prefiero la ventana al hacer la reserva del avión.

Tu amigo(a): De acuerdo, lo _____ [futuro de **tener**] presente.

Saber comprender

Estrategias para escuchar: interpretar palabras clave

In **Capítulo 12** you learned that understanding what you hear can involve more than just the words you hear; nonverbal cues are as essential as specific words. Often, little of the necessary meaning of a speech event is encoded in the words and grammar alone. Rather, the linking together of certain key words **(palabras clave)** with your prior knowledge and experience becomes essential to the process of understanding. This is especially important when you don't recognize every word you hear. The dialogue you will now hear portrays expectant parents returning from a prenatal parenting class in Santa Cruz. This dialogue contains some vocabulary with which you will not be familiar. Use the various listening strategies you have learned: listening for cognates and letting what you know about prenatal classes help you.

Interpretar palabras clave. Escucha este diálogo con un(a) compañero(a). Mientras escuchan, escriban en una hoja de papel todas las palabras clave que no entiendan y que consideren necesarias para poder interpretar el diálogo. Luego escuchen el diálogo otra vez y traten de identificar el significado de esas palabras en base a las palabras cognadas que reconozcan y en base a lo que ya saben de clases para futuros padres.

Ahora, ¡a escuchar!

Indica ☑ todo lo que los nuevos padres aprendieron en sus clases.

- ☐ bañar al nene con esponja
- ☐ bañarlo en la tina
- ☐ cambiarle los pañales de tela
- ☐ cambiarle los pañales desechables
- ☐ cargarlo
- ☐ cuidarlo cuando está enfermo
- ☐ darle de comer al nene
- ☐ distintas posiciones para cargarlo
- ☐ evitar que llore
- ☐ hacerle masajes con loción
- ☐ sostenerle la cabeza
- ☐ vestirlo

Bolivia: un potosí de cultura y biodiversidad

BOLIVIA

Nombre oficial
República de Bolivia

Capitales
La Paz (capital administrativa) y
Sucre (capital constitucional)

Población
9.247.816 (julio 2008 est.)

Unidad monetaria
boliviano

Índice de longevidad
66,53 años

Alfabetismo
86,7 por ciento

Antes de empezar, dime...

1. ¿Cómo puede influir la composición demográfica de un país en su destino o en su futuro? ¿Puedes dar ejemplos de esto?
2. ¿Qué influencia ha tenido en los Estados Unidos el hecho de ser el resultado de una mezcla de pueblos y de razas? ¿Crees que lo beneficia o perjudica?
3. ¿Los habitantes nativo-americanos han influido en los países latinoamericanos de la misma manera en que han influido en los Estados Unidos? ¿Por qué sí o por qué no?

Bolivia, cuyo nombre proviene del libertador Simón Bolívar, es un país del tamaño de California y Texas juntos. Limita con Brasil al este, con Perú y Chile al oeste, y al sur con Paraguay y Argentina. La altura media del Altiplano, situado en la cordillera andina, es de 3.558 metros (11.663 pies). En esta región vive la mitad de la población de Bolivia, repartida en las ciudades de La Paz, Oruro y Potosí.

Bolivia tiene algo más de nueve millones de habitantes, de los cuales el 55% es indígena, el 30% es mestizo y el 15% de origen europeo. Bolivia tiene cerca de 40 grupos indígenas. Los principales son los quechuas (2.5 millones), los aimaras (2 millones), los chiquitanos (180.000) y los guaraníes (125.000). La comunidad afroboliviana, formada por descendientes de esclavos traídos a Bolivia a través de Brasil, representa el 0.5% de la población.

Bolivia es una rica combinación de naturaleza y cultura. Es uno de los ocho países con mayor biodiversidad del planeta: altiplano, selva amazónica, altas cumbres nevadas, valles interandinos, desiertos blancos... así también como ciudades catalogadas como «Patrimonio Cultural de la Humanidad».

La impresionante y atractiva riqueza de mineral de plata del Cerro de Potosí dio lugar a que esa ciudad tuviera en el año 1611 alrededor de 160.000 habitantes y se constituyera en una de las cinco urbes más importantes de la época en todo el mundo. Todavía hoy se dice en español «vale un potosí» cuando queremos decir que algo es muy valioso. Desgraciadamente, es precisamente esa tremenda riqueza del territorio boliviano lo que atrajo a los europeos y luego a los poderosos hacendados, a despojar a uno de los países más ricos del mundo de todo lo que tenía, convirtiéndolo así en uno de los más pobres.

En diciembre de 2005, Evo Morales fue elegido presidente de Bolivia. Evo Morales es aimara, y dado que los aimaras representan solo un 25% de la población de Bolivia, se puede afirmar que las diferencias étnicas no jugaron un papel importante en las elecciones. Fueron más bien las diferencias sociales y económicas las que hicieron que una gran mayoría de indígenas de distintos grupos votara por el líder indígena aimara, quien ganó con el más amplio margen de votos desde que se restauró la democracia en Bolivia. El candidato Evo Morales obtuvo casi el 54% de los votos y asumió al mando el 22 de enero de 2006. Es el segundo mandatario boliviano en la historia de la República elegido por mayoría absoluta de votos (el primero fue Víctor Paz Estensoro en 1960).

Morales ha despertado interés en el mundo por ser el primer mandatario de origen indígena en la historia de Bolivia, y por su propuesta de realizar cambios radicales en las estructuras bolivianas. Aunque su gobierno no ha podido todavía cumplir la mayoría de sus promesas por la resistencia de los burócratas y la burguesía de Bolivia, Evo Morales mantiene su popularidad y su presencia inspira a los indígenas de América Latina.

Datos interesantísimos sobre Bolivia

- Bolivia tiene dos capitales, La Paz, la sede de gobierno con el poder legislativo y ejecutivo, y Sucre, la capital con el poder judicial.
- Junto con Paraguay, Bolivia es uno de los dos países americanos que no tiene costas.
- La mina de plata Pailaviri, la más antigua e importante del Cerro Rico de Potosí, se explota continuamente desde 1545.
- La temperatura del agua del lago Titicaca (11 grados Celsius, 51 grados Farenheit) modifica el clima a su alrededor, calentando su entorno y permitiendo los cultivos agrícolas a esa increíble altura.
- Butch Cassidy y Sundance Kid fueron ejecutados en Bolivia en 1907 después de robar una mina, y Ernesto Che Guevara fue ejecutado en Bolivia en 1967 cuando trató de iniciar guerrillas revolucionarias.
- La cultura tiwanacota es considerada una de las más importantes del período precolombino ya que por casi tres milenios (2800 años) logró avances significativos en la ciencia, el arte, la arquitectura y las técnicas de cultivo.

Y ahora, dime...

1. ¿De dónde recibe su nombre Bolivia?
2. ¿Cuáles son las principales etnias de Bolivia?
3. ¿Qué atrajo a los españoles y a los hacendados a regiones como Potosí?
4. ¿Fueron las razones étnicas la mayor razón por la que Evo Morales ganó las elecciones? Si no, ¿cuáles fueron principalmente las razones?
5. ¿Ha cumplido Evo Morales sus promesas electorales? ¿Por qué sí o por qué no?

(↗) **Por el ciberespacio... a Bolivia**
Keywords to search:
quechuas y aimaras
biodiversidad boliviana
Cerro de Potosí
Evo Morales
To learn more about Bolivia, go to the *¡Dímelo tú!* website at academic.cengage.com/spanish/dimelotu

A tonificar el cuerpo... en Cochabamba

TAREA

Antes de empezar este *Paso,* estudia la lista de vocabulario de la página 442 y escucha el corte 14 de tu Text Audio CD4. Luego estudia *En preparación.*

1er día   13.2 **Usted** and **ustedes** commands, páginas 445–446

2do día   13.3 Present subjunctive of irregular verbs and **ojalá,** páginas 446–447

Haz por escrito los ejercicios de *¡A practicar!* correspondientes.

¿Eres buen observador?

Ahora, ¡a analizar!

Indica cuáles de estas son instrucciones que Nico Rada usaría en su programa de ejercicios aeróbicos en el canal 4 de ATB de Cochabamba.

- ☐ Levanten los brazos.
- ☒ Caminen por 20 minutos.
- ☐ Salten en un pie.
- ☐ Levanten y bajen la cabeza.
- ☐ Sigan el ritmo de la música.
- ☐ Estiren las piernas.
- ☐ Respiren profundamente.
- ☐ Tomen un refresco.
- ☐ Doblen las rodillas.
- ☐ Corran alrededor del cuarto.
- ☐ Den vuelta a las manos.
- ☐ Suban la pierna izquierda.

¿Qué se dice...? CD4, Track 11

Al hablar de tonificar el cuerpo

INSTRUCTORA: Primero, respiren profundamente. Adentro, afuera, otra vez, adentro, afuera. Bien, bien, ahora, flexionen las rodillas, pero mírenme. Quiero que lo hagan correctamente. Así es, uno, dos, tres, cuatro. Ahora ustedes, uno, dos, tres... Bueno. Extiendan los brazos y giren las manos diez veces, uno, dos, tres... A ver, ustedes, miren hacia adelante. Inspiren por la nariz y expiren por la boca. Extiendan los brazos un poco más. Así es.

Ahora todos, doblen las rodillas, brazo contrario, escuchen la música y sigan el ritmo. Uno, dos, tres, cuatro. Uno,... Bien. Lleven el talón al glúteo. Flexionen los codos. Muy bien. Sigan el ritmo y mantengan la respiración. Así es. ¡Fantástico! Tomen aire. Suban los brazos arriba. Expulsen el aire.

Alternen los pasos, rodilla arriba y talón al glúteo. Ahora relájense un poco.

Muy bien, es todo por hoy. Recuerden que mañana la clase será de abdominales y glúteos. Cuídense.

AMAYA: ¡Ay! Estoy muerta. Ojalá la clase de spinning sea más fácil que esta.
NARCISO: Yo estoy molido. No sé si me quedaré para spinning.
DAVID: Anímense. Ojalá tengamos a Pepi de instructora hoy.
IRENE: ¡Ay, qué flojos están todos! Les digo que tienen que sufrir un poco si quieren tonificar el cuerpo. Ojalá se esfuercen más en la próxima clase.

¿Sabías que...?

En el año 2002, la UNESCO reconoció el valor y la importancia del Carnaval de Oruro en Bolivia confiriéndole el título de «Obra Maestra del Patrimonio Oral e Intangible de la Humanidad». Este carnaval tiene su origen en un festival precolombino que recibió influencia cristiana, la cual se puede apreciar hoy en día. Esta celebración es un evento grandioso que agrupa a más de 28.000 bailarines y unos 10.000 músicos que vienen de los distintos departamentos del país para venerar a la Virgen. Las danzas más representativas incluyen la Diablada, que representa la lucha entre el bien y el mal, y la Morenada y los Caporales que representan a los esclavos traídos del África y a sus capataces. Todos ellos recorren unos cuatro kilómetros por las calles de la ciudad de Oruro y terminan en el templo del Socavón, frente al altar de la Virgen de la Candelaria. Por tradición, los bailarines le hacen a ella la promesa de danzar por tres años o más. El Carnaval de Oruro es la mayor expresión folclórica de Bolivia y una de las más grandes representaciones del arte popular y de la cultura tradicional andina.

En tu opinión: ¿Cómo explicas que una celebración indígena precolombina acabe por ser una importante celebración cristiana? ¿Cuánto tiempo crees que dura un desfile con casi 50.000 músicos y bailarines? ¿Hay algo parecido en los Estados Unidos?

📶 **Por el ciberespacio... a Bolivia**
Keywords to search:
Folclore boliviano
Carnavales de Bolivia
Fiestas de Bolivia

To learn more about Bolivian festivals, go to the ***¡Dímelo tú!*** website at academic.cengage.com/spanish/dimelotu

Ahora, ¡a hablar!

EP 13.2

A. Instructora de aeróbicos. Raquel es instructora de ejercicios aeróbicos en el gimnasio Formas de Cochabamba. ¿Qué les dice a sus alumnos al empezar?

MODELO   relajarse / inspirar y luego expirar profundamente
Relájense; inspiren y luego expiren profundamente.

1. con el ritmo de la música / levantar los brazos / luego bajarlos
2. todos juntos / girar la cintura a la izquierda / y luego a la derecha
3. lentamente / subir la pierna izquierda / y luego bajarla
4. con energía / levantar los brazos / luego girar las manos
5. sin perder el ritmo de la música / subir los hombros / y luego bajarlos

B. Anatomía. En el colegio de Fe y Alegría de Oruro, los niños están en su clase de anatomía. ¿Cómo crees que contestan cuando la profesora les pide que digan para qué sirven las siguientes partes del cuerpo?

MODELO   **La boca sirve para comer y para hablar.**

1. las manos
2. los oídos
3. los pies
4. los ojos
5. los dientes
6. las piernas

> **A propósito...**
>
> Recuerda que, en español, al contrario que en inglés, no nos referimos a las partes del cuerpo con pronombres posesivos, excepto cuando expresamos muchísimo dolor o sorpresa. En su lugar, usamos verbos reflexivos o pronominales. En español decimos: «Me lavo las manos» (*I wash my hands*) o «Me duelen los dedos» (*My fingers hurt*).

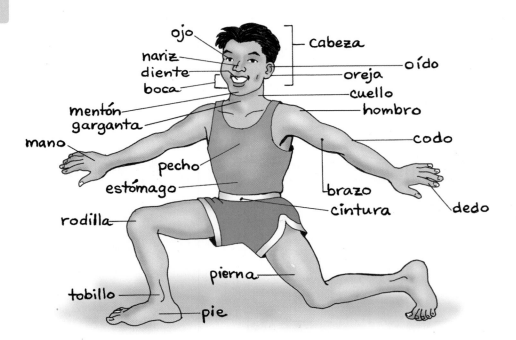

EP 13.2

C. ¡Excesos! Los excesos son malos para la salud. ¿Qué daño (*damage*) causan estos malos hábitos? ¿Qué les aconsejas a estas personas?

MODELO   El señor Vidal fuma dos cajetillas de cigarrillos al día.
Fumar es malo para la garganta y los pulmones.
No fume tanto. [o simplemente] **No fume.**

1. La señorita Ramírez toma mucho café.
2. El profesor Durán grita mucho.
3. La señorita Carrillo corre sin zapatos.
4. El doctor Ruiz levanta cosas pesadas.
5. La señora Rodríguez lee con poca luz.
6. El señor Humanes bebe mucho licor.
7. El señor Duarte pasa muchas horas frente a la computadora.
8. La profesora Gertel escucha música a todo volumen.

D. ¡Ya no aguanto! Después de la clase de aeróbicos en el gimnasio Formas, Martín está molido. ¿Qué está pensando?

EP 13.3

MODELO   espalda: ojalá no ser nada grave
                      ¡Ay, la espalda! Ojalá no sea nada grave.

1. cuello: ojalá no tener que ir al médico
2. piernas: ojalá poder ir a bailar esta noche
3. cabeza: ojalá la instructora tener una aspirina
4. pies: ojalá no estar hinchados
5. brazos: ojalá poder ir a nadar este fin de semana
6. manos: ojalá no me impedir escribir esta tarde

E. ¡Ahora ustedes! Tú y tu compañero(a) están dando el examen para titularse como profesores de Educación Física. El examen incluye los siguientes dibujos, y ustedes tienen que escribir las órdenes que un instructor de ejercicios aeróbicos usaría para cada ejercicio. Indiquen también los beneficios de cada uno de ellos para quienes los hacen. Su profesor(a) les va a pedir que lean algunos de sus diálogos en voz alta.

EP 13.2

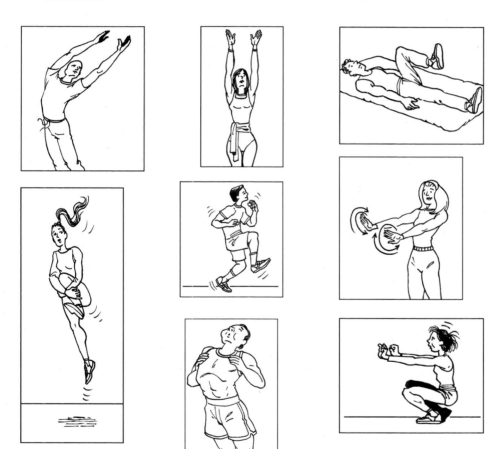

Y ahora, ¿por qué no conversamos?

F. **«¿Aeroteleadicto?»** Hay personas no muy activas que prefieren mirar televisión todo el día en vez de hacer ejercicio. ¿Pueden tú y dos compañeros(as) crear un programa de ejercicios diseñado especialmente para ese tipo de gente? Sean creativos al diseñar ejercicios «aeroteleadictos» y prepárense para presentarlos a la clase.

G. **¡Luces! ¡Cámara! ¡Acción!** Tú y un(a) amigo(a) acaban de terminar su primera clase de ejercicios aeróbicos y los dos están molidos. Están tan cansados que ahora debaten si deben continuar o no con la clase. Dramatiza la situación con un(a) compañero(a). Hablen de cómo se sienten y si deben continuar o no.

Saber comprender

Estrategias para ver y escuchar: interpretar palabras clave

*In the previous **Paso** you learned that linking together certain key words **(palabras clave)** with your prior knowledge and experience can be essential to the understanding process when listening to unfamiliar language. The same is true when listening to unfamiliar language as you view a video. Draw on knowledge you already have about Bolivia to help you understand the video narrative.*

Interpretar palabras clave. Di la palabra o frase que mejor explique el significado de las palabras en negrilla *(bold)*. Usa toda la información sobre Bolivia que has aprendido en esta clase o en otros lugares al interpretar estas palabras.

1. En esta zona, en la **frontera** con Perú, está el lago Titicaca.
2. La mayoría de los aimaras **habita** en el Altiplano, mientras que los quechuas viven principalmente en los valles.
3. Estos sombreros de origen inglés son muy populares entre muchas indígenas **andinas**.
4. Se consideran un elemento importante del **vestuario** femenino.

Bolivia, en el corazón de Sudamérica y del mundo
Después de ver el video

Ahora vuelve a mirar la selección del video sobre Bolivia y anota tres cosas que aprendiste que no sabías antes y tres que ya sabías.

BOLIVIA

Lo que no sabía	Lo que ya sabía
1.	1.
2.	2.
3.	3.

¡Escríbelo! 📖

Estrategias para escribir: persuadir

Muchas veces necesitamos escribir un artículo o un pequeño ensayo para dar información sobre un tema, y al mismo tiempo para persuadir a los lectores sobre el aspecto positivo o negativo de nuestras ideas. Al escribir este tipo de ensayo necesitamos presentar ambos argumentos, el positivo y el negativo, y después indicar por qué uno tiene más valor (validity) que el otro. Normalmente los temas más controvertidos son los que inspiran este tipo de escritura.

Persuadir. Con dos compañeros, haz una lista de temas de actualidad que sean interesantes en el momento de escribir este tipo de composición. Algunas sugerencias son: los efectos de fumar, de tomar bebidas alcohólicas, la controversia sobre la eutanasia, etcétera.

Ahora en los mismos grupos, decidan y escriban algunas razones a favor y en contra de dos de los temas en la lista que acaban de hacer.

De los dos temas seleccionados en el ejercicio anterior decide cuál te interesa más defender o atacar. Basándote en las respuestas dadas a favor o en contra, organiza la explicación de cada argumento. Cuando termines tendrás cuatro listas: una que da razones a favor, una que explica el porqué, otra que da razones en contra y una cuarta que también explica el porqué. Por ejemplo:

Fumar

A favor	¿Por qué?	En contra	¿Por qué?
1. Bueno para la imagen.	1. Es algo más adulto. Muestra independencia.	1. Malo para la salud.	1. Causa cáncer. Puedes morir.
2. Conformidad con el grupo.	2. Todos los amigos fuman.	2. Molesta a muchas personas.	2. No se permite en muchos lugares. Afecta dónde puedes sentarte.
3. ...	3. ...	3. ...	3. ...

Ahora, ¡a escribir!

A. El primer borrador. Basándote en la lista que tienes del ejercicio anterior decide cuál es tu opinión personal sobre el tema. Ahora organiza la información que tienes en párrafos, enfatizando la parte que tú crees que tiene más valor. Agrega una oración como conclusión al final de la composición para cerrar lo que has escrito y convencer una vez más al lector de tu posición. Puedes usar frases como las siguientes:

- Para terminar yo creo que...
- Antes de terminar quiero repetir que...
- Personalmente no me cabe la menor duda de que...
- Tenemos que tener conciencia de...
- Lo más importante es aceptar que...

B. Ahora, a compartir. Intercambia tu composición con dos compañeros(as) para saber su reacción. Cuando leas las de tus compañeros(as) dales sugerencias sobre posibles cambios para mejorar sus argumentos. Si encuentras errores, menciónalos.

C. Ahora, a revisar. Agrega la información que consideres necesaria para tu composición. No te olvides de revisar los errores que mencionaron tus compañeros(as).

D. La versión final. Ahora que tienes todas las ideas revisadas y las correcciones hechas, saca una copia en limpio en la computadora y entrégasela a tu profesor(a).

Me alegro de que disfruten de... ¡Bolivia!

¿Eres buen observador?

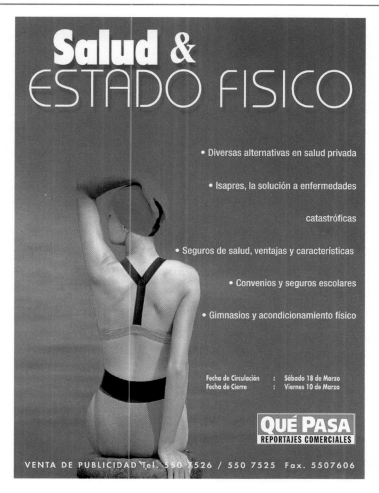

Ahora, ¡a analizar!

¿Cuál es tu reacción a esta revista?

Es interesante que...	debo aprovecharme de los gimnasios.
Es lógico que...	Isapres no va a solucionar todas las enfermedades catastróficas.
Me sorprende que...	ofrezcan diversas alternativas en salud privada.
Temo que...	incluyan convenios y seguros escolares.
Es evidente que...	expliquen las ventajas y características de los seguros de salud.

¿Qué se dice...?

Al sugerir y recomendar

Querida Amaya: No sabes cuánto me alegro de que tú y Narciso hayan decidido ir a vivir a Bolivia. Yo tengo grandes recuerdos de allí. Me preguntas qué te aconsejo que hagan en Bolivia. Una de mis recomendaciones es que visiten la Chiquitanía donde se encuentran las reducciones o misiones establecidas por los jesuitas a principios del siglo XVII.

Estas reducciones son comunidades que tienen como base la educación y la capacitación de los indígenas para desarrollar su propia industria agrícola, ganadera y textilera al igual que su arte y música. Les sorprenderá ver que las reducciones han sido totalmente restauradas y que siguen funcionando como en el pasado.

Van a ver que las iglesias conservan el arte original, que es verdaderamente impresionante. Y no se pierdan los conciertos de música barroca interpretada por jóvenes y niños chiquitanos. Esta música es única en el mundo porque representa la fusión de la música barroca que trajeron los españoles con la nativa y es interpretada con instrumentos hechos por ellos mismos.

También les aconsejo que vayan al Salar de Uyuni para ver los impresionantes lagos de sal, con un hotel hecho de sal construido ahí mismo y un cielo azul espectacular. Si tienen tiempo, les sugiero que tomen unos tres días más y viajen desde el salar hasta las lagunas de colores. Allí podrán ver la laguna colorada, la verde y la negra; también les encantará ver los famosos flamencos rosados y el majestuoso volcán Llicancahur como fondo del paisaje.

Espero que puedan visitar también el Chapare en Cochabamba, una provincia tropical con pozas y ríos de agua cristalina, un bellísimo criadero de orquídeas, mucha fruta y vegetación. Y les propongo también que vayan al parque Madidi en Rurrenabaque en el departamento del Beni, que es la mayor reserva ecológica de América.

Bolivia es uno de los dos países de las Américas que, junto con Paraguay, no tiene acceso al mar. De hecho, Bolivia perdió su territorio costero en una guerra con Chile llamada la guerra del Pacífico (1879–1884). Desde entonces, esta situación impide que Bolivia se beneficie de las riquezas marítimas y hace difícil el acceso al comercio internacional, que todavía hoy depende en gran parte del mar. Recientemente los gobiernos de La Paz y de Santiago iniciaron conversaciones bilaterales, con una agenda en la que Chile aceptó, por primera vez, incluir la antigua demanda de Bolivia por una salida al litoral del Pacífico.

En tu opinión: ¿Cómo crees que se sienten los ciudadanos de un país que no tiene acceso al mar? ¿Cuáles son las consecuencias para la economía y la vida de ese país? ¿Qué cambiaría en los Estados Unidos si no tuviera las dos costas, la del Atlántico y la del Pacífico?

Ahora, ¡a hablar!

A. Emociones. Tus padres se interesan mucho en lo que tú haces. ¿Qué sienten cuando saben esto de ti?

EP 13.4

MODELO   haces ejercicio todos los días: mis padres (alegrarse)
Mis padres se alegran de que haga ejercicio todos los días.

1. sales a correr todos los días: mi padre (estar contento)
2. vas al médico: mi madre (sorprenderse)
3. no comes carne: mi padre (alegrarse)
4. tomas vitaminas: mis padres (estar sorprendidos)
5. no dejas de fumar: mi padre (estar furioso)
6. quieres bajar de peso: mi madre (temer)

B. ¡Lo sentimos! Alfonso acaba de empezar sus estudios en la Universidad Salesiana de Cochabamba. Ahora que vive lejos de su familia y de sus amigos, todos reaccionan de manera diferente ante su ausencia. Según Alfonso, ¿cuál es la preocupación y la reacción de cada uno?

EP 13.4

MODELO   mi papá / tener miedo / no dedicarme bastante a los estudios
Mi papá tiene miedo de que no me dedique bastante a los estudios.

1. mis padres / temer / salir de noche demasiado
2. mi novia / esperar/ escribirle todos los días
3. mi mamá / tener miedo / enfermarme
4. mi hermano / alegrarse / yo ya no estar en casa
5. mi hermanita / sentir / yo no poder jugar con ella
6. mi mejor amigo / temer / yo cambiar demasiado

C. Recomendaciones. El doctor Gastón Cornejo trabaja en la Clínica Los Olivos de Cochabamba. ¿Qué les aconseja a sus pacientes cuando se presentan con los siguientes problemas? Selecciona la recomendación más apropiada para cada problema indicado aquí.

EP 13.5

Problemas	Recomendaciones
1. estrés	a. No es bueno que coma mucha carne.
2. cáncer	b. Es necesario que se opere cuanto antes.
3. presión alta	c. Es importante que tome ocho vasos de agua al día.
4. ataque al corazón	d. Es malo que trabaje demasiado.
5. cálculos en la vesícula	e. Es bueno que corra o camine al menos una hora al día.
6. problemas respiratorios	f. Es peligroso que fume.
	g. Es urgente que deje de tomar bebidas alcohólicas.

D. ¡Necesitas un cambio! ¿Qué le sugieren tú y tu compañero(a) a un(a) amigo(a) que está deprimido(a) y que sufre mucho de estrés?

MODELO   ser necesario: buscar un nuevo trabajo
Es necesario que busques un nuevo trabajo.

1. ser bueno: no pensar tanto en las responsabilidades
2. ser obvio: deber pedir unas vacaciones
3. ser importante: empezar un programa de ejercicio
4. ser evidente: no dormir lo suficiente
5. ser urgente: hacer meditación
6. ser cierto: necesitar divertirse más
7. ser increíble: no salir más los fines de semana

E. ¡No puedo hacerlo! No estamos siempre dispuestos a hacer sacrificios, ni siquiera cuando se trata de mejorar nuestra salud. Con un(a) compañero(a), decidan qué les pueden aconsejar a estas personas que dicen que no pueden cambiar.

MODELO   No puedo tomar ocho vasos de agua cada día. ¡No me gusta el agua!
Es necesario que tomes ocho vasos de agua al día. También sugerimos que le pongas un poco de limón al agua.

1. No me gusta hacer ejercicio. Prefiero ver la televisión.
2. No puedo comer verduras. ¡Las detesto!
3. No puedo seguir una dieta rígida. ¡Me encanta comer!
4. No puedo correr. Hace demasiado calor en el verano y demasiado frío en el invierno.
5. No puedo hacer ejercicio regularmente. Estoy muy ocupado. Simplemente no tengo tiempo.
6. No puedo dormir ocho horas al día. Tengo muchas obligaciones sociales.

F. ¡Una sesión dura! Después de una sesión dura de ejercicio, estas personas tienen bastantes dudas sobre alcanzar sus objetivos. ¿Qué piensan? Con dos compañeros(as), escriban los pensamientos de cada personaje, sus dudas y certezas. Informen a la clase de sus conclusiones.

Y ahora, ¿por qué no conversamos?

G. Para mejorar. Ahora, en los mismos grupos de tres, denle consejos a cada persona del dibujo de la actividad anterior. Hagan varias recomendaciones sobre lo que pueden hacer para mejorar su condición física.

H. Problemas sociales. Somos animales sociales y como tales a veces tenemos problemas con la gente que nos rodea *(surrounds us)*. ¿Qué problemas tienes con las siguientes personas y situaciones? Comparte tus problemas con dos compañeros(as). Tus compañeros(as) van a analizar la situación y te van a dar consejos.

MODELO   jefe

TÚ: **Mi jefe es una persona muy difícil. Es imposible satisfacerlo.**

COMPAÑERO(A): **Es obvio que tu jefe es un dictador. Tememos que un día explotes en la oficina. Es mejor que cambies de trabajo o que pidas cambiar de oficina.**

1. compañeros de trabajo
2. padres
3. esposo(a) o novio(a)
4. profesores
5. tu trabajo
6. tus altos pagos de hipoteca

I. ¡Luces! ¡Cámara! ¡Acción! Con dos compañeros(as), dramaticen la siguiente situación: Dos amigos que solo llevan tres meses de casados te confiesan que ya están cansados de la rutina del matrimonio. Escucha sus problemas y aconséjalos.

El rincón de los lectores

Estrategias para leer: esquemas

Generalmente cuando leemos cuentos o novelas, es importante recordar los detalles importantes que leímos. Los esquemas nos ayudan a organizar y recordar lo que leemos. La forma más fácil de hacer un esquema de información es sacar una lista de los acontecimientos más importantes y debajo de cada acontecimiento anotar los hechos más importantes relacionados con el acontecimiento. Por ejemplo, un esquema de la información en los dos primeros párrafos de esta lectura podría ser el siguiente:

I. *Isla del Sol*
   A. *en el lago Titicaca*

II. *Pachakamaj*
   A. *ha prometido mostrar la fundación del imperio incaica*
   B. *señala brotando de la tierra*
      1. *hombre corpulento con vara de oro en mano*
      2. *mujer morena*

Esquema. Prepara ahora un esquema del resto de la lectura. Luego compara tu esquema con el de dos compañeros(as) y según lo que ellos tienen en su esquema, haz cualquier cambio que te parezca necesario en el tuyo.

La autora

Gaby Vallejo nació en Cochabamba en 1941 y es una de las escritoras bolivianas contemporáneas más premiada y reconocida internacionalmente. Entre sus novelas, destacan *Hijo de Opa*—llevada al cine con el título *Los hermanos Cartagena*—, *La sierpe empieza en cola*, *Encuentra tu ángel y tu demonio* y *Del placer y la muerte*. También son famosos sus relatos para niños, entre los que destacan *Juvenal Nina*, *Mi primo es mi papá*, *Con los ojos cerrados*, *Detrás de los sueños* y *Amor de colibrí*.

En esta novela, el protagonista, Juvenal Nina, es un niño quechua que a invitación del dios de los incas, Pachakamaj, hace un viaje mágico al pasado para ponerse en contacto con sus raíces ancestrales.

En el capítulo IV, Pachakamaj transforma a Juvenal en Piki o pulga (*flea*) antes de ir a la Isla del Sol.

Lectura

Juvenal Nina

Novela para niños (fragmento)

Pachakamaj y Piki Nina se dirigen a la Isla del Sol del lago Titicaca. Pachakamaj ha prometido a Piki mostrarle la fundación del Imperio Incaico y su relación con el sol.

—Piki Nina, allá a la derecha—señala Pachakamaj. Como brotando° de la tierra, entre niebla, polvo° de oro, tierra, un hombre corpulento°, color canela°, con una vara° de oro en la mano, parece moverse lentamente, como despertando, como naciendo de la tierra. Una mujer también morena que parece su hermana o esposa, está unida a él por la otra mano. Se mueven lentamente al principio y luego cobrando fuerzas°, se elevan por los aires.

—Irán—dice Pachakamaj—en busca de un lugar para fundar el imperio y sólo sabrán cuando la vara de oro se hunda° en la tierra. Así lo ha ordenado el Inti.

apareciendo
dust / *grande* / *marrón-claro* / *palo*

in crescendo

se entierre, se clave

Calla Piki. Le parece que es un niño con suerte. Ha visto a Manco Kapaj y su esposa surgir° de la tierra de la Isla del Sol, pero algo le preocupa, algo que ha comprendido: Pachakamaj le lleva siempre al pasado que tiene que ver con el sol. Está por preguntarle por qué, pero Pachakamaj que todo sabe, dice —sólo verás el mundo antiguo del Inti, te lo dije al principio.

aparecer, nacer

Entonces Piki recuerda que sí había oído decir eso, al emprender° el viaje y que lo había olvidado con el primer susto. Ahora sí, ya sabe que donde el sol era un dios, un astro° importante y sagrado, ahí seguiría viajando.

iniciar
estrella

Sabes Pikinina, aún hoy, con todas esas cosas que los hombres de tu tiempo llaman científicas, el sol sigue siendo la más importante fuente de energía y de vida.

Entonces Piki salta sobre una piedra con mucho sol y echado, patas arriba°, sonríe, calentándose con los rayos del dios Inti.

legs up in the air

A ver si comprendiste

Contesta las siguientes preguntas.

1. ¿Qué eventos le muestra Pachakamaj a Piki Nina?
2. ¿Por qué le muestra estos eventos?
3. ¿Cómo sabrán Manco Kapaj y su esposa dónde fundar el imperio incaico?
4. ¿Qué preocupa a Piki Nina y qué le responde Pachakamaj?
5. ¿Qué es el sol para el hombre moderno, y qué es para los incas, según Pachakamaj y esta narración?

🎵 *¡Dímelo tú! Playlist* Escucha: «Contigo somos más» de Tupay Bolivia

Vocabulario

Paso 1 CD4, Track 13

Dieta y ejercicio
caminar	*to walk*
cinturón	*belt*
comer ligero	*to eat lightly*
pastillas	*pills*

Lugares y viajes
allí *(adv.)*	*over there*
embarcación *(f.)*	*vessel*
estadía	*stay*
garaje *(m.)*	*garage*
límite *(m.)*	*boundary, limit*
llanta de repuesto	*spare tire*
luna	*moon*
navegable	*navigable*
orilla	*shore, bank*
permanecer	*to stay, to remain*
quedar lejos	*to be located far away*
velocidad *(f.)*	*speed*

Tradiciones
fundar	*to found*
guardar	*to save, to put away*
herencia	*inheritance, heritage*
imperio	*empire*
modernidad *(f.)*	*modern times*
patrón (patrona)	*patron saint*
perdurar	*to remain, to last*
santuario	*sanctuary*

Extremos
bastante	*enough, plenty*
arruinado(a)	*bankrupt, ruined*
finalmente	*finally*

Palabras y expresiones útiles
además	*besides*
¿En serio?	*Really?*
encargo	*order, commission*
envidia	*envy*
genial	*brilliant*
precisamente	*precisely*
quedarse	*to remain, to stay*
verdaderamente	*really*

Paso 2 CD4, Track 14

Ejercicio
doblar	*to bend*
estar molido(a)	*to be exhausted*
estar muerto(a)	*to be dead tired*
estirar	*to stretch*
expirar	*to breathe out*
expulsar	*to expel*
extender	*to open up, to spread*
flexionar	*to flex*
girar	*to turn, to go around*
inspirar	*to breathe in*
mantener	*to maintain*
relajarse	*to relax*
saltar	*to jump*
spinning	*spinning, indoor cycling*

El cuerpo
abdominal *(m.)*	*abdominal muscle*
boca	*mouth*
cabeza	*head*
codo	*elbow*
cuello	*neck*
dedo	*finger*
espalda	*back*
estómago	*stomach*
garganta	*throat*
glúteo	*gluteus*
hombro	*shoulder*
mano *(f.)*	*hand*
mentón *(m.)*	*chin*
nariz *(f.)*	*nose*
oído	*inner ear*
ojo	*eye*
oreja	*outer ear*
pecho	*chest*
pierna	*leg*
pulmones *(m. pl.)*	*lungs*
rodilla	*knee*
talón *(m.)*	*heel*
tobillo	*ankle*

Aeróbicos
adelante *(adv.)*	*forward*
adentro *(adv.)*	*inside*
afuera *(adv.)*	*outside*
aire *(m.)*	*air*
al frente *(adv.)*	*forward, to the front*
alternar	*to alternate*
animarse	*to cheer up*
bajar	*to lower*
levantar	*to raise*

Palabras y expresiones útiles
¡Así es!	*That's right!*
¡Ay!	*Oh dear!*
¡Fantástico!	*Fantastic!*
a todo volumen	*volume at full blast*
constante	*persevering*
consumir	*to consume*
hacia *(adv.)*	*toward*
hinchado(a)	*swollen*
impedir	*to prevent*
licor *(m.)*	*liquor*
luz *(f.)*	*light*
molestar	*to bother*
picante	*hot, spicy*
recordar	*to remember*
vaso de agua	*glass of water*

Paso 3 CD4, Track 15

Problemas de salud
ataque al corazón *(m.)*	*heart attack*
cálculo en la vesícula	*gallbladder stone*
cáncer *(m.)*	*cancer*
enfermarse	*to get sick*
operarse	*to undergo surgery*
presión alta *(f.)*	*high blood pressure*
respiratorio	*respiratory*

Opiniones impersonales
Es cierto...	*It is true…*
Es evidente...	*It is evident…*
Es importante...	*It is important…*
Es imposible...	*It is impossible…*
Es increíble...	*It is unbelievable…*
Es indudable...	*It is unquestionable…*
Es lógico...	*It is logical…*
Es necesario...	*It is necessary…*
Es obvio...	*It is obvious…*
Es posible...	*It is possible…*
Es probable...	*It is probable…*
Es una pena...	*It is a shame…*

Paisajes y lugares
cielo	*sky*
criadero	*farm, breeding place*
flamenco	*flamingo*
fondo	*background*
laguna	*lagoon*
majestuoso(a)	*majestic*
paisaje *(m.)*	*landscape*
poza	*deep pool*
río	*river*
salar *(m.)*	*salt flat*

La misión

agrícola	*agricultural*
barroco(a)	*baroque*
fusión *(f.)*	*merger*
ganadero(a)	*livestock farmer*
industria	*industry*
interpretar	*to perform*
jesuita	*Jesuit*
misiones *(f.)*	*missions*
nativa	*native*
reducción *(f.)*	*South American Jesuit mission*
restaurar	*to restore*
textil *(m.)*	*textile*

Palabras y expresiones útiles

a principios	*at the beginning, early on*
capacitación *(f.)*	*training*
colorado(a)	*red*
cristalina	*crystal clear*
cuanto antes	*as soon as possible*
espectacular	*spectacular*
propio(a)	*own, self*
recomendación *(f.)*	*reference, recommendation*
única en el mundo	*unique*

Verbos

alegrarse	*to be glad*
conservar	*to preserve*
desarrollar	*to develop*
interpretar	*to perform*
pedir	*to ask*
perderse	*to miss*
proponer	*to propose, to suggest*
sentir	*to regret, to feel sorry*
temer	*to fear*
urgente	*urgent*

En preparación 13

Paso 1

13.1 Present subjunctive: Review of theory and forms

Persuading

In **Capítulo 10** you learned that to form the present subjunctive, personal endings are added to the stem of the **yo** form of the present indicative. The present subjunctive of -**ar** verbs takes endings with -**e**, while -**er** and -**ir** verbs take endings with -**a**.

-ar	cocinar
-e	cocine
-es	cocines
-e	cocine
-emos	cocinemos
-éis	cocinéis
-en	cocinen

-er, -ir	comer	decidir
-a	coma	decida
-as	comas	decidas
-a	coma	decida
-amos	comamos	decidamos
-áis	comáis	decidáis
-an	coman	decidan

- You also learned that, since the personal endings of the present subjunctive are always added to the stem of the **yo** form of the present indicative, verbs that have an irregular stem in the first person (e.g., **conozco, digo, hago, oigo, pongo, salgo, tengo, traigo, vengo, veo**) maintain that irregularity in all forms of the subjunctive.

decir	traer	permanecer
diga	traiga	permanezca
digas	traigas	permanezcas
diga	traiga	permanezca
digamos	traigamos	permanezcamos
digáis	traigáis	permanezcáis
digan	traigan	permanezcan

- Finally, you learned that the subjunctive is used in subordinate clauses when the verb in the main clause expresses a request, a suggestion, a command, a judgment, or a doubt.

main clause (indicative) + **que** + dependent clause (subjunctive)

Mi papá recomienda	que	yo **estudie** ingeniería.
También aconseja	que	**trabaje** en una compañía este verano.
Insiste en	que	yo solo me **dedique** a mis estudios en el invierno.

¡A practicar!

A. ¡Que la pasen bien! Berta y Francisco están preparando un viaje a Bolivia, y consultan con una amiga que vivió varios años allí. ¿Qué les dice?

> **MODELO** recomendar / visitar el lago Titicaca
> **Les recomiendo que visiten el lago Titicaca.**

1. sugerir / leer sobre la historia de Bolivia antes de viajar
2. aconsejar / informarse sobre las distintos grupos indígenas de Bolivia
3. recomendar / aprender mucho de las tradiciones de los bolivianos
4. sugerir / hablar con todo el mundo en Bolivia
5. aconsejar / visitar el santuario de Copacabana a orillas del Titicaca.

B. El choque cultural. Berta y Francisco leyeron en un libro sobre vivir en un país extranjero, y ahora están contándole lo que leyeron a su amiga.

> **MODELO** recomendar / no comparar constantemente
> **Nos recomienda que no comparemos constantemente.**

1. recomendar/ tener una mentalidad abierta
2. aconsejar / dar tiempo a la nueva realidad
3. insistir / intentar descubrir los valores de la nueva cultura
4. aconsejar / aceptar el choque cultural como algo natural
5. recomendar / salir del círculo de amigos de nuestro país

«El caballo grande, **ande** o no ande». (dicho popular)

____ *Size matters.*

____ *Only big horses know how to trot!*

Paso 2

13.2 *Usted* and *ustedes* commands

Telling people what to do or not to do

The present subjunctive is used to form both affirmative and negative **usted** and **ustedes** commands.

Respiren profundamente.	*Breathe deeply.*
Eva, no **baje** los brazos.	*Eva, don't lower your arms.*
Levanten las piernas.	*Raise your legs.*

As you learned with **tú** commands, object pronouns always precede negative commands but are attached to the end of affirmative commands.

Levántenlas.	*Raise them.*
Eva, no las **doble.**	*Eva, don't bend them.*

¡A practicar!

A. ¡Con la experta en nutrición! Marta Escobar es una experta en nutrición en la Clínica Los Olivos de Cochabamba. Ahora está aconsejando a un paciente que acaba de operarse de la vesícula. ¿Qué le aconseja?

> **MODELO** dejar inmediatamente el café
> **Deje inmediatamente el café.**

1. comer muchas verduras
2. tomar ocho vasos de agua todos los días
3. no hacer ningún ejercicio
4. no consumir ni condimentos ni picantes
5. evitar las ensaladas
6. venir a verme en dos semanas

B. ¡Levanten los brazos! Los instructores de ballet del Instituto Laredo en Cochabamba hacen ejercicios que practican siempre. Cambia los verbos a mandatos para aprender una de estas rutinas.

MODELO   levantar la pierna izquierda
Levanten la pierna izquierda.

1. levantar los brazos
2. respirar profundamente
3. doblar las rodillas
4. estirar las piernas
5. hacerlo otra vez
6. estirar los brazos al frente
7. abrir los brazos
8. escuchar el ritmo
9. correr con el ritmo de la música
10. tomar un descanso

«Aguas de abril, **vengan** mil». (proverbio)

___ *April showers are most beneficial.*

___ *It normally rains a lot in April.*

13.3 Present subjunctive of irregular verbs and *ojalá*
Expressing hope

■ The following six verbs have irregular subjunctive forms.

dar	estar	haber
dé*	esté	haya
des	estés	hayas
dé*	esté	haya
demos	estemos	hayamos
deis	estéis	hayáis
den	estén	hayan

ir	saber	ser
vaya	sepa	sea
vayas	sepas	seas
vaya	sepa	sea
vayamos	sepamos	seamos
vayáis	sepáis	seáis
vayan	sepan	sean

As in the preterite, verbs that end in **-car, -gar,** and **-zar** undergo a spelling change in the present subjunctive in order to maintain the consonant sound of the infinitive. For example, note the spelling change in **buscar, jugar,** and **almorzar.**

c → qu *in front of* e	**buscar:** bus**que**, bus**que**s, bus**que**, bus**que**mos, bus**qué**is, bus**que**n
g → gu *in front of* e	**jugar:** jue**gue**, jue**gue**s, jue**gue**, ju**gue**mos, ju**gué**is, jue**gue**n
z → c *in front of* e	**almorzar:** almuer**ce**, almuer**ce**s, almuer**ce**, almor**ce**mos, almor**cé**is, almuer**ce**n

*The accents on the first- and third-person singular forms of **dar** are necessary in order to distinguish them from the preposition **de.**

- **Ojalá** expresses hope and is always followed by the subjunctive. **Tal vez** *(perhaps)* and **quizá(s)** *(maybe)* are followed by the subjunctive when the speaker wishes to express doubt about something.

Ojalá (que) me **llame** esta noche. *I hope he calls me tonight.*
Quizá **vayamos** al centro mañana. *Maybe we'll go downtown tomorrow.*

Note that **que** does not usually follow the expressions **tal vez** or **quizá(s)**; however, the use of **ojalá** versus **ojalá que** varies from one region to another and is a matter of personal choice.

¡A practicar!

A. ¡Gimnasia! Hoy Martina asiste a su primera clase de gimnasia en la escuela de verano de la Universidad del Valle en Cochabamba. ¿Qué está pensando?

MODELO   no ser muy difícil
Ojalá no sea muy difícil.

1. no cansarme mucho
2. saber hacer todos los movimientos
3. haber buena música
4. no estar molida después de la clase
5. la instructora darnos instrucciones claras
6. no tener que correr

B. ¡Ya no aguanto! ¿Qué dudas expresa Martina en la clase de ejercicio?

MODELO   tal vez los ejercicios no (ser) muy difíciles hoy
Tal vez los ejercicios no sean muy difíciles hoy.

1. tal vez nosotros (poder) usar el jacuzzi hoy
2. quizá Sergio y Elena no (estar) aquí todavía
3. ojalá nosotros (ser) más constantes en el futuro
4. tal vez yo no (saber) los movimientos
5. tal vez la profesora (traer) agua fresca a la clase hoy
6. ojalá todos los estudiantes (llegar) a tiempo hoy

«**Ojalá** que llueva café». (canción de Juan Luis Guerra)

____ *If only it would rain coffee.*

____ *Maybe it will rain at the coffee plantation.*

Paso 3

13.4 Subjunctive with expressions of emotion

Expressing emotion

Whenever an emotion such as fear, joy, sadness, pity, or surprise is expressed in the main clause of a sentence, the subordinate clause will be expressed in the subjunctive mood.

Main Clause	Subordinate Clause
Tememos	que Ricardo Javier no **venga** hoy.
Me alegro (de)	que **estemos** aquí.
Siento mucho	que ella **esté** enferma.
Les **sorprende**	que el instructor **sea** tan joven.

---

*The expression **ojalá** comes from the Arabic expression *ua xa Alah (I hope, May God grant)*. The Arabs invaded the Spanish peninsula in the year 711 and controlled large regions of Spain until 1492, almost 800 years. The influence of Arabic on the Spanish language is quite extensive, seen in particular in nouns beginning with **al**, the Arabic equivalent of *the*: **alfombra, almohada** *(pillow)*, **algodón** *(cotton)*, **alfalfa, álgebra, almuerzo**...

- If the subject of both clauses is the same, an infinitive is used instead of a subjunctive clause.

¿Esperas **ganar** el premio? *Do you hope to win the award?*
Me alegro de **poder** estar aquí. *I am glad to be able to be here.*

- Here are some frequently used expressions of emotion.

alegrarse (de)	*to be glad*
esperar	*to hope*
estar contento(a) (de)	*to be happy (about)*
estar furioso(a)	*to be furious*
sentir (ie, i)	*to regret, to feel sorry*
sorprenderse (de)	*to be surprised (at, about)*
temer	*to fear*
tener miedo (de)	*to be afraid (of)*

¡A practicar!

A. ¡Deprimida! La pobre Anita, una chica de Sucre, Bolivia, está últimamente muy deprimida. ¿Qué le dice su mejor amiga?

1. Espero que tú _____ (confiar = *to trust*) en mí.
2. Temo que tú no _____ (decirme) todo.
3. Me sorprende que tu familia no _____ (escucharte).
4. Estoy contenta de que nosotras _____ (ser) amigas.
5. Me alegro de que tú _____ (ir) a consultar con una consejera.
6. Espero que ella _____ (ayudarte) mucho también.

B. ¡Me siento muy cansado! Fernando viaja mucho entre La Paz y Potosí, debido a su trabajo. Ya casi no tiene energía para continuar. ¿Qué piensan sus amigos Martín y Marcela?

1. Martín / estar contento / Fernando / sentirse bien
2. Marcela / temer / Fernando / enfermarse más
3. ellos / tener miedo / Fernando / no ir al médico
4. Marcela / esperar / Fernando / seguir los consejos del médico
5. Martín / sorprenderse / Fernando / continuar viajando
6. ellos / alegrarse / Fernando / pensar en buscar un nuevo trabajo

> «Escribir es para mí como hacer ganchillo: siempre temo que se me **vaya** a escapar un punto». (Isabel Allende)
>
> ____ *When writing and needing to escape the grind, I turn to crocheting.*
>
> ____ *Writing to me is like crocheting; there's always the fear of skipping an important stitch (or point).*

13.5 Subjunctive with impersonal expressions

Expressing opinions

Most impersonal expressions are formed with the third-person singular of the verb **ser** followed by an adjective; for example, **es importante, es triste,** and **es bueno.** Note that in impersonal expressions, the subject *it* is understood.

- If an impersonal expression in the main clause expresses a certainty, such as **es cierto, es seguro, es verdad, es obvio,** then the indicative is used in the following clause.

Es obvio que **vas** a mejorarte. *It's obvious that you are going to get better.*
Es verdad que el consejero **está** *It's true that the counselor is on vacation.*
de vacaciones.

The following are some frequently used impersonal expressions of certainty:

Es cierto...   Es obvio...
Es evidente...   Es seguro...
Es indudable...   Es verdad...

■ All other impersonal expressions are followed by the subjunctive when a specific person is the subject in the subordinate clause. If no person is specified, then the infinitive is used.

Es increíble que **tengan** tantas clases.   *It's incredible that they have so many classes.*
Es mejor que yo no **vaya** a clase hoy.   *It's better that I not go to class today.*
Es imposible llegar a tiempo.   *It's impossible to arrive on time.*

Some frequently used impersonal expressions often followed by the subjunctive include the following:

Es importante...   Es natural...
Es imposible...   Es necesario...
Es increíble...   Es posible...
Es lógico...   Es probable...
Es mejor...   Es una pena...

¡A practicar!

A. ¿Y en un año? El médico del centro hospitalario nos dice que estamos en buena forma. ¿Pero qué nos dice en el siguiente examen anual?

1. Es imposible que Uds. _____ (tener) buena salud si continúan fumando.
2. Es obvio que tú _____ (estar) siguiendo mis consejos.
3. Es mejor que Uds. _____ (buscar) un lugar para correr.
4. Es evidente que Uds. _____ (necesitar) salir de la rutina diaria.
5. Es indudable que tú _____ (hacer) un buen ejercicio si caminas todos los días.
6. Es cierto que Uds. _____ (ir) a sentirse bien si toman bastante agua.

B. ¿Qué me dices? Tu compañero(a) de la clase de arte del Instituto Nacional está muy aburrido(a) con su rutina diaria. ¿Qué le dices?

1. no ser bueno / tú quedarte en casa todos los días
2. ser increíble / también tú ser un fanático del cine
3. ser necesario / nosotros comprar los boletos ahora
4. ser una pena / los boletos ser tan caros
5. ser obvio / ser una buena película
6. ser cierto / trabajar con muy buenos actores

«No es bueno que el hombre **esté** solo». (Libro del Génesis)

____ *No man is an island.*
____ *A man by himself does no good.*

CAPÍTULO **14**

¡Lo mejor de Cuba: su gente, su música y... el béisbol!

In this chapter, you will learn how to . . .

- express fears, hopes, and opinions.
- describe people.
- refer to unknown entities.
- relate future events.

Comunicación

¿QUÉ SE DICE...?
- Al expresar opiniones
- Al referirse a algo improbable
- Al hablar de hechos seguros o inciertos

Cultura

¿SABÍAS QUE...?
La perla de las Antillas y el dólar
El béisbol en el Caribe
La música cubana

NOTICIERO CULTURAL
Cuba, nuestro vecino cercano más alejado

VIDEO CULTURAL
Cuba, una joya del Caribe, tierra de música y poesía

EL RINCÓN DE LOS LECTORES
La tradición oral: los refranes

En preparación

PASO 1
14.1 Subjunctive with expressions of doubt, denial, and uncertainty

PASO 2
14.2 Subjunctive in adjective clauses

PASO 3
14.3 Subjunctive in adverb clauses

Destrezas

¡A ESCUCHAR!
Decoding simultaneous conversations

¡A VER!
Listening "from the top down"

¡A ESCRIBIR!
Narrating chronologically

¡A LEER!
Interpreting proverbs and sayings

450 cuatrocientos cincuenta

Busca músicos cubanos *en Google*™ *Images* *y YouTube*™ *para conocer a algunos de los mejores músicos del mundo.*

Busca gente cubana *en Google*™ *Images y YouTube*™ *para conocer algo de esta gente encantadora.*

Busca Cuba béisbol juegos olímpicos *en Google*™ *Images y YouTube*™ *para ver a este gran equipo llevarse el oro olímpico en 1992, 1996 y 2004.*

¡Las fotos hablan!

A que ya sabes... Indica si estás de acuerdo o no con los siguientes comentarios.

sí no 1. Los cubanos son muy aficionados a los deportes, en particular al béisbol.

sí no 2. La cultura afrocubana ha tenido mucha influencia en la música cubana.

sí no 3. En Cuba, como en los Estados Unidos, todavía hay mucha discriminación contra los afrocubanos.

sí no 4. La música cubana ha tenido mucha influencia en la música hispana en general.

sí no 5. En las Olimpiadas de 1996, el equipo cubano obtuvo la medalla de oro en béisbol, al derrotar al equipo estadounidense.

Estando tan en forma, ¡dudo que no ganemos!

TAREA

Antes de empezar este *Paso*, estudia la lista de vocabulario de la página 474 y escucha el corte 20 de tu Text Audio CD4. Luego estudia *En preparación.*

1er día   14.1 Subjunctive with expressions of doubt, denial, and uncertainty, páginas 476–477

Haz por escrito los ejercicios de *¡A practicar!* correspondientes.

¿Eres buen observador?

Ahora, ¡a analizar!

1. Esta propaganda es para…
   a. campeones.
   b. las Olimpiadas.
   c. servicios para atletas.
2. Según este anuncio, en Cuba se practica…
a. el tenis.	e. el baloncesto.	i. el fútbol.
b. la natación.	f. el esquí.	j. la gimnasia.
c. el béisbol.	g. el salto de altura.	k. la lucha libre.
d. el boxeo.	h. el levantamiento de pesas.	l. el voleibol.
3. ¿Cuáles de estos deportes has practicado? ¿Cuáles te gustaría practicar?

¿Qué se dice...?

Al expresar opiniones

DAVID: Buenas tardes, señoras y señores, nos encontramos en este momento en el Palacio de los Deportes de Vistalegre, en La Habana, donde se están disputando los Juegos Panamericanos. Les habla David Sánchez…

MERCEDES: y Mercedes Romero.

DAVID: Mercedes, ¿cómo ves la competición hasta ahora?

MERCEDES: De momento dudo que el atletismo cubano repita aquí la hazaña de superar el resultado de 10 medallas de oro alcanzado en 2005 en Winnipeg.

DAVID: ¿Y no crees que Osleidys Menéndez, la campeona mundial de 23 años, repetirá medalla de oro en lanzamiento de jabalina femenino?

MERCEDES: Osleidys es una de nuestras esperanzas más claras, pero dudo que este año esté a la misma altura de otras ocasiones.

DAVID: Vamos a confiar en que sí.

MERCEDES: Muy esperada es la carrera de 110 metros con vallas, con el prometedor Dayron Robles. Si Dayron está en buen momento, dudo que haya quien compita con él. Es un atleta excepcional.

DAVID: Bien reñido será el lanzamiento de martillo femenino con la campeona mundial Yipsi Moreno y sus rivales nacionales Yunaika Crawford y Aldenay Vasallo. Pienso que alguna de estas atletas tiene posibilidades concretas de medalla.

MERCEDES: Es posible que Yipsi Moreno parta con algo de ventaja, por tener la experiencia de competir bajo la presión de este tipo de competiciones.

DAVID: ¿Y qué me dices de nuestra escuadra de voleibol? ¿No crees que tenemos la oportunidad de repetir medalla en estos juegos?

MERCEDES: Siento tener que ser pesimista, pero dudo que nuestra escuadra supere esta vez a la de la República Dominicana.

DAVID: Pues como ven, señoras y señores televidentes, el desafío está ahí, pero vamos a confiar en que nuestros atletas estén a la altura de las circunstancias, como suelen estar.

Cuba, la más grande de las islas de las Antillas y frecuentemente llamada «la perla de las Antillas», está a menos de 100 millas de los Estados Unidos. A pesar de esta corta distancia, es el país de toda Latinoamérica más alejado o distanciado de los Estados Unidos. Desde 1958, cuando el movimiento revolucionario de Fidel Castro tomó control, estableció el comunismo y nacionalizó propiedades e inversiones privadas en la isla, los Estados Unidos rompió relaciones diplomáticas con el gobierno cubano y estableció el bloqueo comercial que hasta ahora se mantiene. La escasez de dólares sigue causando serios problemas. Sin embargo, el número de dólares que llega a la isla es tal que el gobierno ha permitido el establecimiento de unos pequeños negocios privados que se basan en dólares y no en la moneda nacional. Por ejemplo, en el Vedado, una de las zonas más elegantes de La Habana, los restaurantes llamados paladares solo aceptan dólares.

En tu opinión: ¿Por qué crees que a Cuba se le ha llamado «la perla de las Antillas»? ¿Qué efecto ha tenido el bloqueo comercial impuesto por los Estados Unidos a Cuba? ¿Por qué crees que, después de casi 50 años, los Estados Unidos todavía no ha terminado el bloqueo? ¿Cómo se explica el uso de dólares en Cuba, dado el bloqueo?

Ahora, ¡a hablar!

A. **¡Viva el deporte!** Escucha a tu compañero(a) leer los siguientes grupos de palabras. Usando el vocabulario del dibujo, identifica la palabra que no pertenece al grupo y el deporte que se asocia con las otras tres palabras.

MODELO

COMPAÑERO(A): pelota, bate, salvavidas, lanzador

TÚ: **El salvavidas no pertenece a este grupo; estas palabras están relacionadas con el béisbol.**

1. bate, pelota, lanzador, patear
2. nieve, esquí, boxeador, invierno
3. boxeo, cesto, jugador, pelota
4. cancha, bate, red, tenis
5. arquero, cesto, gol, arco
6. piscina, lanzador, zambullirse, salvavidas

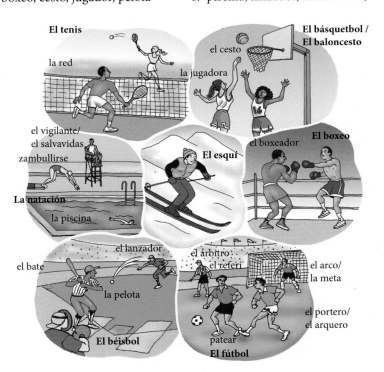

B. Boxeo. Ricardo y su amiga Lourdes, dos jóvenes cubanos, están viendo una pelea de boxeo en la televisión. A Lourdes no le gusta mucho el boxeo. ¿Qué le dice a su amigo Ricardo?

MODELO ser increíble / gustarte / tanto el boxeo
Es increíble que te guste tanto el boxeo.

1. yo creer / boxeo / ser inhumano
2. ser probable / los golpes / dañar irreversiblemente el cerebro
3. yo no pensar / ser / un deporte saludable
4. yo no dudar / algunas de las peleas / estar arregladas
5. ser imposible / un boxeador / no terminar / medio loco
6. yo estar seguro de / los organizadores / ganar / la parte mayor del dinero

C. ¿Y ustedes? ¿Qué opinan ustedes del boxeo? Con tu compañero(a), túrnense para expresar sus opiniones sobre lo siguiente.

MODELO Las peleas están arregladas.
COMPAÑERO(A): **Yo pienso que las peleas están arregladas.**
TÚ: **Dudo que las peleas estén arregladas.**

Vocabulario útil

estar seguro(a)	(no) dudar	ser cierto	ser posible
(no) creer	(no) pensar	ser imposible	ser probable

1. El boxeo es malo para la salud.
2. Los golpes dañan el cerebro.
3. Las peleas de boxeo siempre están arregladas.
4. Todos los deportistas están interesados en el dinero.
5. El boxeo es el deporte más cruel del mundo.
6. El boxeo es más cruel que las corridas de toros.

D. ¿Y tú qué piensas? Con tu compañero(a) hablen de sus opiniones de estos deportes, de sus jugadores, posiciones y todo lo que sepan de ellos. Luego decidan de cuál, según ustedes, es más cruel/divertido/popular/absurdo/difícil/violento… e informen a la clase de sus conclusiones.

Y ahora, ¿por qué no conversamos?

E. **¡Debate!** ¿Es la competencia buena o mala para los niños? En grupos de tres, preparen una lista de argumentos a favor o en contra. Luego, en grupos de seis, lleven a cabo su debate. Informen a la clase quién ganó y cuáles fueron los argumentos más válidos.

F. **¡Más debate!** Trabajen en grupos de cuatro. Dos de cada grupo deben defender las opiniones que aparecen a continuación y los otros dos deben oponerse. Al terminar, cada grupo debe decidir quién ganó el debate o si empataron.

1. El fútbol es el deporte más interesante de todos.
2. La corrida de toros combina atletismo y arte.
3. El fútbol americano es demasiado violento.
4. El tenis es un deporte solo para los ricos.
5. El golf es aburrido y absurdo.

G. **¡Luces! ¡Cámara! ¡Acción!** Tú eres el (la) entrenador(a) de un equipo de tu universidad (tú decides qué deporte). Esta noche tu equipo va a participar en el primer partido del campeonato estatal. Ahora un(a) reportero(a) te entrevista y te pregunta acerca de las dudas, incertidumbres y esperanzas que tienes en cuanto a tu equipo. Dramatiza la situación con un(a) compañero(a).

H. **¡Nuestra comunidad!** En tu universidad o comunidad, entrevista a una persona de origen hispano, preferiblemente cubano, acerca de sus gustos y sus opiniones sobre el mundo del deporte en su país de origen y en particular, en su comunidad. Informa a la clase sobre los resultados de tu entrevista.

Un paso atrás, dos adelante

Capítulo 13

Repasemos. En el Capítulo 13 aprendiste a dar consejos, a liderar los ejercicios aeróbicos de un grupo y a decirle a otros lo que tienen o no tienen que hacer. Aprendiste también a expresar temor, alegría, tristeza, pesar, sorpresa o esperanza. Repasa lo que sabes, completando el siguiente texto con las palabras necesarias.

En el gimnasio

Tú: Vamos, amigos, ánimo. ¡_____ [mandato: **levantar**] los brazos! ¡_____ [mandato: **seguir**] el ritmo de la música!

Tu amigo(a): Yo ya no _____ [verbo **poder**] más; estoy agotado(a).

Tú: Venga, ánimo, solo _____ [verbo **faltar**] cinco minutos más y nos vamos a tomar unos refrescos.

Tu amigo(a): Me temo que en cinco minutos _____ [futuro de **estar**] muerto(a).

Tú: No _____ [mandato: **hablar**]; _____ [mandato: **concentrarse**]. A ver, todos, _____ [mandato: **respirar**] profundamente… Necesito un voluntario que _____ [subjuntivo de **repetir**] este movimiento conmigo. Así, muy bien. Me alegro de que ustedes _____ [subjuntivo de **tener**] tanta energía.

Tu amigo(a): ¿Energía?

Saber comprender CD4, Track 17

Estrategias para escuchar: descifrar conversaciones simultáneas

When listening to three or more people speak, there usually is more than one conversation taking place at the same time. The listener has to sort out the various comments based on what he or she knows about the people speaking and about the topics being addressed. In the conversation that you will now hear, Ricardo and Lourdes are playing dominoes with Esteban and Niurka. While Ricardo and Esteban concentrate on their game, Lourdes and Niurka converse about other things as they play along. Listen to them talk now, keeping all of this in mind, and try to piece the various conversations together.

Descifrar conversaciones simultáneas. Escucha la conversación entre Ricardo, Lourdes, Esteban y Niurka mientras juegan dominó. Identifica si Ricardo y Esteban (**RE**) o Lourdes y Niurka (**LN**) conversan de los siguientes temas.

_____ del juego de dominó
_____ del boxeo
_____ del peinado
_____ de Taína Elegante
_____ de Martí
_____ de Lola Carrera

Ahora, ¡a escuchar!

Vuelve a escuchar la conversación entre Ricardo, Lourdes, Esteban y Niurka y contesta las siguientes preguntas.

1. ¿Quién fue el primero en jugar? ¿Qué números sacó?
2. Lourdes fue la segunda, ¿le tocó buena mano?
3. ¿De qué conversaban Lourdes y Niurka? ¿Ricardo y Esteban?
4. ¿Quién crees que iba a ganar el juego de dominó? ¿Por qué crees eso?

🎵 *¡Dímelo tú! Playlist* Escucha: «Ojalá» de Silvio Rodríguez

Cuba, nuestro vecino cercano más alejado

Cuba y Puerto Rico fueron las últimas colonias de España en América. Ambas fueron anexionadas por los Estados Unidos como resultado de la guerra de 1898. El 20 de mayo de 1902 se hizó la bandera cubana en el Castillo del Morro de La Habana y se declaró la independencia cubana. Cuba nació con una enmienda en su constitución, la llamada Enmienda Platt, que cedía el derecho a los Estados Unidos a intervenir en Cuba, a tres bases navales en territorio cubano y a la posesión de Isla de Pinos, que en 1922 fue devuelta tras reclamaciones del Congreso cubano.

La primera mitad del siglo XX significó un período de mucha inestabilidad política y social para Cuba. Durante la segunda mitad del siglo XX Cuba llegó a ser conocida como «la madre del extranjero y la madrastra del cubano» debido al favoritismo que el gobierno cubano, bajo el poder del dictador militar Fulgencio Batista, dio a los intereses extranjeros, en particular el de los Estados Unidos. Fue en oposición a Batista que se estableció el movimiento guerrillero dirigido por el joven abogado Fidel Castro, quien tomó control del gobierno el 31 de diciembre de 1958. Algunos años más tarde, proclamó a Cuba república socialista.

La revolución cubana no fue apoyada por todos los cubanos y cerca de un 10% de la población ha ido saliendo de la isla, concentrándose la mayoría en Miami, Florida. Entre los emigrantes que abandonaron el país, había una mayoría de profesionales: abogados, médicos, arquitectos, ingenieros, etcétera. Esto, junto con el embargo impuesto por los Estados Unidos y la caída de los gobiernos comunistas de la Unión Soviética, ha dejado el futuro del país con un rumbo incierto. En 2008, Fidel Castro, aquejado de una enfermedad y de edad avanzada, cedió el poder a su hermano Raúl Castro, abriéndose la posibilidad de un cambio en el régimen cubano. En 2008 la Unión Europea, con la objeción de los Estados Unidos, levantó las restricciones comerciales y las sanciones impuestas sobre Cuba en 2003, cuando el gobierno de Fidel Castro encarceló a 75 disidentes y provocó la congelación de las relaciones diplomáticas de alto nivel con Europa.

Mientras tanto, es irónico que La Habana, la ciudad capital latinoamericana más cercana geográficamente a los Estados Unidos, sea
la que al mismo tiempo se encuentra más alejada políticamente.

CUBA

Nombre oficial
República de Cuba

Capital
La Habana

Población
11.423.952 (julio
2008 est.)

Unidad monetaria
peso cubano

Índice de longevidad
77,27 años

Alfabetismo
99,8 por ciento

Datos interesantísimos sobre Cuba

- En Cuba la palabra *Mambí* se reserva exclusivamente para los soldados que pelearon en contra de España en la Guerra de Independencia de 1895–1898.
- La tasa de mortalidad infantil en Cuba en 2006 era del 5,3 por mil, la segunda más baja de las Américas, después de Canadá.
- Las raíces de la rica música cubana están en los cabildos, una especie de clubes sociales formados por esclavos africanos traídos a la isla.
- Changó y Yemayá son algunas de las divinidades (orishás) de la santería cubana, una mezcla de catolicismo y pensamiento mágico inspirado por las familias africanas traídas a la isla.
- La Nueva Trova Cubana es el nombre de un movimiento cultural y musical muy fértil que se generó en Cuba a fines de la década de los 60 e inicios de los 70.
- Debido a la gran cantidad de inmigrantes de esa región, el español de Cuba tiene mucha influencia del español hablado en las Islas Canarias.

Y ahora, dime...

Contesten estas preguntas en parejas.

1. ¿Fue Cuba, como Puerto Rico, una colonia de los Estados Unidos? ¿Lo es todavía?
2. ¿Por qué fue llamada Cuba «la madre del extranjero y la madrastra del cubano» durante la segunda mitad del siglo XX?
3. ¿Qué significa que casi un 10% de la población ha salido de Cuba?
4. ¿Cuál es la actitud de la Unión Europea frente a las sanciones a Cuba? ¿Cuál es la reacción de los Estados Unidos?
5. ¿Por qué es irónico que Cuba y los Estados Unidos estén tan alejados políticamente?

⬈ Por el ciberespacio... a Cuba
Keywords to search:
 Fidel Castro
 historia de Cuba
 exilio cubano
 futuro de Cuba

To learn more about Cuba, go to the
¡Dímelo tú! website at academic.
cengage.com/spanish/dimelotu

¡Cuba! ¡Cuba! ¡Cuba!... ¡Jonrón!

TAREA

Antes de empezar este *Paso*, estudia la lista de vocabulario de la página 474 y escucha el corte 21 de tu Text Audio CD4. Luego estudia *En preparación*.

1er día   14.2 Subjunctive in adjective clauses, páginas 477–479

Haz por escrito los ejercicios de *¡A practicar!* correspondientes.

¿Eres buen observador?

Ahora, ¡a analizar!

1. El propósito de este anuncio es hacer propaganda para…
   a. una revista deportiva.   b. récords de atletas cubanos.
   c. el partido comunista.

2. Probablemente el deporte más popular en Cuba de «Récord» es…
   a. el fútbol.   b. el béisbol.   c. el atletismo.

3. «Récord» se puede comprar…
   a. solo en países donde se habla español.   b. solo en Cuba.
   c. en más de cincuenta países.

4. Cuando se mencionan estas personas en «Récord», ¿de qué deporte(s) hablan?
   a. bateador   b. entrenador   c. lanzador   d. árbitro   e. nadador   f. corredor

5. La última edición de «Récord» incluía un artículo sobre un deporte muy popular en Cuba, el buceo. El artículo probablemente mencionó…
   a. un cesto y un árbitro.   b. un bate y una pelota.   c. peces tropicales.

¿Qué se dice...? 🎧

CD4, Track 18

Al referirse a algo improbable

NIURKA: ¡Jonrón! ¡Bravo, Ramón Ángel! No hay quien batee la pelota como Ramón Ángel. ¡Qué partidazo!

ESTEBAN: Ni quien corra tanto como él. ¡Arriba Cuba! ¡Eso sí que es verdad! Es el mejor bateador de todos los equipos que compiten en los panamericanos. Si continúan reclutando jugadores que sean tan buenos como Ramón Ángel, no creo que haya nadie que nos derrote. Creo que ganaremos todos los partidos del campeonato.

ESTEBAN: ¡Idiota!

LOURDES: Lo que necesitamos es un árbitro que sepa lo que hace.

NIURKA: ¡Claro! ¡Y que además sea imparcial y que sepa algo de pelota! Creo que estos no tienen ni idea. Este deporte requiere árbitros experimentados y que tengan el control del juego en todo momento. ¡Estos parece que no han arbitrado un partido de béisbol en su vida!

ESTEBAN: Ricardo, ¿crees que el año que viene encontrarán un entrenador que tenga tanta experiencia como Germán?

RICARDO: La experiencia no es la única cosa necesaria. Buscan a alguien que sepa ser buen líder también. Alguien que mantenga la cabeza fría en momentos difíciles y sepa hablarle claramente a los jugadores.

ESTEBAN: Yo no creo que tengan dificultad en encontrar a alguien. El puesto está muy bien pagado.

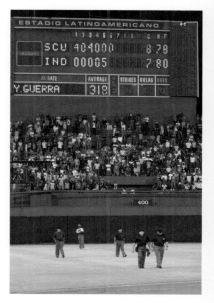

NIURKA: ¡Campeones! ¡Campeones! ¡Olé! ¡Olé! ¡Olé! ¡Viva Cuba! Te lo dije: para ganar este campeonato necesitamos que el equipo mantenga la calma en los momentos complicados, y sepa atacar como mejor sabe: con agresividad.

ESTEBAN: Sí, Niurka. ¡Campeones! ¡Qué alegría! Llama a casa para que pongan unos refrescos a enfriar.

En algunos países de Hispanoamérica, el béisbol es un deporte muy popular, en particular por todo el Caribe: Cuba, la República Dominicana, Puerto Rico, México, Venezuela y América Central. En efecto, todos los equipos de las grandes ligas estadounidenses mandan a sus ojeadores (*recruiters*) a estos países latinos en busca de nuevos jugadores. En Cuba el béisbol (llamado juego de pelota) es tan popular que, con frecuencia, hasta Fidel Castro dejaba la política a un lado para tomar el bate.

En tu opinión: ¿Por qué crees que hay tanta afición al béisbol en estos países y que surgen tan excepcionales beisbolistas de los países caribeños? ¿Crees que es comparable con los Estados Unidos, dada la gran diferencia en el número de habitantes?

Ahora, ¡a hablar!

EP 14.2

A. ¿Qué opinan? Esteban, Niurka, Ricardo y Lourdes expresan varias opiniones en *¿Qué se dice...?* Indica cuáles de las siguientes son opiniones que expresaron.

sí   no   1. No hay bateador como Ramón Ángel.
sí   no   2. Es imposible que encuentren un entrenador con mucha experiencia.
sí   no   3. El equipo cubano será campeón por muchos años.
sí   no   4. Necesitan un árbitro que sea imparcial y sepa algo de béisbol.
sí   no   5. Lo único que necesita un buen entrenador es mucha experiencia.
sí   no   6. El puesto para el nuevo entrenador está muy bien pagado.

EP 14.2

B. ¡Qué desastre! Hoy el equipo cubano de Camagüey está jugando muy mal y está perdiendo. ¿Qué dice el público?

MODELO   no hay nadie / estar en forma
             No hay nadie que esté en forma.

1. no hay nadie / jugar bien
2. necesitamos un lanzador / saber / tirar (*pitch*) la pelota
3. no hay ningún jugador / poder correr rápido
4. el equipo necesita un entrenador / ser cubano / y comprender a los cubanos
5. no hay nadie / manejar bien el bate
6. necesitan buscar un entrenador / tener más experiencia

EP 14.2

C. Se solicita... Tú y tu compañero(a) son parte del comité para contratar a nuevos entrenadores para este curso académico del departamento de Educación Física de su universidad. Turnándose como entrevistador(a) y entrevistado(a), informen y respondan de acuerdo al modelo.

MODELO   instructor(a) de golf: tener diez años de experiencia
      TÚ: **Buscamos un(a) instructor(a) de golf que tenga diez años de experiencia.**
COMPAÑERO(A):   **Yo tengo once años de experiencia.**

Vocabulario útil

buscamos   necesitamos   se solicita   deseamos contratar   se ofrece un puesto

1. entrenador(a) para el equipo de fútbol: haber jugado en ligas profesionales
2. instructor(a) de tenis: tener experiencia en otras superficies
3. profesor(a) de educación física: interesarse en entrenar a los discapacitados
4. entrenador(a) para el equipo de béisbol: estar dispuesto(a) a viajar mucho
5. médico(a): tener cinco años o más de experiencia en medicina deportiva
6. dos secretarios(as): poder trabajar noches, sábados y domingos

D. Atletas. Tú quieres saber si tu compañero(a) conoce personalmente a atletas de talento. Hazle preguntas usando las siguientes frases.

MODELO   ser campeón mundial de tenis
          Tú: **¿Conoces a alguien que sea campeón mundial de tenis?**
COMPAÑERO(A): **Sí, conozco a alguien que es campeón mundial de tenis. o**
          No, no conozco a nadie que sea campeón mundial de tenis,
          pero conozco a un campeón de fútbol.

1. practicar alpinismo
2. participar en maratones
3. ser entrenador(a) profesional
4. jugar al fútbol profesionalmente
5. haber ganado una medalla olímpica
6. ser boxeador(a) profesional
7. practicar artes marciales

E. Muy interesante. Tu compañero(a) está considerando una carrera en algún deporte de élite y te pregunta qué función tiene cada persona protagonista de estas actividades deportivas. Hazle preguntas como: ¿Quién tiene que… entrenar a los jugadores, ser muy imparcial, animar a los jugadores, siempre estar en forma, manejar el equipo? ¿Quién es responsable de… batear, reclutar, derrotar al otro equipo, correr un maratón, ganar el campeonato, conseguir becas para los jugadores?

Y ahora, ¿por qué no conversamos?

F. **¡Revolución!** Imagínate que tú y tus compañeros(as) tienen el poder de crear un nuevo negocio o una nueva universidad. En grupos de tres o cuatro decidan qué tipo de personas van a formar parte de su nueva aventura.

1. Queremos un rector/jefe que…
2. Buscamos profesores/secretarios/trabajadores que…
3. Ofrecemos becas/pagas extras a estudiantes/trabajadores que…
4. Necesitamos atletas/personas que…
5. No queremos a nadie que…

G. **Gimnasio.** Tú y unos(as) amigos(as) deciden abrir un nuevo gimnasio y necesitan emplear a mucha gente. En grupos de tres o cuatro, decidan qué tipo de empleados necesitan y qué experiencia debe tener cada uno.

MODELO **Necesitamos algunos instructores de ejercicios aeróbicos que sepan animar a la gente.**

H. **¡Luces! ¡Cámara! ¡Acción!** Eres el (la) director(a) de una escuela secundaria y te reúnes con los jefes de los departamentos de música, historia, matemáticas y lenguas extranjeras. Cada jefe explicará sus necesidades para el próximo año y tú decidirás cuántos nuevos puestos habrá. En grupos de cinco, dramaticen esta situación delante de la clase.

¡Escríbelo!

Estrategias para escribir: orden cronológico

Cuando escribimos ensayos históricos, como la breve historia de Cuba en el Noticiero cultural del Paso 1, usualmente seguimos un orden cronológico. Es decir, empezamos con el primer incidente que ocurrió, luego mencionamos el segundo, el tercero, etcétera, hasta el final. Después del final, expresamos alguna opinión personal y global sobre el tema.

A. Orden cronológico. ¿Usó la cronología el autor del Noticiero cultural del Paso 1? Para decidirlo, contesten las preguntas que siguen en grupos de tres o cuatro.

1. ¿Empieza la lectura con el primer incidente que ocurrió? Si es así, ¿cuál es?
2. ¿Continúa con el segundo, el tercero, el cuarto, etcétera? Prepara una lista de todos los incidentes en el mismo orden que se mencionan. ¿Es un orden cronológico?
3. En tu opinión, ¿incluye todos los incidentes importantes en la historia de Cuba? ¿Por qué crees eso?
4. ¿Qué criterio crees que usó el autor para decidir qué partes de la cronología iba a incluir y qué partes tendría que excluir?

B. Lista de ideas. Ahora en los mismos grupos, preparen una lista de temas apropiados para ensayos históricos. Mencionen por lo menos diez temas. Luego, individualmente decide cuál de los temas vas a desarrollar y prepara una lista de todos los incidentes importantes relacionados con tu tema. Pon la lista en orden cronológico.

Ahora, ¡a escribir!

A. El primer borrador. Basándote en la lista que tienes del ejercicio anterior, decide cuál es la información más importante y desarróllala en varios párrafos, dando detalles donde te parezca apropiado. Agrega algunas oraciones para expresar tus opiniones como conclusión de lo que has escrito.

B. Ahora, a compartir. Intercambia tu ensayo con el de otros dos compañeros(as) para saber su reacción. Cuando leas los de tus compañeros(as), dales sugerencias sobre posibles cambios para mejorar su desarrollo cronológico. Si encuentras errores, menciónalos.

C. Ahora, a revisar. Agrega la información que consideres necesaria para tu ensayo. No te olvides de revisar los errores que mencionaron tus compañeros(as).

D. La versión final. Ahora que tienes todas las ideas revisadas y las correcciones hechas, saca una copia en limpio en la computadora y entrégale la composición a tu profesor(a).

¡Tal vez consiga el puesto... en Cuba!

TAREA

Antes de empezar este *Paso*, estudia la lista de vocabulario en las páginas 474–475 y escucha el corte 22 de tu Text Audio CD4. Luego estudia *En preparación*.

1er día   14.3 Subjunctive in adverb clauses, páginas 479–481

Haz por escrito los ejercicios de *¡A practicar!* correspondientes.

¿Eres buen observador?

Recién graduados: escuchen los consejos
de nuestra tradición oral...

Poderoso caballero es don Dinero.
Aunque la mona se vista de seda, mona se queda.
Antes de que te cases, mira lo que haces.
Trabajos hacen al hombre sabio.
Antes de hablar, pensar.

Ahora, ¡a analizar!

¿A cuál de los refranes del póster se refiere lo siguiente?

a. El matrimonio es cosa seria; no debes considerarlo hasta que estés bien seguro(a) y preparado(a).

b. La gente sigue siendo igual, aunque se disfrace para aparentar lo que no es.

c. El dinero da autoridad, control e influencia. Cuando seas rico(a) lo notarás.

d. Es mejor no decir nada si no tienes nada que decir.

e. Por mucho que estudies, la experiencia de la vida te va a enseñar más.

Al hablar de hechos seguros o inciertos

LOURDES: Bueno, el curso termina. Hagamos planes para el año que viene. ¿Quién quiere empezar?

RICARDO: Yo, yo. A ver, a mí me gustaría encontrar trabajo fuera de La Habana. No sé, tal vez como voluntario en algún lugar, sin remuneración, con tal de que tenga la oportunidad de practicar lo aprendido este año, aunque sea en el campo.

LOURDES: ¡Umm! ¿Trabajo sin remuneración? Eso no debe ser ningún problema…

NIURKA: Poderoso caballero es don Dinero.

LOURDES: Pues yo, tan pronto como termine mi carrera de medicina me conseguiré un puesto que pague bien. Con tal de que pueda desarrollar mis altos conocimientos médicos…

NIURKA: Modestia aparte, dirás…

ESTEBAN: Pues yo sigo entrenando para las competencias de natación. Mi sueño es llegar a las Olimpiadas. Aunque tenga otras ofertas para dedicarme a la abogacía, voy a intentar ser un deportista profesional, y ganarme la vida practicando el deporte que me gusta.

RICARDO: Oye, tú, pero eso en Cuba es complicado, ¿no te parece?

NIURKA: Nada es imposible.

LOURDES: Tendrás que entrenar veinticuatro horas al día antes de que te den un puesto en el equipo olímpico. Ya sabes que los deportes de élite son muy competitivos… Y tú, Niurka, ¿qué tienes pensado?

NIURKA: Yo, tan pronto como termine me voy para Miami, a visitar a mi hermano. Mi mamá ya está allá, y tengo muchas ganas de juntarme con ellos.

LOURDES: ¿Pero ya pensaste qué hacer en caso de que te denieguen la visa?

NIURKA: No me la van a denegar. De hecho, ya me la concedieron. La pedí con anticipación para irme en cuanto termine. Ya sabes: más vale prevenir que lamentar.

RICARDO: ¡Qué bien, Niurka! Bueno,… ¿por qué no vamos a tomar un helado en Copelia?

LOURDES: ¡Ay, sí! Me encantan los batidos de mamey que hacen allí.

No cabe duda que la música cubana es una de las más apreciadas en el mundo entero. Muchos de los ritmos latinos bailables más populares tienen su origen en la fascinante mezcla africana latina que es parte de toda música cubana. La rumba, el mambo, la conga, el bolero, la guaracha, la habanera, la danza, el danzón, el son, la nueva trova… todos son ritmos de origen cubano.

En tu opinión: ¿Por qué crees que es tan popular la música cubana? ¿Sabes si es popular en los Estados Unidos? ¿Por qué crees que la música africana ha tenido tanta influencia en la música cubana? ¿Qué influencia ha tenido en la música estadounidense? ¿Cuáles de los ritmos cubanos conoces? ¿Los sabes bailar?

Ahora, ¡a hablar!

EP 14.3

A. ¿Quién? Según el *¿Qué se dice… ?*, ¿quién piensa hacer lo siguiente, Ricardo (**R**), Lourdes (**L**) o Esteban (**E**)?

1. R L E   1. Buscará un empleo aunque sea sin remuneración.
2. R L E   2. Tomará un batido de mamey con tal que la lleven a Copelia.
3. R L E   3. Tan pronto como termine buscará un puesto en medicina.
4. R L E   4. Tendrá que entrenar veinticuatro horas al día antes de conseguir su sueño.
5. R L E   5. Intentará ser deportista de élite aunque tenga ofertas para dedicarse a la abogacía.

EP 14.3

B. Decisiones. Ricardo se va a graduar este verano y quiere viajar durante unos seis meses antes de empezar su vida profesional. Ahora está pensando en las cosas a tener en cuenta antes de viajar por un período tan largo. ¿Qué piensa?

MODELO   viajar / a menos que / ofrecerme un buen puesto
Viajaré a menos que me ofrezcan un buen puesto.

1. salir / antes de que / mi novia y yo decidir casarnos
2. poder ir / con tal de que / mi padre prestarme dinero
3. no ir solo / a menos de que / mi amigo Jorge no poder viajar
4. visitar a mis parientes / para que / mis padres estar contentos conmigo
5. no hacer planes / antes de que / todos mis papeles estar en orden
6. no confirmar mis reservaciones / sin que / mi amigo y yo estar seguros de ir

EP 14.3

C. ¿Me aceptarán? Esteban todavía no sabe si lo van a llamar para el equipo cubano. A pesar de todo, como es tan optimista, ya está haciendo planes. ¿En qué está pensando?

MODELO   Celebraré con mis amigos en cuanto (recibir) las noticias.
Celebraré con mis amigos en cuanto reciba las noticias.

1. Empezaré a entrenar siete días por semana tan pronto como (tener) la oferta.
2. Nosotros recibiremos nuevos uniformes en cuanto (llegar) a las Olimpiadas.
3. El entrenador dijo que haremos un viaje por Europa cuando (terminar) las Olimpiadas.
4. Yo me sentiré muy orgulloso aunque nuestro equipo no (ganar).
5. Tendré que comprarles recuerdos a todos mis parientes tan pronto como (llegar) a la ciudad olímpica.
6. Pero seguiré con mi vida diaria hasta que (saber) que me han aceptado.

D. **¡Por fin!** Tú y tus amigos(as) van a graduarse en menos de un mes. En grupos de tres o cuatro, discutan todo lo que piensan hacer.

> MODELO
> **Tan pronto como me gradúe, viajaré a Sudamérica.**
> **Viajaré por tres meses a menos que...**

EP 14.3

E. **¿Para qué?** Los seres humanos tenemos la capacidad de complicarnos la vida por diferentes razones. Dile a tu compañero(a) para qué haces lo siguiente y escucha mientras te dice para qué lo hace él (ella).

EP 14.3

> MODELO
> trabajar
> Tú: **Yo trabajo para que mis hijos coman bien.**
> COMPAÑERO(A): **Pues yo trabajo para comprarme un coche nuevo.**

1. hacer ejercicio
2. trabajar
3. estudiar
4. peinarme
5. (no) estar a dieta
6. tener tarjetas de crédito
7. participar en deportes
8. ¿...?

F. **A menos que...** Tu compañero(a) tiene grandes planes para el futuro, pero tú tienes tus dudas. Juntos discutan las posibilidades de conseguir sus objetivos si cumplen algunas condiciones, que van a inventar. No olviden usar: a menos que, antes de que, con tal que, para que, sin que, tan pronto como, en cuanto, cuando, aunque, hasta que.

EP 14.3

Y ahora, ¿por qué no conversamos?

G. Cuestiones sociales. Nuestro bienestar en el futuro depende de nuestra sociedad. En grupos de cuatro, debatan estas importantes cuestiones sociales que afectarán la calidad de nuestra vida futura. Dos de cada grupo deben defender las opiniones y los otros dos deben oponerse.

1. Se deben legalizar las drogas.
2. El gobierno debe controlar el precio de la gasolina.
3. La medicina debe ser socializada.
4. Se debe incluir la educación sexual en las escuelas secundarias.

H. Pasos importantes. La graduación no es el único paso importante en la vida. Hay otras decisiones que nos esperan a lo largo de la vida. ¿Qué piensan hacer tú y tu compañero(a) en las siguientes situaciones?

MODELO Cuando consigamos trabajo…
Cuando consigamos trabajo podremos comprarnos carro nuevo.

1. Tan pronto como nos graduemos…
2. Cuando tengamos bastante dinero…
3. En cuanto consigamos un buen puesto de trabajo…
4. En cuanto nos casemos…
5. Cuando tengamos hijos…
6. Después de que nos jubilemos…

I. ¡Luces! ¡Cámara! ¡Acción! Acabas de recibir una oferta de trabajo en una buena compañía pero hay algunos inconvenientes: está lejos de donde vives, el horario es pésimo, el sueldo no te convence y no ofrecen un buen plan de seguro médico. Ahora estás hablando con el (la) gerente de la compañía y tratas de conseguir mejores condiciones. Dramatiza esta situación con un(a) compañero(a).

Saber comprender

Estrategias para ver y escuchar: ver y escuchar «de arriba hacia abajo»

*In **Capítulo 9, Paso 2,** you learned that when listening "from the top down" to a video you are viewing, you can listen casually to the general flow, picking out the occasional specific words that convey the gist of what is being said and letting your knowledge of the topic fill in the blanks on everything else.*

Ver y escuchar «de arriba hacia abajo». Even if you've never been to Cuba, you probably know quite a bit about it. Use the knowledge you already have as you view the first part of the video, **Cuba, una joya del Caribe, tierra de música y poesía.** Then, in your own words tell what the underlined words in the following sentences probably mean.

1. Por todas partes se ve la palma real, el hermoso y fuerte árbol nacional.
2. Recorrer La Habana es volver a tiempos antiguos y a la vez volver a los años 50 y 60.
3. …carteles de temas revolucionarios y pequeñas figuras llamadas «muñequitas» que representan a los dioses de la religión africana yoruba.
4. El Malecón es una larga avenida paralela al mar bañada por el sol y las brisas tropicales.
5. El enorme espacio abierto se presta para desfiles y otras celebraciones oficiales.

Cuba, una joya del Caribe, tierra de música y poesía

Después de ver el video

Ahora mira el resto del video sobre Cuba y anota tres cosas que aprendiste que no sabías antes y tres que ya sabías de la economía de Cuba, La Habana y la política en Cuba.

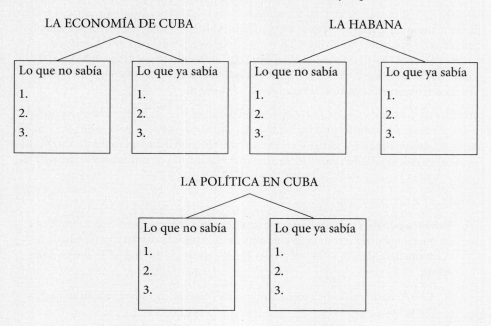

LA ECONOMÍA DE CUBA

Lo que no sabía	Lo que ya sabía
1.	1.
2.	2.
3.	3.

LA HABANA

Lo que no sabía	Lo que ya sabía
1.	1.
2.	2.
3.	3.

LA POLÍTICA EN CUBA

Lo que no sabía	Lo que ya sabía
1.	1.
2.	2.
3.	3.

El rincón de los lectores

Estrategias para leer: interpretación de refranes

Los refranes dan excelentes consejos, pero los dan con muy pocas palabras y, con frecuencia, con humor. Por eso, al interpretar un refrán, es muy importante entender cada palabra y, a la vez, pensar más ampliamente en el significado del refrán. No basta solo con saber el significado literal de las palabras. Siempre hay que pensar en cómo ese significado se aplica a una variedad de situaciones.

Interpretación de refranes. En el *¿Qué se dice…?* de este *Paso,* Niurka dice «Poderoso caballero es don Dinero».

En tu opinión, ¿cuál es el significado literal de este refrán?

    a. Para ser caballero, hay que tener dinero.
    b. El Sr. Dinero tiene mucho poder.
    c. Un caballo fuerte hace rico a su dueño.

Ahora, en tu opinión, ¿cuál es el significado que Niurka intenta comunicar al decirlo?

    a. *It takes money to be a true gentleman.*
    b. *Money is power.*
    c. *Beware of powerful men, as they will take your money.*

Lectura

La tradición oral: los refranes

Los refranes, o proverbios, forman una parte muy importante de la tradición oral hispana. Estos dichos, que representan la sabiduría colectiva de la comunidad hispana, en muy pocas palabras ofrecen consejos relacionados con todos los aspectos de la vida.

Dentro de la cultura hispana, las personas mayores, en particular los ancianos, parecen tener a mano un refrán apropiado para cualquier situación que se presente. Y de los ancianos, lo aprenden los jóvenes. Lo vimos y oímos en el diálogo de esta lección cuando Lourdes habla de todo lo que podrá hacer cuando tenga dinero y Niurka comenta con el refrán: «Poderoso caballero es don Dinero». También hemos leído muchos refranes a lo largo de las páginas de *¡Dímelo tú!*

Es así como se mantiene viva la rica tradición oral hispana. De boca en boca pasan los refranes de una generación a otra. Y a lo largo del camino se van añadiendo más y más, siempre anónimamente y siempre contándolos oralmente. Lo más bonito de los refranes es el saber cuándo usarlos para que se ajusten a la situación de una manera muy natural.

A ver si comprendiste

A. Refranes populares. A continuación aparecen seis refranes muy populares. Trata de relacionar cada refrán de la columna de la izquierda con su significado de la columna de la derecha. Luego, piensa en una situación en que podrías usar cada refrán.

1. A buen hambre, no hay pan duro.
2. Por la boca muere el pez.
3. No hay mal que por bien no venga.
4. Dime con quién andas y te diré quién eres.
5. Lo barato es caro, y lo caro barato.
6. Quien mucho duerme, poco aprende.

a. Algo bueno siempre resulta de una situación mala.
b. Las personas perezosas no avanzan en la vida.
c. Las personas que hablan demasiado, cometen más errores.
d. Si pagas poco debes esperar menos calidad.
e. Toda la comida es deliciosa para una persona que no ha comido en mucho tiempo.
f. Todos seleccionamos amigos que son como nosotros.

B. Más refranes. Ahora, con un(a) compañero(a), escriban el significado de cada uno de estos refranes. Luego piensen en situaciones donde podrían usarlos. ¿Pueden pensar en un refrán en inglés que tenga el mismo significado?

1. Saber es poder.

2. Quien más tiene, más quiere.

3. El tiempo es oro.

4. Más vale poco que nada.

5. Las noticias malas tienen alas.

6. No hay enemigo chico.

7. Más sabe el loco en su casa que el cuerdo en la ajena. (Cada uno es rey en su casa.)

8. En abril, aguas mil.

Vocabulario

Paso 1 CD4, Track 20

Deportes
boxeo	*boxing*
esquí (*m.*)	*skiing*
gimnasia	*gymnastics*
levantamiento de pesas	*weight lifting*
lucha libre	*wrestling*
natación (*f.*)	*swimming*
salto de altura	*high jumping*

Deportes: personas
aficionado(a)	*fan, supporter*
árbitro(a)	*umpire, referee*
arquero(a)	*goalie, goalkeeper*
atleta (*m./f.*)	*athlete*
boxeador (*m.*)	*boxer*
entrenador(a)	*coach, trainer*
lanzador(a)	*pitcher*
organizador(a)	*organizer*
salvavidas (*m./f.*)	*lifeguard, lifesaver*

Deportes
arco	*goal*
bate (*m.*)	*bat*
campeón (campeona)	*champion*
cesto	*basket*
competencia	*competition*
empate (*m.*)	*tie*
gol (*m.*)	*goal*
golpe (*m.*)	*strike, hit*
juego	*game*
liga	*league*
Olimpiadas	*Olympics*
patear	*to kick*
pelea	*fight*
pelota	*ball*
red (*f.*)	*net*

Descripción
alejado(a)	*distant, far away*
arreglado(a)	*arranged, fixed*
impuesto(a)	*imposed*
inhumano(a)	*inhuman*
saludable	*healthy*
violento(a)	*violent*

Relacionado a Cuba
afrocubano(a)	*Cuban of African decent*
bloqueo	*blockade*

colonia	*colony*
perla	*pearl*

Expresiones impersonales
Es...
absurdo(a)	*It's absurd*
cierto	*It's true*
injusto	*It's unjust*
irónico	*It's ironic*

Verbos y expresiones verbales
creer	*to believe*
dañar	*to damage, to hurt*
derrotar	*to defeat, to beat*
dudar	*to doubt*
estar en forma	*to be in shape*

Palabras útiles
cerebro	*brain*
influencia	*influence*
irreversiblemente	*irreversibly*
sanción (*f.*)	*sanction*

Paso 2 CD4, Track 21

Deportes
alpinismo	*mountain climbing*
artes marciales (*m. pl.*)	*martial arts*
atletismo	*track and field*
buceo	*scuba diving*

Relacionado a deportes
bateador(a)	*batter (baseball)*
batear	*to bat*
campeón mundial	*world champion*
campeonato	*championship*
deportivo(a)	*pertaining to sports*
entrenar	*to coach, train*
jonrón (*m.*)	*home run*
ligas juveniles	*junior leagues*
medalla	*medal*
olímpico(a)	*olympic*
reclutar	*to recruit*
superficie (*f.*)	*surface*
tirar la pelota	*to pitch a ball*

Profesional y negocios
directiva	*board of directors*
instructor(a)	*instructor*
profesional	*professional*
propaganda	*propaganda*

rector (*m.*)	*university president*
tesorero(a)	*treasurer*

Descripción
comunista	*communist*
discapacitado(a)	*handicapped*
dispuesto(a)	*willing*
enérgico(a)	*energetic*
imparcial	*impartial*

Verbos
animar	*to encourage, to cheer*
contratar	*to hire*
manejar	*to manage*
solicitar	*to solicit*

Palabras y expresiones útiles
beca	*scholarship*
edición (*f.*)	*edition*
estar dispuesto(a)	*to be inclined to*
fama	*fame*

Paso 3 CD4, Track 22

Conjunciones
a menos que	*unless*
aunque	*although*
con tal (de) que	*provided (that)*
cuando	*when*
después (de) que	*after*
en caso (de) que	*in case*
en cuanto	*as soon as*
hasta que	*until*
para que	*so that*
sin que	*without, unless*
tan pronto como	*as soon as*

Buscar empleo
decisión (*f.*)	*decision*
duro(a)	*hard, difficult*
escala de pagos	*pay scale*
remuneración (*f.*)	*pay (for a service)*
seguro	*insurance*
sueldo	*salary*

Descripción
batido de leche	*shake; milk shake*
calidad (*f.*)	*quality*
igual	*same*
pésimo(a)	*dreadful, terrible*
poderoso(a)	*powerful*

socializado(a)	*socialized*	**convencer**	*to convince*	Palabras útiles	
uniforme	*uniform*	**denegar**	*to turn down, to refuse*	**ala**	*wing*
				caballero	*gentleman*
Verbos y expresiones verbales		**disfrazar**	*to disguise*	**gasolina**	*gasoline*
aparentar	*to seem*	**firmar**	*to sign*	**mamey** *(m.)*	*tropical fruit*
cometer errores	*to make mistakes*	**graduarse**	*to graduate*	**orden** *(m.)*	*order*
confirmar	*to confirm*	**jubilarse**	*to retire*	**poder** *(m.)*	*power*
considerar	*to consider*	**legalizar**	*to legalize*	**refrán** *(m.)*	*saying*

Paso 1

14.1 Subjunctive with expressions of doubt, denial, and uncertainty

Expressing doubt, denial, and uncertainty

■ When the main clause of a sentence expresses doubt, denial, or uncertainty, the subjunctive must be used in the subordinate clause whenever there is a change of subject.

Main clause	Subordinate clause
Dudo	que **podamos** ir con ustedes.
No creo	que ellos **tengan** las entradas.
Es probable	que yo no **vaya.**

In spoken Spanish it is becoming acceptable to use the subjunctive even when there is no change of subject.

Dudo que (yo) **pueda** hacerlo esta tarde. *I doubt that I can do it this afternoon.*

■ Remember that expressions of certainty, including those denying doubt, are followed by the indicative mood.

Estoy seguro de que **llegan** hoy. *I'm sure they arrive today.*
No dudamos que **tienes** el dinero. *We don't doubt that you have the money.*

BUT:
Es probable que **vengan** solos. *It is probable that they will come alone.*

■ The verbs **creer** and **pensar** are usually followed by the subjunctive when they are negative or in a question. They are followed by the indicative when used in the affirmative form.

No creo que **estén** bien entrenados. *I don't believe they are well trained. (They don't appear to be and probably aren't.)*

¿Crees que lo **acepten** los aficionados? *Do you believe that the fans will accept him? (They may not.)*

Pienso que **están** en el partido. *I think (believe) they are at the game.*

⚐ **Google**™ y **YouTube**™ BUSCA: Spanish subjunctive doubt/denial/ uncertainty

Heinle Grammar Tutorial: The Present Subjunctive

¡A practicar!

A. Domingo deportivo. Celia está mirando su programa deportivo favorito en la tele, *Domingo deportivo,* en su casa en Bahía Girón. Ella es fanática de los deportes. ¿Qué dice cuando mira los diferentes eventos?

> MODELO   Natación   no creer / su entrenador / ser tan bueno como el nuestro
> **No creo que su entrenador sea tan bueno como el nuestro.**

Béisbol
1. ser lógico / el equipo cubano / tener tanto éxito
2. ser probable / nuestro equipo / ganarle a los Estados Unidos en las Olimpiadas

Boxeo
3. ser cierto / Cuba / tener excelentes boxeadores
4. yo no dudar / esta pelea / terminar en un empate

Voleibol
5. yo no creer / ese equipo / ganar hoy
6. ser increíble / ellos / jugar tan mal

Fútbol
7. yo dudar / nuestro equipo / estar en forma para este partido
8. ser increíble / los árbitros / ser tan injustos

B. ¡Cálmate! Tu amigo Raúl está muy nervioso por el partido de béisbol de esta noche, en La Habana. ¿Qué dice momentos antes del partido?

1. ser obvio / ese bateador / no saber nada
2. ser probable / nuestro lanzador favorito / no poder jugar esta noche
3. estar seguro / nuestro equipo / ya estar cansado
4. ¿creer tú / ellos / tener mejores jugadores?
5. nosotros no dudar / ese jugador / ser excelente

«Por muy manso que **sea** el oso, sigue siendo peligroso». (refrán)

___ *One need not fear a tame bear.*

___ *Appearances may be deceiving.*

Paso 2

14.2 Subjunctive in adjective clauses

Referring to unfamiliar persons, places, and things

Sometimes a clause is used as an adjective to describe a person, place, or thing. For example, in the following sentence the adjective clause describes **mujer.**

Adjective clause

> Conozco a una mujer **que ganó cinco medallas de oro.**

The verb of the adjective clause may be in the subjunctive or in the indicative.

■ If the antecedent—the person, place, or thing being described—is indefinite (either non-existent or not definitely known to exist), the verb in the adjective clause must be in the subjunctive.

Busco un entrenador que **hable** ruso.	*I am looking for a coach who speaks Russian. (I'm not sure the person exists.)*
Necesitamos una secretaria que **sepa** taquigrafía.	*We need a secretary who knows shorthand.*
Voy a solicitar un puesto que **ofrezca** más dinero.	*I'm going to apply for a job that offers more money.*

■ If, on the other hand, the antecedent is known to exist, then the verb in the adjective clause must be in the indicative.

Busco al entrenador que **habla** ruso.	*I am looking for the coach who speaks Russian. (I know the person.)*
Contratamos a un secretario que **sabe** taquigrafía y contabilidad.	*We hired a secretary who knows shorthand and bookkeeping.*
Voy a solicitar el puesto que **ofrece** el mejor salario.	*I'm going to apply for the job that offers the highest salary.*

Note that the mood (indicative or subjunctive) used in adjective clauses indicates whether the speaker is talking about a fact or something hypothetical or abstract.

■ Negative antecedents always refer to the nonexistent. Therefore, the verb in an adjective clause modifying a negative antecedent must be in the subjunctive.

No hay nadie que **esté** dispuesto a trabajar los fines de semana.	*There isn't anyone who is willing to work on weekends.*
No encuentro **a** nadie que **sepa** hablar japonés.	*I can't find anyone who knows how to speak Japanese.*

[↗] Google™ y YouTube™ BUSCA: Spanish subjunctive adjective clauses

Heinle Grammar Tutorial: The Subjunctive in Adjective Clauses

■ The personal **a** is not usually used before an indefinite direct object. **Nadie** and **alguien,** however, always take the personal **a** when used as direct objects.

Buscamos un entrenador que **sepa** comunicar bien con los atletas.	*We are looking for a coach who knows how to communicate with the athletes.*
Buscamos **a** alguien que **sepa** relacionarse con la prensa.	*We are looking for someone who knows how to work with the press.*

¡A practicar!

A. Nuevo personal. El Comité Cubano de las Olimpiadas está discutiendo lo que el equipo cubano va a necesitar para las siguientes Olimpiadas. ¿Qué dicen ellos?

1. necesitamos / entrenador / ser muy enérgico
2. necesitamos / entrenador / dirigir a los Atléticos
3. buscamos / lanzador / tener experiencia
4. buscamos / lanzador / jugar ahora con los Gigantes
5. necesitamos / bateadores / venir de las ligas juveniles
6. buscamos / bateadores / ya tener fama

B. Club deportivo. Esteban está hablando con su jefe porque él y algunos colegas han decidido crear el Club Deportivo Guantánamo. Según él, ¿qué tipo de personas necesitan para administrar el club?

1. necesitar un presidente que / poder trabajar bien con la directiva y los jugadores
2. tener que encontrar un vicepresidente que / ser responsable y trabajar bien con el presidente
3. para tesorero *(treasurer)* / necesitar a alguien que / saber contabilidad *(bookkeeping)*
4. para secretario / necesitar una persona que / saber bastante de informática
5. también querer nombrar a alguien que / representarnos ante el Comité Deportivo Nacional

C. Los jefes nos apoyan. Ahora Esteban le está contando a su amigo Ricardo lo que les dijo su jefe a él y a sus compañeros. ¿Qué les dijo?

Mi jefe nos dijo que los administradores del hotel estarán a favor de que _____ (nosotros / organizar) un club que _____ (preocuparse) por los intereses deportivos de los trabajadores. Cree que debemos nombrar a una persona que _____ (hablar) con los administradores en seguida. Dijo que hay una persona en la administración que _____ (tener) mucha experiencia en esos asuntos *(matters)*. Y como yo soy una persona que _____ (interesarse) mucho en los deportes y en el bienestar de todos, yo puedo ser el representante. ¡Ah! También dijo que el representante debe ser una persona que _____ (ser) muy activa y que siempre _____ (informar) a la mesa directiva sobre las actividades del grupo.

«Por septiembre, quien **tenga** trigo que siembre». (refrán)

____ *Wheat must be planted by September.*

____ *By September, all wheat fields should be harvested.*

Paso 3

14.3 Subjunctive in adverb clauses

Stating conditions

■ In Spanish, certain conjunctions are *always* followed by the subjunctive. Note that they are used to relate events that may or may not happen. Thus, a doubt is implied, requiring the subjunctive.

Conjunctions that always require subjunctive			
a menos que	*unless*	en caso (de) que	*in case*
antes (de) que	*before*	para que	*so that*
con tal (de) que	*provided (that)*	sin que	*without, unless*

Nosotros ganaremos **a menos que se lastime** José Antonio.

We'll win unless José Antonio gets injured.

Yo iré con ustedes **con tal que** Niurka no **conduzca.**

I'll go with you provided Niurka doesn't drive.

■ Certain adverbial conjunctions may be followed by either the subjunctive or the indicative. The subjunctive follows these expressions when describing a future or hypothetical action or something that has not yet occurred. The indicative is used to describe habitual or known facts.

Conjunctions that may require subjunctive			
aunque	*although*	en cuanto	*as soon as*
cuando	*when*	hasta que	*until*
después (de) que	*after*	tan pronto como	*as soon as*

Habitual	Future action
Siempre lo hace cuando **llega**. *He always does it when he arrives.*	Lo hará **cuando llegue**. *He will do it when he arrives.*

Factual	Hypothetical
Lo aceptará aunque **tendrá** que jugar con otro equipo. *He will accept it although he will have to play with another team.*	Lo aceptará aunque **tenga** que jugar con otro equipo. *He will accept it although he may have to play with another team.*

⊡ Google™ y YouTube™ BUSCA: Spanish subjunctive adverbial clauses

Heinle Grammar Tutorial: The Subjunctive in Adverbial Clauses

■ When the focus is on an event rather than on a participant, a preposition and an infinitive are used rather than a conjunction and the subjunctive.

Llámame **antes de venir**.   *Call me before coming.*
Lo haré **sin decirle**.   *I'll do it without telling him.*

¡A practicar!

A. Dilema. A veces cambiar o no cambiar de trabajo se transforma en un verdadero dilema. Nina acaba de recibir una nueva oferta y está tratando de decidir si debe permanecer *(remain)* en Bahía Girón o trasladarse a Santiago de Cuba. ¿Qué dice?

1. Tendré que decidir pronto para que mi jefe _____ (buscar) a una nueva persona.
2. Se lo comunicaré a mi novio a menos que él ya lo _____ (saber).
3. Voy a empezar a regalar varios muebles en caso de que yo _____ (decidir) aceptar.
4. No haré ninguna decisión sin que ellos me _____ (explicar) bien la escala de pagos.
5. Se lo contaré a mis padres en cuanto yo _____ (tomar) una decisión.
6. Pero no firmaré hasta que mi novio y mis padres me _____ (decir) que es una buena decisión.

B. El regreso. Mario ha estado viviendo en La Habana, debido a una práctica profesional de seis meses. Ha llegado ahora el momento de regresar a Bahía Girón y se le está transformando en un gran dilema. Veamos qué decide finalmente.

1. No decidiré hasta que _____ (hablar) con mi novia.
2. Será más fácil tan pronto como _____ (saber) si me van a dar trabajo en Bahía Girón.
3. Lo hablaré con mi familia después de que la decisión _____ (estar) tomada.
4. Tendré más posibilidades cuando _____ (graduarme) y ya tenga el título en mano.
5. Alquilaré el nuevo apartamento aunque todavía no _____ (haberme) decidido.
6. Creo que me quedaré en La Habana a menos que mi novia _____ (insistir) en que regrese.

C. Vacaciones. Ahora Antonio y Raúl están planeando salir de vacaciones a Guantánamo. Antonio, como siempre, es muy organizado. ¿Qué le dice a Raúl?

ANTONIO: Saldremos en cuanto _____ (regresar / tú) del banco.

RAÚL: Bien. Pero no regresaré hasta que _____ (poder) cerrar mi cuenta de ahorros.

ANTONIO: No importa con tal que tú _____ (estar) aquí antes de las tres y media.

RAÚL: No te preocupes. La guagua no sale hasta las cuatro y media, a menos que _____ (haber) cambiado el horario.

ANTONIO: Tienes razón. Pero yo prefiero estar en la estación temprano para que nosotros _____ (poder) conseguir buenos asientos (seats).

«Bueno que seas tambor, **con tal que seas** el que toque mejor». (refrán)

____ A good drummer can only get better if he works at it.

____ No matter what you do, be the best at it.

APPENDIX A

Ahora, ¡a hablar!
Y ahora, ¿por qué no conversamos?

Capítulo 1, Paso 1

Y ahora, ¿por qué no conversamos?

E. **¿Son los mismos?** Alicia, Carmen, José y Daniel son estudiantes de la clase de español de tu compañero(a) de cuarto. Tú también tienes unos amigos que se llaman Alicia, Carmen, José y Daniel. La descripción de tus amigos aparece (*appears*) aquí. La descripción de los amigos de tu compañero(a) aparece en la página 28. ¿Son la misma (*same*) persona? (*To decide if they are the same person, ask your partner questions. Do not look at each other's descriptions.*)

MODELO   ¿Es Alicia de El Salvador?
                Sí, es salvadoreña. *o* **No, no es salvadoreña.**

ALICIA: de San Salvador, introvertida, no perezosa, muy seria y muy paciente
CARMEN: de San José, muy seria, tímida, inteligente, muy estudiosa y algo conservadora
JOSÉ: de Tegucigalpa, muy activo pero muy serio, no sociable y muy serio
DANIEL: de Managua, muy atlético pero un poco tímido, activo, estudioso y algo serio

Capítulo 1, Paso 3

Y ahora, ¿por qué no conversamos?

G. **¿Son diferentes?** Este dibujo y el dibujo en la página 42 son similares pero tienen cinco (5) diferencias. Descríbele este dibujo a tu compañero(a) y él/ella va a describirte el otro dibujo hasta encontrar (*until you find*) las diferencias. No se permite ver el dibujo de tu compañero(a) hasta completar esta actividad.

Vocabulario útil

bailar	hablar con amigos(as)
estudiar	escuchar música
mirar la tele	hablar por teléfono
escribir una carta	tomar un refresco

Capítulo 3, Paso 1

Ahora, ¡a hablar!

C. **¿Dónde es y cuándo es?** Este mapa indica el nombre y las fechas de algunos de los festivales más populares de España. El mapa de la página 101 indica el nombre de las ciudades donde son los festivales. Tu compañero(a) te va a preguntar qué fiestas hay en diferentes ciudades y cuáles son las fechas. Antes de contestar, pregunta a tu compañero(a) dónde está la ciudad que menciona. Escribe el nombre de cada ciudad en el mapa. Al final, compara con el mapa de tu compañero(a) para ver si todas las ciudades y fiestas corresponden. No se permite comparar mapas hasta terminar esta actividad.

Día del Apóstol Santiago
• 25 de julio

Sanfermines
7 de julio

Sant Jordi
23 de abril

Feria de San Isidro
8 al 15 de mayo

Las Fallas
19 de marzo

La Tomatina
Fines de agosto

Feria de abril
Abril

Feria del Caballo
• Primera semana de mayo

Norte
Noroeste — Noreste
Oeste — Este
Suroeste — Sureste
Sur
Puntos cardinales

MODELO

COMPAÑERO(A): **¿Qué fiesta hay en Barcelona?**

TÚ: **¿Dónde está Barcelona?**

COMPAÑERO(A): **Está en el noreste de España.**

TÚ: **La fiesta de Sant Jordi.**

COMPAÑERO(A): **¿Y cuándo es?**

TÚ: **Es el 23 de abril.**

Tú escribes junto a Sant Jordi, 23 de abril: **Barcelona**

Tu compañero(a) escribe junto a Barcelona: **Sant Jordi, 23 de abril**

Capítulo 3, Paso 2

Y ahora, ¿por qué no conversamos?

F. **¿Cuántas diferencias hay?** ¿Cuántas diferencias hay entre este dibujo y el de tu compañero(a) en la página 110? Describe tu dibujo para ver cuántas diferencias puedes encontrar con el dibujo de tu compañero(a). Recuerda que no se permite mirar el dibujo de tu compañero(a) hasta terminar esta actividad.

MODELO **Sí, cuatro personas están bailando y una señora está cocinando.**

Capítulo 3, Paso 3

Y ahora, ¿por qué no conversamos?

E. **¡Qué cambiados están!** Estos son Daniel y Gloria después de estudiar un año en la Universidad de Salamanca. En la página 117, tu compañero(a) tiene un dibujo de Daniel y Gloria antes de ir a estudiar a España. Describan a las personas que aparecen en sus dibujos para saber cómo son los cambios *(changes)*. No se permite mirar el dibujo de tu compañero(a) hasta terminar esta actividad.

Vocabulario útil

cambiado(a)	corto(a)	delgado(a)
diferente	formal	guapo(a)
hermoso(a)	honesto(a)	informal
lacio(a)	limpio(a)	rizado(a)
rubio(a)	sucio(a)	

MODELO **Daniel ya no es hippie. Ahora está muy elegante.
Gloria está muy elegante también.**

Capítulo 4, Paso 2

Y ahora, ¿por qué no conversamos?

E. **En el escaparate.** Tú estás de compras en la Ciudad de México y quieres comprar todas las prendas de esta lista. Por desgracia, muchas prendas no tienen etiqueta *(price tag)*. Pregúntale a tu compañero(a) los precios que quieres saber y dale los precios que él o ella necesita basándote en el dibujo. El escaparate de tu compañero(a) está en la página 141. No se permite mirar el escaparate de tu compañero(a) hasta terminar esta actividad.

Tú quieres comprar:

1. pijamas para tu hermana
2. un traje para ti
3. botas para tu papá
4. pantalones para tu hermano
5. un vestido para tu mamá

Capítulo 5, Paso 1

Ahora, ¡a hablar!

D. Amigos dispares. Este es el cuarto de tu amigo Ernesto. Tu compañero(a) tiene el dibujo del cuarto de tu amiga Rosana. Usa este dibujo para describir cómo es el cuarto de Ernesto y en qué condición está. Tu compañero(a) va a usar el dibujo del cuarto de Roxana en la página 171 para describirlo y decir en qué condición está. Decidan cuál es más/menos lujoso y más/menos ordenado.

Capítulo 5, Paso 3

Ahora, ¡a hablar!

A. **¿Quién es quién?** ¿Cómo están relacionadas cada una de las personas con Dolores? Para practicar tu vocabulario de la familia en español, contesta las preguntas de tu compañero(a), que tiene la información en la página 184.

MODELO
COMPAÑERO(A): **¿Cómo están relacionadas Irene y Dolores?**
TÚ: **Irene es hermana de Dolores.**

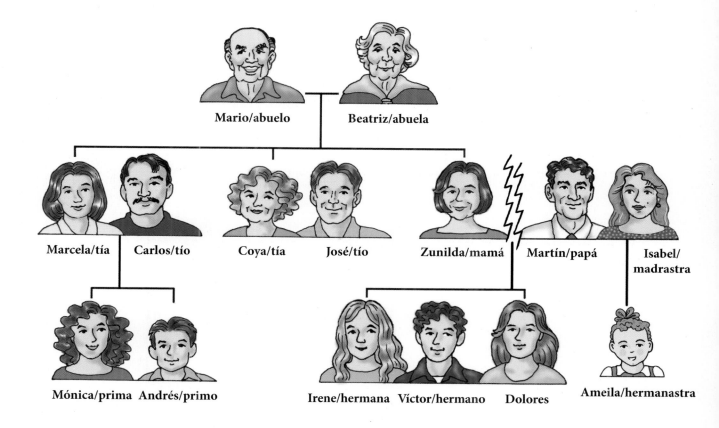

Y ahora, ¿por qué no conversamos?

F. **Viaje a Machu Picchu.** Tú y un(a) compañero(a) están viajando por Sudamérica, visitando y explorando diferentes lugares. Ahora están en las famosas cataratas de Iguazú y quieren viajar por Uruguay, Argentina, Chile y Bolivia para llegar a Machu Picchu. Piensan hacer ocho escalas *(stopovers)* en su viaje. ¿Quién va a llegar primero? Para avanzar una escala, tienes que contestar la pregunta de tu compañero(a) correctamente. Tus preguntas están aquí, las de tu compañero(a) están en la página 409.

1. ¿Cuál es la capital de Paraguay?
2. ¿Cuál es la capital de Perú?
3. Nombra la isla que es estado libre asociado de Estados Unidos.
4. Nombra dos países que tienen frontera con Perú.
5. ¿De qué país es Diego Rivera?
6. ¿Quién escribió *Cien años de soledad*?
7. ¿En qué países de Sudamérica se habla español?
8. ¿Cómo se llama la moneda de Paraguay?
9. ¿Cuál es el país más grande de Sudamérica?
10. ¿Cómo se llaman las dos capitales de Bolivia?
11. ¿En qué país se comen porotos y ají?
12. Nombra cinco países de Centroamérica y sus capitales.

Acentuación

In Spanish, as in English, all words of two or more syllables have one syllable that is stressed more forcibly than the others. In Spanish, written accents are frequently used to show what syllable in a word is the stressed one.

Words without written accents

Words without written accents are pronounced according to the following rules:

A. Words that end in a vowel (**a, e, i, o, u**) or the consonants **n** or **s** are stressed on the next to last syllable.

tardes	capi**ta**les	**gran**de	estu**dia**	**no**ches	**co**men

B. Words that end in a consonant other than **n** or **s** are stressed on the last syllable.

bus**car**	ac**triz**	espa**ñol**	liber**tad**	ani**mal**	come**dor**

Words with written accents

C. Words that do not follow the two preceding rules require a written accent to indicate where the stress is placed.

ca**fé**	sim**pá**tico	fran**cés**	na**ción**	José **Pé**rez

Words with a strong vowel (a, o, u) next to a weak vowel (e, i)

D. Dipthongs, the combination of a weak vowel (i, u) and a strong vowel (e, o, a), or two weak vowels, next to each other, form a single syllable. A written accent is required to separate dipthongs into two syllables. Note that the written accent is placed on the weak vowel.

seis	estu**dia**	inte**rior**	**ai**re	**au**to	ciu**dad**
re**ír**	**dí**a	**rí**o	ma**íz**	ba**úl**	veinti**ún**

Monosyllable words

E. Words with only one syllable never have a written accent unless there is a need to differentiate it from another word spelled exactly the same. The following are some of the most common words in this category.

Unaccented	Accented	Unaccented	Accented
como (*like, as*)	cómo (*how*)	que (*that*)	qué (*what*)
de (*of*)	dé (*give*)	si (*if*)	sí (*yes*)
el (*the*)	él (*he*)	te (*you D.O., to you*)	té (*tea*)
mas (*but*)	más (*more*)	tu (*your*)	tú (*you informal*)
mi (*my*)	mí (*me*)		

F. Keep in mind that in Spanish, the written accents are an extremely important part of spelling since they not only change the pronunciation of a word, but may change its meaning and/or its tense.

publico (*I publish*) **público** (*public*) **publicó** (*he/she/you published*)

Los verbos regulares

Simple tenses

	Present Indicative	Imperfect	Preterite	Future	Conditional	Present Subjunctive	Past Subjunctive	Commands
hablar (to speak)	hablo	hablaba	hablé	hablaré	hablaría	hable	hablara	
	hablas	hablabas	hablaste	hablarás	hablarías	hables	hablaras	habla (no hables)
	habla	hablaba	habló	hablará	hablaría	hable	hablara	hable
	hablamos	hablábamos	hablamos	hablaremos	hablaríamos	hablemos	habláramos	hablemos
	habláis	hablabais	hablasteis	hablaréis	hablaríais	habléis	hablarais	hablad (no habléis)
	hablan	hablaban	hablaron	hablarán	hablarían	hablen	hablaran	hablen
aprender (to learn)	aprendo	aprendía	aprendí	aprenderé	aprendería	aprenda	aprendiera	
	aprendes	aprendías	aprendiste	aprenderás	aprenderías	aprendas	aprendieras	aprende (no aprendas)
	aprende	aprendía	aprendió	aprenderá	aprendería	aprenda	aprendiera	aprenda
	aprendemos	aprendíamos	aprendimos	aprenderemos	aprenderíamos	aprendamos	aprendiéramos	aprendamos
	aprendéis	aprendíais	aprendisteis	aprenderéis	aprenderíais	aprendáis	aprendierais	aprended (no aprendáis)
	aprenden	aprendían	aprendieron	aprenderán	aprenderían	aprendan	aprendieran	aprendan
vivir (to live)	vivo	vivía	viví	viviré	viviría	viva	viviera	
	vives	vivías	viviste	vivirás	vivirías	vivas	vivieras	vive (no vivas)
	vive	vivía	vivió	vivirá	viviría	viva	viviera	viva
	vivimos	vivíamos	vivimos	viviremos	viviríamos	vivamos	viviéramos	vivamos
	vivís	vivíais	vivisteis	viviréis	viviríais	viváis	vivierais	vivid (no viváis)
	viven	vivían	vivieron	vivirán	vivirían	vivan	vivieran	vivan

Compound tenses

Present progressive

estoy		
estás	hablando	
está	aprendiendo	
estamos	viviendo	
estáis		
están		

Present perfect indicative

he		
has	hablado	
ha	aprendido	
hemos	vivido	
habéis		
han		

Past perfect indicative

había		
habías	hablado	
había	aprendido	
habíamos	vivido	
habíais		
habían		

Los verbos con cambios en la raíz

Infinitive / Present Participle / Past Participle	Present Indicative	Past Imperfect	Preterite	Future	Conditional	Present Subjunctive	Past Subjunctive	Commands
pensar *to think* **e → ie** pensando pensado	**pienso** **piensas** **piensa** pensamos pensáis **piensan**	pensaba pensabas pensaba pensábamos pensabais pensaban	pensé pensaste pensó pensamos pensasteis pensaron	pensaré pensarás pensará pensaremos pensaréis pensarán	pensaría pensarías pensaría pensaríamos pensaríais pensarían	**piense** **pienses** **piense** pensemos penséis **piensen**	pensara pensaras pensara pensáramos pensarais pensaran	**piensa (no pienses)** **piense** pensemos pensad (no penséis) **piensen**
acostarse *to go to bed* **o → ue** acostándose acostado	me **acuesto** te **acuestas** se **acuesta** nos acostamos os acostáis se **acuestan**	me acostaba te acostabas se acostaba nos acostábamos os acostabais se acostaban	me acosté te acostaste se acostó nos acostamos os acostasteis se acostaron	me acostaré te acostarás se acostará nos acostaremos os acostaréis se acostarán	me acostaría te acostarías se acostaría nos acostaríamos os acostaríais se acostarían	me **acueste** te **acuestes** se **acueste** nos acostemos os acostéis se **acuesten**	me acostara te acostaras se acostara nos acostáramos os acostarais se acostaran	acuéstate (no te acuestes) acuéstese acostémonos acostaos (no os acostéis) acuéstense
sentir *to feel* **e → ie, i** sintiendo sentido	**siento** **sientes** **siente** sentimos sentís **sienten**	sentía sentías sentía sentíamos sentíais sentían	sentí sentiste **sintió** sentimos sentisteis **sintieron**	sentiré sentirás sentirá sentiremos sentiréis sentirán	sentiría sentirías sentiría sentiríamos sentiríais sentirían	**sienta** **sientas** **sienta** **sintamos** **sintáis** **sientan**	**sintiera** **sintieras** **sintiera** **sintiéramos** **sintierais** **sintieran**	**siente (no sientas)** **sienta** **sintamos (no sintáis)** sentid **sientan**
pedir *to ask for* **e → i, i** pidiendo pedido	**pido** **pides** **pide** pedimos pedís **piden**	pedía pedías pedía pedíamos pedíais pedían	pedí pediste **pidió** pedimos pedisteis **pidieron**	pediré pedirás pedirá pediremos pediréis pedirán	pediría pedirías pediría pediríamos pediríais pedirían	**pida** **pidas** **pida** **pidamos** **pidáis** **pidan**	**pidiera** **pidieras** **pidiera** **pidiéramos** **pidierais** **pidieran**	**pide (no pidas)** **pida** **pidamos** pedid (no pidáis) **pidan**
dormir *to sleep* **o → ue, u** durmiendo dormido	**duermo** **duermes** **duerme** dormimos dormís **duermen**	dormía dormías dormía dormíamos dormíais dormían	dormí dormiste **durmió** dormimos dormisteis **durmieron**	dormiré dormirás dormirá dormiremos dormiréis dormirán	dormiría dormirías dormiría dormiríamos dormiríais dormirían	**duerma** **duermas** **duerma** **durmamos** **durmáis** **duerman**	**durmiera** **durmieras** **durmiera** **durmiéramos** **durmierais** **durmieran**	**duerme (no duermas)** **duerma** **durmamos** dormid (no durmáis) **duerman**

Infinitive Present Participle Past Participle	Present Indicative	Past Imperfect	Preterite	Future	Conditional	Present Subjunctive	Past Subjunctive	Commands
comenzar (e → ie) to begin z → c before e comenzando comenzado	comienzo comienzas comienza comenzamos comenzáis comienzan	comenzaba comenzabas comenzaba comenzábamos comenzabais comenzaban	**comencé** comenzaste comenzó comenzamos comenzasteis comenzaron	comenzaré comenzarás comenzará comenzaremos comenzaréis comenzarán	comenzaría comenzarías comenzaría comenzaríamos comenzaríais comenzarían	**comience** **comiences** **comience** **comencemos** **comencéis** **comiencen**	comenzara comenzaras comenzara comenzáramos comenzarais comenzaran	comienza (**no comiences**) **comience** **comencemos** comenzad (**no comencéis**) **comiencen**
conocer to know c → zc before a, o conociendo conocido	conoces conoce conocemos conocéis conocen **conozco**	conocía conocías conocía conocíamos conocíais conocían	conocí conociste conoció conocimos conocisteis conocieron	conoceré conocerás conocerá conoceremos conoceréis conocerán	conocería conocerías conocería conoceríamos conoceríais conocerían	**conozca** **conozcas** **conozca** **conozcamos** **conozcáis** **conozcan**	conociera conocieras conociera conociéramos conocierais conocieran	conoce (**no conozcas**) **conozca** **conozcamos** conoced (**no conozcáis**) **conozcan**
pagar to pay g → gu before e pagando pagado	pago pagas paga pagamos pagáis pagan	pagaba pagabas pagaba pagábamos pagabais pagaban	**pagué** pagaste pagó pagamos pagasteis pagaron	pagaré pagarás pagará pagaremos pagaréis pagarán	pagaría pagarías pagaría pagaríamos pagaríais pagarían	**pague** **pagues** **pague** **paguemos** **paguéis** **paguen**	pagara pagaras pagara pagáramos pagarais pagaran	paga (**no pagues**) **pague** **paguemos** pagad (**no paguéis**) **paguen**
seguir (e → i, i) to follow gu → g before a, o siguiendo seguido	**sigo** sigues sigue seguimos seguís siguen	seguía seguías seguía seguíamos seguíais seguían	seguí seguiste siguió seguimos seguisteis siguieron	seguiré seguirás seguirá seguiremos seguiréis seguirán	seguiría seguirías seguiría seguiríamos seguiríais seguirían	**siga** **sigas** **siga** **sigamos** **sigáis** **sigan**	siguiera siguieras siguiera siguiéramos siguierais siguieran	sigue (**no sigas**) **siga** **sigamos** seguid (**no sigáis**) **sigan**
tocar to play, to touch c → qu before e tocando tocado	toco tocas toca tocamos tocáis tocan	tocaba tocabas tocaba tocábamos tocabais tocaban	**toqué** tocaste tocó tocamos tocasteis tocaron	tocaré tocarás tocará tocaremos tocaréis tocarán	tocaría tocarías tocaría tocaríamos tocaríais tocarían	**toque** **toques** **toque** **toquemos** **toquéis** **toquen**	tocara tocaras tocara tocáramos tocarais tocaran	toca (**no toques**) **toque** **toquemos** tocad (**no toquéis**) **toquen**

Los verbos irregulares

Infinitive Present Participle Past Participle	Present Indicative	Past Imperfect	Preterite	Future	Conditional	Present Subjunctive	Past Subjunctive	Commands
andar *to walk* andando andado	ando andas anda andamos andáis andan	andaba andabas andaba andábamos andabais andaban	**anduve anduviste anduvo anduvimos anduvisteis anduvieron**	andaré andarás andará andaremos andaréis andarán	andaría andarías andaría andaríamos andaríais andarían	ande andes ande andemos andéis anden	**anduviera anduvieras anduviera anduviéramos anduvierais anduvieran**	anda (no andes) ande andemos andad (no andéis) anden
*dar *to give* dando dado	**doy** das da damos dais dan	daba dabas daba dábamos dabais daban	**di diste dio dimos disteis dieron**	**daré darás dará daremos daréis darán**	daría darías daría daríamos daríais darían	**dé des dé demos deis den**	**diera dieras diera diéramos dierais dieran**	da (**no des**) **dé** demos dad (**no deis**) den
*decir *to say, tell* **diciendo dicho**	**digo dices dice** decimos decís **dicen**	decía decías decía decíamos decíais decían	**dije dijiste dijo dijimos dijisteis dijeron**	**diré dirás dirá diremos diréis dirán**	**diría dirías diría diríamos diríais dirían**	**diga digas diga digamos digáis digan**	**dijera dijeras dijera dijéramos dijerais dijeran**	**di (no digas)** diga digamos decid (**no digáis**) digan
*estar *to be* estando estado	**estoy estás está** estamos estáis **están**	estaba estabas estaba estábamos estabais estaban	**estuve estuviste estuvo estuvimos estuvisteis estuvieron**	estaré estarás estará estaremos estaréis estarán	estaría estarías estaría estaríamos estaríais estarían	**esté estés esté estemos estéis estén**	**estuviera estuvieras estuviera estuviéramos estuvierais estuvieran**	**está (no estés) esté** estemos estad (**no estéis**) **estén**
haber *to have* habiendo habido	**he has ha [hay] hemos habéis han**	había habías había habíamos habíais habían	**hube hubiste hubo hubimos hubisteis hubieron**	**habré habrás habrá habremos habréis habrán**	**habría habrías habría habríamos habríais habrían**	**haya hayas haya hayamos hayáis hayan**	**hubiera hubieras hubieran hubiéramos hubierais hubieran**	**he (no hayas)** haya hayamos habed (**no hayáis**) hayan
*hacer *to make, to do* haciendo **hecho**	**hago** haces hace hacemos hacéis hacen	hacía hacías hacía hacíamos hacíais hacían	**hice hiciste hizo hicimos hicisteis hicieron**	**haré harás hará haremos haréis harán**	**haría harías haría haríamos haríais harían**	**haga hagas haga hagamos hagáis hagan**	**hiciera hicieras hiciera hiciéramos hicierais hicieran**	**haz (no hagas) haga** hagamos haced (**no hagáis**) hagan

*Verbs with irregular *yo* forms in the present indicative

(continued)

Infinitive / Present Participle / Past Participle	Present Indicative	Past Imperfect	Preterite	Future	Conditional	Present Subjunctive	Past Subjunctive	Commands
ir *to go* **yendo** **ido**	**voy** vas va **vamos** vais van	iba ibas iba **íbamos** ibais iban	**fui** **fuiste** **fue** **fuimos** **fuisteis** **fueron**	iré irás irá iremos iréis irán	iría irías iría iríamos iríais irían	**vaya** **vayas** **vaya** **vayamos** **vayáis** **vayan**	fuera fueras fuera fuéramos fuerais fueran	**ve (no vayas)** vaya **vamos (no vayamos)** id (no vayáis) vayan
*oir *to hear* **oyendo** **oído**	**oigo** **oyes** **oye** **oímos** **oís** **oyen**	oía oías oía oíamos oíais oían	oí **oíste** **oyó** **oímos** **oísteis** **oyeron**	oiré oirás oirá oiremos oiréis oirán	oiría oirías oiría oiríamos oiríais oirían	oiga oigas oiga oigamos oigáis oigan	oyera oyeras oyera oyéramos oyerais oyeran	**oye (no oigas)** oiga oigamos oíd (no oigáis) oigan
poder (o → ue) *can, to be able* **pudiendo** podido	**puedo** **puedes** **puede** podemos podéis **pueden**	podía podías podía podíamos podíais podían	**pude** **pudiste** **pudo** **pudimos** **pudisteis** **pudieron**	**podré** **podrás** **podrá** **podremos** **podréis** **podrán**	**podría** **podrías** **podría** **podríamos** **podríais** **podrían**	**pueda** **puedas** **pueda** podamos podáis **puedan**	**pudiera** **pudieras** **pudiera** **pudiéramos** **pudierais** **pudieran**	**puede (no puedas)** **pueda** podamos poded (no podáis) **puedan**
*poner *to place, to put* **poniendo** **puesto**	**pongo** pones pone ponemos ponéis ponen	ponía ponías ponía poníamos poníais ponían	**puse** **pusiste** **puso** **pusimos** **pusisteis** **pusieron**	**pondré** **pondrás** **pondrá** **pondremos** **pondréis** **pondrán**	**pondría** **pondrías** **pondría** **pondríamos** **pondríais** **pondrían**	**ponga** **pongas** **ponga** **pongamos** **pongáis** **pongan**	**pusiera** **pusieras** **pusiera** **pusiéramos** **pusierais** **pusieran**	**pon (no pongas)** **ponga** **pongamos** poned (no pongáis) **pongan**
querer (e → ie) *to like* **queriendo** **querido**	**quiero** **quieres** **quiere** queremos queréis **quieren**	quería querías quería queríamos queríais querían	**quise** **quisiste** **quiso** **quisimos** **quisisteis** **quisieron**	**querré** **querrás** **querrá** **querremos** **querréis** **querrán**	**querría** **querrías** **querría** **querríamos** **querríais** **querrían**	**quiera** **quieras** **quiera** queramos queráis **quieran**	**quisiera** **quisieras** **quisiera** **quisiéramos** **quisierais** **quisieran**	**quiere (no quieras)** **quiera** queramos quered (no queráis) **quieran**
*saber *to know* **sabiendo** sabido	**sé** sabes sabe sabemos sabéis saben	sabía sabías sabía sabíamos sabíais sabían	**supe** **supiste** **supo** **supimos** **supisteis** **supieron**	**sabré** **sabrás** **sabrá** **sabremos** **sabréis** **sabrán**	**sabría** **sabrías** **sabría** **sabríamos** **sabríais** **sabrían**	**sepa** **sepas** **sepa** **sepamos** **sepáis** **sepan**	**supiera** **supieras** **supiera** **supiéramos** **supierais** **supieran**	**sabe (no sepas)** **sepa** **sepamos** sabed (no sepáis) **sepan**

*Verbs with irregular *yo* forms in the present indicative

Infinitive / Present Participle / Past Participle	Present Indicative	Past Imperfect	Preterite	Future	Conditional	Present Subjunctive	Past Subjunctive	Commands
salir *to go out* saliendo salido	salgo sales sale salimos salís salen	salía salías salía salíamos salíais salían	salí saliste salió salimos salisteis salieron	saldré saldrás saldrá saldremos saldréis saldrán	saldría saldrías saldría saldríamos saldríais saldrían	salga salgas salga salgamos salgáis salgan	saliera salieras saliera saliéramos salierais salieran	sal (no salgas) salga salgamos salid (no salgáis) salgan
ser *to be* siendo sido	soy eres es somos sois son	era eras era éramos erais eran	fui fuiste fue fuimos fuisteis fueron	seré serás será seremos seréis serán	sería serías sería seríamos seríais serían	sea seas sea seamos seáis sean	fuera fueras fuera fuéramos fuerais fueran	sé (no seas) sea seamos sed (no seáis) sean
tener (e → ie) *to have* teniendo tenido	tengo tienes tiene tenemos tenéis tienen	tenía tenías tenía teníamos teníais tenían	tuve tuviste tuvo tuvimos tuvisteis tuvieron	tendré tendrás tendrá tendremos tendréis tendrán	tendría tendrías tendría tendríamos tendríais tendrían	tenga tengas tenga tengamos tengáis tengan	tuviera tuvieras tuviera tuviéramos tuvierais tuvieran	ten (no tengas) tenga tengamos tened (no tengáis) tengan
traer *to bring* trayendo traído	traigo traes trae traemos traéis traen	traía traías traía traíamos traíais traían	traje trajiste trajo trajimos trajisteis trajeron	traeré traerás traerá traeremos traeréis traerán	traería traerías traería traeríamos traeríais traerían	traiga traigas traiga traigamos traigáis traigan	trajera trajeras trajera trajéramos trajerais trajeran	trae (no traigas) traiga traigamos traed (no traigáis) traigan
venir (e → ie, i) *to come* viniendo venido	vengo vienes viene venimos venís vienen	venía venías venía veníamos veníais venían	vine viniste vino vinimos vinisteis vinieron	vendré vendrás vendrá vendremos vendréis vendrán	vendría vendrías vendría vendríamos vendríais vendrían	venga vengas venga vengamos vengáis vengan	viniera vinieras viniera viniéramos vinierais vinieran	ven (no vengas) venga vengamos venid (no vengáis) vengan
ver *to see* viendo visto	veo ves ve vemos veis ven	veía veías veía veíamos veíais veían	vi viste vio vimos visteis vieron	veré verás verá veremos veréis verán	vería verías vería veríamos veríais verían	vea veas vea veamos veáis vean	viera vieras viera viéramos vierais vieran	ve (no veas) vea veamos ved (no veáis) vean

*Verbs with irregular *yo* forms in the present indicative

Supplemental Structures

The following structures are not actively taught in *¡Dímelo tú!* They are presented here for reference.

1. Perfect tenses

In **Capítulo 11** you learned that the present perfect tense is formed by combining the present indicative of the verb **haber** with the past participle. Similarly, the past perfect, future perfect, and conditional perfect tenses are formed by combining the imperfect, future, and conditional of **haber** with the past participle.

Past perfect		Future perfect		Conditional perfect	
había		habré		habría	
habías		habrás		habrías	
había	+ past	habrá	+ past	habría	+ past
habíamos	participle	habremos	participle	habríamos	participle
habíais		habréis		habríais	
habían		habrán		habrían	

In general, the use of these perfect tenses parallels their use in English.

Dijo que **había vivido** allí seis años.	*He said he had lived there six years.*
Para el año 2011, **habremos terminado** nuestros estudios aquí.	*By the year 2011, we will have finished our studies here.*
Yo lo **habría hecho** por ti.	*I would have done it for you.*

The present perfect subjunctive and past perfect subjunctive are likewise formed by combining the present subjunctive and past subjunctive of **haber** with the past participle.

Present perfect subjunctive		Past perfect subjunctive	
haya		hubiera	
hayas		hubieras	
haya	+ past	hubiera	+ past
hayamos	participle	hubiéramos	participle
hayáis		hubierais	
hayan		hubieran	

These tenses are used whenever the independent clause in a sentence requires the subjunctive and the verb in the dependent clause represents an action completed prior to the time indicated by the verb in the independent clause. If the time of the verb in the independent clause is present or future, the present perfect subjunctive is used; if the time is past or conditional, the past perfect subjunctive is used.

Dudo que lo **hayan leído.**

Si **hubieras llamado,** no tendríamos este problema ahora.

I doubt that they have read it.

If you had called, we would not have this problem now.

2. Past progressive tense

In **Capítulo 3** you learned that the present progressive tense is formed with the present indicative of **estar** and a present participle. The past progressive tense is formed with the imperfect of **estar** and a present participle.

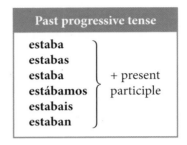

Past progressive tense
estaba
estabas
estaba
estábamos
estabais
estaban

+ present participle

The past progressive tense is used to express or describe an action that was in progress at a particular moment in the past.

Estábamos comiendo cuando llamaste.

¿Quién **estaba hablando** por teléfono?

We were eating when you called.

Who was talking on the phone?

Another past progressive tense can also be formed with the preterite of **estar** and the present participle. However, its use is of much lower frequency in Spanish.

3. Probability in the past and in the future

Spanish uses both the future and conditional tenses to express probability or conjecture about present or past events or states of being.

¿Qué hora es?

No sé; **serán** las ocho.

¿Qué **estarían** haciendo?

Estarían divirtiéndose.

What time is it?

I don't know; it's probably 8:00.

I wonder what they were doing.

They were probably having a good time.

Note that the words *probably* and *I wonder* are not expressed in Spanish, as the verb tenses convey this idea.

4. Stressed possessive adjectives and pronouns

In **Capítulo 2** you learned to express possession using **de** or the possessive adjectives **mi(s), tu(s), su(s), nuestro(a, os, as), vuestro(a, os, as).** Possession may also be expressed using the stressed possessive adjectives equivalent to the English *of mine, of yours, of ours, of theirs.*

Stressed possessive adjectives and pronouns							
mío **míos**	**mía** **mías**	} *my, (of) mine*		**nuestro** **nuestros**	**nuestra** **nuestras**	} *our, (of) ours*	
tuyo **tuyos**	**tuya** **tuyas**	} *your, (of) yours*		**vuestro** **vuestros**	**vuestra** **vuestras**	} *your, (of) yours*	
suyo **suyos**	**suya** **suyas**	} *its, his, (of) his* *hers, (of) hers* *your, (of) yours*		**suyo** **suyos**	**suya** **suyas**	} *their, (of) theirs* *your, (of) yours*	

A. As adjectives, the stressed possessives must agree in number and gender with the thing possessed.

Una amiga **mía** viene a visitarme hoy.   *A friend of mine is coming to visit me today.*
¿Qué hay en las maletas **suyas,** señor?   *What do you have in your suitcases, sir?*
El coche **nuestro** nunca funciona.   *Our car never works.*

Note that stressed possessive adjectives *always* follow the noun they modify. Also note that the noun must be preceded by an article.

B. Stressed possessive adjectives can be used as possessive pronouns by eliminating the noun.

¿Dónde está **la suya,** señor?   *Where is yours, sir?*
El nuestro nunca funciona.   *Ours never works.*

Note that both the article and possessive adjective must agree in number and gender with the noun that has been eliminated.

C. A stressed possessive pronoun may be used without the article after the verb **ser.**

Esta maleta no es **mía,** señor.   *This suitcase is not mine, sir.*
¿Es **suya,** señora?   *Is it yours, ma'am?*

5. Prepositional pronouns

Pronouns used as objects of a preposition are identical to the subject pronouns with the exception of **mí** and **ti.**

Prepositional pronouns			
mí	*me*	**nosotros(as)**	*us*
ti	*you* (fam.)	**vosotros(as)**	*you* (fam.)
usted	*you*	**ustedes**	*you*
él	*him*	**ellos**	*them*
ella	*her*	**ellas**	*them*

Esta carta no es **para ella,** es **para ti.**	*This letter is not for her, it's for you.*
Habló **después de mí.**	*She spoke after me.*
¿Es posible que terminen **antes de nosotros?**	*Is it possible they will finish before us?*

Note that **mí** has a written accent to distinguish it from the possessive adjective **mi.**

A. The prepositional pronouns **mí** and **ti** combine with the preposition **con** to form **conmigo** *(with me)* and **contigo** *(with you).*

| Si tú estudias **conmigo** esta noche, yo iré **contigo** al médico. | *If you study with me tonight, I'll go with you to the doctor.* |

B. The subject pronouns **yo** and **tú** follow the prepositions **como, entre, excepto,** and **según** instead of **mí** and **ti.**

| **Según tú,** yo no sé nada. | *According to you, I don't know anything.* |
| **Entre tú** y **yo,** tienes razón. | *Between you and me, you are right.* |

6. Demonstrative pronouns

Demonstrative adjectives may be used as pronouns. They used to be written with an accent mark to distinguish them from their demonstrative adjective counterparts. The new RAE (Real Academia Española) rule establishes that demonstrative pronouns should follow accent rules and therefore, not carry a written accent, unless there is ambiguity.

| Esta novela es excelente; **esa** es aburridísima. | *This novel is excellent; that one is extremely boring.* |
| Ese señor es el jefe, y **aquellos** son sus empleados. | *That gentleman is the boss, and those are his employees.* |

The neuter demonstratives **esto, eso,** and **aquello** are used to refer to a concept, an idea, a situation, a statement, or an unknown object.

| ¡**Esto** es imposible! | *This is impossible!* |
| ¿Qué es **eso?** | *What is that?* |

7. Past participles used as adjectives

The past participle may be used as an adjective, and like all adjectives in Spanish, it must agree in number and gender with the noun it modifies.

| Los coches **hechos** en Hungría y en Corea son más baratos. | *Cars made in Hungary and Korea are cheaper.* |
| Sí, pero yo prefiero uno **hecho** y **comprado** en los EE.UU. | *Yes, but I prefer one made and bought in the United States.* |

Frequently, the past participle is used as an adjective with the verb **estar.**

| Mira, tus lentes **están rotos.** | *Look, your glasses are broken.* |
| El despertador **estaba puesto.** | *The alarm was turned on.* |

8. Present subjunctive of stem-changing verbs

A. Stem-changing -**ar** and -**er** verbs follow the same stem changes in the present subjunctive as in the present indicative. Note that the stems of the **nosotros** and **vosotros** forms do not change.

contar (ue)	
cuente	contemos
cuentes	contéis
cuente	cuenten

perder (ie)	
pierda	perdamos
pierdas	perdáis
pierda	pierdan

B. Stem-changing -**ir** verbs follow the same pattern in the present subjunctive, except for the **nosotros** and **vosotros** forms. These change **e → i** or **o → u.**

morir (ue)	
muera	muramos
mueras	muráis
muera	mueran

preferir (ie)	
prefiera	prefiramos
prefieras	prefiráis
prefiera	prefieran

pedir (i)	
pida	pidamos
pidas	pidáis
pida	pidan

9. Present subjunctive of verbs with spelling changes

As in the preterite, verbs that end in -**car,** -**gar,** and -**zar** undergo a spelling change in the present subjunctive in order to maintain the consonant sound of the infinitive.

A. -**car:**   **c** changes to **qu** in front of **e**

     buscar: bus**que**, bus**ques**, bus**que**...

B. -**zar:**   **z** changes to **c** in front of **e**

     almorzar: almuer**ce**, almuer**ces**, almuer**ce**...

C. -**gar:**   **g** changes to **gu** in front of **e**

     jugar: jue**gue**, jue**gues**, jue**gue**...

10. Past subjunctive: Conditional sentences with *si* clauses

The past subjunctive of *all* verbs is formed by removing the -**ron** ending from the **ustedes** form of the preterite and adding the past subjunctive verb endings: -**ra, -ras, -ra, -ramos, -rais, -ran.*** Thus, any irregularities in the **ustedes** form of the preterite will be reflected in all forms of the past subjunctive. Note that the **nosotros** form requires a written accent.

comprar	
compra~~ron~~	
comprara	compráramos
compraras	comprarais
comprara	compraran

tener	
tuvie~~ron~~	
tuviera	tuviéramos
tuvieras	tuvierais
tuviera	tuvieran

ser	
fueron	
fuera	fuéramos
fueras	fuerais
fuera	fueran

A. The past subjunctive has the same uses as the present subjunctive, except that it generally applies to past events or actions.

Insistieron en que **fuéramos.**	*They insisted that we go.*
Era imposible que lo **terminaran** a tiempo.	*It was impossible for them to finish it on time.*

B. In Spanish, as in English, conditional sentences express hypothetical conditions usually with an *if*-clause: *I would go if I had the money.* Since the actions are hypothetical and one does not know if they will actually occur, the past subjunctive is used in the *if*-clause.

Iría a Perú si **tuviera** el dinero.	*I would go to Peru if I had the money.*
Si **fuera** necesario, pediría un préstamo.	*If it were necessary, I would ask for a loan.*

C. Conditional sentences in the present use either the present indicative or the future tense. The present subjunctive is never used in *if*-clauses.

Si me **invitas,** iré contigo.	*If you invite me, I'll go with you.*

---

* An alternate form of the past subjunctive uses the verb endings -**se, -ses, -se, -semos, -seis, -sen.** This form is used primarily in Spain and in literary writing. It is not practiced in this text.

Grammar Guide

For more detailed explanations of these grammar points, consult the Index on pages I-1–I-5 to find the places where these concepts are presented.

ACTIVE VOICE (La voz activa) A sentence written in the active voice identifies a subject that performs the action of the verb.

Juan	cantó	la canción.
Juan	***sang***	***the song.***
subject	**verb**	**direct object**

In the sentence above Juan is the performer of the verb **cantar**.

(*See also* **Passive Voice.**)

ADJECTIVES (Los adjetivos) are words that modify or describe **nouns** or **pronouns** and agree in **number** and generally in **gender** with the nouns they modify.

Las casas **azules** son **bonitas.**
*The **blue** houses are **pretty.***

Esas mujeres **mexicanas** son mis **nuevas** amigas.
*Those **Mexican** women are my **new** friends.*

- **Demonstrative adjectives (Los adjetivos demostrativos)** point out persons, places, or things relative to the position of the speaker. They always agree in **number** and **gender** with the **noun** they modify. The forms are: **este, esta, estos, estas / ese, esa, esos, esas / aquel, aquella, aquellos, aquellas.** There are also neuter forms that refer to generic ideas or things, and hence have no gender: **esto, eso, aquello.**

Este libro es fácil.	***This*** *book is easy.*
Esos libros son difíciles.	***Those*** *books are hard.*
Aquellos libros son pesados.	***Those*** *books **(over there)** are boring.*

Demonstratives may also function as **pronouns,** replacing the **noun** but still agreeing with it in **number** and **gender:**

Me gustan esas blusas verdes.	*I like those green blouses.*
¿Cuáles, **estas?**	*Which ones, **these?***
No. Me gustan **esas.**	*No. I like **those.***

- **Stressed possessive adjectives (Los adjetivos posesivos acentuados)** are used for emphasis and follow the noun that they modifiy. These adjectives may also function as pronouns and always agree in **number** and in **gender.** The forms are: **mío, tuyo, suyo, nuestro, vuestro, suyo.** Unless they are directly preceded by the verb **ser,** stressed possessives must be preceded by the **definite article.**

Ese perro pequeño es **mío.**	*That little dog is **mine.***
Dame el **tuyo;** el **nuestro** no funciona.	*Give me **yours; ours** doesn't work.*

- **Unstressed possessive adjectives (Los adjetivos posesivos no acentuados)** demonstrate ownership and always precede the **noun** that they modify.

La señora Elman es **mi** profesora.	*Mrs. Elman is **my** professor.*
Debemos llevar **nuestros** libros a clase.	*We should take **our** books to class.*

ADVERBS (Los adverbios) are words that modify **verbs, adjectives,** or other adverbs and, unlike **adjectives,** do not have **gender** or **number.** Here are examples of different classes of adverbs:

Practicamos **diariamente.**	*We practice **daily.*** (adverb of manner)
Ellos van a salir **pronto.**	*They will leave **soon.*** (adverb of time)
Jennifer está **afuera.**	*Jennifer is **outside.*** (adverb of place)
No quiero ir **tampoco.**	*I don't want to go **either.*** (adverb of negation)
Paco habla **demasiado.**	*Paco talks **too much.*** (adverb of quantity)

AGREEMENT (La concordancia) refers to the correspondence between parts of speech in terms of **number, gender,** and **person.** Subjects agree with their verbs; articles and adjectives agree with the nouns they modify, etc.

Toda**s** la**s** lengua**s** son interesante**s.**	*All languages are interesting.* (number)
Ella es bonit**a.**	*She is pretty.* (gender)
Nosotros somos de España.	*We are from Spain.* (person)

ARTICLES (Los artículos) precede nouns and indicate whether they are definite or indefinite persons, places, or things.

- **Definite articles (Los artículos definidos)** refer to particular members of a group and are the equivalent of *the* in English. The definite articles are: **el, la, los, las.**

El hombre guapo es mi padre.	***The** handsome man is my father.*
Las mujeres de esta clase son inteligentes.	***The** women in this class are intelligent.*

- **Indefinite articles (Los artículos indefinidos)** refer to any unspecified member(s) of a group and are the equivalent of *a(n)* and *some.* The indefinite articles are: **un, una, unos, unas.**

Un hombre vino a nuestra casa anoche.	***A** man came to our house last night.*
Unas niñas jugaban en el parque.	***Some** girls were playing in the park.*

CLAUSES (Las cláusulas) are subject and verb combinations; for a sentence to be complete it must have at least one main clause.

- **Main clauses** (Independent clauses) **(Las cláusulas principales)** communicate a complete idea or thought.

Mi hermana va al hospital.	*My sister goes to the hospital.*

- **Subordinate clauses** (Dependent clauses) **(Las cláusulas subordinadas)** depend upon a main clause for their meaning to be complete.

Mi hermana va al hospital	cuando está enferma.
My sister goes to the hospital	*when she is ill.*
main clause	**subordinate clause**

In the sentence above, *when she is ill* is not a complete idea without the information supplied by the main clause.

COMMANDS (Los mandatos) (*See* **Imperatives.**)

COMPARISONS (Las formas comparativas) are statements that describe one person, place, or thing relative to another in terms of quantity, quality, or manner.

- **Comparisons of equality (Las formas comparativas de igualdad)** demonstrate an equal share of a quantity or degree of a particular characteristic. These statements use a form of **tan(to)(ta)(s)** and **como.**

Ella tiene **tanto** dinero **como** Elena.	*She has **as much** money **as** Elena.*
Fernando trabaja **tanto como** Felipe.	*Fernando works **as much as** Felipe.*
Jim baila **tan** bien **como** Anne.	*Jim dances **as well as** Anne.*

- **Comparisons of inequality (Las formas comparativas de desigualdad)** indicate a difference in quantity, quality, or manner between the compared subjects. These statements use **más/menos... que** or comparative **adjectives** such as **mejor/peor, mayor/menor.**

España tiene **más** playas **que** México.	*Spain has **more** beaches **than** Mexico.*
Tú hablas español **mejor que** yo.	*You speak Spanish **better than** I.*

(*See also* **Superlative statements.**)

CONJUGATIONS (Las conjugaciones) represent the inflected form of the verb as it is used with a particular **subject** or **person**.

Yo **bailo** los sábados.	*I dance on Saturdays.* (1st-person singular)
Tú **bailas** los sábados.	*You dance on Saturdays.* (2nd-person singular)
Ella **baila** los sábados.	*She dances on Saturdays.* (3rd-person singular)
Nosotros **bailamos** los sábados.	*We dance on Saturdays.* (1st-person plural)
Vosotros **bailáis** los sábados.	*You dance on Saturdays.* (2nd-person plural)
Ellos **bailan** los sábados.	*They dance on Saturdays.* (3rd-person plural)

CONJUNCTIONS (Las conjunciones) are linking words that join two independent **clauses** together.

Fuimos al centro **y** mis amigos compraron muchas cosas.
*We went downtown **and** my friends bought a lot of things.*

Yo quiero ir a la fiesta, **pero** tengo que estudiar.
*I want to go to the party, **but** I have to study.*

CONTRACTIONS (Las contracciones) in Spanish are limited to preposition/article combinations, such as **de + el = del** and **a + el = al,** or preposition/pronoun combinations such as **con + mí = conmigo** and **con + ti = contigo.**

DIRECT OBJECTS (Los objetos directos) in sentences are the direct recipients of the action of the verb. Direct objects answer the questions *What?* or *Whom?*

¿Qué hizo?	*What did she do?*
Ella hizo **la tarea.**	*She did her **homework.***
Y luego llamó **a su amiga.**	*And then called **her friend.***

(*See also* **Pronoun, Indirect Object, Personal *a*.**)

EXCLAMATORY WORDS (Las palabras exclamativas) communicate surprise or strong emotion. Like interrogative words, exclamatory also carry accents.

¡Qué sorpresa!	***What** a surprise!*
¡Cómo canta Miguel!	***How well** Miguel sings!*

(*See also* **Interrogatives.**)

GENDER (El género) is a grammatical feature of Romance languages that classifies words as either masculine or feminine. The gender of the word is sometimes used to distinguish meaning (**la papa** = *the potato,* but **el Papa** = *the Pope;* **la policía** = *the police force,* but **el policía** = *the policeman*). It is important to memorize the gender of nouns when you learn the nouns.

GERUNDS (Los gerundios) are the Spanish equivalent of the *-ing* verb form in English. Regular gerunds are created by replacing the **infinitive** endings (**-ar, -er/-ir**) with **-ando** or **-iendo.** Gerunds are often used with the verb **estar** to form the present progessive tense. The present progressive tense places emphasis on the continuing or progressive nature of an action.

Miguel está **cantando** en la ducha.	*Miguel is **singing** in the shower.*
Me gusta **bailar.**	*I like **dancing**.*
Detesto **mirar** los anuncios de la television.	*I hate **watching** TV commercials!*

(*See also* **Present Participle.**)

IDIOMATIC EXPRESSIONS (Las frases idiomáticas) are phrases in Spanish that do not have a literal English equivalent.

Hace mucho frío.	*It is very cold.* (Literally, *It makes a lot of cold.*)

IMPERATIVES (Los imperativos) represent the mood used to express requests or commands. It is more direct than the **subjunctive** mood. Imperatives are commonly called commands and fall into two categories: affirmative and negative. Spanish speakers must also choose between using formal commands and informal commands based upon whether one is addressed as **usted** (formal) or **tú** (informal).

Habla conmigo.	**Talk** to me. (informal, affirmative)
No me hables.	**Don't talk** to me. (informal, negative)
Hable con la policía.	**Talk** to the police. (formal, singular, affirmative)
No hable con la policía.	**Don't talk** to the police. (formal, singular, negative)
Hablen con la policía.	**Talk** to the police. (formal, plural, affirmative)
No hablen con la policía	**Don't talk** to the police. (formal, plural, negative)

(*See also* **Mood.**)

IMPERFECT (El imperfecto) The imperfect tense is used to make statements about the past when the speaker wants to convey the idea of 1) habitual or repeated action, 2) two actions in progress simultaneously, or 3) an event that was in progress when another action interrupted. The imperfect tense is also used to emphasize the ongoing nature of the middle of the event, as opposed to its beginning or end. Age and clock time are always expressed using the imperfect.

Cuando María **era** joven, ella **cantaba** en el coro.
*When María **was** young, she **used to sing** in the choir.*

Aquel día **llovía** mucho y el cielo **estaba** oscuro.
*That day **it was raining** a lot and the sky **was** dark.*

Juan **dormía** cuando sonó el teléfono.
*Juan **was sleeping** when the phone rang.*

(*See also* **Preterite.**)

IMPERSONAL EXPRESSIONS (Las expresiones impersonales) are statements that contain the impersonal subjects of *it* or *one*.

Es necesario estudiar.	***It is necessary** to study.*
Se necesita estudiar.	***One needs to** study.*

(*See also* **Passive Voice.**)

INDEFINITE WORDS (Las palabras indefinidas) are **articles, adjectives, nouns** or **pronouns** that refer to unspecified members of a group.

Un hombre vino.	***A** man came.* (indefinite article)
Alguien vino.	***Someone** came.* (indefinite noun)
Algunas personas vinieron.	***Some** people came.* (indefinite adjective)
Algunas vinieron.	***Some** came.* (indefinite pronoun)

(*See also* **Articles.**)

INDICATIVE (El indicativo) The indicative is a mood, rather than a tense. The indicative is used to express ideas that are considered factual or certain and, therefore, not subject to speculation, doubt, or negation.

Josefina **es** española.
(present indicative)
*Josefina **is** Spanish.*

(*See also* **Mood.**)

INDIRECT OBJECTS (Los objetos indirectos) are the indirect recipients of an action in a sentence and answer the questions *To whom?* or *For whom?* In Spanish it is common to include an indirect object **pronoun** along with the indirect object.

Yo **le** di el libro **a Sofía.**	*I gave the book **to Sofía.***
Sofía **les** guardó el libro **para sus padres.**	*Sofía kept the book **for her parents.***

(*See also* **Direct Objects** and **Pronouns.**)

INFINITIVES (Los infinitivos) are verb forms that are uninflected or not **conjugated** according to a specific **person.** In English, infinitives are preceded by *to: to talk, to eat, to live.* Infinitives in Spanish end in -**ar (hablar)**, -**er (comer)**, and -**ir (vivir)**.

INTERROGATIVES (Las formas interrogativas) are used to pose questions and carry accent marks to distinguish them from other uses. Basic interrogative words include: **quién(es), qué, cómo, cuánto(a)(s), cuándo, por qué, dónde.**

¿**Qué** quieres?	***What** do you want?*
¿**Cuándo** llegó ella?	***When** did she arrive?*
¿De **dónde** eres?	***Where** are you from?*

(*See also* **Exclamatory Words.**)

MOOD (El modo) is like the word *mode*, meaning *manner* or *way.* It indicates the way in which the speaker views an action, or his/her attitude toward the action. Besides the **imperative** mood, which is simply giving commands, you learn two basic moods in Spanish: the **subjunctive** and the **indicative.** Basically, the subjunctive mood communicates an attitude of uncertainty or negation toward the action, while the indicative indicates that the action is certain or factual. Within each of these moods there are many **tenses.** Hence you have the present indicative and the present subjunctive, the present perfect indicative and the present perfect subjunctive, etc.

- **Indicative mood (El indicativo)** implies that what is stated or questioned is regarded as true.

Yo **quiero** ir a la fiesta.	*I want to go to the party.*
¿Quieres ir conmigo?	*Do you want to go with me?*

- **Subjunctive mood (El subjuntivo)** indicates a recommendation, a statement of doubt or negation, or a hypothetical situation.

Yo recomiendo que tú **vayas** a la fiesta.	*I recommend that **you go** to the party.*
Dudo que **vayas** a la fiesta.	*I doubt that **you'll go** to the party.*
No creo que **vayas** a la fiesta.	*I don't believe that **you'll go** to the party.*
Si **fueras** a la fiesta, te divertirías.	*If **you were to go** to the party, you would have a good time.*

- **Imperative mood (El imperativo)** is used to make a command or request.

¡**Ven** conmigo a la fiesta!	*Come with me to the party!*

(*See also* **Indicative, Imperative,** *and* **Subjunctive.**)

NEGATION (La negación) takes place when a negative word, such as **no,** is placed before an affirmative sentence. In Spanish, double negatives are common.

Yolanda va a cantar esta noche.	*Yolanda will sing tonight.* (affirmative)
Yolanda **no** va a cantar esta noche.	*Yolanda will **not** sing tonight.* (negative)
Ramón quiere algo.	*Ramón wants something.* (affirmative)
Ramón **no** quiere **nada.**	*Ramón **doesn't** want **anything.*** (negative)

NOUNS (Los sustantivos) are persons, places, things, or ideas. Names of people, countries, and cities are proper nouns and are capitalized.

Alberto	*Albert* (person)
el pueblo	*town* (place)
el diccionario	*dictionary* (thing)

ORTHOGRAPHY (La ortografía) refers to the spelling of a word or anything related to spelling such as accentuation.

PASSIVE VOICE (La voz pasiva), as compared to **active voice (la voz activa),** places emphasis on the action itself rather than the agent of the action (the person or thing that is indirectly responsible for committing the action). The passive **se** is used when there is no apparent agent of the action.

Luis vende los coches.	*Luis sells the cars.* (active voice)
Los coches **son vendidos por** Luis.	*The cars **are sold by** Luis.* (passive voice)
Se venden los coches.	*The cars **are sold.*** (passive voice)

(*See also* **Active Voice.**)

PAST PARTICIPLES (Los participios pasados) are verb forms used in compound tenses such as the **present perfect.** Regular past participles are formed by dropping the **-ar** or **-er/-ir** from the **infinitive** and adding **-ado** or **-ido.** Past participles are the equivalent of verbs ending in *-ed* in English. They may also be used as **adjectives,** in which case they agree in **number** and **gender** with their nouns. Irregular past participles include: **escrito, roto, dicho, hecho, puesto, vuelto, muerto, cubierto.**

Marta ha **subido** la montaña.	*Marta has **climbed** the mountain.*
Hemos **hablado** mucho por teléfono.	*We have **talked** a lot on the phone.*
La novela **publicada** en 1995 es su mejor novela.	*The novel **published** in 1995 is her best novel.*

PERFECT TENSES (Los tiempos perfectos) communicate the idea that an action has taken place before now (present perfect) or before a moment in the past (past perfect). The perfect tenses are compound tenses consisting of the verb **haber** plus the **past participle** of a second verb.

Yo **he comido.**	*I have eaten.* (present perfect indicative)
Antes de la fiesta, yo ya **había comido.**	*Before the party **I had already eaten.*** (past perfect indicative)
Yo espero que **hayas comido.**	*I hope that **you have eaten.*** (present perfect subjunctive)
Yo esperaba que **hubieras comido.**	*I hoped that **you had eaten.*** (past perfect subjunctive)

PERSON (La persona) refers to changes in the subject pronouns that indicate if one is speaking (first person), if one is spoken to (second person), or if one is spoken about (third person).

Yo hablo.	*I speak.* (1st-person singular)
Tú hablas.	*You speak.* (2nd-person singular)
Ud./Él/Ella habla.	*You/He/She speak(s).* (3rd-person singular)
Nosotros(as) hablamos.	*We speak.* (1st-person plural)
Vosotros(as) habláis.	*You speak.* (2nd-person plural)
Uds./Ellos/Ellas hablan.	*They speak.* (3rd-person plural)

PREPOSITIONS (Las preposiciones) are linking words indicating spatial or temporal relations between two words.

Ella nadaba **en** la piscina.	*She was swimming **in** the pool.*
Yo llamé **antes de** las nueve.	*I called **before** nine o'clock.*
El libro es **para** ti.	*The book is **for** you.*
Voy **a** la oficina.	*I'm going **to** the office.*
Jorge es **de** Paraguay.	*Jorge is **from** Paraguay.*

PRESENT PARTICIPLE (*See* **Gerunds.**)

PRETERITE (El pretérito) The preterite tense, as compared to the **imperfect tense,** is used to talk about past events with specific emphasis on the beginning or the end of the action, or emphasis on the completed nature of the action as a whole.

Anoche yo **empecé** a estudiar a las once y **terminé** a la una.
*Last night I **began** to study at eleven o'clock and **finished** at one o'clock.*

Esta mañana **me desperté** a las siete, **desayuné, me duché** y **vine** al campus para las ocho.
*This morning **I woke up** at seven, **I ate** breakfast, **I showered,** and **I came** to campus by eight.*

PERSONAL A (La *a* personal) The personal **a** refers to the placement of the preposition **a** before the name of a person when that person is the **direct object** of the sentence.

Voy a llamar **a** María.	*I'm going to call María.*

PRONOUNS (Los pronombres) are words that substitute for **nouns** in a sentence.

Yo quiero **este.**	*I want **this one.*** (demonstrative—points out a specific person, place, or thing)
¿Quién es tu amigo?	***Who** is your friend?* (interrogative—used to ask questions)
Yo voy a llamar**la.**	*I'm going to call **her.*** (direct object—replaces the direct object of the sentence)
Ella va a dar**le** el reloj.	*She is going to give **him** the watch.* (indirect object—replaces the indirect object of the sentence)
Juan **se** baña por la mañana.	*Juan bathes **himself** in the morning.* (reflexive—used with reflexive verbs to show that the agent of the action is also the recipient)
Es la mujer **que** conozco.	*She is the woman **that** I know.* (relative—used to introduce a clause that describes a noun)
Nosotros somos listos.	*We are clever.* (subject—replaces the noun that performs the action or state of a verb)

SUBJECTS (Los sujetos) are the persons, places, or things that perform the action or state of being of a verb. The **conjugated** verb always agrees with its subject.

Carlos siempre baila solo.	***Carlos** always dances alone.*
Colorado y **California** son mis estados preferidos.	***Colorado** and **California** are my favorite states.*
La cafetera produce el café.	*The **coffee pot** makes the coffee.*

(*See also* **Active Voice.**)

SUBJUNCTIVE (El subjuntivo) The subjunctive mood is used to express speculative, doubtful, or hypothetical situations. It also communicates a degree of subjectivity or influence of the main clause over the subordinate clause.

No creo que **tengas** razón.	*I don't think that **you're** right.*
Si yo **fuera** el jefe, pagaría más a mis empleados.	*If I **were** the boss, I would pay my employees more.*
Quiero que **estudies** más.	*I want **you to study** more.*

(*See also* **Mood, Indicative.**)

SUPERLATIVE STATEMENTS (Las frases superlativas) are formed by adjectives or adverbs to make comparisons among three or more members of a group. To form superlatives, add a definite article (**el, la, los, las**) before the comparative form.

Juan es **el más alto** de los tres.	*Juan is **the tallest** of the three.*
Este coche es **el más rápido** de todos.	*This car is **the fastest** of them all.*

(*See also* **Comparisons.**)

TENSES (Los tiempos) refer to the manner in which time is expressed through the **verb** of a sentence.

Yo estudio.	*I study.* (present tense)
Yo estoy estudiando.	*I am studying.* (present progressive)
Yo he estudiado.	*I have studied.* (present perfect)
Yo había estudiado.	*I had studied.* (past perfect)
Yo estudié.	*I studied.* (preterite tense)
Yo estudiaba.	*I was studying.* (imperfect tense)
Yo estudiaré.	*I will study.* (future tense)

VERBS (Los verbos) are the words in a sentence that communicate an action or state of being.

Helen **es** mi amiga y ella **lee** muchas novelas.
*Helen **is** my friend and she **reads** a lot of novels.*

- **Auxiliary verbs (Los verbos auxiliares)** or helping verbs are verbs such as **estar** and **haber** used to form the present progressive and the present perfect, respectively.

  Estamos estudiando mucho para el examen mañana.
  We are studying a lot for the exam tomorrow.

  Helen **ha** trabajado mucho en este proyecto.
  *Helen **has** worked a lot on this project.*

- **Reflexive verbs (Los verbos reflexivos)** use reflexive **pronouns** to indicate that the person initiating the action is also the recipient of the action.

  Yo **me afeito** por la mañana.   *I shave (myself) in the morning.*

- **Stem-changing verbs (Los verbos con cambios de raíz)** undergo a change in the main part of the verb when conjugated. To find the stem, drop the **-ar, -er,** or **-ir** from the **infinitive: dorm-, empez-, ped-.** There are three types of stem-changing verbs: **o** to **ue, e** to **ie** and **e** to **i.**

dormir: Yo d**ue**rmo en el parque.	*I sleep in the park.* (**o** to **ue**)
empezar: Ella siempre emp**ie**za su trabajo temprano.	*She always starts her work early.* (**e** to **ie**)
pedir: ¿Por qué no p**i**des ayuda?	*Why don't you ask for help?* (**e** to **i**)

Spanish-English Vocabulary

This vocabulary includes all the words and expressions listed as active vocabulary in *¡Dímelo tú!* The number following the English definition refers to the chapter and **paso** in which the word or phrase was first used actively. For example, an entry followed by **13.2** is first used actively in **Capítulo 13, Paso 2,** and an entry followed by the letters **PE** is first used actively in the preliminary chapter, **Para empezar.**

All words are alphabetized according to the 1994 changes made by the Real Academia: **ch** and **ll** are no longer considered separate letters of the alphabet.

Stem-changing verbs appear with the vowel change in parentheses after the infinitive: **(ie), (ue), (i), (ie, i), (e, i), (ue, u),** or **(i, i).** Most cognates, conjugated verb forms, and proper nouns used as passive vocabulary in the text are not included in this glossary.

The following abbreviations are used:

adj. adjective *n.* noun	*dem.* **demonstrative** *prep.* **preposition**	*form.* formal *s.* singular
adv. adverb *pl.* plural	*dir. obj.* **direct object** *pron.* **pronoun**	*indir. obj.* indirect object *subj.* subject
art. article *pp.* past participle	*f.* feminine *refl.* reflexive	*interj.* interjection *v.* verb
conj. conjunction *poss.* possessive	*f.* feminine	*m.* masculine

A

a continuación next, following 10.3
a fines de at the end of
a la derecha to the right 5.1
a la izquierda to the left 5.1
a la parrilla grilled 8.2
a la plancha griddle fried 8.2
a la sal covered with salt 8.2
a la(s) at 2.3
a lo largo de throughout 13.1
a menos que unless 14.3
a menudo frequently 8.3
a orillas de on the shores of
a partir de starting from
a pie walking, on foot 5.2
a principios de at the beginning of
A propósito... By the way . . .
¿A qué hora? At what time? 2.3
A que ya sabes... You probably already
   know that . . .
a sus órdenes at your service
a tiempo on time 10.2
a to, at *(with time)* 5.1
a todo volumen volume at full blast 13.2
a veces sometimes 5.2
A.C. antes de Cristo B.C. before Christ
abajo below
abandonar to abandon
abogacía law (profession)
abogado(a) lawyer 2.1
   abogado(a) defensor defense
      lawyer 6.3
abrazarse to embrace
abril *(m.)* April 2.3
abrir to open 3.2
abstracto(a) abstract 7.3
abuelo(a) grandfather (grandmother) 5.3
abuelos grandparents 5.3
abundante abundant 4.2
aburrido(a) boring 1.2

aburrir to bore 5.3
abusar to abuse, take advantage 7.2
acabar to finish 6.2
acceso access 13.3
acceso a internet Internet access 4.2
accidente accident 5.3
aculturación *(f.)* acculturation 9.1
aceite de oliva *(m.)* olive oil 3.3
aceituna olive 3.2
acerca de concerning, about
aclarar to clarify
acogida reception, welcome
acompañar to accompany 7.1
aconsejable advisable 10.1
aconsejar to advise 10.1
acontecimiento event, occurence
acordarse to remember 9.2
acostarse (ue) to go to bed 9.2
acostumbrado(a) accustomed
acre *(m.)* acre
acrílico acrylic 7.3
actividad *(f.)* activity 1.1
activista activist
activo(a) active 1.1
actor *(m.)* actor 2.1
actriz *(f.)* actress 2.1
actuación *(f.)* performance 10.2
actuar to act
acuarela watercolor 7.3
acuerdos de paz peace accords
acusado(a) accused 6.3
acusar to accuse 6.3
adelante forward, ahead
adentro in, inside, within
adepto(a) adept, capable
adiós good-bye PE
adivinar to guess 4.3
administración *(f.)* administration 4.1
administrar to administer 13.1
admirar to admire 7.1
admitir to admit 5.3

adolescente *(m. f.)* adolescent 2.1
adónde where (to)
¿Adónde? Where to? 2.2
adorar to adore 7.1
adquirir to acquire, to buy 10.3
aduana customs 12.3
aeróbicos aerobics
aeropuerto airport 6.1
afectar to affect 9.1
afeitarse to shave 9.2
aficionado(a) fan, supporter 14.1
afirmación *(f.)* affirmation, statement
afirmar to affirm, to state
afortunado(a) fortunate 4.3
afrentar to confront 6.2
africano(a) African
afrocubano(a) Cuban of African
      descent 14.1
afuera out, outside
afueras suburbs, outskirts 10.2
agencia de viaje travel agency 12.2
agente de seguros insurance agent
aglutinar bind
agosto *(m.)* August 2.3
agotador(a) exhausting, tiring
agradable pleasant, likeable
agradecer to appreciate 5.3
agresividad *(f.)* aggressiveness
agresivo(a) aggressive 4.2
agrupación de ideas *(f.)* cluster
agrupar to group, to gather
agua water 4.3
agua dulce drinkable water 4.3
      agua mineral mineral water 4.3
aguacate *(m.)* avocado 8.1
aguafiestas *(m. f.)* party pooper
ahogarse to drown 10.1
ahora now 5.2
Ahora ¡a escribir! Now, let's write!
ahorrar to save 9.2
aislado(a) isolated

ajeno(a) another's, someone else's
ají *(m.)* chili pepper 8.1
ajiaco chicken stew 7.1
al to the 1.3
al aire libre in the open air 9.1
al ajillo sautéed in garlic 8.1
al contrario on the contrary
al frente forward, to the front 13.2
al lado de beside 5.1
ala wing 14.3
albergar to house, to give shelter to
alcanzar to reach, to attain 6.2
alcohólico(a) with alcohol, alcoholic 3.3
alegrarse to be glad 13.3
alegre happy, lively 3.1
alejado(a) distant, far away 14.1
alejarse to move away, to withdraw
alemán(alemana) German 6.2
alerto(a) alert 10.1
alfabetismo literacy rate
algo somewhat 1.1; something 6.3
algodón *(m.)* cotton 4.2
alguien someone, anyone 10.2
alguna vez sometime, ever 10.2
alguno some, any 10.2
alianza mundial *(f.)* world alliance 12.2
alimento food, nourishment
alma *(m.)* soul
almacén *(m.)* store, shop 4.2
almorzar (ue) to eat lunch 4.1
almuerzo lunch
¡Aló! Hello! 2.2
alojamiento housing 12.1
alojar to lodge, to house, to accommodate
alpinismo mountain climbing 14.2
alquilar to rent 6.3
alquiler *(m.)* rent 4.2
alrededores *(m. pl.)* surrounding area
alternar to alternate
alternativa alternative 13.3
altiplano high plateau
alto(a) tall 1.1; high 10.1
altura height
ama de casa *(f.)* housekeeper
amable kind, nice 1.2
amanecer to dawn, to arrive at dawn
amante *(m. f.)* lover
amar to love 6.3
amarillo(a) yellow 4.1
amazónico(a) pertaining to the Amazon
ambicioso(a) ambitious 6.2
ambiente *(m.)* surrounding, ambience
ambulancia ambulance 10.1
amenaza threat 10.1
amenazar to threaten
amigo(a) friend PE
amor *(m.)* love 7.1
ampliamente amply, fully
amueblado(a) furnished 5.1
añadir to add
ananá pineapple 8.1
anaranjado(a) orange 4.1
anatomía anatomy 13.2

andar to walk 10.2
anexionado(a) annexed
anidamiento nesting
animal *(m.)* animal 2.1
animal doméstico *(m.)* pet 5.1
animar to encourage, to cheer 14.2
animarse to become animated or lively, to become encouraged
año year 2.3
Año Nuevo New Year 9.1
anoche last night 5.2
anochecer dusk, nightfall 10.3
anotar to write down, to jot down
anteayer *(m.)* the day before yesterday 11.2
anteojos glasses
anteojos de sol *(m. pl.)* sunglasses 12.3
antepasados *(m. pl.)* ancestors
anterior previous, before 6.3
antes de before 5.1
anticipar to anticipate 10.2
antiguo(a) old, ancient 12.1
antipático(a) unpleasant 1.2
antropólogo(a) anthropologist
anunciar to announce 10.2
anuncio advertisement, classified ad 6.3
aparecer to appear
aparentar to seem 14.3
aparentemente apparently 5.3
apartamento apartment 5.1
apasionado(a) enthusiastic, intense
apellido last name
apenas barely 10.3
apio celery 8.1
apogeo apogee, height
aportar to contribute 9.3
apoyar to support 12.3
apreciado(a) appreciated
aprender to learn 2.3
apresurarse to hurry
apropiado(a) appropriate
aprovecharse to take advantage 13.3
aquejado(a) afflicted, distressed
aquel(la) that over there 4.1
aquellos(as) those over there 4.1
aquí here 5.1
árbitro(la) umpire, referee 14.1
árbol *(m.)* tree 9.1
arco goal 14.1
área (el área / las áreas) area 8.3
aretes *(m.)* earrings 4.2
argentino(a) Argentine
árido(a) arid, dry
armamento armament, weapons
armario closet, wardrobe 5.1
arpilleras hand-sewn art scenes made of fabric 8.3
arquero goalie, goalkeeper 14.1
arquitecto(a) architect 2.1
arquitectura architecture 9.1
arrasar to raze, destroy 6.1
arreglado(a) arranged, fixed 14.1
arrestar to arrest 6.1
arriba above 12.1
arrojar to throw, to hurl, fling 9.2

arroz *(m.)* rice 8.2
arruinado(a) ruined, bankrupted
arte *(m.)* art 1.2
artes marciales *(m. pl.)* martial arts 14.2
artesanía handicrafts, crafts 6.3
artesano(a) artisan
artículo article 2.1
artista *(m. f.)* artist 2.1
arvejas *(f. pl.)* peas 8.1
asado(a) roasted 8.2
asaltado(a) assaulted, attacked
asaltar to assault, to attack
ascendencia ancestry, origin
ascender to ascend, to go up
ascender la peña to climb the rock/ boulder 10.3
ascensor elevator 5.1
asegurarse to make sure
asesinar to assassinate 8.3
asesinato assassination 6.3
así like that 6.3
¡Así es! That's right! 13.2
asistente *(m. f.)* assistant
asistir to attend, be present 3.2
aspersión *(f.)* sprinkling
aspirina aspirin 4.3
astronauta *(m.)* astronaut 11.3
astrónomo(a) astronomer 6.1
atacar to attack
ataque cardíaco *(m.)* heart attack 10.1
atasco traffic jam 3.3
atender to assist
atento(a) attentive
aterrorizado(a) terrified 3.1
atleta *(m. f.)* athlete 14.1
atlético(a) athletic 1.1
atletismo track and field 14.2
atracción *(f.)* attraction
atractivo(a) attractive 1.1
atraer to attract 12.3
atravesar to traverse, to cut across 12.3
atreverse to dare 11.3
aullar to howl, to wail 11.2
aumentar to increase 12.2
aunque although 14.3
ausencia absence
auténtico(a) authentic 4.3
auto car 4.1
autobús bus 4.1
autopista freeway
autoridad *(f.)* authority 2.1
autorretrato self-portrait 4.1
ave *(f.)* bird
avergonzado(a) embarrassed, ashamed 3.1
avión airplane 5.2
¡Ay! Oh dear! 13.2
ayer yesterday 4.3
ayuda help 3.2
ayudante *(m. f.)* helper
ayudar to help 7.2
ayuntamiento city hall
azúcar *(m.)* sugar 8.2
azul blue 4.1

B

bachillerato bachelor's degree
bahía bay
bailar to dance (infin.) 1.2
bailarín(balarina) dancer 13.2
baile (m.) dance 7.1
bajar de peso lose weight 13.1
bajar to go down, to get off 5.2
bajar to lower 13.2
bajarse to get off 9.2
bajo(a) low 10.1
balcón balcony 5.1
baloncesto basketball 1.1
bañarse to bathe 9.2
banco bank 1.3
banda music band 1.3
bandeja paisa dish of steak, pork, beans, rice, sausage and friend egg 7.1
bandera flag
bañera shower 5.1
baño toilette, restroom 3.2
bar (m.) bar 3.3
barato(a) cheap, inexpensive 4.2
barbadense (m. f.) citizen of Barbados
¡Bárbaro! Super!, Fantastic!
barrera barrier
barril (m.) barrel 11.1
barrio neighborhood 4.3
barroco(a) baroque 7.3
basarse en to base oneself on
básicamente basically 7.3
basta enough
Bastante bien. Quite well. PE
bastante enough 13.3
basura trash 9.2
batalla battle
bate (m.) bat 14.1
bateador(a) batter (baseball) 14.2
batear to bat 14.2
batido shake; (de leche) milkshake 14.3
bebé (m. f.) baby 3.1
beber to drink 2.1
bebida drink 4.3
beca scholarship 14.2
beige beige 4.1
béisbol (m.) baseball 1.1
beisbolista (m. f.) baseball player 5.3
bello(a) lovely
beneficio de la duda benefit of the doubt 8.3
beso kiss 7.1
biblioteca library 1.3
bibliotecario(a) librarian 2.1
bicicleta bicycle 4.1
bien fine, well 4.3
    Bien, gracias. ¿Y tú? Fine, thank you. And you? PE
bienes (m. pl.) wealth, property, goods 12.1
bienes raíces (m. pl.) real estate
bienestar (m.) well-being
bienvenido(a) welcome
¡Bienvenido(a)! Welcome! PE
bilingüe bilingual 11.3

billetera billfold 10.3
biografía biography 6.1
biología biology 1.2
biólogo(a) marino(a) marine biologist
bistec (m.) steak 8.2
blanco(a) white 4.1
bloque (m.) block
bloqueo blockade 14.1
blusa blouse 4.1
boca mouth 13.2
bocadillo snack, tidbit 9.3
boleto ticket 7.2
bolígrafo pen 1.1
boliviano Bolivian currency
boliviano(a) Bolivian
bolsa de dormir (f.) sleeping bag 12.3
bolsillo pocket
bombero fireman 3.1
bonito(a) pretty 4.2
bordado(a) embroidered 4.2
bordar to embroider
Borinquén Puerto Rico, name before the Spaniards arrived
borrador (m.) draft
bosque (m.) forest 11.1
bosque lluvioso rainforest 11.1
botas boots 4.2
botella de agua bottle of water 2.2
botiquín de primeros auxilios (m.) first aid kit 10.1
botón (botones) button(s) 4.2
boxeador (m.) boxer 14.1
boxeo boxing 14.1
brasileño(a) Brazilian
bravo(a) brave 4.2
brazo arm 8.3
breve brief, short 8.3
brindis (m.) toast (with a drink)
broma joke
bruto(a) stupid, ignorant, brutish 5.3
bucear to scuba dive 10.3
buceo scuba diving 14.2
Buenas noches. Good evening. Good night. PE
Buenas tardes. Good afternoon. PE
bueno(a) good 1.2
Buenos días. Good morning. PE
buscar to look for (infin.) 1.2

C

caballero gentleman 14.3
caballo horse 10.3
cabeza head 13.2
cacique (m.) chieftain
cada every, each 4.3
cadena de televisión TV network
caerse to fall down 10.1
café (m.) coffee house 1.3; coffee 2.2
café cortado espresso with a tad of milk 8.2

cafetería cafeteria 1.3
caja cash register
cajetilla de cigarrillos cigarette pack 13.2
calamar (m.) squid 8.1
cálculo en la vesícula gall bladder stone 13.3
Calendario Azteca Aztec Calendar 4.1
calendario calendar 2.3
calentado(a) heated
calentamiento global global warming 9.1
calentar to warm up 12.3
calentito(a) warm 8.2
calidad (f.) quality 14.3
cálido(a) warm 8.3
caliente hot 4.3
calificaciones (f. pl.) grades
callado(a) quiet 1.2
callarse to stop talking, become quiet 9.2
calle (f.) street 2.1
calmadamente calmly 5.3
calmar to calm
calor (m.) heat 9.1
calzado footwear
cama bed 9.2
cama de matrimonio double bed 5.1
cámara camera 12.1
cámara de video video camera 12.1
camarero(a) waiter 6.3
cambiar to change 5.2
caminar to walk 13.1
caminata walk; hike, trek
camino road, street
camión (m.) truck, (Mex.) bus 6.2
camisa shirt 4.1
camiseta T-shirt 4.1
campeóna champion 5.3
campeón mundial world champion 14.2
campeonato championship 14.2
campo countryside; field 1.3
campo de golf golf course 11.3
caña de azúcar sugar cane
canadiense (m. f.) Canadian
canal (m.) channel (TV, radio)
canario canary 9.3
cáncer (m.) cancer 13.3
cancha court 11.1
canción (f.) song 2.2
cangrejo crab 8.3
canoa canoe 11.3
canotaje (m.) rowing, rafting 12.3
cansado(a) tired 3.1
cansancio tiredness, fatigue
cantante (m. f.) singer 1.1
cantar to sing 3.2
cantidad (f.) quantity
canto song
capacidad (f.) capacity
capacitación training
capataz (m.) foreman, overseer
capital (f.) capital 12.3
capitolio capitol building 9.2
característica characteristic 13.3
carátula sleeve, jacket (of a record)
cárcel (f.) jail 6.3

Caribe Caribbean
caribeño(a) Caribbean
carne *(f.)* meat 7.2
carne de puerco pork 8.1
carne de res *(f.)* beef 8.1
carnicería butcher shop 9.3
caro(a) expensive 4.1
carpa tent
carpintero carpenter
carrera degree; career 1.3
carretera highway, road
carro car 10.2
carta letter 2.3
cartera purse 6.2
cartón *(m.)* cardboard
casa house 1.3
casado(a) married 5.3
casarse to get married 13.1
casco helmet
casi almost 7.2
castillo castle
catarata waterfall
catedral *(f.)* cathedral 4.1
cazuela casserole 8.2
cebolla onion 8.2
ceder to cede, to hand over
celebrar to celebrate 5.2
celeste light blue 9.3
celular cellular phone 1.3
cementerio cemetery
cemento cement
cena dinner 1.2
cenar to eat dinner 3.2
ceniza ash 11.2
centro comercial *(m.)* shopping center 2.1
centro downtown 5.1
centroamericano(a) Central American
cerámica ceramics 8.1
cerca de near 5.1
cerebro brain 14.1
cero zero 6.1
cerrar (ie) to close 4.1
certeza certainty
cervecería pub, brewery 9.3
cerveza beer 1.3
cesto basket 14.1
ceviche *(m.)* raw fish marinated in lemon juice 8.2
chaleco vest 4.2
chamarra jacket 4.2
champán *(m.)* champagne
chantajear to blackmail 9.3
chaqueta jacket 9.2
chatear to chat on the Internet 1.2
che amigo(a); hey, listen 5.1
cheque *(m.)* check 11.2
chico(a) boy / girl 3.1
chimenea fireplace 9.1
chistoso(a) funny 1.1
chocar to crash 10.2
choclo corn 8.1
chocolate *(m.)* chocolate 4.3
chofer *(m. f.)* chauffeur, driver 10.2
choque cultural *(m.)* cultural shock 13.1

choque eléctrico *(m.)* electric shock 10.1
chorizo sausage 3.2
chubasco squall, downpour
ciclismo bike racing 1.1
    ciclismo de montaña mountain biking 1.1
cielo sky 9.1
ciencias empresariales business management 1.2
ciencias políticas political science 1.2
cierto(a) true, certain
cigarrillo cigarette 3.3
cima summit, peak 11.3
cine movie theater 1.2
cinta tape 7.1
cintura waist 8.3
cinturón de seguridad *(m.)* safety belt 13.1
círculo circle
cirugía surgery 11.1
cisterna cistern, tank, reservior
cita date 7.1
ciudad *(f.)* city 1.1
    ciudad natal birthplace 1.1
ciudadano(a) citizen
civilización *(f.)* civilization 6.1
claro(a) clear 4.1
¡Claro! Of course!
clase *(f.)* class PE
clasificados *(pl.)* classified ads 6.2
clave *(f.)* key (answer), password
cliente *(m. f.)* client 2.1
clima *(m.)* climate 8.3
clínica clinic 2.1
cobijo covering; protection, shelter
cobre *(m.)* copper
cocaína cocaine
coche *(m.)* car 5.3
cochera garage 5.1
cocina kitchen 3.2
cocina/estufa stove 5.1
cocinar to cook 2.3
cocinero(a) cook 2.1
cóctel de fruta fruit cocktail 8.1
codo elbow 13.2
cognado cognate
cohetes *(m. pl.)* fireworks
coincidir to coincide
col *(f.)* cabbage 8.1
colectivo bus 5.2
colina hill
collar *(m.)* necklace 4.2
colocado(a) placed
colocar to place
colombiano(a) Colombian
colonia colony 14.1
colonial colonial 6.1
color crema light brown 4.1
combatir to combat 12.2
combinar to combine
comedia play, drama (theater)
comedor *(m.)* dining room 3.2
comenzar (ie) to begin 6.2
comer to eat *(infin.)* 1.2
comer fuera to eat out 2.3

comercio commerce
cometer errores to make mistakes 14.3
cometer to commit, to perpetrate
comida food, meal 1.3
comida basura junk food 8.2
comisaría police station 6.3
comité *(m.)* committee 12.2
comitiva procession, delegation
como as, since 5.2
¿Cómo? How? 2.2
¿Cómo escribes tu nombre? How do you spell your name? PE
¿Cómo está? (usted) How are you? (formal) PE
¿Cómo estás? (tú) How are you? (familiar) PE
¿Cómo se llama usted? What's your name? (formal) PE
¿Cómo te llamas (tú)? What's your name? (familiar) PE
compañero(a) companion, classmate, partner PE
    compañero(a) de cuarto roommate 1.1
    compañero(a) de empleo co-worker 2.2
comparar to compare 13.1
compartir to share 5.2
compatibilidad *(f.)* compatibility
compatible compitable
competencia competition 14.1
competente competent 6.3
competición *(f.)* competition
competir to compete 7.2
completar to complete
complicar to complicate
compra purchase 12.2
comprar to buy *(infin.)* 1.2
comprender to comprehend, understand 7.3
¿Comprendes lo que se dice? Do you understand what is said?
comprometer to compromise, to endanger
comprometido(a) engaged 7.1
computadora computer
computadora portátil portable computer 2.2
común common 5.3
comunicación communication 1.2
comunicar to communicate 5.2
comunidad *(f.)* community 10.2
comunismo Communism
comunista communist 14.2
comunitario(a) communal, public 5.1
con with 5.1
con cuidado carefully, with care 6.2
con destino a headed toward 5.2
con el pie izquierdo on the wrong foot 10.3
con frecuencia frequently 2.3
con gas carbonated 8.2
con tal (de) que provided (that) 14.3
concebir to conceive of, to imagine
conciencia conscience

concierto concert 1.3
conducir to drive 10.2
conexión *(f.)* connection
confesar to confess
confiar to confide, to trust 13.3
confines *(m. f.)* boundary, limits
confirmar to confirm 14.3
confundido(a) confused 5.2
congelado(a) frozen 9.1
congelar to freeze
congestionado(a) congested
congrio conger eel 8.2
conjunto group, collection 8.3
conmigo with me 6.2
conocer to know 7.3
conocido(a) known
conocimiento knowledge
consecuencia consequence 13.3
conseguir (i, i) to obtain, get 6.2
consejero(a) advisor 13.3
consejo advice 7.2
consentimiento consent, agreement
conservación *(f.)* conservation 12.3
conservador(a) conservative 1.1
considerar to consider 14.3
consistir to consist 10.3
constantemente constantly 4.1
constar de to consist of
construir to construct 6.2
consultar to consult 13.3
contabilidad accounting 1.2
contagioso(a) contagious
contaminación *(f.)* pollution 9.1
contar (ue) to count 4.1; to tell
  (a story) 8.3
contemporáneo(a) contemporary 7.3
contento(a) happy, pleased 3.1
contestar to answer 2.1
contigo with you 3.2
continuar to continue 5.2
contra against 11.1
contradecir (i) to contradict 6.3
contraportada back page
contrastar to contrast 4.1
contratar to hire 14.2
contribuir to contribute
control de seguridad *(m.)* security
  check
controlar to control 7.1
convencer to convince 14.3
convenio agreement (contractual)
conversar to chat, to converse 3.2
convertirse to become, to turn into
copa de los árboles treetops 11.3
coquetear to flirt 8.3
corazón heart 4.1
corbata necktie 4.2
cordillera mountain range 12.3
corredor(a) runner 5.3
correo electrónico email 1.3
correr to run 2.1
correspondencia mail 9.3
corrida de toros bullfight 3.3
corriente common

cortado(a) cut 8.2
cortarse to cut oneself 9.3; to cut off 11.2
corte *(f.)* court 2.1
cortejar to woo, court
cortés polite 7.1
corteza bark (of a tree)
cortésmente courteously 5.3
corto(a) short (length) 3.3
corvina sea bass 8.2
cosa thing 7.1
cosecha harvest
cosmopolita cosmopolitan 8.3
costa coast 8.3
costado side
costar to cost 2.2
costarricense *(m. f.)* Costa Rican
crear to create 12.2
crecimiento growth
creer to believe 14.1
criarse to be brought up
criticar to criticize
crítico critic
crítico(a) critical 5.3
crucero cruise 4.3
cruel cruel 3.3
Cruz Roja Red Cross 10.1
cuaderno notebook 1.3
cuadra block 9.3
cuadrado square
cuadro painting 4.1
¿Cuál(es)? Which one? Which? 2.2
cualquiera any, anybody 9.3
cuando when 14.3
¿Cuándo? When? 2.2
¿Cuánto(a)? How much? 2.2
¿Cuántos(as)? How many? 2.2
cuanto antes as soon as possible 13.3
cuarto room 1.3; quarter, 15-minute
  fraction of the hour 2.3; fourth 10.1
cuarto de baño bathroom 5.1
cubrir to cover 10.1
cuchara spoon 8.2
cuchillo knife 8.2
cueca Andean folk dance 8.3
cuello neck 13.2
cuenta bill 1.3
cuentista *(m. f.)* short story writer;
  storyteller
cuento short story 6.2
cuerda rope 10.1
cuero leather 9.2
cuerpo body 8.3
cuidado careful, be careful
cuidadosamente carefully 5.3
cuidar to take care of
culinario(a) culinary
culpa fault 10.2
culpable guilty, culpable
cultivar to cultivate 12.1
cultivo cultivation, crop
culturalmente culturally 5.3
cumbre *(f.)* summit, crest
cumpleaños birthday 5.2
cumplir...años to be . . . years of age

D

D.C. después de Cristo A.D. after Christ
dañar to damage, to hurt 14.1
dar to give 8.3
dar a conocer to make known 12.2
dar la gana to feel like
dar problemas to cause problems 8.3
darse cuenta to realize
darse la mano to shake hands
datos facts 7.3
de of, from 5.1
de esa manera that way 12.2
de paseo strolling
de repente suddenly 6.2
de sol a sol from dawn to dusk 10.1
de vuelta in return 7.2
debajo de under 5.1
debatir to debate
deber to be obliged, must, should 6.3
década decade
decidir to decide 2.1
décimo tenth 10.1
decir (i) to say; to tell 6.3
decisión *(f.)* decision 14.3
declarar to declare 6.1
decorar to decorate 3.2
dedicarse to dedicate oneself 13.3
dedo finger 13.2
deducir to deduct
defender to defend
definir to define 10.3
degustar to taste, to sample
dejar de to stop (doing something),
  to quit 11.2
dejar to leave 6.1
del from the 1.3
delante de in front of 5.1
delatar reveal, denounce 7.2
delgado(a) slim, thin 3.3
delicioso(a) delicious 3.3
delineado(a) delineated, outlined
demás other 8.3
demasiado(a) too much 13.1
denegar to turn down, to refuse 14.3
densidad *(f.)* density
dentro inside, within 12.1
departamento apartment 5.1
dependiente(a) salesperson 2.1
deporte *(m.)* sport 1.1
deportes acuáticos *(m. pl.)* aquatic
  sports 10.3
deportista *(m. f.)* athlete 9.1
deportivo(a) pertaining to sports 14.2
deprimido(a) depressed 13.1
derecha right 13.2
derechos de la mujer women's rights
derechos humanos *(m. pl.)* human
  rights 12.2
derivado(a) derived
derrotar to defeat, to beat 14.1
desacuerdos disagreements
desafiante challenging 1.3
desafío challenge

desafortunadamente unfortunately 6.2
desaparecer to disappear 4.1
desaparecido(a) disappeared
desarollar to develop
desarrollo humano human development 12.2
desastre disaster 5.1
desastre natural *(m.)* natural disaster 10.1
desayunar to eat breakfast 8.1
desayuno breakfast 8.1
descansar to rest 6.3
descanso rest, break 2.2
descender to descend
descendiente *(m. f.)* descendant
descenso decent 11.3
descifrar to decipher, to decode
desconectar to disconnect 11.2
desconocido(a) unknown
descontento(a) unhappy
describir to describe 1.2
descripción *(f.)* description
descubierto(a) discovered
descubrimiento discovery
descubrir to discover 4.3
desde from 5.2
desear to desire 8.1
desempeñar(se) to fulfill, to carry out
desesperado(a) desperate
desfile *(m.)* parade 13.2
desgraciadamente unfortunately
desierto desert 4.3
deslizarse to slide
desocupado(a) unoccupied
desorganizado(a) disorganized 1.2
desovar to lay eggs 11.1
despedida good-bye, farewell
despedir (i, i) to fire, dismiss 7.2
despedirse to take leave, to say good-bye 10.3
desperdiciar to waste, to squander
despertador alarm clock 10.3
despertarse (ie) to wake up 9.2
despojar to deprive, to dispossess
déspota *(m. f.)* despot, tyrant
después (de) que after 14.3
después de after 5.1
destacar to emphasize, to highlight
destacarse to stand out
destinación *(f.)* destination 10.2
destino destiny
destructivo(a) destructive 10.1
destruir to destroy 6.3
detalle *(m.)* detail
determinar to determine 7.2
detestar to detest 7.3
detrás de behind 5.1
deuda debt 12.2
Día de Acción de Gracias Thanksgiving 9.1
día de la semana *(m.)* day of the week 2.3
Día de las Madres Mother's Day 8.3
Día de San Valentín Valentine's Day 9.1
diamante *(m.)* diamond 6.1
diariamente daily 5.3

diario diary, newspaper 4.3
diario(a) daily 9.2
días feriados holidays
dibujante *(m. f.)* cartoonist
dibujar to draw 5.3
dibujo drawing
diccionario diccionary 2.2
dichos sayings
diciembre *(m.)* December 2.3
dictador(a) dictator 6.2
dictadura dictatorship 8.3
dientes *(m. pl.)* teeth 9.2
dieta diet 7.2
diferencia difference
diferente different 3.3
difícil difficult 1.2
dignidad *(f.)* dignity
dinero money 2.1
dirección *(f.)* address
directiva board of directors 14.2
director(a) de escuela school principal 2.1
dirigir to direct 11.1
discapacitado(a) handicapped 14.2
disco disc, record 7.3
disco compacto compact disc, CD 2.2
discoteca discotheque 1.3
discriminación racial *(f.)* racial discrimination 11.1
discurso lecture 5.3
diseñar to design 2.1
disfrazar to disguise 14.3
disfrutar to enjoy 5.3
disminución *(f.)* decrease, reduction 12.2
disminuir to diminish, to decrease 6.2
disolver to dissolve
disparar to fire (a gun), shoot 6.2
dispares uneven, unequal
disparo gunshot 6.2
disponer to arrange, to prepare 12.1; to have at one's disposal
disponibilidad availability 5.1
disponible available 5.1
disposición *(f.)* disposition, temperament
dispositivo device, mechanism
dispuesto(a) willing 14.2
disputar to dispute, to challenge
distancia distance 5.2
distinguir to distinguish 7.3
distinto(a) distinct, different 5.2
distribuir to distribute
diurno diurnal, day
divergencia divergence 10.3
diversidad *(f.)* diversity
diversión *(f.)* entertainment 4.2
diverso(a) diverse 13.3
divertido(a) funny, amusing 1.1
divertirse (ie, i) to have a good time, enjoy oneself 9.2
divorciarse to divorce 13.1
doblar to turn 9.3; fold
doctor(a) doctor 1.1
documentos de identidad *(m. pl.)* identification documents 10.3
dólar *(m.)* dollar

dolor de estómago stomachache
doméstico(a) domestic 11.1
domicilio domicile, residence 6.2
domingo *(m.)* Sunday 2.3
dominicano(a) Dominican
¿Dónde? Where? 2.2
dormir (ue, u) to sleep 4.1
dormirse (ue) to fall asleep 9.2
dormitorio bedroom 3.2
dosis *(f.)* dosage 10.1
dramatizar dramatize, role-play
dramaturgo *(m. f.)* playwright 9.1
droga drug 11.1
ducha shower 5.1
ducharse to shower, take a shower 9.2
dudar to doubt 14.1
dueño(a) owner 12.1
durante during 4.3
durar to last 2.3
durazno peach 8.1
duro(a) hard, difficult 14.3

E

ecología ecology
economía economics 1.2; economy 13.3
económico(a) economical 6.2
ecoturismo ecotourism 10.3
edición *(f.)* edition 14.2
edificar to build 6.1
edificio building 2.1
editorial publisher 12.1
educación education 1.2
    educación física physical education 1.2
eficazmente efficiently 5.3
eficiente efficient 9.2
egoísta egotistical 1.2
ejecutar to execute
ejercicio exercise 5.3
ejército army 11.1
él he, it *(m.)* 1.1
El gusto es mío. The pleasure is mine. PE
el/la/los/las más the most 7.1
el/la/los/las menos the least 7.1
elaborar to elaborate
elección *(f.)* election
electricidad *(m.)* electricity 11.2
elegancia elegance 8.3
elegante elegant 1.1
elegantemente elegantly 7.2
elegir (i) to choose 7.2
elevado(a) elevated 10.1
élite elite 7.3
ella she, it *(f.)* 1.1
ellos(as) they 1.2
embajador(a) ambassador
embarcarse to embark, to go aboard
emergencia emergency 10.1
emigrar to emigrate
emisora broadcasting station
empacar to pack
empanada turnover, pasty, pie 8.1
empapado(a) soaking wet 9.1

empate *(m.)* tie 14.1
empezar (ie) to begin 4.1
empleado(a) employee 2.1
emplear to employ, to hire
empleo job, employment 2.1
empleo de tiempo parcial part-time job
emprendedor(a) enterprising 12.2
empresa company, firm
en caso de in case of 10.1
en caso (de) que in case 14.3
en clave de having . . . as key 12.2
en cuanto as soon as 14.3
en desarrollo under development, developing 12.2
en efectivo in cash
en efecto actually
en general in general, generally speaking 1.2
en lugar de in place of 10.3
en on, in 5.1
en torno a around, about
enamorado(a) in love 5.3
Encantado(a). Delighted. PE
encantar to charm, to please highly 3.3
encarcelar to jail
encargo errand, task
encender to light
encendido(a) lit up 10.1
encerrar to enclose
encima de on top of 5.1
escoger to select
encontrar (ue) to find 4.1
encuesta survey
energía energy 13.2
enérgico(a) energetic 14.2
enero *(m.)* January 2.3
enfermarse to get sick 13.3
enfermedad *(f.)* illness 7.3
enfermería nursing 1.2
enfermo(a) sick 3.1
enfrente de facing, opposite 5.1
enfriar to cool
engañar to deceive
enjabonarse to lather oneself up
enlace *(m.)* linking
enmienda amendment
enojarse to get angry 5.3
enólogo oenologist, wine specialist
enorme enormous, huge 10.3
ensalada salad 8.1
ensayar to practice
enseguida right away
enseñar to teach; to show 2.1
entender (ie) to understand 4.1
entero(a) whole, entire 10.2
entrada entrance 5.2
entrar to enter 6.3
entrar en erupción to erupt 11.2
entre between 5.1
entregar to turn in 13.1
entremés *(m.)* appetizer 8.2
entrenador(a) coach, trainer 14.1
entrenar to coach, train 14.2
entretenimiento entertainment 6.2

entrevista interview 2.2
entrevistar to interview 2.1
entusiasmado(a) enthused 3.1
envenenamiento poisoning 10.1
enviar to send 1.2
envidia envy 13.2
epidemia epidemic
época epoch, period 12.3
equipaje *(m.)* baggage, luggage
equipo team 6.1; equipment
¿Eres buen observador? Are you a good observer?
erosionado(a) eroded
erradicación *(f.)* eradication 13.1
erradicar to eradicate 12.2
error *(m.)* error 2.1
erupción de volcán *(f.)* volcanic eruption 10.1
Es... 14.1
   Es... absurdo(a) It's absurd 14.1
   Es... cierto It's true 14.1
   Es... injusto It's unjust 14.1
   Es... irónico It's ironic 14.1
escala de pagos pay scale 14.3
escalera ladder; stairs, staircase 10.1
escapar to escape 6.3
escaparate *(m.)* display window 4.2
escasez *(f.)* scarcity
esclavo(a) slave
escoger to choose, to select 8.3
escolar school, scholastic 11.1
escondido(a) hidden
¡Escríbelo! Write it!
escribir to write 1.2
escritor(a) writer, author 2.1
escritorio desk 5.1
escuadra squad, squadron
escuchar to listen to *(infin.)* 1.2; (-**ar** verbs) 1.3
escuela primaria elementary school 6.2
escultor(a) sculptor
escultura sculpture 7.3
ese(a) that 4.1
esforzarse to strive, to exert much effort
esfuerzo effort
esmeralda emerald
eso (neuter) that 4.1
esos(as) those 4.1
espacio space
espalda back 13.2
español(a) Spaniard
especial special 1.1
especialista specialist 2.1
especialmente *(m.)* especially 3.1
especie *(f.)* species 11.1
espectáculo show, exhibition 12.1
espejo mirror
esperanza hope
esperar to wait 4.3
espíritu *(m.)* spirit
esposo(a) husband / wife 4.1
esquema *(m.)* outline
esquí *(m.)* skiing 14.1
esquiador(a) skier 5.3

esquiar to ski 1.2
esquina corner 9.3
Esta es... This is . . . *(f.)* PE
establecer to establish 6.3
establecimiento establishment
estación *(f.)* station 5.2
estacionado(a) parked 6.3
estacionamiento parking 4.1
estaciones del año *(f. pl.)* seasons
estadía stay 13.1
estadidad *(f.)* statehood
estadio stadium 9.2
estado state
estadounidense from the U.S. 1.1
estafado(a) swindled, cheated
estancia stay
estándar *(m.)* standard
estar to be 3.2
estar de acuerdo to agree, be in agreement 9.3
estar de fiesta to be having fun
estar despejado to have clear skies 9.1
estar dispuesto(a) to be inclined to 14.2
estar en forma to be in shape 14.1
estar hecho(a) pedazos to be falling apart 13.2
estar molido(a) to be exhausted 13.2
estar muerto(a) to be dead tired 13.2
estar pasándolo en grande to have a great time
estar seguro to be sure 10.2
estatua statue 10.3
este *(m.)* east 3.1
Este es... This is . . . *(m.)* PE
este(a) this 4.1
estirar to stretch 13.2
esto (neuter) this 4.1
estofado stew 8.1
estómago stomach 13.2
estos(as) these 4.1
Estrategias para escuchar Listening strategies
estrecho(a) narrow 8.3
estrenar to use for the first time
estrés *(m.)* stress 11.1
estrofa verse 10.3
estudiante *(m. f.)* student PE
estudiar to study 1.2
estudioso(a) studious 1.1
estufa de gas gas stove 10.1
estupendo(a) stupendous, great, terrific 1.2
eterno(a) eternal
etiqueta price tag
étnico(a) ethnic
euro European currency
europeo(a) European
evento event 6.2
evidente evident 13.3
evitar to avoid 10.2
exactamente exactly 5.3
exagerar to exaggerate
examen *(m.)* exam 3.1
examinar to examine 2.1
excelente excellent 7.2

¡Excelente! Excellent! PE
excepción (f.) exception
excesivamente excessively 5.3
excesivo(a) excessive 10.1
exceso de velocidad (m.) speeding 11.2
excursión (f.) excursion 11.1
excusa excuse 3.2
exigente demanding 8.2
exiliado(a) exiled
existencia existence 11.3
éxito success 11.3
experiencia experience 4.3
experto(a) expert 11.3
expirar to breathe out 13.2
explanada walkway
explicar to explain 2.1
expresar to express 7.3
exquisito(a) exquisite 3.3
extender to extend
extendido(a) estended
extensamente extensively
externo(a) external 12.2
extinción extinction 8.2
extintor de fuegos (m.) fire
    extinguisher 10.1
extraer to extract
extranjero(a) foreigner 7.3
extraño(a) strange 10.2
extraordinario(a) extraordinary,
    uncommon 4.3
extravagante extravagant 10.3
extremo(a) extreme 4.3
extrovertido(a) extroverted, outgoing 1.1

F

fábrica factory 2.1
fácil easy 1.2
facilitar to facilitate 12.2
facultad (f.) college 1.2
falda skirt 4.1
fallas satirical cardboard figures
    that are burned during the
    Valencian fair 3.1
falso(a) false
faltar to be absent, to be missing 11.1
fama fame 14.2
familiares (m. pl.) relatives 7.1
famoso(a) famous 1.1
¡Fantástico! Fantastic! 13.2
farmacéutico(a) pharmacist 2.1
fascinante fascinating 8.3
fascinar to fascinate 3.3
fauna fauna, animal life 8.3
febrero (m.) February 2.3
fecha date 2.3
feliz happy, joyful 3.1
feliz cumpleaños happy birthday 8.1
fenomenal phenomenal 3.1
feo(a) ugly 1.1
feria fair 3.1
festival (m.) festival 7.1

festival de cine (m.) film festival 2.3
fiambres (m. pl.) cold cuts 8.1
ficticio(a) ficticious 9.1
fidelidad (f.) fidelity
fiebre (f.) fever
fiesta party 1.3
fijo(a) fixed, nonchangeable 5.2
filmar to film 11.1
fin de semana (m.) weekend 4.3
fines end, conclusion 3.1
firmar to sign 14.3
fiscal (m. f.) prosecutor 6.3
física physics 1.2
flaco(a) skinny 4.2
flamenco Spanish gypsy dance, music
    and songs 3.1; flamingo
flexionar to bend
flojo(a) lazy
flor (f.) flower 7.1
flora flora, plant life 8.3
florecer to flower
fomentar to foment 12.2
fondos funds
formal formal 1.2
formalmente formally 7.2
formar to form 12.2
formulario form
fortaleza fortress 12.1
forzado(a) forced
fósforos (m. pl.) matches 10.1
fotografía photograph 4.3
fotografiar to photograph 6.1
fotonovela photo-illustrated soap
    opera magazine 7.2
fractura fracture
frase (f.) phrase
fraternidad (f.) fraternity 1.3
frecuencia frequency 5.2
frecuentemente frequently 5.3
freír to fry 7.2
fresa strawberry 8.1
fresco(a) fresh 13.2
frío cold 2.3
frito(a) fried 8.1
frontera border 12.3
frustrado(a) frustrated 3.1
fruta fruit 7.2
frutería fruit store 9.3
fuego fire 6.2
fuegos artificiales fireworks
fuente (f.) fountain 4.3
fuera out, outside 5.3
fuerte strong 1.1
fuerza strength 8.3; force
fumar to smoke 1.2
función (f.) function 7.1
funcionar to function, to work 5.2
fundado(a) founded
fundar to found, to establish
furioso(a) furious 3.1
fusión (f.) fusion 9.3
fútbol (m.) soccer 1.1
fútbolista (m. f.) soccer player 5.3
futuro future

G

gambas prawns 3.2
ganadero(a) cattle rancher
ganancias profits, gains
ganar to win 4.3; to earn 11.1
garaje (m.) garage 3.2
garantizar to guarantee 12.2
garganta throat 13.2
gaseosa carbonated water 3.3
gasolina gasoline 14.3
gastar to spend 4.2
gato(a) cat 5.1
géiser (m.) geyser
gemelo(a) twin
generalmente generally 1.3
generoso(a) generous 8.3
genial brilliant
genio genius
gente (f.) people 2.1
gente desconocida (f.) strangers 11.2
gentileza kindness, genteelness 7.2
gerente (m. f.) manager
gigante giant
gimnasia gymnastics 14.1
gimnasio gymnasium 1.2
ginecología gynecology 11.1
girar to turn, to veer 9.3; to gyrate 13.2
gitano(a) gypsy
glúteo gluteus
gobernado(a) governed
gobernador governor
gol (m.) goal 14.1
golf (m.) golf 1.1
golfista (m. f.) golf player 5.3
golpe (m.) strike, hit 14.1
golpe militar (m.) military coup
gordo(a) fat 5.3
gorro cap
gota drop
gotear to leak
gozar to enjoy 12.2
grabación (f.) recording
grados (m. pl.) degrees (temperature) 9.1
graduado(a) graduate
graduarse to graduate 14.3
grande big, large 1.2
grandioso(a) grand, magnificent 8.3
granito granite 7.3
gratis free 11.3
gratuito(a) free
grave grave, serious 13.2
grifo faucet 9.2
gris gray 4.1
gritar to scream, to yell 6.3
grosero(a) coarse, crude 6.3
grúa wreaker, tow truck 10.2
guantes (m. pl.) gloves 8.1
guapo(a) good-looking, cute 3.3
guardar to store, to keep 13.1
guerra war 10.2
guerrero warrior
guía (m. f.) guide 4.1
guión (m.) outline, script

guitarra guitar 1.3
gustar to please 3.3
gusto taste, flavor 8.2

H

haber there . . . to be 10.2
habitación *(f.)* room, bedroom 3.2
habitantes *(m. pl.)* inhabitants 8.3
hábito habit
hablador(a) talkative 1.2
hablar to talk, to speak *(infin.)* 1.2
hace calor *(m.)* to be hot (outside) 2.3
hacendado(a) landed; landowner, rancher
hacer buen tiempo to have nice
    weather 9.1
hacer calor to be hot 9.1
hacer daño to damage, to hurt
hacer ejercicio to do exercise 5.3
hacer el papel play the role
hacer erupción to erupt
hacer frío to be cold 9.1
hacer la cama to make the bed 11.3
hacer las compras to go shopping 11.3
hacer la maleta to pack a suitcase 12.2
hacer la ruta to follow the trail 11.3
hacer meditación to meditate 13.3
hacer sol to be sunny 9.1
hacer to do, to make 2.2
hacer viento to be windy 9.1
hacia towards
haitiano(a) Haitian
hambre *(m.)* hunger 4.3
hamburguesa hamburger 4.3
Hasta la vista. Good-bye. See you. PE
Hasta luego. See you later. PE
Hasta mañana. See you tomorrow. PE
Hasta pronto. See you soon. PE
hasta que until 14.3
hasta until 5.2
hay there is, there are
hay neblina it's foggy 9.1
hechos facts, deeds
heladera refrigerator 5.1
helado ice cream 8.1
helado(a) cold 8.1
hembra female 5.3
hemorragia hemorrhage 10.1
herencia inheritance
herido(a) wounded or injured person 10.1
hermanastro(a) stepbrother (stepsister) 5.3
hermano(a) brother (sister) 5.3
hermanos siblings 5.3
hermoso(a) beautiful, lovely 3.3
héroe *(m. f.)* hero 2.1
hijo(a) son (daughter) 5.3
hijos children 5.3
hinchado(a) swollen 13.2
hipoteca mortgage 13.3
hispano(a) Hispanic
hispanohablante *(m. f.)* Spanish speaker
historia history 1.2
hoguera bonfire 12.3

hoja leaf
hoja de papel sheet of paper 2.2
¡Hola! Hello! PE
hombre man 4.1
hombro shoulder 13.2
hondureño(a) Honduran
honesto(a) honest 3.3
hora hour, time 2.3
horario schedule 3.3
horno oven 5.1
horroroso(a) horrifying, awful 3.3
hospedar to lodge, to put up 12.2
hospital *(m.)* hospital 2.1
hospitalario(a) hospitable
hueco hollow
huellas footprints, tracks
huésped *(m. f.)* guest
huevo egg 8.2
huipil *(m.)* colorful Guatemalan woven
    blouse
huir to run away 6.2
humano(a) human 8.3
húmedo(a) wet, humid 10.1
humilde humble
humo smoke 3.3
huracán *(m.)* hurricane 10.1

I

ida y regreso round trip 11.3
ideal ideal 7.3
identidad *(f.)* identity
identificar identify
idioma *(m.)* language 3.3
ídolo idol
iglesia church 7.3
ignorar to ignore 7.3
igual same 14.3
igualdad *(f.)* equality 12.2
igualdad de oportunidad en el empleo
    (f.) equal opportunity employment
Igualmente. Likewise. PE
ilegítimo(a) illegitimate 6.3
imagen *(f.)* image 7.2
impaciente impatient 1.1
imparcial impartial 14.2
impartir to grant, to concede
impedir to prevent 13.2
imperio empire
impermeable *(m.)* raincoat 4.2
implementar to implement 6.2
imposible impossible 5.1
impresión *(f.)* impression 8.3
impresionante impressive 6.1
impresionar to impress 7.1
impresionista impressionist 7.3
impuesto(a) imposed 14.1
impuestos taxes
incaica Inca, Incan
incendio fire 6.2
incendios forestales *(m. pl.)* forest fires 10.1
incertidumbre uncertainty, doubt
incidente *(m.)* incident 10.2

incierto(a) unsure
incluido(a) included 5.1
incluir to include 13.3
incómodo(a) uncomfortable
incomparable incomparable
incompatibilidad incompatibility
inconsciente unconscious 10.1
increíble unbelievable, incredible 6.1
independencia independence 6.2
independiente independent, self-reliant 1.2
índice de longevidad *(m.)* longevity index
indicio indication, sign 10.2
indígena indigenous, native 4.2
inestable unstable
infancia infancy 2.2
infantil childish
infidelidad *(f.)* infidelity 7.1
influencia influence 14.1
informal informal 1.2
informalmente informally 7.2
informática computer science 1.2
informativo(a) informative
ingeniería engineering 1.2
inglés (ingleses) English
ingredientes *(m. pl.)* ingredients 9.3
inhumano(a) inhuman 14.1
iniciar to initiate, to begin 8.3
iniciativa initiative 7.1
inicio beginning 12.3
injustamente unjustly 6.3
inmediaciones *(f. pl.)* environs, outskirts
inmediatamente immediately 5.3
innovador(a) innovator, creative
inodoro toilette, lavatory 9.2
inolvidable unforgettable 11.3
inscribirse to register, to enroll
inscrito(a) enrolled 6.2
insistir (en) to insist 10.1
insoportable unbearable 3.3
inspiración *(f.)* inspiration 8.3
inspirar to breathe in 13.2; to inspire
instructor(a) instructor 14.2
instrumento instrument 1.3
insultar to insult 6.3
intelectual intellectual 10.3
inteligente intelligent 1.1
intenso(a) intense
intentar to attempt, to try 12.3
intercambio student exchange
interés *(m.)* interest 12.2
interesado(a) interested 3.1
interesante interesting 1.1
interesarse to become interested 9.3
interior *(m.)* interior 10.2
interminable endless
internacional international 6.2
interpretar to interpret
intervenir intervene
introvertido(a) introverted, shy 1.1
invadir to invade 11.1
invasor *(m.)* invader
inventario inventory
invernal winter, wintery
inversiones *(f. pl.)* investments

invertir to invest 12.2
investigar to investigate 5.2
invierno winter 2.3
invitado(a) guest 3.1
invitar to invite 3.2
ir to go *(infin.)* 1.2
ir de compras to go shopping 4.1
irrepetible unrepeatable 4.3
irreversiblemente irreversibly 14.1
irse to go away 9.2
isla island 8.3
isleta small island
italiano(a) Italian
itinerario itinerary
izquierda left 13.2

J

jabalina javelin
jactarse to boast, to brag 5.3
jamaicano(a) Jamaican
jamás never 10.2
jamón ham 3.2
jamón serrano Spanish smoked ham 3.2
jardín *(m.)* garden 3.2
jaula cage
jeans *(m.)* jeans 4.2
jefe(a) boss, leader 2.2
jonrón *(m.)* home run 14.2
jornada day's work, workday; journey
jóven young 5.3
jubilarse to retire 14.3
juego game 14.1
juerguista party animal
jueves *(m.)* Thursday 2.3
juez *(m.)* judge 2.1
jugador(a) player 5.3
jugador(a) de béisbol baseball player 2.1
jugo juice 8.2
juicio trial 6.3; sentence; verdict
julio *(m.)* July 2.3
junio *(m.)* June 2.3
juntarse to get together
junto a next to, by 5.1
juntos together 7.1
jurar to swear
justificar to justify 9.1
justo(a) just, fair, right
juzgar to judge 2.1
juzgado(a) judged 6.3

K

kilómetro kilometer 8.3

L

laboratorio laboratory 1.3
lacio(a) straight (hair) 3.3
lácteo(a) milky 8.1
ladera arriba uphill

ladróna thief 5.3
lago lake 8.1
lamentar to regret, to be sorry
lámpara lamp 5.1
lana wool 4.2
langosta lobster 8.1
lanzador(a) pitcher 14.1
lanzar to throw, to hurl 10.1
lápiz *(m.)* pencil 1.1
larga distancia long-distance 2.3
largo(a) long 8.3
¡Las fotos hablan! Photos speak!
lastimado(a) injured person 10.1
Latinoamérica Latin America 7.1
lavabo washbasin, sink 9.2
lavadero laundry 5.1
lavadora clothes washer
lavaplatos *(m. f.)* dishwasher
lavar to wash 1.3
lavarse to wash oneself 9.2
lavavajillas dishwasher
Le presento a... I'd like you to
  meet . . . (formal) PE
le to/for you (s. formal); to/for him, her,
  it 3.3
leche *(f.)* milk 1.2
lechuga lettuce 8.1
leer to read *(infin.)* 1.2
legado legacy
legal legal 2.1
legalizar to legalize 14.3
legendario(a) legendary 8.3
lejos de far from 5.1
lempira Honduran currency
lenguas languages
lentamente slowly 5.3
lento(a) slow 10.1
león *(m.)* lion
les to/for you (pl. formal); to/for them 3.3
¡les encanta! they love it! 2.1
lesión *(f.)* injury 10.1
levantador(a) de pesas weightlifter 5.3
levantamiento de pesas weightlifting 14.1
levantar to raise 13.2
levantar pesas to lift weights 5.2
levantarse con el pie izquierdo to get up
  on the wrong foot
levantarse to get up 9.2
leyenda legend 8.3
liberal liberal 1.1
libre free 2.3
librería bookstore 1.1
libro book 1.1
licencia license
licencia de manejar driver's license
licuado mixed, blended (drink) 9.2
líder *(m. f.)* leader
liderazgo leadership
lienzo canvas
liga league 6.2
ligas juveniles junior leagues 14.2
ligero(a) light 13.1
limitación *(f.)* limit 5.3
limitar to limit 13.1

límite de velocidad *(m.)* speed limit 11.2
limpiar to clean 1.3
limpio(a) clean 3.3
lindo(a) pretty, lovely 12.1
línea line 5.2
línea aerea airline 6.1
línea ecuatorial Equator
linterna flashlight
lista list
listo(a) smart, clever 1.2
literatura literature 9.1
litoral *(m.)* coast
living (m) living room 5.1
llamada telephone call 11.2
llamar to call *(infin.)* 1.2
llamarse to be named, to be called 9.2
llamas *(pl.)* flames 6.2
llamativo(a) showy, flashy
llano(a) flat, even
llanta tire 11.2
llanta de repuesto spare tire 13.1
llanura flat plain
llave *(f.)* key 6.2
llave maestra *(f.)* master key
llaves de paso water valves 10.2
llegada arrival 10.2
llegar to arrive 2.3
llevar to carry; to take; to wear 1.3
llevar a cabo to carry out, to see through
llevarse to take away 9.2
llorar to cry
llover (ue) to rain 9.1
llover a cántaros to rain cats and dogs 11.2
lluvia rain 9.1
lo siento I'm sorry 3.2
loco(a) crazy 3.2
lodo mud
lógicamente logically 5.3
lógico(a) logical 13.3
lograr to get; to achieve, to attain 6.2
logro achievement
lotería lottery
lubina sea bass 8.2
¡Luces, cámara, acción! Lights, camera,
  action!
lucha libre wrestling 14.1
luchar to fight
luego then 8.3
lugar *(m.)* place 4.3
lujoso(a) luxurious 5.1
lunes *(m.)* Monday 2.3

M

madera wood
madrastra stepmother 5.3
madre mother 5.3
madrugada dawn, day break
madurar to mature
maduro(a) ripe
maestría Master's degree
maestro(a) teacher 1.3

mágico(a) magical
maíz *(m.)* corn
maldición *(f.)* curse
maleta suitcase 12.2
malo(a) bad 1.2
mamá mom, mother PE
mamey *(m.)* tropical fruit 14.3
mamífero mammal
mañana / tarde / noche morning /
   afternoon / evening 2.3
   de la mañana 2.3
   en la mañana 2.3
   por la mañana 2.3
mandar to send 6.3
mandatario(a) leader
manejar to drive 5.2; to manage 14.2
maní *(m.)* peanut 8.1
manifestación *(f.)* demonstration 5.3
manifestarse to reveal onself, to protest 12.2
mano *(f.)* hand 13.2
mantener to maintain 13.2
mantener la calma to stay calm 10.1
mantequilla butter 8.1
manzana apple 8.1
mapa *(m.)* map
máquina machine 9.2
mar sea 8.3
maratón *(m.)* marathon 11.3
maravilloso(a) marvelous 6.1
marcado(a) marked
marcar goles to score goals 5.3
marcharse to leave 9.2
maremoto tsunami 10.1
marimba marimba (musical instrument)
   6.1
marinero sailor 8.3
marisco seafood 3.3
marítimo(a) maritime, sea
mármol *(m.)* marble 7.3
martes *(m.)* Tuesday 2.3
martillo hammer
marzo *(m.)* March 2.3
más more; most PE
más o menos more or less 2.2
más que more than 5.3
más vale que it's better that
masaje *(m.)* massage
masaje cardíaco *(m.)* cardiac massage 10.1
mascota pet
matar to kill 6.3
matemáticas mathematics 1.2
matemático(a) mathematician 6.1
matrícula registration 4.2
matrimonio marriage 13.1
mayo *(m.)* May 2.3
mayor older 4.2
mayoría majority
me to/for me 3.3
Me llamo... My name is . . . PE
mecánico(a) mechanic 6.3
medalla medal 14.2
media jornada part-time 5.3
media najaranja other half (slang)
mediano(a) medium 10.1

medianoche *(f.)* midnight 2.3
medicina medicine 10.1
medición *(f.)* measurement
médico(a) doctor 2.1
medio(a) half 5.2
medio ambiente *(m.)* environment 11.1
mediodía *(m.)* noon 2.3
mejor better 4.2
mejorar to better 12.2
mejorarse to get better
melocotón *(m.)* peach 8.1
melón *(m.)* melon 8.1
memorias memories
mencionar to mention 9.3
menor younger 4.2
menos less 1.2; minus 2.3
   menos que less than 5.3
mensaje message 5.2
mensajes de texto *(m. pl.)* text messages
mensualmente monthly 5.3
mentalidad abierta *(f.)* open mind 13.1
mentir (ie, i) to lie 6.3
mentón *(m.)* chin 13.2
menú *(m.)* menu 2.1
mercado market 4.1
mercancía merchandise 8.1
merluza hake 8.2
mes *(m.)* month 2.3
mesa table 5.1
mesero(a) waiter 2.1
meseta plateau
mesita coffee table, bedside table 5.1
mesoamericano(a) Middle American
mestizo(a) of mixed parentage, of white
   and Indian parentage
metáfora metaphor 10.3
metálico(a) metallic 4.2
meteorólogo(a) meteorologist 9.1
mezclar to mix, to blend
mezclilla denim 4.2
mí me (obj. de prep.) 3.3
mi my PE
mi / mis my 2.2
micro minibus 5.2
miedo fear 10.3
miembros members 9.3
miércoles *(m.)* Wednesday 2.3
militar military
millas cuadradas square miles 8.3
mina mine 8.1
ministro *(m. f.)* minister
mirador *(m.)* lookout point
mirar to look at, to watch *(infin.)* 1.2
mismo(a) same 6.1; himself, herself
misterio mystery 5.2
misterioso(a) misterious 8.3
mitad *(f.)* half 12.2
mitología mythology
mixto(a) mixed 8.2
mochila backpack 1.1
moda style, fashion 9.1
modales *(m. pl.)* manners 7.1
modernidad *(f.)* modernness
moderno(a) modern 4.1

modestia modesty
modo manner, way, means
molestar to bother
momento moment 4.3
monasterio monastery
moneda money, coin 12.3; currency
mono(a) monkey 11.2
monótono(a) monotonous 1.3
montaña mountain 7.3
montar a caballo to ride horseback
montar en bicicleta to ride a bicycle 9.1
monte *(m.)* mount, mountain
montón *(m.)* bunch, pile, heap
moreno(a) brunet(te) 5.3
morirse (ue, u) to die 10.1
mortalidad *(f.)* mortality 12.2
mosquito mosquito 12.3
mostrar to show
motivado(a) motivated 4.2
motivar to motivate
mover to move 2.1
movimiento movement 13.2
mozo(a) waiter/waitress 8.2
muchacho(a) boy/girl 4.1
Mucho gusto. Pleased to meet you. PE
mucho(a) much, a lot 1.2
muda de ropa change of clothing
mudarse to move, relocate 5.1
mueble *(m.)* (piece of) furniture 5.1
muela wisdom tooth
muerte *(f.)* death
muerto dead
mujer woman 4.1
multa fine 11.2
mundo world 6.2
municipio municipality
museo museum 4.1
música music 3.2
músico *(m. f.)* musician 9.1
muy very 3.3
   Muy bien, gracias. ¿Y Ud.? Very well,
   thank you. And you? PE

N

nacer to be born 6.2
nacional national 6.2
nacionalizar to nationalize
nada nothing 6.3
nadador(a) swimmer 5.3
nadar to swim *(infin.)* 1.2
nadie no one, nobody 6.2
naranja orange 8.1
narcotráfico drug traffic,
   narcotraffic 7.3
nariz *(f.)* nose 13.2
narrar to narrate
natación *(f.)* swimming 14.1
natural natural 8.1
naturaleza nature 7.3
Navidad Christmas 9.1
neblina fog 9.1
necesitar to need *(infin.)* 1.2;

negativo(a) negative 7.2
negocios business 6.2
negro(a) black 4.1
nervios nerves
nervioso(a) nervous 3.1
nevar (ie) to snow 9.1
nevera refrigerator 5.1
ni siquiera not even
ni... ni neither . . . nor 10.2
nicaragüense *(m. f.)* Nicaraguan
nieto(a) grandchild 5.3
nieve *(f.)* snow 9.1
niñez *(f.)* childhood
ninguno(a) none, not any 10.2
niño(a) child 3.3
nivel *(m.)* level
no no PE
¿no? isn't it? 1.1
no cabe duda no doubt
No muy bien. Not very well. PE
nocturno(a) nocturnal
nombrar to name 7.1
nombre *(m.)* name 1.1
noreste *(m.)* northeast 3.1
normal normal 5.3
noroeste *(m.)* northwest 3.1
norte *(m.)* north 3.1
nos to us 3.3
nosotros(as) we 1.2
nota grade 6.2
notar to notice 10.2
noticias *(pl.)* news 6.2
novela novel 6.2
novelista *(m. f.)* novelist 9.1
noveno ninth 10.1
noviembre *(m.)* November 2.3
novio(a) boy friend / girl friend 3.3
nube *(f.)* cloud 9.1
nublado(a) cloudy 9.1
¡Nuestra comunidad! Our community!
nuestro(a) / nuestros(as) our 2.2
número number 2.2
numeroso(a) numerous 4.2
nunca never 5.2

O

o... o either . . . or 10.2
objetivo objective
objeto object 10.2
obligar to obligate 7.2
obligatorio(a) obligatory
obra work 7.1
observar to observe 10.1
obsesivamente obsessively 5.3
obtener to obtain, to get 11.1
obvio(a) obvious 13.3
ocasión *(f.)* occasion 11.1
océano ocean 11.1
octavo eighth 10.1
octubre *(m.)* October 2.3
ocupado(a) busy, occupied 3.1
ocupar to occupy

ocurrir to occur 6.2
odiar to hate 7.1
oeste *(m.)* west 3.1
oferta offer
oficina office 2.1
ofrecer to offer 13.3
ofrenda offering
oído inner ear 13.2
oír to hear 7.1
ojo eye 13.2
¡Ojo! Watch out!
ola wave
óleo oil (painting) 7.3
Olimpiadas Olympics 14.1
olímpico(a) olympic 14.2
olvidar to forget 11.3
ómnibus *(m.)* bus
opción *(f.)* option 12.1
operarse to undergo surgery 13.3
oportunidad *(f.)* opportunity 10.2
opositor(a) opponent; candidate
oprimir to press 11.2
optimista *(m. f.)* optimist
opuesto(a) opposite
oración *(f.)* sentence 10.3
orden *(m.)* order 14.3
orden cronológico *(m.)* chronological order
ordinario(a) ordinary
oreja outer ear 13.2
organizado(a) organized 1.2
organizador(a) organizer 14.1
organizar to organize 3.2
orgulloso(a) proud 11.1
original original 4.1
oro gold 7.3
orquídea orchid
ortografía spelling
oscuro(a) dark 4.1
osito de peluche teddy bear 5.3
otoño fall 2.3
otra vez again 12.1
otro(a) other, another 6.1
oxígeno oxygen 10.2

P

paciencia patience 5.3
paciente patient 1.1
padrastro stepfather 5.3
padre father 5.3
pagar to pay *(infin.)* 1.2
pagos de hipoteca mortgage payments 13.3
país *(m.)* country 1.1
   país de origen country of origin 1.1
paisa person from Medellín, Colombia 7.3
pájaro bird 11.1
palabra word
palacio palace 4.1
palma palm
palpitante palpitating, throbbing 4.1
palta avocado 8.1
pan *(m.)* bread 8.1

panadería bakery 9.3
panameño(a) Panamanian
pantalla screen 11.2
pantalones *(m.)* pants, trousers 4.2
papá dad, father PE
papa potato 8.1
papel *(m.)* paper 1.1
paquete *(m.)* package 5.2
papelera wastepaper basket 9.2
papelería stationery store, bookstore 9.3
paquete *(m.)* package 10.1
par *(m.)* pair 13.1
para for, (in order) to 5.1; compared with, in relation to others, intended for, to be given to, in the direction of, toward, by a specified time, in one's opinion 5.2
para que so that 14.3
parada del colectivo bus stop 5.1
paraguas *(m.)* umbrella 11.2
paraguayo(a) Paraguayan
paraíso paradise
parecer to seem like, to appear like 4.3
parecido(a) similar 13.2
pareja partner, couple 5.3
pariente *(m.)* relative 5.3
parque park 4.1
parte *(f.)* part 7.1
participante *(m. f.)* participant 7.1
participar to participate 5.3
partido game (competitive) 6.2
pasaporte *(m.)* passport
pasar el rato to pass the time 5.2
pasar frío/calor to experience cold/hot temperatures 5.3
pasar to pass, to spend (time) 5.2; to occur, happen 6.3
pasatiempo pastime, amusement 1.2
Pascua Florida Easter 9.1
pasear to go for a walk or ride 1.2
paseo walk 8.3
pasillo hall, hallway 10.1
pasión *(f.)* passion 10.3
paso step 8.3
pasodoble *(m.)* Spanish dance; march step 3.2
pastel *(m.)* cake, pie 8.1
pastelería pastry shop 5.2
pastilla pill
patata potato 3.2
patear to kick 14.1
patinador(a) skater 5.3
patio patio 1.3
patrón *(m.)* pattern
patrón (patrona) boss; patron
patrones de entonación patterns of intonation
pavo turkey 8.1
paz *(f.)* peace 6.1
pecho chest 13.2
pedir (i, i) to ask for 3.2
pedir la mano to ask for one's hand in marriage
pegar to hit 10.2

pegar un tiro to shoot, to fire a shot
peinarse to comb one's hair 9.2
pelea fight 14.1
peleando fighting 5.3
película movie 1.3
    película de aventura action and adventure 3.3
    película de ciencia ficción science fiction 3.3
    película de terror horror 3.3
peligro danger 10.1
peligroso(a) dangerous 13.3
pelota ball 14.1
pena de muerte death penalty
pendiente *(m.)* pendant, pin 4.2
pensamiento thought
pensar (ie) to think 4.1
peor worse 4.2
pequeño(a) small, short, little 1.2
percibir to perceive
perder (ie) to lose 4.1
pérdida loss
perdido(a) lost 4.3
perdón pardon, sorry 1.1
perdurar to last
perezoso(a) lazy 1.1
perfil *(m.)* profile 7.1
perfume *(m.)* perfume 8.3
perfumería perfume store 9.3
periódico newspaper 2.1
perla pearl 14.1
permanecer to stay, to remain 9.1
permanencia permanence, stay, residence
permitir to allow 7.2
pero but 1.1
perro(a) dog 5.1
perseguir (i,i) to pursue 10.3
persona person 2.1
personaje *(m.)* character (in a novel) 7.3
personal personal 7.3
personalidad *(f.)* personality 1.1
personalmente personally 7.1
pertenecer to belong 9.3
pesado(a) heavy 12.3
pesca fishing, catch, haul
pescado fish 7.2
pésimo(a) dreadful, terrible 14.3
peso currency of Argentina, Chile, Colombia, Cuba, Mexico
petróleo oil 6.2
pez *(m.)* (live) fish 9.3
piedra stone, rock
piel *(f.)* leather 4.2
pierna leg 13.2
pies *(m. pl.)* feet 7.1
pijamas *(m.)* pajamas 4.2
pileta swimming pool 5.1
pimienta pepper 8.2
piña pineapple 8.1
pinchar(se) to puncture, to get a flat tire 11.2
pintor(a) painter 7.3
pintura painting 9.1
pintura flamenca Flemish painting 7.3
pionero(a) pioneer

pipa pipe 8.3
pirámide *(f.)* pyramid
pisar to step on
piscina swimming pool 5.1
pisco alcoholic drink made from muscatel grapes 8.1
piso apartment 3.2; floor (of a building) 9.3
pistas del contexto context clues
pistola gun 10.3
pizza pizza 3.2
placer pleasure 10.2
plaga plague
planeta *(m.)* planet 4.3
planicie *(f.)* plain, level ground
planta plant 9.3
planta baja lower level; lower floor 1.3
plantar to plant 11.3
plástico plastic 5.1
plata silver 4.2
plátano banana 8.1
platito small plate or dish 3.2
plato plate 1.3
plato principal main dish 8.2
playa beach 3.3
plaza plaza, town square 4.1
plenamente completely, fully
población *(f.)* population 8.3
poblado(a) populated 8.3
pobreza poverty 12.2
poco little 9.1
poder *(m.)* power 14.3
poder (ue) to be able, to can*(infin.)* 1.2
poderoso(a) powerful 14.3
poesía poetry
poeta *(m. f.)* poet 9.1
policía *(f.)* police force; policewoman; *(m.)* policeman 2.1
política politics 3.3
político(a) political 9.1
pólizas de seguro insurance policies
pollo chicken 8.1
poncho cloak, square piece of fabric with opening for the head 8.1
poner to put 7.1
ponerse to put on, to wear 9.2
popular popular 1.2
por for, by, through 5.1; along, because of, by means of, during, in, for a period of time, in exchange for, in place of, 5.2
por ciento percent
por desgracia unfortunately
por ejemplo for example
por favor please 8.2
por fin finally 6.2
por lo menos at least
¿Por qué? Why? 2.2
¿Por qué no conversamos? Why not converse?
por suerte luckily 10.2
porcentaje *(m.)* percentage
porotos *(m. pl.)* beans 8.1
porotos verdes *(m. pl.)* string beans 8.1
porque because 5.2
portada front page

portero(a) janitor 2.1
portugués (portuguesa) Portuguese
postal *(f.)* postcard 11.3
poste *(m.)* post
posteriormente subsequently, later
postre *(m.)* dessert 7.2
potable drinkable
potenciar to increase the power of 12.2
poza large puddle, pool
práctica practice 5.3
prácticamente practically 5.3
practicar to practice 1.3
precio price 4.2
precioso(a) precious 4.3
precisamente precisely 5.3
precisar to be precise
precolombino(a) pre-Columbian 12.1
predecir to predict, to anticipate
preferencia preference
preferible preferable 5.2
preferido(a) preferred 1.1
preferir (ie) to prefer 4.1
pregunta question 2.2
preguntar to ask (a question) 1.3
prejuicio prejudice 6.2
premio prize 6.1
prenda garment, article (of clothing) 4.2
prensa press
preocupación *(f.)* worry, concern
preocupado(a) preoccupied, worried 3.1
preocupar to worry 5.3
preocuparse to worry 9.3
preparar to prepare *(infin.)* 1.2;
presentación *(f.)* presentation 6.2; introduction
presentar to introduce someone or something PE
presidencia presidency 6.2
presidente(a) president 6.1
presión *(f.)* pressure
presión alta *(f.)* high blood pressure 13.3
préstamo loan 4.2
prestar to lend 10.3
presupuesto budget 12.2
prevenir to anticipate, to prepare, to get ready
previo(a) previous
primaria elementary school 11.1
primavera spring 2.3
primer first 8.3
primer piso first floor 1.3
primer(o) first 10.1
primera plana front page 6.2
primero(a) first 6.2
primeros auxilios *(m. pl.)* first aid 10.1
primitivista primitive or naïve art, characterized by vivid colors and simple figures 10.2
primitivo(a) primitive
primo(a) cousin 5.3
principal main 6.2

principio beginning 3.1
prioridad priority
privado(a) private 1.3
probablemente probably 4.3
probar to try, to taste 8.2
problema *(m.)* problem 7.2
producir to produce 10.2
productivo(a) productive 4.3
producto product 7.3
Producto Interior Bruto GDP, Gross Domestic Product
profesión *(f.)* profession 2.1
profesional professional 14.2
profesor(a) professor PE
profundamente profoundly 5.3
programa *(m.)* program 1.3
prohibido(a) banned, prohibited 3.3
prohibir to prohibit, to forbid
promesa promise
prometer to promise 7.1
pronóstico forecast 9.1
¡Pronto! Right away!, Hurry! 4.3
propaganda propaganda 14.2
propiedad *(f.)* property 12.1
propina tip 8.3
propio(a) own, one's own
proponer to propose
proporcionado(a) proportionate
proporcionar to provide 10.1
propósito purpose, intent 7.2
propuesta proposal
protagonista *(m. f.)* protagonist 6.3
protegerse to protect oneself
protestar to protest 5.3
proveniente proceeding, coming from
proverbio proverb
próximo(a) next 12.1
proyectar to project 7.2
proyecto project
prudente prudent 12.3
público(a) public 1.3
pueblo village, town
puente *(m.)* bridge
puerta door 2.1
puerto port, harbor
puesto position, job 2.1
pulga flea
pulir to polish
pulmones *(m. pl.)* lungs 13.2
pulpo octopus 8.1
pulsera bracelet 4.2
punto point 7.2
punto de vista point of view
puntuación *(f.)* punctuation
puntual punctual 7.1
purificar to purify 12.3
puro(a) pure

Q

¿Qué? What? 2.2
quedarse to stay, to remain 10.1

quehaceres *(m. pl.)* chores, tasks 11.1
¿Qué hora es? What time is it? 2.3
quejarse to complain 12.1
quemar to burn 6.2
quemar calorías to burn up calories 5.3
queque *(m.)* cake 8.1
¡Qué pena! What a shame! 5.2
querer (ie) to want 4.1
querido(a) dear (salutation in a letter)
¿Qué se dice...? What does one say to . . . ?
queso cheese 3.2
queso manchego cheese (from La Mancha region) 3.2
¡Qué suerte! What luck! 5.2
¿Qué tal? How are you? PE
¿Qué tiempo hace? What's the weather like? 9.1
quetzal *(m.)* Guatemalan currency, bird
¿Quién(es)? Who? 2.2
química chemistry 1.2
quinto fifth 10.1
quitarse to take off 9.2

R

rábano radish 8.1
racial racial 6.2
radio *(f.)* radio 1.2
ramo bouquet (of flowers) 8.1
rápido(a) rapid, fast 4.2
rápidos rapids (of a river)
raramente rarely 5.3
raro(a) strange, rare
rascacielo skyscraper
rasgo charateristic, feature
rayas lines, marks
rayón *(m.)* rayon 4.2
raza race
reacción *(f.)* reaction
reaccionar to react 5.3
realidad *(f.)* reality
realizar to carry out
reanimar to revive 10.1
reaparecer to reappear 9.1
rebaja sale, discount 6.2
rebozo Mexican shawl 4.1
receta recipe 3.2; prescription
recetar to prescribe 2.1
recibir to receive 2.1
recién *(adv.)* just, recently, newly 6.2
reciente recent 10.1
recital *(m.)* recital 4.3
reclamar to claim, to demand
reclutar to recruit 14.2
recoger to pick up, gather 7.1
recomendar (ie) to recommend 8.2
reconocer to recognize
reconocido(a) recognized, known 7.3
reconocimiento recognition 10.3
recordar to remember
recorrer distancias to cover a lot of ground 5.3
recorrer to travel; to look around 2.1
recorrido journey, route

recrear to recreate
rector *(m.)* university president 14.2
recuerdos souvenirs 4.3; memories
recursos humanos human resources
red *(f.)* system, network 5.2; net 14.1
redactar to write, to draft
redistribuir to redistribute
redondear to round off
reducir to reduce 12.2
reemplazar to replace
referirse to refer to, to mention
refinería refinery 6.2
reforma reform 6.2
refrán *(m.)* saying 14.3
refrescante refreshing
refresco soft drink 1.3
refugio refuge
regalar to give a gift 8.1
regalo gift 4.2
regar to water (a lawn)
regatear to bargain
región *(f.)* region 12.1
regla rule
regresar to return 2.3
reina queen 7.2
reino kingdom
reinterpretar to reinterpret 12.2
reír laugh 7.2
relación *(f.)* relationship 7.3
relacionado(a) related 5.3
relacionar to relate, to report
relaciones internacionales *(f. pl.)* international relations
relajado(a) relaxed
relajarse to relax 13.2
relatar to relate, to tell
religioso(a) religious 12.2
rellenar to refill, to fill out
reloj *(m.)* watch; clock
remoto(a) remote
remuneración *(f.)* pay (for a service) 14.3
reñir to argue, to quarrel; to scold
rentable profitable 12.3
renunciar to renounce, to give up
reparar to repair 6.3
repartido(a) divided, distributed
repelente *(m.)* repellent 12.3
repetir (i, i) to repeat 7.2
repleto(a) replete, full 8.3
reporte *(m.)* report 2.1
reportero(a) reporter 2.3
representante representative 6.1
representar to represent 2.1
reptil *(m.)* reptile 11.1
requisito requirement
rescatar to rescue
reservación *(f.)* reservation 10.2
reservar to reserve 12.1
residencia residence 5.1
resolver to resolve 7.3
respetar to respect 7.1
respeto respect 10.3
respetuoso(a) respectful 12.3
respiración artificial *(f.)* artificial

respiration 10.1
respirar to breathe 10.1
respiratorio respiratory 13.3
responder to respond, to answer 6.3
responsabilidad (*f.*) responsibility 2.1
responsable responsible 2.1
respuesta (*f.*) answer PE
restaurado(a) restored
restaurante (*m.*) restaurant 1.2
restaurar to restore
resto rest, remaining 6.2
restos (*m. pl.*) remains 12.1
resultado result 6.3
resumen (*m.*) summary
retirar to withdrawal
retraso delay 11.2
retrato portrait 4.1
reunión (*f.*) meeting, reunion
reunirse to get together, to reunite 10.1
revelar to reveal, develop 7.2
reventarse to blow up 11.2
revista magazine 6.2
revolucionario(a) revolutionary
revuelto(a) scrambled 8.2
rey (*m.*) king 7.2
reyneta angel fish 8.2
rico(a) rich; delicious 3.3
riesgo hazard, risk 10.1
rígido(a) rigid 13.3
río river
riqueza richness, wealth 8.1
ritmo rhythm 10.3
rizado(a) curly 3.3
robar to rob, steal 6.2
roca rock 12.3
rodaje (*m.*) filming
rodear to go around; to surround
rodilla knee 13.2
rogar to beg, plead 6.2; to pray
rojo(a) red 4.1
romántico(a) romantic 1.1
romperse to break, shatter 10.1
ropa clothes 1.3
ropero closet 5.1
rosado pink 4.1
rubio(a) blond(e) 3.3
ruido noise 6.2
ruina ruin 4.3
rumbo direction, course
ruta route 5.2
rutina routine 9.2

S

sábado (*m.*) Saturday 2.3
saber to know (facts) *infin.* 1.2
¿Sabías que...? Did you know that . . . ?
sabiduría knowledge
sabor (*m.*) taste
sabroso(a) savory, delicious 4.2
sacar buenas notas to obtain good grades 13.1

sacar fotos to take pictures 8.1
sacar to take out (your dog), to earn (a grade) 11.2
sacerdote (*m.*) priest
sagrado(a) sacred
sal (*f.*) salt 7.3
sala living room 3.2
sala de espera waiting room
sala de los profesores teachers' lounge 2.1
salario salary 2.2
salchicha sausage 8.1
salida exit 5.2; departure
salir to leave 2.1
salirse to leave unexpectedly 9.2
salmón (*m.*) salmon 8.1
salón (*m.*) lounge, living room 3.2
saltar to jump 13.2
salto de altura high jump 14.1
salud (*f.*) health 12.2
salud materna (*f.*) maternal health 12.2
saludable healthy 14.1
saludar to greet 3.2
saludo greeting PE
salvavidas (*m. pl.*) life preserver 10.1; (*m. f.*) lifeguard, lifesaver 14.1
salvo except 10.1
sanción (*f.*) sanction 14.1
sandinistas Nicaraguan revolutionary group 10.3
sangría a fruity Spanish wine drink 3.2
sano(a) healthy 3.3
santuario temple, sanctuary
satisfacer to satisfy 13.3
sección (*f.*) section 6.2
secretario(a) secretary 2.1
sed (*f.*) thirst 4.3
seda silk 4.2
sede (*f.*) seat (of an organization), headquarters
seguir (i, i) to continue 7.2
según according to 7.2
segundo second 10.1
segundo piso second floor 1.3
asegurar to assure
seguridad (*f.*) security 2.1
seguro de salud health insurance 13.3
seguro escolar school insurance 13.3
seguro insurance 14.3
seguro(a) sure, secure, safe 7.2
seleccionar to select 3.2
selva jungle 7.2
semilla seed
señor (Sr.) Mr. 1.1
señora (Sra Mrs. 1.1
señorita (Srta.) miss 1.1
sensible sensitive
sentado(a) seated
sentarse (ie) to sit down 9.2
sentencia sentence 2.1
sentido común common sense
sentido del humor sense of humor
sentimiento sentiment 7.3
sentirse (ie, i) to feel 9.2
septiembre (*m.*) September 2.3

séptimo seventh 10.1
ser to be 1.1
ser una pena to be a shame 13.3
serie (*f.*) series
serio(a) serious 1.1
serpiente serpent
servicio service 12.2
servicios de emergencia/urgencia (*m. pl.*) emergency services 10.1
servilleta napkin 8.2
servir (i, i) to serve 7.2; to be good for 13.2
sevillana flamenco dance 3.1
sexto sixth 10.1
si así es if so 10.2
sí yes PE
si... if . . . 1.3
SIDA (*m.*) AIDS 12.2
siempre always 5.2
sierra mountain range 12.3
siesta afternoon nap 3.3
siglo century 12.2
significado meaning
significar to signify, mean 7.2
siguiente next, following 7.1
silenciosamante silently 5.3
silla (*f.*) chair 5.1
silvestre wild
símbolo symbol
simpático(a) nice, pleasant, likable 1.1
simplemente simply 5.1
simultáneo(a) simultaneous
sin duda without a doubt 12.2
sin embargo nevertheless
sin que without, unless 14.3
sin razón wrong 11.2
sin without 5.1
sincero(a) sincere 1.1
sirena siren 11.2
sistema (*m.*) system
sitio site 12.1
situación (*f.*) situation 7.3
situado(a) located 12.3
sobornar to bribe, corrupt 6.3
sobre over, on top of, about 5.1
sobrepasar to surpass
sobrevivir survive 4.3
sobrino(a) nephew (niece) 5.3
sociable outgoing, friendly 1.1
social social 6.2
socialista (*m. f.*) socialist
socializado(a) socialized 14.3
sociedad (*f.*) society 5.3
socio (*m. f.*) member 13.1
sociología sociology
soda carbonated beverage 9.3
sofocar to smother, to put out 10.1
sol (*m.*) sun
soldado soldier
soledad (*f.*) solitude, loneliness
soler to be in the habit of
solicitar to solicit, to ask for 14.2
solidaridad (*f.*) solidarity
sólido(a) solid 12.3

solo only 5.2
solo(a) alone 12.1
solsticio solstice 12.3
solución (*f.*) solution 7.2
solucionar to solve 9.3
sombrero hat 4.2
sonar (ue) to ring 11.2
sonido sound 11.2
sonreír smile 7.2
sopa (*f.*) soup 5.1
soportar to support, to hold up; to endure
sorprender to surprise 6.2
sorpresa surprise 8.1
sospechoso(a) suspicious 10.2
sostener to support, to hold up
sostenibilidad (*f.*) sustainability 12.2
sostenible sustainable 8.3
soy I am PE
su / sus your (*fml./pl.*); their 2.2
su / sus your (*fml./s.*); his/her 2.2
suave soft, gentle, mild 8.3
subir to go up, climb 4.3; to raise 13.2
subte (*m.*) underground, metro 5.2
subterráneo (*m.*) underground, metro 5.2
sucio(a) dirty 3.3
sudar to sweat, perspire 9.1
sueldo salary 14.3
suelo floor 10.1
sueño dream 13.1
suerte (*f.*) luck 6.2
suéter (*m.*) sweater 4.2
suficiente sufficient, enough 7.2
sufrir to suffer 4.3
sugerir to suggest 10.1
suicidarse to commit suicide
sujetar to fasten 12.3
sumamente extremely, highly
sumar to sum up, add 7.2
sumergirse to submerge oneself
superar to surpass, to exceed
superficie (*f.*) surface 14.2
supermercado supermarket 1.3
superresponsable superresponsible 5.2
sur (*m.*) south 3.1
sureste (*m.*) southeast 3.1
suroeste (*m.*) southwest 3.1
sustraer (substraer) to remove, take away 6.2

T

tabaquería tobacco store 9.3
tajo ravine, gorge
talentoso(a) talented 1.1
tallar to carve
talón (*m.*) heel
tamaño size 11.1
también also 1.1
tambo barrel 6.2
tampoco neither 6.2
tan pronto como as soon as 14.3
tan...como as . . . as 4.2
tanque (*m.*) tank

tanto como as much as 4.2
tanto(a) so much 2.1; as much 5.3
tantos(as) as many 5.3
tantos...como as many as 4.2
tapas (*f.*) appetizers, hors d'oeuvre 3.2
taquillera box office hit 3.3
tarde late 5.2
tarea homework; job; task 1.3
tarjeta de crédito credit card 2.2
tasa de mortalidad mortality rate
taxi taxi 5.2
taza cup 4.3
té (*m.*) tea 4.3
Te presento a... I'd like you to meet . . . (familiar) PE
te to/for you (*s. fam.*) 3.3
¡Excelente! Excellent! PE
teatro theater 1.3
techo roof; ceiling
teclas (*f. pl.*) keys 11.2
tela cloth
tele (*m.*) television (slang) 1.3
teléfono telephone 1.2
    teléfono celular cellular phone 2.2
telenovela soap opera 6.3
televidente (*m. f.*) T.V. viewer
televisión (*f.*) television 1.2
    televisión por cable cable TV 4.2
televisor (*m.*) TV set 5.1
tema (*m.*) topic 8.3
temblar to shiver 9.1
temer to fear 13.3
temperatura temperature 4.3
templado(a) moderate 8.3
templo temple
temporada season; period, time
temprano early 5.2
tenedor (*m.*) fork 8.2
tener calor to be hot 4.3
tener en cuenta to keep in mind
tener éxito to succeed 4.3
tener frío to be cold 4.3
tener ganas de to feel like 4.3
tener hambre to be hungry 4.3
tener la culpa to be at fault, to be to blame 10.2
tener lugar to take place 2.3
tener miedo de to be afraid of 4.3
tener prisa to be in a hurry 4.3
tener que to have to 4.3
tener razón to be right 4.3
tener sed to be thirsty 4.3
tener sueño to be sleepy 4.3
tener suerte to be lucky 4.3
tener to have 2.1
tener... años to be . . . years old 4.3
tenis (*m.*) tennis 1.1
tenista (*m. f.*) tennis player 5.3
teología theology
tercer(o) third 10.1
termal thermal
terminal terminal 5.2
terminar to finish 4.3
terraza flat roof, terrace 3.2

terremoto earthquake 6.1
terrible terrible 4.1
¡Terrible! Terrible! PE
tesis (*f.*) thesis 6.2
tesorero(a) treasurer 14.2
testigo (*m. f.*) witness 6.3
testimonio testimony 6.3
ticos Costa Ricans
tiempo weather 9.1
tienda de ropa clothing store 2.2
tierra soil 12.1; earth, land
tímido(a) shy 1.1
tinto red wine 3.3: strong Colombian coffee with sugar 7.1
tío(a) uncle (aunt) 5.3
típico(a) typical 4.2
tipo type 2.2
tira cómica comic strip 5.3
tirar la pelota to pitch a ball 14.2
tirarse to throw oneself
titularse to get a degree 13.2
título title 3.3
toalla towel 10.1
tobillo ankle 13.2
tocar to play (an instrument); to touch 1.3; to knock (at a door), to ring (a door bell) 9.3
todavía still 7.3
todo el mundo everyone 1.2
todo(a) all, everything 4.1
todos los días every day 5.2
todos(as) everyone, everybody 3.1
tomar la orden to take an order (at a restaurant) 2.1
tomar to drink; to take (*infin.*) 1.2
tomar turnos to take turns
tomar un descanso to take a break 13.2
tomate (*m.*) tomato 8.1
tonificar to tone, to strengthen 13.2
torero(a) bullfighter 3.1
tormentoso(a) stormy, turbulent 4.2
tornado tornado 10.1
toro bull 3.1
torpe clumsy 1.2
torre (*f.*) tower
torta sandwich 4.3; cake 5.2
tortilla española Spanish potato omelette 3.2
tortuga turtle 11.1
tortura torture
totalmente totally 5.3
toxicología toxicology 10.1
trabajador(a) hardworking 1.1
trabajar to work 1.2
trabajo work 2.2
traducir to translate 10.2
traer to bring 7.1
tráfico traffic 3.3
tragedia tragedy
traje (*m.*) suit, outfit
tranquilizarse to calm down, relax 11.2
tranquilo(a) quiet, calm 3.1
transbordador espacial (*m.*) space ship 11.3
transeúnte (*m. f.*) passerby, transient
transformación transformation 11.3

transformarse to transform oneself 11.3
transladado(a) transferred, moved
  residence
transparente transparent 8.3
transporte (*m.*) transport 11.3
tras after; behind
trasbordador (*m.*) ferry 8.3
trasero(a) back, rear 6.2
tratar de to try 10.2
traumático(a) traumatic
trayecto trajectory 8.3
tren (*m.*) train 4.3
tribunal (*m.*) court, tribunal 2.1
triste sad 3.1
trompeta trumpet 11.1
trozo piece 7.2
tu / tus your (*fam./s.*) 2.2
tú you (*fam.*) 1.1
tumba grave, tomb
turismo tourism 8.3
turístico(a) tourist 10.2
turnarse to take turns 9.2

U

último(a) last, final 2.3
un poco a little, a small amount 3.2
UNAM National Autonomous University
  of Mexico
unido(a) united 11.1
uniforme uniform 14.3
unir to unite, to combine
universal universal 12.2
universidad university 1.2
urbano(a) urban 1.3
urbe (*f.*) large city, metropolis
urgente urgent 13.1
uruguayo(a) Uruguayan
usar to use 1.2
usted you (formal) 1.1
ustedes you (pl.) 1.2
útil useful 12.2
útiles de limpieza (*m. pl.*) cleaning
  materials 11.2
utilizar to utilize, to use
utópico(a) utopian
uva grape

V

vacaciones vacation 5.2
valer la pena to be worth while 8.2
valer to be worth 12.2
válido(a) valid
valioso(a) valuable
valor (*m.*) value 6.2
valorar to value 8.3
variado(a) varied; assorted 1.3
variar to vary
variedad (*f.*) variety 11.1
varios(as) various, several 1.3
varón (*m.*) male 5.3
vaso glass 9.2
vecino(a) neighbor 10.1
vegetariano(a) vegetarian 7.2
vela candle 7.1
velocidad (*f.*) velocity, speed
vender to sell 2.1
venerar to venerate, to revere
venezolano(a) Venezuelan
venir to come 2.1
venta sale 6.2
ventaja advantage
ventana window 3.2
ver to see 3.3
verano summer 2.3
verdad (*f.*) truth 5.3
verde green 4.1
verdura vegetable 8.1
veredicto verdict 6.3
verificar to verify 10.1
verso a line of a poem 10.3
vesícula gall bladder 13.2
vestido dress 4.1
vestidor walk-in closet 5.1
vestir to dress 7.2
vestirse (i, i) to dress oneself, to get
  dressed 9.2
veterinario(a) veterinarian 2.1
vez (*f.*) time, instance 4.1
viajar to travel 2.3
viaje trip (*m.*) 6.1
viajero(a) traveler
víctima (*m. f.*) victim 6.3
victoria victory
vida life 6.2

videojuego video game 11.1
viejo(a) old 5.1
viernes (*m.*) Friday 2.3
vigilar to watch over, to guard
viñedo vineyard 8.3
vino wine 3.2
vino blanco white wine 8.1
vino espumoso sparkling wine 8.2
vino rosado rosé wine 8.2
vino tinto red wine 8.1
violencia violence 6.3
violento(a) violent 14.1
visibilidad (*f.*) visibility
visitar to visit 2.1
vista view 4.3
vivienda housing, dwelling 12.1
vivir to live 2.1
volar (ue) to fly 4.1
volcán (*m.*) volcan 6.1
voleibol (*m.*) volleyball
voluntario(a) volunteer 2.1
volver (ue) to return 4.1
vos you 5.1
voseo use of vos and its verb forms in
  addressing someone
votar to vote
voz (*f.*) voice 6.2
vuelo flight 6.1

Y

y and 1.1: plus 2.3
yo I 1.1
Yo soy... I am . . . PE

Z

zambullirse to dive 10.3
zanahoria carrot 8.1
zapateo heel-tapping 8.3
zapatería shoe store 9.3
zapatilla slipper 8.2
zapato shoe 4.2
zona sísmica earthquake zone 10.1
zoológico zoo 11.3

English-Spanish Vocabulary

This vocabulary includes all the words listed as active and passive vocabulary in *¡Dímelo tú!*
  Stem-changing verbs appear with the change in parentheses after the infinitive: **(ie)**, **(ue)**, **(i)**, **(e, i)**, **(ie, i)**, **(ue, u)**, or **(i, i)**. Most cognates, conjugated verb forms, and proper nouns used as passive vocabulary in the text are not included in this glossary.
  The following abbreviations are used:

adj. adjective *n.* noun	*dir. obj.* direct object *prep.* preposition	*indir. obj.* indirect object *s.* singular
adv. adverb *pl.* plural	*f.* feminine *pron.* pronoun	*interj.* interjection *subj.* subject
conj. conjunction *pp.* past participle	*fam.* familiar *refl.* reflexive	*m.* masculine *v.* verb
dem. demonstrative *poss.* possessive	*form.* formal *rel.* relative	

A

a 5.1
a fruity Spanish wine drink sangría 3.2
a line of a poem verso 10.3
a little, a small amount un poco 3.2
abandon abandonar
about acerca de
above arriba 12.1
absence ausencia
abstract abstracto(a) 7.3
abundant abundante 4.2
abuse, take advantage abusar 7.2
access acceso 13.3
accident accidente 5.3
accompany acompañar 7.1
according to según 7.2
accounting contabilidad 1.2
acculturation aculturación *(f.)* 9.1
accuse acusar 6.3
accused acusado(a) 6.3
accustomed acostumbrado(a)
achieve lograr 6.2
achievement logro
acquire, to buy adquirir 10.3
acre acre *(m.)*
acrylic acrílico 7.3
act actuar
action and adventure (movie) película de aventuras 3.3
active activo(a) 1.1
activist activista
activity actividad *(f.)* 1.1
actor actor *(m.)* 2.1
actress actriz *(f.)* 2.1
actually en efecto
add añadir
address dirección *(f.)*
adept adepto(a)
administer administrar 13.1
administration administración *(f.)* 4.1
admire admirar 7.1
admit admitir 5.3
adolescent adolescente *(m. f.)* 2.1

adore adorar 7.1
advantage ventaja
advertisement anuncio 6.3
advice consejo 7.2
advisable aconsejable 10.1
advise aconsejar 10.1
advisor consejero(a) 13.3
aerobics aeróbicos
affect afectar 9.1
affirm afirmar
affirmation afirmación *(f.)*
afflicted aquejado(a)
African africano(a)
after después de 5.1, después (de) que 14.3
after; behind tras
afternoon tarde 2.3
afternoon nap siesta 3.3
again otra vez 12.1
against contra 11.1
aggresive agresivo(a) 4.2
aggressiveness agresividad *(f.)*
agree estar de acuerdo 9.3
agreement (contractual) convenio
AIDS SIDA *(m.)* 12.2
airline línea aerea 6.1
airplane avión 5.2
airport aeropuerto 6.1
alarm clock despertador 10.3
alcoholic drink made from muscatel grape pisco 8.1
alert alerto(a) 10.1
all todo(a) 4.1
allow permitir 7.2
almost casi 7.2
alone solo(a) 12.1
along por 5.2
also también 1.1
alternate alternar
alternative alternativa 13.3
although aunque 14.3
always siempre 5.2
ambassador embajador(a)
ambitious ambicioso(a) 6.2
ambulance ambulancia 10.1

amendment enmienda
American (from the U.S.) estadounidense 1.1
amply, fully ampliamente
anatomy anatomía 13.2
ancestors antepasados *(m. pl.)*
ancestry, origin ascendencia
ancient antiguo(a) 12.1
and y 1.1
Andean folk dance cueca 8.3
angel fish reyneta 8.2
animal animal *(m.)* 2.1
ankle tobillo 13.2
annexed anexionado(a)
announce anunciar 10.2
another's, someone else's ajeno(a)
answer respuesta *(f.)* PE; contestar 2.1
anthropologist antropólogo(a)
anticipate anticipar 10.2; prevenir
any, anybody cualquiera 9.3
apartment piso 3.2, departamento 5.1
apogee, height apogeo
apparently aparentemente 5.3
appear aparecer
appetizer entremés *(m.)* 8.2
appetizers, hors d'oeuvre tapas *(f.)* 3.2
apple manzana 8.1
appreciate agradecer 5.3
appreciated apreciado(a)
appropriate apropiado(a)
April abril *(m.)* 2.3
aquatic sports deportes acuáticos *(m. pl.)* 10.3
architect arquitecto(a) 2.1
architecture arquitectura 9.1
Are you a good observer? ¿Eres buen observador?
area área (el área / las áreas) 8.3
Argentine argentino(a)
argue, to quarrel; to scold reñir
arid, dry árido(a)
arm brazo 8.3
armament, weapons armamento
army ejército 11.1
around, about en torno a

arrange, to prepare disponer 12.1
arranged, fixed arreglado(a) 14.1
arrest arrestar 6.1
arrival llegada 10.2
arrive llegar 2.3
art arte (m.) 1.2
article artículo 2.1
artificial respiration respiración artificial (f.) 10.1
artisan artesano(a)
artist artista (m. f.) 2.1
as soon as possible cuanto antes 13.3
as . . . as tan. . . como 4.2
as, since como 5.2
as many tantos(as) 5.3
as many as tantos... como 4.2
as much tanto(a) 5.3
as much as tanto como 4.2
as soon as en cuanto, tan pronto como 14.3
ascend, to go up ascender
ash ceniza 11.2
ask (a question) preguntar 1.3
ask for pedir (i, i) 3.2; solicitar 14.2
ask for one's hand in marriage pedir la mano
aspirin aspirina 4.3
assassinate asesinar 8.3
assassination asesinato 6.3
assault, to attack asaltar
assaulted asaltado(a)
assist atender
assistant asistente (m. f.)
assure asegurar
astronaut astronauta (m.) 11.3
astronomer astrónomo(a) 6.1
at a la(s) 2.3, **(with time)** a 5.1
at least por lo menos
at the beginning of a principios de
at the end of a fines de
At what time? ¿A qué hora? 2.3
at your service a sus órdenes
athlete deportista (m. f.) 9.1, atleta (m. f.) 14.1
athletic atlético(a) 1.1
attack atacar
attacked asaltado(a)
attain lograr 6.2
attempt, to try intentar 12.3
attend, be present asistir 3.2
attentive atento(a)
attract atraer 12.3
attraction atracción (f.)
attractive atractivo(a) 1.1
August agosto (m.) 2.3
authentic auténtico(a) 4.3
authority autoridad (f.) 2.1
availability disponibilidad 5.1
available disponible 5.1
avocado aguacate (m.), palta 8.1
avoid evitar 10.2
Aztec Calendar Calendario Azteca 4.1

B

B.C. before Christ A.C. antes de Cristo
baby bebé (m. f.) 3.1
bachelor's degree bachillerato
back espalda, trasero(a) 6.2
back page contraportada
backpack mochila 1.1
bad malo(a) 1.2
baggage, luggage equipaje (m.)
bakery panadería 9.3
balcony balcón 5.1
ball pelota 14.1
banana plátano 8.1
bank banco (m.) 1.3
banned prohibido(a) 3.3
bar bar (m.) 3.3
barely apenas 10.3
bargain regatear
bark (of a tree) corteza
baroque barroco(a) 7.3
barrel tambo 6.2, barril (m.) 11.1
barrier barrera
base oneself on basarse en
baseball béisbol (m.) 1.1
baseball player jugador(a) de béisbol 2.1, beisbolista (m. f.) 5.3
basically básicamente 7.3
basket cesto 14.1
basketball baloncesto 1.1
bat bate (m.) 14.1; batear 14.2
bathe bañarse 9.2
bathroom cuarto de baño 5.1
batter (baseball) bateador(a) 14.2
battle batalla
bay bahía
be ser 1.1, estar 3.2
be a shame ser una pena 13.3
be able, poder (ue)1.2
be absent, to be missing faltar 11.1
be afraid of tener miedo de 4.3
be at fault, to be to blame tener la culpa 10.2
be born nacer 6.2
be brought up criarse
be cold tener frío 4.3, hacer frío 9.1
be dead tired estar muerto(a) 13.2
be exhausted estar molido(a) 13.2
be falling apart estar hecho(a) pedazos 13.2
be given to para 5.2
be glad alegrarse 13.3
be good for servir (i, i) 13.2
be having fun estar de fiesta
be hot tener calor 4.3
be hot (ouside) hace calor (m.) 2.3
be hungry tener hambre 4.3
be in a hurry tener prisa 4.3
be in shape estar en forma 14.1
be in the habit of soler
be inclined to estar dispuesto(a) 14.2
be lucky tener suerte 4.3
be named, to be called llamarse 9.2
be obliged, must, should deber 6.3

be precise precisar
be right tener razón 4.3
be sleepy tener sueño 4.3
be sunny hacer sol 9.1
be sure estar seguro 10.2
be thirsty tener sed 4.3
be windy hacer viento 9.1
be worth valer 12.2
be worthwhile valer la pena 8.2
be . . . years old tener... años 4.3
beach playa 3.3
beans porotos (m. pl.) 8.1
beat derrotar 14.1
because porque 5.2
because of por 5.2
beautiful, lovely hermoso(a) 3.3
become, convertirse
become animated or lively, to become encouraged animarse
become interested interesarse 9.3
bed cama 9.2
bedroom dormitorio 3.2, habitación (f.) 3.2
bedside table mesita 5.1
beef carne de res (f.) 8.1
beer cerveza 1.3
before antes de 5.1
beg, plead 6.2; **to pray** rogar
begin empezar (ie) 4.1, comenzar (ie) 6.2
beginning principio 3.1, inicio 12.3
behind detrás de 5.1
beige beige 4.1
believe creer 14.1
belong pertenecer 9.3
below abajo
bend flexionar
benefit of the doubt beneficio de la duda 8.3
beside al lado de 5.1
better mejor 4.2
between entre 5.1
bicycle bicicleta 4.1
big, large grande 1.2
bike racing ciclismo 1.1
bilingual bilingüe 11.3
bill cuenta 1.3
billfold billetera 10.3
bind aglutinar
biography biografía 6.1
biology biología 1.2
bird ave (f.), pájaro 11.1
birthday cumpleaños 5.2
birthplace ciudad natal 1.1
black negro(a) 4.1
blackmail chantajear 9.3
block bloque (m.), cuadra 9.3
blockade bloqueo 14.1
blond(e) rubio(a) 3.3
blouse blusa 4.1
blow up reventarse 11.2
blue azul 4.1
board of directors directiva 14.2
boast, to brag jactarse 5.3
body cuerpo 8.3

Bolivian boliviano(a)
Bolivian currency boliviano
bonfire hoguera 12.3
book libro 1.1
bookstore librería 1.1
boots botas 4.2
border frontera 12.3
bore aburrir 5.3
boring aburrido(a) 1.2
boss, leader patrón (patrona), jefe(a) 2.2
bother molestar
bottle of water botella de agua 2.2
boundary, limits confines (m. f.)
bouquet (of flowers) ramo 8.1
box office hit taquillera 3.3
boxer boxeador (m.) 14.1
boxing boxeo 14.1
boy / girl chico(a) 3.1, muchacho(a) 4.1
boyfriend / girlfriend novio(a) 3.3
bracelet pulsera 4.2
brain cerebro 14.1
brave bravo(a) 4.2
Brazilian brasileño(a)
bread pan (m.) 8.1
break romperse 10.1
breakfast desayuno 8.1
breathe respirar 10.1
breathe in inspirar 13.2
breathe out expirar 13.2
bribe, corrupt sobornar 6.3
bridge puente (m.)
brief, short breve 8.3
brilliant genial
bring traer 7.1
broadcasting station emisora
brother (sister) hermano(a) 5.3
brunet(te) moreno(a) 5.3
budget presupuesto 12.2
build edificar 6.1
building edificio 2.1
bull toro 3.1
bullfight corrida de toros 3.3
bullfighter torero(a) 3.1
bunch, pile, heap montón (m.)
burn quemar 6.2
burn up calories quemar calorías 5.3
bus autobús, ómnibus (m.) 4.1, colectivo 5.2
bus stop parada del colectivo 5.1
business management ciencias empresariales 1.2
business negocios 6.2
busy, occupied ocupado(a) 3.1
but pero 1.1
butcher shop carnicería 9.3
butter mantequilla 8.1
button(s) botón (botones) 4.2
buy (infin.) comprar 1.2
by a specified time para 5.2
by means of por 5.2
By the way . . . A propósito...

C

cabbage col (f.) 8.1
cable TV televisión por cable 4.2
cafeteria cafetería 1.3
cage jaula
cake torta 5.2, **pie** pastel (m.), queque (familiar) (m) 8.1
calendar calendario 2.3
call (infin.) llamar 1.2; (-ar verbs) 1.3
calm calmar
calm down tranquilizarse 11.2
calmly calmadamente 5.3
camera cámara 12.1
Canadian canadiense (m. f.)
canary canario 9.3
cancer cáncer (m.) 13.3
candle vela 7.1
canoe canoa 11.3
canvas lienzo
cap gorro
capacity capacidad (f.)
capital capital (f.) 12.3
capitol building capitolio 9.2
car auto 4.1, coche (m.) 5.3, carro 10.2
carbonated beverage soda 9.3
carbonated water gaseosa 3.3, agua con gas 8.2
cardboard cartón (m.)
cardiac massage masaje cardíaco (m.) 10.1
careful, be careful cuidado
carefully cuidadosamente 5.3, **with care** con cuidado 6.2
Caribbean Caribe, caribeño(a)
carpenter carpintero
carrot zanahoria 8.1
carry llevar 1.3
carry out realizar, llevar a cabo
cartoonist dibujante (m. f.)
carve tallar
cash register caja
casserole cazuela 8.2
castle castillo
cat gato(a) 5.1
cathedral catedral (f.) 4.1
cattle rancher ganadero(a)
cause problems dar problemas 8.3
cede, to hand over ceder
celebrate celebrar 5.2
celery apio 8.1
celeste, light blue celeste 9.3
cellular phone celular, móvil (Spain) 1.3
cement cemento
cemetery cementerio
Central American centroamericano(a)
century siglo 12.2
ceramics cerámica 8.1
certainty certeza
chair silla (f.) 5.1
challenge desafío
challenging desafiante 1.3
champagne champán (m.), cava
champion campeón (campeona) 5.3

championship campeonato 14.2
change cambiar 5.2
change of clothing muda de ropa
channel (TV, radio) canal (m.)
character (in a novel) personaje (m.) 7.3
characteristic característica 13.3
charateristic, feature rasgo
charm, to please highly encantar 3.3
chat, to converse conversar 3.2
chat on the Internet chatear 1.2
chauffeur chofer (m. f.) 10.2
cheap, inexpensive barato(a) 4.2
check cheque (m.) 11.2
cheese queso 3.2, **(from La Mancha region)** queso manchego 3.2
chemistry química 1.2
chest pecho 13.2
chicken pollo 8.1
chicken stew ajiaco 7.1
chieftain cacique (m.)
child niño(a) 3.3
childhood niñez (f.)
childish infantil
children hijos 5.3
chili pepper ají (m.) 8.1
chin mentón (m.) 13.2
chocolate chocolate (m.) 4.3
choose, to select escoger 8.3
chores, tasks quehaceres (m. pl.) 11.1
Christmas Navidad 9.1
chronological order orden cronológico (m.)
church iglesia 7.3
cigarette cigarrillo 3.3
cigarette pack cajetilla de cigarrillos 13.2
circle círculo
cistern, tank, reservoir cisterna
citizen ciudadano(a)
citizen of Barbados barbadense (m. f.)
city ciudad (f.) 1.1
city hall ayuntamiento
civilization civilización (f.) 6.1
claim, to demand reclamar
clarify aclarar
class clase (f.) PE
classmate compañero(a) PE
classified ad anuncio 6.3
classified ads clasificados (pl.) 6.2
clean limpiar 1.3; limpio(a) 3.3
cleaning materials útiles de limpieza (m. pl.) 11.2
clear claro(a) 4.1
clever listo(a) 1.2
client cliente (m. f.) 2.1
climate clima (m.) 8.3
climb subir 4.3
climb the rock/boulder ascender la peña 10.3
clinic clínica 2.1
cloak, square piece of fabric with opening for the head poncho 8.1
close cerrar (ie) 4.1
closet ropero 5.1
closet, wardrobe armario 5.1
cloth tela

clothes ropa 1.3
clothes washer lavadora
clothing store tienda de ropa 2.2
cloud nube (f.) 9.1
cloudy nublado(a) 9.1
clumsy torpe 1.2
cluster agrupación de ideas (f.)
co-worker compañero(a) de empleo 2.2
coach, trainer entrenador(a) 14.1, entrenar 14.2
coarse, crude grosero(a) 6.3
coast costa 8.3; litoral (m.)
cocaine cocaína
coffee café 2.2
coffee house café (m.) 1.3
coffee table mesita 5.1
cognate cognado
coincide coincidir
cold frío 2.3, helado(a) 8.1
cold cuts fiambres (m. pl.) 8.1
Colombian colombiano(a)
colonial colonial 6.1
colony colonia 14.1
comb one's hair peinarse 9.2
combat combatir 12.2
combine combinar
come venir 2.1
comfortable cómodo(a) 4.1
comic strip tira cómica 5.3
commerce comercio
commit, to perpetrate cometer
commit suicide suicidarse
committee comité (m.) 12.2
common común, corriente 5.3
common sense sentido común
communal, public comunitario(a) 5.1
communicate comunicar 5.2
communication comunicación 1.2
Communism comunismo
communist comunista 14.2
community comunidad (f.) 10.2
compact disk, CD disco compacto 2.2
companion, classmate, partner compañero(a) PE
company, firm empresa
compare comparar 13.1
compared with comparado(a) con, para 5.2
compatibility compatibilidad (f.)
compatible compatible
compete competir 7.2
competent competente 6.3
competition competencia 14.1, competición (f.)
complain quejarse 12.1
complete completar
completely, fully plenamente
complicate complicar
comprehend, understand comprender 7.3
compromise, to endanger comprometer
computer computadora
computer science informática 1.2
conceive of, to imagine concebir
concern preocupación (f.)

concerning, about acerca de
concert concierto 1.3
confess confesar
confide, to trust confiar 13.3
confirm confirmar 14.3
confront afrentar 6.2
confused confundido(a) 5.2
congested congestionado(a)
connection conexión (f.)
conscience conciencia
consent, agreement consentimiento
consequence consecuencia 13.3
conservation conservación (f.) 12.3
conservative conservador(a) 1.1
consider considerar 14.3
consist consistir 10.3
consist of constar de
constantly constantemente 4.1
construct construir 6.2
consult consultar 13.3
contagious contagioso(a)
contemporary contemporáneo(a) 7.3
context clues pistas del contexto
continue continuar 5.2, seguir (i, i) 7.2
contradict contradecir (i) 6.3
contrast contrastar 4.1
contribute aportar 9.3, contribuir
control controlar 7.1
convince convencer 14.3
cook cocinero(a) 2.1; cocinar 2.3
cool enfriar
copper cobre (m.)
corn maíz (m.), choclo 8.1
corner esquina 9.3
cosmopolitan cosmopolita 8.3
cost costar 2.2
Costa Rican costarricense (m. f.), tico(a)
cotton algodón (m.) 4.2
count contar (ue) 4.1
country país (m.) 1.1
country of origin país de origen 1.1
countryside campo 1.3
couple pareja 5.3
court corte (f.) 2.1, cancha 11.1, cortejar
court, tribunal tribunal (m.) 2.1
courteously cortésmente 5.3
cousin primo(a) 5.3
cover cubrir 10.1
cover a lot of ground recorrer distancias 5.3
covered with salt a la sal 8.2
covering; protection, shelter cobijo, refugio
crab cangrejo 8.3
crash chocar 10.2
crazy loco(a) 3.2
create crear 12.2
credit card tarjeta de crédito 2.2
critic crítico
critical crítico(a) 5.3
criticize criticar
cruel cruel 3.3
cruise crucero 4.3
cry llorar

Cuban of African descent afrocubano(a) 14.1
culinary culinario(a)
cultivate cultivar 12.1
cultivation, crop cultivo
cultural shock choque cultural (m.) 13.1
culturally culturalmente 5.3
cup taza 4.3
curly rizado(a) 3.3
currency moneda
currency of Argentina, Chile, Colombia, Cuba, Mexico peso
curse maldición (f.)
customs aduana 12.3
cut corte, cortado(a) 8.2
cut oneself cortarse 9.3; **to cut off** 11.2

D

A.D. after Christ D.C. después de Cristo
dad papá PE
daily diariamente 5.3, diario(a) 9.2
damage, to hurt dañar 14.1, hacer daño
dance (infin.) bailar 1.2; baile (m.) 7.1
dancer bailarín(a) 13.2
danger peligro 10.1
dangerous peligroso(a) 13.3
dare atreverse 11.3
dark oscuro(a) 4.1
date fecha 2.3; cita 7.1
dawn, day break madrugada, amanecer
day of the week día de la semana (m.) 2.3
day's work, workday jornada
dead muerto
dear (salutation in a letter) querido(a)
death muerte (f.), **penalty** pena de muerte
debate debatir
debt deuda 12.2
decade década
deceive engañar
December diciembre (m.) 2.3
decent descenso 11.3
decide decidir 2.1
decipher, to decode descifrar
decision decisión (f.) 14.3
declare declarar 6.1
decorate decorar 3.2
decrease disminuir 6.2
decrease, reduction disminución (f.) 12.2
dedicate oneself dedicarse 13.3
deduct deducir
defeat, to beat derrotar 14.1
defend defender
defense lawyer abogado(a) defensor 6.3
define definir 10.3
degree; career carrera 1.3
degrees (temperature) grados (m. pl.) 9.1
delay retraso 11.2
delicious delicioso(a) 3.3
Delighted. Encantado(a). PE
delineated, outlined delineado(a)
demanding exigente 8.2

demonstration (protest) manifestación (f.) 5.3
denim mezclilla 4.2
density densidad (f.)
department (college) facultad (f.) 1.2
departure salida
depressed deprimido(a) 13.1
deprive, to dispossess despojar
derived derivado(a)
descend descender
descendent descendiente (m. f.)
describe describir 1.2
description descripción (f.)
desert desierto 4.3
design diseñar 2.1
desire desear 8.1
desk escritorio 5.1
desperate desesperado(a)
despot, tyrant déspota (m. f.)
dessert postre (m.) 7.2
destination destinación (f.) 10.2
destiny destino
destroy destruir 6.3
destructive destructivo(a) 10.1
detail detalle (m.)
determine determinar 7.2
detest detestar 7.3
develop desarrollar, revelar 7.2
device, mechanism dispositivo
diamond diamante (m.) 6.1
diary, newspaper diario 4.3
dictionary diccionario 2.2
dictator dictador(a) 6.2
dictatorship dictadura 8.3
Did you know that . . . ? ¿Sabías que... ?
die morir, morirse (ue, u) 10.1
diet dieta 7.2
difference diferencia
different diferente 3.3
difficult difícil 1.2
dignity dignidad (f.)
diminish disminuir 6.2
dining room comedor (m.) 3.2
dinner cena 1.2
direct dirigir 11.1
direction, course rumbo
dirty sucio(a) 3.3
disagreements desacuerdos
disappear desaparecer 4.1
disappeared desaparecido(a)
disaster desastre 5.1
disc, record disco 7.3
disconnect desconectar 11.2
discotheque discoteca 1.3
discover descubrir 4.3
discovered descubierto(a)
discovery descubrimiento
disguise disfrazar 14.3
dish of steak, pork, beans, rice, sausage and friend egg bandeja paisa 7.1
dishwasher lavaplatos (m. f.), lavavajillas
disorganized desorganizado(a) 1.2
    display window escaparate (m.) 4.2

disposition, temperament disposición (f.)
dispute, to challenge disputar
dissolve disolver
distance distancia 5.2
distant, far away alejado(a) 14.1
distinct, different distinto(a) 5.2
distinguish distinguir 7.3
distribute distribuir
diurnal, day diurno
dive zambullirse 10.3
divergence divergencia 10.3
diverse diverso(a) 13.3
diversity diversidad (f.)
divided, distributed repartido(a)
divorce divorciarse 13.1
do, to make hacer 2.2
do exercise hacer ejercicio 5.3
Do you understand what is said? ¿Comprendes lo que se dice?
doctor doctor(a) 1.1, médico(a) 2.1
dog perro(a) 5.1
dollar dólar (m.)
domestic doméstico(a) 11.1
domicile, residence domicilio 6.2
Dominican dominicano(a)
door puerta 2.1
dosage dosis (f.) 10.1
double bed cama de matrimonio 5.1
doubt dudar 14.1
downpour chubasco
downtown centro 5.1
draft borrador (m.)
dramatize, role-play dramatizar
draw dibujar 5.3
drawing dibujo
dreadful, terrible pésimo(a) 14.3
dream sueño 13.1
dress vestido 4.1, vestir 7.2
dress oneself, to get dressed vestirse (i, i) 9.2
drink beber 2.1, bebida 4.3
drink; to take (infin.) tomar 1.2
drinkable potable
drinkable water agua dulce 4.3
drive manejar 5.2, conducir 10.2
driver's license licencia de manejar
drop gota
drown ahogarse 10.1
drug droga 11.1
drug traffic narcotráfico
drug trafficking narcotráfico 7.3
during durante 4.3, durante, por 5.2
dusk, nightfall anochecer 10.3
dwelling vivienda 12.1

E

each cada 4.3
early temprano 5.2
earn (a grade) sacar 11.2; **(money)** ganar 11.1
earrings aretes (m.) 4.2

earth, land tierra
earthquake terremoto 6.1
earthquake zone zona sísmica 10.1
east este (m.) 3.1
Easter Pascua Florida 9.1
easy fácil 1.2
eat (infin.) comer 1.2
    eat breakfast desayunar 8.1
    eat lunch almorzar (ue) 4.1
    eat dinner cenar 3.2
    eat out comer fuera 2.3
ecology ecología
economical económico(a) 6.2
economics 1.2; **economy** economía 13.3
ecotourism ecoturismo 10.3
edition edición (f.) 14.2
education educación 1.2
efficient eficiente 9.2
efficiently eficazmente 5.3
effort esfuerzo
egg huevo 8.2
egotistical egoísta 1.2
eighth octavo 10.1
either . . . o o... o 10.2
elaborate elaborar
elbow codo 13.2
elect elegir (i) 7.2
election elección (f.)
electric shock choque eléctrico (m.) 10.1
electricity electricidad (m.) 11.2
elegance elegancia 8.3
elegant elegante 1.1
elegantly elegantemente 7.2
elementary school escuela primaria 6.2
elevated elevado(a) 10.1
elevator ascensor 5.1
elite élite 7.3
email correo electrónico 1.3
embark, to go aboard embarcarse
embarrassed, ashamed avergonzado(a) 3.1
embrace abrazarse
embroider bordar
embroidered bordado(a) 4.2
emerald esmeralda
emergency emergencia 10.1
emergency services servicios de emergencia/urgencia (m. pl.) 10.1
emigrate emigrar
emphasize, to highlight destacar
empire imperio
employ, to hire emplear
employee empleado(a) 2.1
enclose encerrar
encourage, to cheer animar 14.2
end, conclusion fines 3.1
endless interminable
energetic enérgico(a) 14.2
energy energía 13.2
engaged comprometido(a) 7.1
engineering ingeniería 1.2
English inglés (ingleses)
enjoy disfrutar 5.3, gozar 12.2
enormous, huge enorme 10.3
enough basta, bastante 13.3

enrolled inscrito(a) 6.2
enter entrar 6.3
enterprising emprendedor(a) 12.2
entertainment diversión *(f.)* 4.2, entretenimiento 6.2
enthused entusiasmado(a) 3.1
enthusiastic, intense apasionado(a)
entrance entrada 5.2
environment medio ambiente *(m.)* 11.1
environs, outskirts inmediaciones *(f. pl.)*
envy envidia 13.2
epidemic epidemia
epoch, period época 12.3
equal opportunity employment igualdad de oportunidad en el empleo *(f.)*
equality igualdad *(f.)* 12.2
Equator línea ecuatorial
equipment equipo
eroded erosionado(a)
erradicate erradicar 12.2
erradication erradicación *(f.)* 13.1
errand, task encargo
error error *(m.)* 2.1
erupt entrar en erupción 11.2, entrar en erupción, hacer erupción
escape escapar 6.3
especially especialmente *(m.)* 3.1
establish establecer 6.3
establishment establecimiento
eternal eterno(a)
ethnic étnico(a)
euro, European currency euro
European europeo(a)
event evento 6.2; **occurence** acontecimiento
every, each cada 4.3
everyday todos los días 5.2
everyone todo el mundo 1.2
everyone, everybody todos(as) 3.1
everything todo(a) 4.1
evident evidente 13.3
exactly exactamente 5.3
exaggerate exagerar
exam examen *(m.)* 3.1
examine examinar 2.1
Excellent! ¡Excelente! PE, excelente 7.2
except salvo 10.1
exception excepción *(f.)*
excessive excesivo(a) 10.1
excessively excesivamente 5.3
excursion excursión *(f.)* 11.1
excuse excusa 3.2
execute ejecutar
exercise ejercicio 5.3
exhausting, tiring agotador(a)
exiled exiliado(a)
existence existencia 11.3
exit salida 5.2
expensive caro(a) 4.1
experience cold/hot temperatures pasar frío/calor 5.3
experience experiencia 4.3
expert experto(a) 11.3
explain explicar 2.1

express expresar 7.3
expresso with a tad of milk café cortado 8.2
exquisite exquisito(a) 3.3
extend extender
extended extendido(a)
extensively extensamente
external externo(a) 12.2
extinction extinción 8.2
extract extraer
extraordinary, uncommon extraordinario(a) 4.3
extravagant extravagante 10.3
extreme extremo(a) 4.3
extremely, highly sumamente
extroverted, outgoing extrovertido(a) 1.1
eye ojo 13.2

F

facilitate facilitar 12.2
facing, opposite enfrente de 5.1
factory fábrica 2.1
facts datos 7.3; **deeds** hechos
fair feria 3.1
fall otoño 2.3
fall asleep dormirse (ue) 9.2
fall down caerse 10.1
false falso(a)
fame fama 14.2
famous famoso(a) 1.1
fan, supporter aficionado(a) 14.1
Fantastic! ¡Bárbaro!, ¡Fantástico! 13.2
far from lejos de 5.1
fascinate fascinar 3.3
fascinating fascinante 8.3
fasten sujetar 12.3
fat gordo(a) 5.3
father papá PE, padre 5.3
faucet grifo 9.2
fault culpa 10.2
fauna, animal life fauna 8.3
fear miedo 10.3, temer 13.3
February febrero *(m.)* 2.3
feel sentirse (ie, i) 9.2
feel like dar la gana, tener ganas de 4.3
feet pies *(m. pl.)* 7.1
female hembra 5.3
ferry trasbordador *(m.)* 8.3
festival festival *(m.)* 7.1
fever fiebre *(f.)*
ficticious ficticio(a) 9.1
fidelity fidelidad *(f.)*
field campo 1.3
fifth quinto 10.1
fight luchar, pelea 14.1
fighting peleando 5.3
film filmar 11.1
film festival festival de cine *(m.)* 2.3
filming rodaje *(m.)*
finally por fin 6.2
find encontrar (ue) 4.1
fine multa 11.2
fine, well, bien 4.3

Fine, thank you. And you? Bien, gracias. ¿Y tú? PE
finger dedo 13.2
finish terminar 4.3, acabar 6.2
fire fuego, incendio 6.2
fire, dismiss despedir (i, i) 7.2
fire (a gun), shoot disparar 6.2, **extinguisher** extintor de fuegos *(m.)* 10.1
fireman bombero 3.1
fireplace chimenea 9.1
fireworks cohetes *(m. pl.)*, fuegos artificiales
fireworks fuegos artificiales
first primer(o)(a) 6.2
first aid primeros auxilios *(m. pl.)* 10.1
first aid kit botiquín de primeros auxilios *(m.)* 10.1
first floor primer piso 1.3
fish (dead) pescado 7.2, **(live)** pez *(m.)* 9.3
fishing, catch, haul pesca
fixed, nonchangeable fijo(a) 5.2
flag bandera
flamenco dance sevillana 3.1
flames llamas *(pl.)* 6.2
flashlight linterna
flat, even llano(a)
flat plain llanura
flat roof, terrace terraza 3.2
flea pulga
Flemish painting pintura flamenca 7.3
flight vuelo 6.1
flirt coquetear 8.3
floor suelo 10.1, **(of a building)** piso 9.3
flora, plant life flora 8.3
flower flor *(f.)* 7.1; florecer
fly volar (ue) 4.1
fog neblina 9.1
fold doblar
follow the trail hacer la ruta 11.3
foment fomentar 12.2
food, meal comida 1.3, alimento
footprints, tracks huellas
footwear calzado
for, (in order) to para 5.1;
for, by, through por 5.1
for a period of time por 5.2
for example por ejemplo
force fuerza
forced forzado(a)
forecast pronóstico 9.1
foreigner extranjero(a) 7.3
foreman, overseer capataz *(m.)*
forest bosque *(m.)* 11.1
forest fires incendios forestales *(m. pl.)* 10.1
forget olvidar 11.3
fork tenedor *(m.)* 8.2
form formar 12.2; formulario
formal formal 1.2
formally formalmente 7.2
fortress fortaleza 12.1
fortunate afortunado(a) 4.3

forward, ahead adelante
forward, to the front al frente 13.2
found, to establish fundar
founded fundado(a)
fountain fuente *(f.)* 4.3
fourth cuarto 10.1
fracture fractura
fraternity fraternidad *(f.)* 1.3
free gratis 11.3, gratuito(a), libre 2.3
freeway autopista
freeze congelar
frequency frecuencia 5.2
frequently con frecuencia 2.3,
    frecuentemente 5.3, a menudo 8.3
fresh fresco(a) 13.2
Friday viernes *(m.)* 2.3
fried frito(a) 8.1
friend amigo(a) PE
friendly sociable 1.1
from desde 5.2
from dawn to dusk de sol a
    sol 10.1
from the del 1.3
front page portada, primera plana 6.2
frozen congelado(a) 9.1
fruit fruta 7.2
fruit cocktail cóctel de fruta 8.1
fruit store frutería 9.3
frustrated frustrado(a) 3.1
fry freír 7.2
fulfill, to carryout desempeñar(se)
function función *(f.)* 7.1
function, to work funcionar 5.2
funds fondos
funny, amusing divertido(a) 1.1,
    chistoso(a) 1.1
furious furioso(a) 3.1
furnished amueblado(a) 5.1
furniture (piece of) mueble *(m.)* 5.1
fusion fusión *(f.)* 9.3
future futuro

G

gall bladder vesícula 13.2, **gall bladder**
    stone cálculo en la vesícula 13.3
game juego 14.1
game (competitive) partido 6.2
garage garaje *(m.)* 3.2, cochera 5.1
garden jardín *(m.)* 3.2
garment, article (of clothing) prenda 4.2
gas stove estufa de gas 10.1
gasoline gasolina 14.3
GDP, Gross Domestic Product Producto
    Interior Bruto
generally generalmente 1.3
generous generoso(a) 8.3
genius genio
gentleman caballero 14.3
German alemán(alemana) 6.2
get conseguir, lograr 6.2
get a degree titularse 13.2
get angry enojarse 5.3

get better mejorarse
get married casarse 13.1
get off bajarse 9.2
get sick enfermarse 13.3
get together juntarse, reunirse 10.1
get up levantarse 9.2
get up on the wrong foot levantarse con el
    pie izquierdo
geyser géiser *(m.)*
giant gigante
gift regalo 4.2
give dar 8.3
give a gift regalar 8.1
glass vaso 9.2
glasses anteojos
global warming calentamiento global 9.1
gloves guantes *(m. pl.)* 8.1
gluteus glúteo
go *(infin.)* ir 1.2; *(verb)* 1.3
go around; to surround rodear
go away irse 9.2
go down, to get off bajar 5.2
go for a walk or ride pasear 1.2
go shopping ir de compras 4.1, hacer las
    compras 11.3
go to bed acostarse (ue) 9.2
go up subir 4.3
goal arco, gol *(m.)* 14.1
goalie, goalkeeper arquero 14.1
gold oro 7.3
golf golf *(m.)* 1.1
golf course campo de golf 11.3
golf player golflista *(m. f.)* 5.3
good bueno(a) 1.2
    Good afternoon. Buenas tardes. PE
    Good evening. Good night. Buenas
      noches. PE
    Good morning. Buenos días. PE
good-bye. adiós PE
good-bye, farewell despedida
Good-bye. See you. Hasta la vista. PE
good-looking, cute guapo(a) 3.3
governed gobernado(a)
governor gobernador
grade nota 6.2
grades calificaciones *(f. pl.)*
graduate *(adj.)* graduado(a); graduarse
    14.3
grand, magnificent grandioso(a) 8.3
grandchild nieto(a) 5.3
grandfather (grandmother) abuelo(a) 5.3
grandparents abuelos 5.3
granite granito 7.3
grant, to concede impartir
grape uva
grave, serious grave 13.2
grave, tomb tumba
gray gris 4.1
great estupendo(a) 1.2
green verde 4.1
greet saludar 3.2
greeting saludo PE
griddle fried a la plancha 8.2
grilled a la parrilla 8.2

group, collection conjunto 8.3
group, to gather agrupar
growth crecimiento
guarantee garantizar 12.2
Guatemalan colorful woven blouse
    huipil *(m.)*
Guatemalan currency, bird quetzal *(m.)*
guess adivinar 4.3
guest huésped *(m. f.)*, invitado(a) 3.1
guide guía *(m. f.)* 4.1
guilty, culpable culpable
guitar guitarra 1.3
gun pistola 10.3
gun shot disparo 6.2
gymnasium gimnasio 1.2
gymnastics gimnasia 14.1
gynecology ginecología 11.1
gypsy gitano(a)
gyrate girar 13.2

H

habit hábito
Haitian haitiano(a)
hake merluza 8.2
half medio(a) 5.2, mitad *(f.)* 12.2
hall, hallway pasillo 10.1
ham jamón 3.2
hamburger hamburguesa 4.3
hammer martillo
hand mano *(f.)* 13.2
hand-sewn art scenes made of fabric
    arpilleras 8.3
handicapped discapacitado(a) 14.2
handicrafts, crafts artesanía 6.3
happy birthday feliz cumpleaños 8.1
happy, joyful feliz 3.1
happy, lively alegre 3.1
happy, pleased contento(a) 3.1
hard, difficult duro(a) 14.3
hardworking trabajador(a) 1.1
harvest cosecha
hat sombrero 4.2
hate odiar 7.1
have tener 2.1
have a good time, enjoy oneself divertirse
    (ie, i) 9.2
have a great time estar pasándolo en
    grande
have clear skies estar despejado 9.1
have nice weather hacer buen tiempo 9.1
have at one's disposal disponer
have to tener que 4.3
having . . . as key en clave de 12.2
hazard, risk riesgo 10.1
he, it *(m.)* él 1.1
head cabeza 13.2
headed toward con destino a 5.2
health salud *(f.)* 12.2
health insurance seguro de salud 13.3
healthy sano(a) 3.3, saludable 14.1
hear oír 7.1
heart corazón 4.1

heart attack ataque cardíaco *(m.)* 10.1
heat calor *(m.)* 9.1
heated calentado(a)
heavy pesado(a) 12.3
heel talón *(m.)*
heel-tapping zapateo 8.3
height altura
Hello! ¡Hola! PE, ¡Aló! 2.2
helmet casco
help ayuda 3.2; ayudar 7.2
helper ayudante *(m. f.)*
hemorrhage hemorragia 10.1
here aquí 5.1
hero héroe *(m. f.)* 2.1
hidden escondido(a)
high alto(a) 10.1
high blood pressure presión alta *(f.)* 13.3
high jumping salto de altura 14.1
high plateau altiplano
highway, road carretera
hike caminata
hill colina
himself, herself él (ella) mismo(a) 6.1
hire contratar 14.2
his/her su / sus 2.2
Hispanic hispano(a)
history historia 1.2
hit pegar 10.2
holidays días feriados
hollow hueco
home run jonrón *(m.)* 14.2
homework tarea 1.3
Honduran hondureño(a)
Honduran currency lempira
honest honesto(a) 3.3
hope esperanza
horrifying, awful horroroso(a) 3.3
horror (movie) película de terror 3.3
horse caballo 10.3
horseback riding montar a caballo
hospitable hospitalario(a)
hospital hospital *(m.)* 2.1
hot caliente 4.3
hour, time hora 2.3
house casa 1.3
house keeper ama de casa *(f.)*
house, to give shelter to albergar
housing alojamiento 12.1
housing, dwelling vivienda 12.1
How? ¿Cómo? 2.2
How are you? ¿Qué tal? PE
How are you? (familiar) ¿Cómo estás? (tú) PE
How are you? (formal) ¿Cómo está? (usted) PE
How do you spell your name? ¿Cómo escribes tu nombre? PE
How many? ¿Cuántos(as)? 2.2
How much? ¿Cuánto(a)? 2.2
howl, to wail aullar 11.2
human humano(a) 8.3
human development desarrollo humano 12.2

human resources recursos humanos
human rights derechos humanos *(m. pl.)* 12.2
humble humilde
hunger hambre *(m.)* 4.3
hurricane huracán *(m.)* 10.1
hurry apresurarse, ¡Hurry! ¡De prisa!
hurt dañar 14.1
husband esposo 4.1

I

I am . . . Yo soy... PE, soy PE
I yo 1.1
I'd like you to meet . . . (familiar) Te presento a... PE
I'd like you to meet . . . (formal) Le presento a... PE
I'm sorry lo siento 3.2
ice cream helado 8.1
ideal ideal 7.3
identification documents documentos de identidad *(m. pl.)* 10.3
identify identificar; identidad *(f.)*
idol ídolo
if so si así es 10.2
if . . . si... 1.3
ignore ignorar 7.3
illegitimate ilegítimo(a) 6.3
illness enfermedad *(f.)* 7.3
image imagen *(f.)* 7.2
immediately inmediatamente 5.3
impartial imparcial 14.2
impatient impaciente 1.1
implement implementar 6.2
imposed impuesto(a) 14.1
impossible imposible 5.1
impress impresionar 7.1
impression impresión *(f.)* 8.3
impressionist impresionista 7.3
impressive impresionante 6.1
in por 5.2
in case of en caso de 10.1, en caso (de) que 14.3
in cash en efectivo
in exchange for por 5.2
in front of delante de 5.1
in general, generally speaking en general 1.2
in love enamorado(a) 5.3
in one's opinion para 5.2
in place of por 5.2; en lugar de 10.3
in relation to others para 5.2
in return de vuelta 7.2
in the direction of con dirección a, para 5.2
in the open air al aire libre 9.1
Inca, Incan incaica
incident incidente *(m.)* 10.2
include incluir 13.3
included incluido(a) 5.1
incomparable incomparable
incompatibility incompatibilidad
increase aumentar 12.2

increase the power of potenciar 12.2
independence independencia 6.2
independent, self-reliant independiente 1.2
indication, sign indicio 10.2
indigenous, native indígena 4.2
infancy infancia 2.2
infidelity infidelidad *(f.)* 7.1
influence influencia 14.1
informal informal 1.2
informally informalmente 7.2
informative informativo(a)
ingredients ingredientes *(m. pl.)* 9.3
inhabitants habitantes *(m. pl.)* 8.3
inheritance herencia
inhuman inhumano(a) 14.1
initiate, to begin iniciar 8.3
initiative iniciativa 7.1
injured person lastimado(a) 10.1
injury lesión *(f.)* 10.1
inner ear oído 13.2
innovator, creative innovador(a)
inside, within dentro 12.1
insist insistir (en) 10.1
inspiration inspiración *(f.)* 8.3
inspire inspirar
instructor instructor(a) 14.2
instrument instrumento 1.3
insult insultar 6.3
insurance seguro 14.3
insurance agent agente de seguros
insurance policies pólizas de seguro
intellectual intelectual 10.3
intelligent inteligente 1.1
intended for para 5.2
intense intenso(a)
interest interés *(m.)* 12.2
interested interesado(a) 3.1
interesting interesante 1.1
interior interior *(m.)* 10.2
international internacional 6.2
international relations relaciones internacionales *(f. pl.)*
Internet access acceso a internet 4.2
interpret interpretar
intervene intervenir
interview entrevistar 2.1; entrevista 2.2
introduce someone or something presentar PE
introduction introducción, presentación
introverted, shy introvertido(a) 1.1
invade invadir 11.1
invader invasor *(m.)*
inventory inventario
invest invertir 12.2
investigate investigar 5.2
investments inversiones *(f. pl.)*
invite invitar 3.2
irreversibly irreversiblemente 14.1
island isla 8.3
isn't it? ¿no? 1.1
isolated aislado(a)
It's absurd Es... absurdo(a) 14.1
it's better that más vale que

it's foggy hay neblina 9.1
It's ironic Es... irónico 14.1
It's true Es... cierto 14.1
It's unjust Es... injusto 14.1
Italian italiano(a)
itinerary itinerario

J

jacket chamarra 4.2, chaqueta 9.2
jail cárcel (f.) 6.3; encarcelar
Jamaican jamaicano(a)
janitor portero(a) 2.1
January enero (m.) 2.3
javelin jabalina
jeans jeans (m.) 4.2
job trabajo, tarea, empleo 2.1
joke broma
journey, route recorrido, jornada
judge juez (m.) 2.1
judge juzgar 2.1
judged juzgado(a) 6.3
juice jugo 8.2
July julio (m.) 2.3
jump saltar 13.2
June junio (m.) 2.3
jungle selva 7.2
junior leagues ligas juveniles 14.2
junk food comida basura 8.2
just solo, solamente, recién (adv.) 6.2, fair, right justo(a)
justify justificar 9.1

K

keep guardar 13.1
keep in mind tener en cuenta
key (answer) clave (f.)
key llave (f.) 6.2
keys teclas (f. pl.) 11.2
kick patear 14.1
kill matar 6.3
kilometer kilómetro 8.3
kind, nice amable 1.2
kindness, genteelness gentileza 7.2
king rey (m.) 7.2
kingdom reino
kiss beso 7.1
kitchen cocina 3.2
knee rodilla 13.2
knife cuchillo 8.2
knock (at a door) tocar
know (facts) infin. saber 1.2; verb 7.3
know conocer 7.3
knowledge conocimiento, sabiduría
known conocido(a)

L

laboratory laboratorio 1.3
ladder; stairs, staircase escalera 10.1

lake lago 8.1
lamp lámpara 5.1
landed; landowner, rancher hacendado(a)
language idioma (m.) 3.3
languages lenguas
large city, metropolis urbe (f.)
last durar 2.3, perdurar
last name apellido
last night anoche 5.2
last, final último(a) 2.3
late tarde 5.2
lather oneself up enjabonarse
Latin America Latinoamérica 7.1
laugh reír 7.2
laundry lavadero 5.1
law (profession) abogacía
lawyer abogado(a) 2.1
lay eggs desovar 11.1
lazy flojo(a), perezoso(a) 1.1
leader líder (m. f.)
leadership liderazgo
leaf hoja
league liga 6.2
leak gotear
learn aprender 2.3
leather piel (f.) 4.2, cuero 9.2
leave salir 2.1, dejar 6.1, marcharse 9.2
leave unexpectedly salirse 9.2
lecture discurso 5.3
left izquierda 13.2
leg pierna 13.2
legacy legado
legal legal 2.1
legalize legalizar 14.3
legend leyenda 8.3
legendary legendario(a) 8.3
lend prestar 10.3
less menos 1.2
less than menos que 5.3
letter carta 2.3
lettuce lechuga 8.1
level nivel (m.)
liberal liberal 1.1
librarian bibliotecario(a) 2.1
library biblioteca 1.3
license licencia
lie mentir (ie, i) 6.3
life vida 6.2
life preserver 10.1 salvavidas (m. pl.)
lifeguard, lifesaver salvavidas (m. f.) 14.1
lift weights levantar pesas 5.2
light encender
light brown color crema 4.1
light ligero(a) 13.1
Lights, camera, action! ¡Luces, cámara, acción!
like that así 6.3
Likewise. Igualmente. PE
limit limitación (f.) 5.3; limitar 13.1
line línea 5.2
lines, marks rayas
linking enlace (m.)
lion leon (m.)

list lista
listen to (infin.) escuchar 1.2
Listening strategies Estrategias para escuchar
lit up encendido(a) 10.1
literacy rate alfabetismo
literature literatura 9.1
little poco 9.1, pequeño(a) 1.2
live vivir 2.1
living room sala 3.2, sala de estar, living (m.) 5.1
loan préstamo 4.2
lobster langosta 8.1
located situado(a) 12.3
lodge, to give shelter hospedar 12.2
lodge, to house, to accommodate alojar
logical lógico(a) 13.3
logically lógicamente 5.3
long largo(a) 8.3
long distance larga distancia 2.3
longevity index indice de longevidad (m.)
look at, to watch (infin.) mirar 1.2
look for (infin.) buscar 1.2
lookout point mirador (m.)
lose perder (ie) 4.1
lose weight bajar de peso 13.1
loss pérdida
lost perdido(a) 4.3
lottery lotería
lounge, living room salón (m.) 3.2
love amar 6.3; amor (m.) 7.1
lovely bello(a)
lover amante (m. f.)
low bajo(a) 10.1
lower bajar 13.2
lower level; lower floor planta baja 1.3
luck suerte (f.) 6.2
luckily por suerte 10.2
lunch almuerzo
lungs pulmones (m. pl.) 13.2
luxurious lujoso(a) 5.1

M

machine máquina 9.2
magazine revista 6.2
magical mágico(a)
mail correspondencia 9.3
main principal 6.2
main dish plato principal 8.2
maintain mantener 13.2
majority mayoría
make known dar a conocer 12.2
make mistakes cometer errores 14.3
make sure asegurarse
make the bed hacer la cama 11.3
male varón (m.) 5.3
mammal mamífero
man hombre 4.1
manage manejar 14.2
manager gerente (m. f.)

mandatory mandatario(a), obligatorio(a)
manner modo
manners modales (m. pl.) 7.1
map mapa (m.)
marathon maratón (m.) 11.3
marble mármol (m.) 7.3
March marzo (m.) 2.3
marimba (musical insturment) marimba 6.1
marine biologist biólogo(a) marino(a)
maritime, sea marítimo(a)
marked marcado(a)
market mercado 4.1
marriage matrimonio 13.1
married casado(a) 5.3
martial arts artes marciales (m. pl.) 14.2
marvelous maravilloso(a) 6.1
massage masaje (m.)
master key llave maestra (f.)
Master's degree maestría
matches fósforos (m. pl.) 10.1
maternal health salud materna (f.) 12.2
mathematician matemático(a) 6.1
mathematics matemáticas 1.2
mature madurar
May mayo (m.) 2.3
me (obj. of prep.) mí 3.3
meaning significado
means modo
measurement medición (f.)
meat carne (f.) 7.2
mechanic mecánico(a) 6.3
medal medalla 14.2
medicine medicina 10.1
meditate hacer meditación 13.3
medium mediano(a) 10.1
meeting, reunion reunión (f.)
melon melón (m.) 8.1
member socio (m. f.) 13.1
members miembros 9.3
memories memorias, recuerdos
mention mencionar 9.3
menu menú (m.) 2.1
merchandise mercancía 8.1
message mensaje 5.2
metallic metálico(a) 4.2
metaphor metáfora 10.3
meteorologist meteorólogo(a) 9.1
Mexican shawl rebozo 4.1
Middle American mesoamericano(a)
midnight medianoche (f.) 2.3
military coup golpe militar (m.)
military militar
milk leche (f.) 1.2
milk shake batido (de leche) 14.3
milky lácteo(a) 8.1
mine mina 8.1
mineral water agua mineral 4.3
minibus micro 5.2
minister ministro (m. f.)
minus menos 2.3
mirror espejo
miss señorita (Srta.) 1.1
misterious misterioso(a) 8.3

mix, to blend mezclar
mixed mixto(a) 8.2
mixed, blended (drink) licuado 9.2
moderate templado(a) 8.3
modern moderno(a) 4.1
modernness modernidad (f.)
modesty modestia
mom, mother mamá PE
moment momento 4.3
monastery monasterio
Monday lunes (m.) 2.3
money dinero 2.1, **coin** moneda 12.3
monkey mono(a) 11.2
monotonous monótono(a) 1.3
month mes (m.) 2.3
monthly mensualmente 5.3
more or less más o menos 2.2
more than más que 5.3
more; most más PE
morning / afternoon / evening mañana / tarde / noche 2.3
mortality rate tasa de mortalidad
mortgage payments pagos de hipoteca 13.3
mosquito mosquito 12.3
motality mortalidad (f.) 12.2
mother madre 5.3
Mother's Day Día de las Madres 8.3
motivate motivar
motivated motivado(a) 4.2
mount, mountain monte (m.)
mountain montaña 7.3
mountain biking ciclismo de montaña 1.1
mountain climbing alpinismo 14.2
mountain range cordillera, sierra 12.3
mouth boca 13.2
move mover 2.1
move away, to withdraw alejarse
move, relocate mudarse 5.1
movement movimiento 13.2
movie película 1.3
movie theater cine 1.2
Mr. señor (Sr.) 1.1
Mrs. señora (Sra) 1.1
much, a lot mucho(a) 1.2
mud lodo
municipality municipio
museum museo 4.1
music música 3.2
music band banda (f.) 1.3
musician músico (m. f.) 9.1
my mi PE, mi / mis 2.2
My name is . . . Me llamo... PE
mystery misterio 5.2
mythology mitología

N

name nombre (m.) 1.1; nombrar 7.1
napkin servilleta 8.2
narrate narrar
narrow estrecho(a) 8.3

National Autonomous University of Mexico UNAM
national nacional 6.2
nationalize nacionalizar
natural natural 8.1
natural disaster desastre natural (m.) 10.1
nature naturaleza 7.3
near cerca de 5.1
neck cuello 13.2
necklace collar (m.) 4.2
necktie corbata 4.2
need (infin.) necesitar 1.2
negative negativo(a) 7.2
neighbor vecino(a) 10.1
neighborhood barrio 4.3
neither tampoco 6.2
neither . . . nor ni... ni 10.2
nephew (niece) sobrino(a) 5.3
nerves nervios
nervous nervioso(a) 3.1
nesting anidamiento
net red (f.) 14.1
never nunca 5.2, jamás 10.2
nevertheless sin embargo
New Year Año Nuevo 9.1
newly recién (adv.) 6.2
news noticias (pl.) 6.2
newspaper periódico 2.1
next próximo(a) 12.1
next to, by junto a 5.1
next, following siguiente 7.1; a continuación 10.3
Nicaraguan nicaragüense (m. f.)
Nicaraguan revolutionary group sandinistas 10.3
nice, pleasant, likable simpático(a) 1.1
ninth noveno 10.1
no no PE
no doubt no cabe duda
no one, nobody nadie 6.2
nocturnal nocturno(a)
noise ruido 6.2
none, not any ninguno(a) 10.2
noon mediodía (m.) 2.3
normal normal 5.3
north norte (m.) 3.1
northeast noreste (m.) 3.1
northwest noroeste (m.) 3.1
nose nariz (f.) 13.2
not even ni siquiera
Not very well. No muy bien. PE
notebook cuaderno 1.3
nothing nada 6.3
notice notar 10.2
novel novela 6.2
nourishment alimento
novelist novelista (m. f.) 9.1
November noviembre (m.) 2.3
now ahora 5.2
Now let's write! Ahora ¡a escribir!
number número 2.2
numerous numeroso(a) 4.2
nursing enfermería 1.2

O

object objeto 10.2
objective objetivo
obligate obligar 7.2
obligatory obligatorio(a)
observe observar 10.1
obsessively obsesivamente 5.3
obtain, get conseguir (i, i) 6.2, to get obtener 11.1
obtain good grades sacar buenas notas 13.1
obvious obvio(a) 13.3
occasion ocasión (f.) 11.1
occupy ocupar
occur ocurrir 6.2, happen pasar 6.3
ocean océano 11.1
October octubre (m.) 2.3
octopus pulpo 8.1
oenologist, wine specialist enólogo
of, from de 5.1
Of course! ¡Claro!
of mixed parentage, of white and Indian parentage mestizo(a)
offer oferta
offer ofrecer 13.3
offering ofrenda
office oficina 2.1
Oh dear! ¡Ay! 13.2
oil petróleo 6.2
oil (painting) óleo 7.3
old viejo(a) 5.1
old, ancient antiguo(a) 12.1
older mayor 4.2
olive aceituna 3.2
olive oil aceite de oliva (m.) 3.3
olympic olímpico(a) 14.2
Olympics Olimpiadas 14.1
on en 5.1
on the contrary al contrario
on the shores of a orillas de
on the wrong foot con el pie izquierdo 10.3
on time a tiempo 10.2
on top of encima de 5.1
onion cebolla 8.2
only solo 5.2
open abrir 3.2
open mind mentalidad abierta (f.) 13.1
opponent; candidate opositor(a)
opportunity oportunidad (f.) 10.2
opposite opuesto(a)
optimist optimista (m. f.)
option opción (f.) 12.1
orange anaranjado(a) 4.1, naranja 8.1
orchid orquídea
order orden (m.) 14.3
ordinary ordinario(a)
organize organizar 3.2
organized organizado(a) 1.2
organizer organizador(a) 14.1
original original 4.1
other otro(a), demás 8.3
other half (slang) media najaranja

other, another otro(a) 6.1
our nuestro(a) / nuestros(as) 2.2
Our community! ¡Nuestra comunidad!
out, outside afuera, fuera 5.3
outer ear oreja 13.2
outgoing sociable 1.1
outline esquema (m.), script guión (m.)
oven horno 5.1
over, on top of, about sobre 5.1
own, one's own propio(a)
owner dueño(a) 12.1
oxygen oxígeno 10.2

P

pack empacar
pack a suitcase hacer la maleta 12.2
package paquete (m.) 5.2
painter pintor(a) 7.3
painting cuadro 4.1, pintura 9.1
pair par (m.) 13.1
pajamas pijamas (m.) 4.2
palace palacio 4.1
palm palma
palpitating, throbbing palpitante 4.1
Panamanian panameño(a)
pants, trousers pantalones (m.) 4.2
paper papel (m.) 1.1
parade desfile (m.) 13.2
paradise paraíso
Paraguayan paraguayo(a)
pardon, sorry perdón 1.1
park parque 4.1
parked estacionado(a) 6.3
parking estacionamiento 4.1
part parte (f.) 7.1
part time media jornada 5.3
part time job empleo de tiempo parcial
participant participante (m. f.) 7.1
participate participar 5.3
partner, couple pareja
party fiesta 1.3
party animal juerguista
party pooper aguafiestas (m. f.)
pass the time pasar el rato 5.2
pass, to spend (time) pasar 5.2
passaport pasaporte (m.)
passerby, transient transeúnte (m. f.)
passion pasión (f.) 10.3
password clave (f.)
pastime, amusement pasatiempo 1.2
pastry shop pastelería 5.2
patience paciencia 5.3
patient paciente 1.1
patio patio 1.3
pattern patrón (m.)
patterns of intonation patrones de entonación
pay (infin.) pagar 1.2
pay (for a service) remuneración (f.) 14.3
pay scale escala de pagos 14.3
peace paz (f.) 6.1
peace accords acuerdos de paz

peach durazno 8.1, melocotón (m.) 8.1
peanut maní (m.) 8.1
pearl perla 14.1
peas arvejas (f. pl.) 8.1
pen bolígrafo 1.1
pencil lápiz (m.) 1.1
pendant, pin pendiente (m.) 4.2
people gente (f.) 2.1
pepper pimienta 8.2
perceive percibir
percent por ciento
percentage porcentaje (m.)
performance actuación (f.) 10.2
perfume perfume (m.) 8.3
perfume store perfumería 9.3
permanence permanencia
person persona 2.1
person from Medellín, Colombia paisa 7.3
personal personal 7.3
personality personalidad (f.) 1.1
personally personalmente 7.1
pertaining to sports deportivo(a) 14.2
pertaining to the Amazon amazónico(a)
pet mascota, animal doméstico (m.) 5.1
pharmacist farmacéutico(a) 2.1
phenomenal fenomenal 3.1
photo illustrated soap opera magazine fotonovela 7.2
photograph fotografía 4.3; fotografiar 6.1
Photos speak! ¡Las fotos hablan!
phrase frase (f.)
physical education educación física 1.2
physics física 1.2
pick up, gather recoger 7.1
piece trozo 7.2
pill pastilla
pineapple piña, ananá 8.1
pink rosado 4.1
pioneer pionero(a)
pipe pipa 8.3
pitch a ball tirar la pelota 14.2
pitcher lanzador(a) 14.1
pizza pizza 3.2
place colocar; lugar (m.) 4.3
placed colocado(a)
plague plaga
plain, level ground planicie (f.)
planet planeta (m.) 4.3
plant planta 9.3
plant plantar 11.3
plastic plástico 5.1
plate plato 1.3
plateau meseta
play (an instrument) tocar
play the role hacer el papel
play, drama (theater) comedia
player jugador(a) 5.3
playwrite dramaturgo (m. f.) 9.1
plaza, town square plaza 4.1
pleasant, likeable agradable
please gustar 3.3; por favor 8.2
Pleased to meet you. Mucho gusto. PE
pleasure placer 10.2
plus y 2.3

pocket bolsillo
poet poeta *(m. f.)* 9.1
poetry poesía
point punto 7.2
point of view punto de vista
poisoning envenenamiento 10.1
police force policía *(f.)*
police station comisaría 6.3
policeman policía *(m.)* 2.1
policewoman policía *(f.)* 2.1
polish pulir
polite cortés 7.1
political político(a) 9.1
political science ciencias políticas 1.2
politics política 3.3
pollution contaminación *(f.)* 9.1
pool poza
popular popular 1.2
populated poblado(a) 8.3
population población *(f.)* 8.3
pork carne de puerco 8.1
port, harbor puerto
portable computer computadora portátil 2.2
portrait retrato 4.1
Portuguese portugués (portuguesa)
position, job puesto 2.1
post poste *(m.)*
postcard postal *(f.)* 11.3
potato patata 3.2, papa 8.1
poverty pobreza 12.2
power poder *(m.)* 14.3
powerful poderoso(a) 14.3
practically prácticamente 5.3
practice ensayar, práctica 5.3
practice practicar 1.3
prawns gambas 3.2
precious precioso(a) 4.3
precisely precisamente 5.3
pre-Columbian precolombino(a) 12.1
predict, to anticipate predecir
prefer preferir (ie) 4.1
preferable preferible 5.2
preferred preferido(a) 1.1
preference preferencia
prejudice prejuicio 6.2
preoccupied, worried preocupado(a) 3.1
prepare *(infin.)* preparar 1.2; (-ar verbs) 1.3
prescribe recetar 2.1
prescription receta
presentation presentación *(f.)* 6.2
presidency presidencia 6.2
president presidente(a) 6.1
press prensa; oprimir 11.2
pressure presión *(f.)*
pretty bonito(a) 4.2
pretty, lovely lindo(a) 12.1
prevent impedir 13.2
previous previo(a), **before** anterior 6.3
price precio 4.2
price tag etiqueta
priest sacerdote *(m.)*
primitive or naïve art, characterized by

vivid colors and simple figures primitivista 10.2
primitive primitivo(a)
priority prioridad
private privado(a) 1.3
prize premio 6.1
probably probablemente 4.3
problem problema *(m.)* 7.2
proceeding, coming from proveniente
procession, delegation comitiva
produce producir 10.2
product producto 7.3
productive productivo(a) 4.3
profession profesión *(f.)* 2.1
professional profesional 14.2
professor profesor(a) PE
profile perfil *(m.)* 7.1
profitable rentable 12.3
profits, gains ganancias
profoundly profundamente 5.3
program programa *(m.)* 1.3
prohibit, to forbid prohibir
prohibited prohibido(a) 3.3
project proyectar 7.2
project proyecto
promise promesa
promise prometer 7.1
propaganda propaganda 14.2
property propiedad *(f.)* 12.1
proportionate proporcionado(a)
proposal propuesta
propose proponer
prosecutor fiscal *(m. f.)* 6.3
protagonist protagonista *(m. f.)* 6.3
protect oneself protegerse
protest protestar 5.3
proud orgulloso(a) 11.1
proverb proverbio
provide proporcionar 10.1
provided (that) con tal (de) que 14.3
prudent prudente 12.3
pub, brewery cervecería 9.3
public público(a) 1.3
publisher editorial 12.1
Puerto Rico, name before the Spaniards arrived Borinquén
punctual puntual 7.1
punctuation puntuación *(f.)*
puncture, to get a flat tire pinchar(se) 11.2
purchase compra 12.2
pure puro(a)
purify purificar 12.3
purpose, intent propósito 7.2
purse cartera 6.2
pursue perseguir (i,i) 10.3
put poner 7.1
put on, wear ponerse 9.2
pyramid pirámide *(f.)*

Q

quality calidad *(f.)* 14.3
quantity cantidad *(f.)*

quarter, 15-minute fraction of the hour cuarto 2.3
queen reina 7.2
question pregunta 2.2
quiet callado(a) 1.2
quiet, calm tranquilo(a) 3.1
Quite well. Bastante bien. PE

R

race (ethnic) raza
racial racial 6.2
racial discrimination discriminación racial *(f.)* 11.1
radio radio *(f.)* 1.2
radish rábano 8.1
rain llover (ue), lluvia 9.1
rain cats and dogs llover a cántaros 11.2
rain forest bosque lluvioso 11.1
raincoat impermeable *(m.)* 4.2
raise levantar 13.2; subir 13.2
rapid, fast rápido(a) 4.2
rapids (of a river) rápidos
rarely raramente 5.3
ravine, gorge tajo
raw fish marinated in lemon juice ceviche *(m.)* 8.2
rayon rayón *(m.)* 4.2
raze, destroy arrasar 6.1
reach, to attain alcanzar 6.2
react reaccionar 5.3
reaction reacción *(f.)*
read *(infin.)* leer 1.2
real estate bienes raíces *(m. pl.)*
reality realidad *(f.)*
realize darse cuenta
reappear reaparecer 9.1
rear trasero(a) 6.2
receive recibir 2.1
recent reciente 10.1
recently recién *(adv.)* 6.2
recipe receta 3.2
reception, welcome acogida
recital recital *(m.)* 4.3
recognition reconocimiento 10.3
recognize reconocer
recognized, known reconocido(a) 7.3
recommend recomendar (ie) 8.2
recording grabación *(f.)*
recreate recrear
recruit reclutar 14.2
red rojo(a) 4.1
Red Cross Cruz Roja 10.1
redistribute redistribuir
reduce reducir 12.2
refer to, to mention referirse
referee árbitro(a) 14.1
refill, to fill out rellenar
refinery refinería 6.2
reform reforma 6.2
refreshing refrescante
refrigerator nevera, heladera 5.1
refuge refugio

region región *(f.)* 12.1
register, to enroll inscribirse
registration matrícula 4.2
regret, to be sorry lamentar
reinterpret reinterpretar 12.2
relate, to report relacionar, **to tell** relatar
related relacionado(a) 5.3
relationship relación *(f.)* 7.3
relative pariente *(m.)* 5.3
relatives familiares *(m. pl.)* 7.1
relax tranquilizarse 11.2; relajarse 13.2
relaxed relajado(a)
religious religioso(a) 12.2
remains restos *(m. pl.)* 12.1
remember acordarse 9.2, recordar
remote remoto(a)
remove, take away sustraer (substraer) 6.2
renounce, to give up renunciar
rent alquiler *(m.)* 4.2; alquilar 6.3
repair reparar 6.3
repeat repetir (i, i) 7.2
repellent repelente *(m.)* 12.3
replace reemplazar
replete, full repleto(a) 8.3
report reporte *(m.)* 2.1
reporter reportero(a) 2.3
represent representar 2.1
representative representante 6.1
reptile reptil *(m.)* 11.1
requirement requisito
rescue rescatar
reservation reservación *(f.)* 10.2
reserve reservar 12.1
residence residencia 5.1
resolve resolver 7.3
respect respetar 7.1
respect respeto 10.3
respectful respetuoso(a) 12.3
respiratory respiratorio 13.3
respond, to answer responder 6.3
responsibility responsabilidad *(f.)* 2.1
responsible responsable 2.1
rest descansar 6.3
rest, break descanso 2.2
rest, remaining resto 6.2
restaurant restaurante *(m.)* 1.2
restore restaurar
restored restaurado(a)
result resultado 6.3
retire jubilarse 14.3
return regresar 2.3, volver (ue) 4.1
reunite reunir
reveal onself manifestarse 12.2
reveal, denounce delatar 7.2
reveal, develop revelar 7.2
revive reanimar 10.1
revolutionary revolucionario(a)
rhythm ritmo 10.3
rice arroz *(m.)* 8.2
rich; delicious rico(a) 3.3
richness, wealth riqueza 8.1
ride a bicycle montar en bicicleta 9.1
right derecha 13.2
right away enseguida

Right away!, ¡Hurry! ¡Pronto! 4.3
rigid rígido(a) 13.3
ring sonar (ue) 11.2
ring (a door bell) tocar 9.3
ripe maduro(a)
river río
road, street camino
roasted asado(a) 8.2
rob, steal robar 6.2
rock roca 12.3
romantic romántico(a) 1.1
roof; ceiling techo
room cuarto 1.3; **bedroom** habitación *(f.)* 3.2
roommate compañero(a) de cuarto 1.1
rope cuerda 10.1
rosé wine vino rosado 8.2
round off redondear
round trip ida y regreso 11.3
route ruta 5.2
routine rutina 9.2
rowing, rafting canotaje *(m.)* 12.3
ruin ruina 4.3
ruined arruinado(a)
rule regla
run correr 2.1
run away huir 6.2
runner corredor(a) 5.3

S

sacred sagrado(a)
sad triste 3.1
safety belt cinturón de seguridad *(m.)* 13.1
sailor marinero 8.3
salad ensalada 8.1
salary salario 2.2, sueldo 14.3
sale venta 6.2, **discount** rebaja 6.2
salesperson dependiente(a) 2.1
salmon salmón *(m.)* 8.1
salt sal *(f.)* 7.3
same mismo(a) 6.1, igual 14.3
sanction sanción *(f.)* 14.1
sandwich torta 4.3
satisfy satisfacer 13.3
Saturday sábado *(m.)* 2.3
sausage chorizo 3.2, salchicha 8.1
sautéed in garlic al ajillo 8.1
save ahorrar 9.2
savory, delicious sabroso(a) 4.2
say; to tell decir (i) 6.3
saying refrán *(m.)* 14.3
sayings dichos
scarcity escasez *(f.)*
schedule horario 3.3
scholarship beca 14.2
school insurance seguro escolar 13.3
school principal director(a) de escuela 2.1
school, scholastic escolar 11.1
science fiction (movie) película de ciencia ficción 3.3
score goals marcar goles 5.3
scrambled revuelto(a) 8.2

scream gritar 6.3
screen pantalla 11.2
scuba dive bucear 10.3
scuba diving buceo 14.2
sculptor escultor(a)
sculpture escultura 7.3
sea mar 8.3
sea bass corvina 8.2, lubina 8.2
seafood marisco 3.3
season, period temporada
seasons estaciones del año *(f. pl.)*
seat asiento
seat (of an organization), headquarters sede *(f.)*
seated sentado(a)
second segundo 10.1
second floor segundo piso 1.3
secretary secretario(a) 2.1
section sección *(f.)* 6.2
security seguridad *(f.)* 2.1
security check control de seguridad *(m.)*
see ver 3.3
See you later. Hasta luego. PE
See you soon. Hasta pronto. PE
See you tomorrow. Hasta mañana. PE
seed semilla
seem aparentar 14.3
seem like, to appear like parecer 4.3
select escoger, seleccionar 3.2
self-portrait autorretrato 4.1
sell vender 2.1
send enviar 1.2, mandar 6.3
sense of humor sentido del humor
sensitive sensible
sentence sentencia 2.1, oración *(f.)* 10.3
sentiment sentimiento 7.3
September septiembre *(m.)* 2.3
series serie *(f.)*
serious serio(a) 1.1
serpent serpiente
serve servir (i, i) 7.2
service servicio 12.2
seventh séptimo 10.1
shake hands darse la mano
share compartir 5.2
shave afeitarse 9.2
she, it *(f.)* ella 1.1
sheet of paper hoja de papel 2.2
shirt camisa 4.1
shiver temblar 9.1
shoe zapato 4.2
shoe store zapatería 9.3
shoot, to fire a shot pegar un tiro
shopping center centro comercial *(m.)* 2.1
short (length) corto(a) 3.3
short story cuento 6.2
short story writer; story teller cuentista *(m. f.)*
shoulder hombro 13.2
show mostrar
show, exhibition espectáculo 12.1
shower bañera, ducha 5.1
shower, take a shower ducharse 9.2
showy, flashy llamativo(a)

shy tímido(a) 1.1
siblings hermanos 5.3
sick enfermo(a) 3.1
side lado, costado
sign firmar 14.3
signify, mean significar 7.2
silently silenciosamante 5.3
silk seda 4.2
silver plata 4.2
similar parecido(a) 13.2
simply simplemente 5.1
simultaneous simultáneo(a)
sincere sincero(a) 1.1
sing cantar 3.2
singer cantante *(m. f.)* 1.1
siren sirena 11.2
sit down sentarse (ie) 9.2
site sitio 12.1
situation situación *(f.)* 7.3
sixth sexto 10.1
size tamaño 11.1
skater patinador(a) 5.3
ski esquiar 1.2
skier esquiador(a) 5.3
skiing esquí *(m.)* 14.1
skinny flaco(a) 4.2
skirt falda 4.1
sky cielo 9.1
skyscraper rascacielos
slave esclavo(a)
sleep dormir (ue, u) 4.1
sleeping bag bolsa de dormir *(f.)* 12.3
sleeve, jacket (of a record) carátula
slide deslizarse
slim, thin delgado(a) 3.3
slipper zapatilla 8.2
slow lento(a) 10.1
slowly lentamente 5.3
small island isleta
small plate or dish platito 3.2
small, short, little pequeño(a) 1.2
smart, clever listo(a) 1.2
smile sonreír 7.2
smoke fumar 1.2; humo 3.3
smother, to put out sofocar 10.1
snack, tidbit bocadillo 9.3
snow nevar (ie) 9.1, nieve *(f.)* 9.1
so much tanto(a) 2.1
so that para que 14.3
soaking wet empapado(a) 9.1
soap opera telenovela 6.3
soccer futbol (also fútbol) *(m.)* 1.1
soccer player futbolista *(m. f.)* 5.3
social social 6.2
socialist socialista *(m. f.)*
socialized socializado(a) 14.3
society sociedad *(f.)* 5.3
sociology sociología
soft drink refresco 1.3
soft, gentle, mild suave 8.3
soil tierra 12.1
soldier soldado
solicit, to ask for solicitar 14.2
solid sólido(a) 12.3

solidarity solidaridad *(f.)*
solitude, loneliness soledad *(f.)*
solstice solsticio 12.3
solution solución *(f.)* 7.2
solve solucionar 9.3
some, any alguno 10.2
someone, anyone alguien 10.2
something algo 6.3
sometime, ever alguna vez 10.2
sometimes a veces 5.2
somewhat algo 1.1
son (daughter) hijo(a) 5.3
song canción *(f.)* 2.2, canto
sound sonido 11.2
soup sopa *(f.)* 5.1
south sur *(m.)* 3.1
southeast sureste *(m.)* 3.1
southwest suroeste *(m.)* 3.1
souvenirs recuerdos 4.3
space espacio
space ship transbordador espacial *(m.)* 11.3
Spaniard español(a)
Spanish dance; march pasodoble *(m.)* **step** 3.2
Spanish gypsy dance, music and songs flamenco 3.1
Spanish potato omelette tortilla española 3.2
Spanish smoked ham jamón serrano 3.2
Spanish speaker hispanohablante *(m. f.)*
spare tire llanta de repuesto 13.1
sparkling wine vino espumoso 8.2
special especial 1.1
specialist especialista 2.1
species especie *(f.)* 11.1
speed velocidad
speed limit límite de velocidad *(m.)* 11.2
speeding exceso de velocidad *(m.)* 11.2
spelling ortografía
spend gastar 4.2
spirit espíritu *(m.)*
spoon cuchara 8.2
sport deporte *(m.)* 1.1
spring primavera 2.3
sprinkling aspersión *(f.)*
squad, squadron escuadra
square cuadrado
square miles millas cuadradas 8.3
squid calamar *(m.)* 8.1
stadium estadio 9.2
stand out destacarse
standard estándar *(m.)*
starting from a partir de
state estado
statehood estadidad *(f.)*
station estación *(f.)* 5.2
stationery store, bookstore papelería 9.3
statue estatua 10.3
stay estadía, estancia 13.1
stay calm mantener la calma 10.1
stay, to remain permanecer 9.1, quedarse 10.1
steak bistec *(m.)* 8.2
steal robar 6.2
step paso 8.3

step on pisar
stepbrother (stepsister) hermanastro(a) 5.3
stepfather padrastro 5.3
stepmother madrastra 5.3
stew estofado 8.1
still todavía 7.3
stomach estómago 13.2
stomachache dolor de estómago
stone, rock piedra
stop (doing something), to quit dejar 11.2
stop talking, become quiet callarse 9.2
store guardar 13.1
store, shop almacén *(m.)* 4.2
stormy, turbulent tormentoso(a) 4.2
stove cocina/estufa 5.1
straight (hair) lacio(a) 3.3
strange extraño(a) 10.2, **rare** raro(a)
strangers gente desconocida *(f.)* 11.2
strawberry fresa 8.1
stretch estirar 13.2
street calle *(f.)* 2.1
strength fuerza 8.3;
stress estrés 11.1
strike, hit golpe *(m.)* 14.1
string beans porotos verdes *(m. pl.)* 8.1
strive, to exert much effort esforzarse
strolling de paseo
strong fuerte 1.1
strong Colombian coffee with sugar tinto 7.1
student estudiante *(m. f.)* PE
student exchange intercambio
studious estudioso(a) 1.1
study estudiar 1.2
stupendous estupendo(a) 1.2
stupid, ignorant, brutish bruto(a) 5.3
style, fashion moda 9.1
submerge oneself sumergirse
subsequently, later posteriormente
suburbs, outskirts afueras 10.2
succeed tener éxito 4.3
success éxito 11.3
suddenly de repente 6.2
suffer sufrir 4.3
sufficient, enough suficiente 7.2
sugar azúcar *(m.)* 8.2
sugar cane caña de azúcar
suggest sugerir 10.1
suit, outfit traje *(m.)*
suitcase maleta 12.2
sum up, add sumar 7.2
summary resumen *(m.)*
summer verano 2.3
summit, peak cima, cumbre *(f.)* 11.3
sun sol *(m.)*
sun glasses anteojos de sol *(m. pl.)* 12.3
Sunday domingo *(m.)* 2.3
Super! ¡Bárbaro!
supermarket supermercado 1.3
superresponsible superresponsable 5.2
support apoyar 12.3
support, to hold up; to endure soportar
sure, secure, safe seguro(a) 7.2

surface superficie *(f.)* 14.2
surgery cirugía 11.1
surpass, to exceed superar, sobrepasar
surprise sorprender 6.2; sorpresa 8.1
surrounding, ambience ambiente *(m.)*
surrounding area alrededores *(m. pl.)*
survey encuesta
survive sobrevivir 4.3
suspicious sospechoso(a) 10.2
sustainability sostenibilidad *(f.)* 12.2
sustainable sostenible 8.3
swear jurar
sweat, perspire sudar 9.1
sweater suéter *(m.)* 4.2
swim *(infin.)* nadar 1.2
swiming pool piscina 1.3
swimmer nadador(a) 5.3
swimming natación *(f.)* 14.1
swimming pool pileta 5.1
swindled, cheated estafado(a)
swollen hinchado(a) 13.2
symbol símbolo
system sistema *(m.)*
system, network red *(f.)* 5.2

T

T-shirt camiseta 4.1
T.V. network cadena de televisión
T.V. viewer televidente *(m. f.)*
table mesa 5.1
take llevar 1.3
take a break tomar un descanso 13.2
take advantage aprovecharse 13.3
take an order (at a restaurnat) tomar la orden 2.1
take away llevarse 9.2
take care of cuidar
take leave, to say good-bye despedirse 10.3
take off quitarse 9.2
take out (your dog) sacar 11.2
take pictures sacar fotos 8.1
take place tener lugar 2.3
take turns tomar turnos, turnarse 9.2
talented talentoso(a) 1.1
talk, to speak *(infin.)* hablar 1.2
talkative hablador(a) 1.2
tall alto(a) 1.1
tank tanque *(m.)*
tape cinta 7.1
task 1.3
taste sabor *(m.)*, **flavor** gusto 8.2, **to sample** degustar
taxes impuestos
taxi taxi 5.2
tea té *(m.)* 4.3
teach; to show enseñar 2.1
teacher maestro(a) 1.3
teachers' lounge sala de los profesores 2.1
team equipo 6.1
teddy bear osito de peluche 5.3
teeth dientes *(m. pl.)* 9.2
telephone teléfono 1.2

telephone call llamada 11.2
television (slang) tele *(m.)* 1.3
tell (a story) contar (ue) 8.3
temperature temperatura 4.3
temple templo
temple, sanctuary santuario
tennis tenis *(m.)* 1.1
tennis player tenista *(m. f.)* 5.3
tent carpa, tienda de campaña
tenth décimo 10.1
terminal terminal 5.2
Terrible! ¡Terrible! PE
terrific estupendo(a) 1.2
terrified aterrorizado(a) 3.1
testimonio testimony 6.3
text messages mensajes de texto *(m. pl.)*
Thanksgiving Día de Acción de Gracias 9.1
that ese(a) 4.1
that eso *(neuter)* 4.1
that over there aquel(la) 4.1
that way de esa manera 12.2
That's right! ¡Así es! 13.2
the el 1.3
the day before yesterday anteayer *(m.)* 11.2
the least el/la/los/las menos 7.1
the left a la izquierda 5.1
the most el/la/los/las más 7.1
The pleasure is mine. El gusto es mío. PE
the right a la derecha 5.1
theater teatro 1.3
their su / sus your (fml. pl.); 2.2
then luego 8.3
theology teología
there . . . to be haber 10.2
there is, there are hay
thermal termal
these estos(as) 4.1
thesis tesis *(f.)* 6.2
they ellos(as) 1.2
they love it! ¡les encanta! 2.1
thief ladrón (ladrona) 5.3
thing cosa 7.1
think pensar (ie) 4.1
third tercer(o) 10.1
thirst sed *(f.)* 4.3
this este(a) 4.1, esto *(neuter)* 4.1
This is . . . *(f.)* Esta es... PE, *(m.)* Este es... PE
those esos(as) 4.1
those over there aquellos(as) 4.1
thought pensamiento
threat amenaza 10.1
threaten amenazar
throat garganta 13.2
throughout a lo largo 13.1
throw oneself tirarse
throw, to hurl, fling arrojar 9.2, lanzar 10.1
Thursday jueves *(m.)* 2.3
ticket boleto 7.2
tie empate *(m.)* 14.1
time, instance vez *(f.)* 4.1
tip propina 8.3
tire llanta 11.2

tired cansado(a) 3.1
tiredness, fatigue cansancio
title título 3.3
to/for him, her, it le 3.3
to/for me me 3.3
to/for you *(pl. formal)* les; **to/for them** 3.3
to/for you *(s. fam.)* te 3.3
to/for you *(s. formal)* le
toast (with a drink) brindis *(m.)*
tobacco store tabaquería 9.3
together juntos 7.1
toilet, lavatory inodoro 9.2
toilet, restroom baño 3.2
tomato tomate *(m.)* 8.1
tone, to strengthen tonificar 13.2
too much demasiado(a) 13.1
topic tema *(m.)* 8.3
tornado tornado 10.1
torture tortura
totally totalmente 5.3
touch tocar 1.3
tourism turismo 8.3
tourist turístico(a) 10.2
toward hacia, para 5.2
towards hacia
towel toalla 10.1
tower torre *(f.)*
toxicology toxicología 10.1
track and field atletismo 14.2
traffic tráfico 3.3
traffic jam atasco 3.3
tragedy tragedia
train tren *(m.)* 4.3
training capacitación
trajectory trayecto 8.3
transferred, moved residence transladado(a)
transform oneself transformarse 11.3
transformation transformación 11.3
translate traducir 10.2
transparent transparente 8.3
transport transporte *(m.)* 11.3
trash basura 9.2
traumatic traumático(a)
travel viajar 2.3
travel agency agencia de viaje 12.2
traveler viajero(a)
traverse, to cut across atravesar 12.3
treasurer tesorero(a) 14.2
tree árbol *(m.)* 9.1
tree tops copa de los árboles 11.3
trial juicio 6.3
trip viaje *(m.)* 6.1
truck, (Mex.) bus camión *(m.)* 6.2
true, certain cierto(a)
trumpet trompeta 11.1
truth verdad *(f.)* 5.3
try tratar de 10.2, **to taste** probar 8.2
tsunami maremoto 10.1
Tuesday martes *(m.)* 2.3
turkey pavo 8.1
turn doblar 9.3, girar 9.3
turn down, to refuse denegar 14.3
turn in entregar 13.1

turnover, pasty, pie empanada 8.1
turtle tortuga 11.1
TV set televisor *(m.)* 5.1
twin gemelo(a)
type tipo 2.2
typical típico(a) 4.2

U

ugly feo(a) 1.1
umbrella paraguas *(m.)* 11.2
umpire árbitro(a) 14.1
unbearable insoportable 3.3
unbelievable, incredible increíble 6.1
uncertainty, doubt incertidumbre
uncle (aunt) tío(a) 5.3
uncomfortable incómodo(a)
unconscious inconsciente 10.1
under debajo de 5.1
under development, developing en desarrollo 12.2
undergo surgery operarse 13.3
underground, metro subte *(m.)* 5.2, subterráneo *(m.)* 5.2
understand entender (ie) 4.1
uneven, unequal dispares
unforgettable inolvidable 11.3
unfortunately desgraciadamente, por desgracia, desafortunadamente 6.2
unhappy descontento(a)
uniform uniforme 14.3
unite, to combine unir
united unido(a) 11.1
universal universal 12.2
university universidad 1.2
university president rector *(m.)* 14.2
unjustly injustamente 6.3
unknown desconocido(a)
unless a menos que 14.3
unoccupied desocupado(a)
unpleasant antipático(a) 1.2
unrepeatable irrepetible 4.3
unstable inestable
unsure incierto(a)
until hasta 5.2, hasta que 14.3
uphill ladera arriba
urban urbano(a) 1.3
urgent urgente 13.1
Uruguayan uruguayo(a)
us nos, nosotros 3.3
use for the first time estrenar
use of vos and its verb forms in addressing someone voseo
use usar 1.2
useful útil 12.2
utilize, to use utilizar
utopian utópico(a)

V

vacation vacaciones 5.2
Valentine's Day Día de San Valentín 9.1

valid válido(a)
valuable valioso(a)
value valor *(m.)* 6.2; valorar 8.3
varied, assorted variado(a) 1.3
variety variedad *(f.)* 11.1
various, several varios(as) 1.3
vary variar
vegetable verdura 8.1
vegetarian vegetariano(a) 7.2
velocity, speed velocidad *(f.)*
venerate, to revere venerar
Venezuelan venezolano(a)
verdict veredicto 6.3
verify verificar 10.1
verse estrofa 10.3
very muy 3.3
Very well, thank you. And you? Muy bien, gracias. ¿Y Ud.? PE
vest chaleco 4.2
veterinarian veterinario(a) 2.1
victim víctima *(m. f.)* 6.3
victory victoria
video camera cámara de video 12.1
video game videojuego 11.1
view vista 4.3
village, town pueblo
vineyard viñedo 8.3
violence violencia 6.3
violent violento(a) 14.1
visibility visibilidad *(f.)*
visit visitar 2.1
voice voz *(f.)* 6.2
volcano volcán *(m.)* 6.1
volcanic eruption erupción de volcán *(f.)* 10.1
volleyball voleibol 1.1
volume at full blast a todo volumen 13.2
volunteer voluntario(a) 2.1
vote votar

W

waist cintura 8.3
wait esperar 4.3
waiter/waitress mesero(a) 2.1, camarero(a) 6.3, mozo(a) 8.2
waiting room sala de espera
wake up despertarse (ie) 9.2
walk andar 10.2, caminar 13.1
walk caminata, paseo 8.3
walk-in closet vestidor 5.1
walking, on foot a pie 5.2
walkway explanada
want querer (ie) 4.1
war guerra 10.2
warm calentito(a) 8.2, cálido(a) 8.3
warm up calentar 12.3
warrior guerrero
wash lavar 1.3
wash basin, sink lavabo 9.2
wash oneself lavarse 9.2
waste, to squander desperdiciar
wastepaper basket papelera 9.2

Watch out! ¡Ojo!
watch over, to guard vigilar
watch; clock reloj *(m.)*
water (a lawn) regar; agua 4.3
watercolor acuarela 7.3
water valves llaves de paso 10.2
waterfall catarata
wave ola
way modo
we nosotros(as) 1.2
wealth, property, goods bienes *(m. pl.)* 12.1
wear llevar 1.3
weather tiempo 9.1
Wednesday miércoles *(m.)* 2.3
weekend fin de semana *(m.)* 4.3
weight lifter levantador(a) de pesas 5.3
weight lifting levantamiento de pesas 14.1
welcome bienvenido(a), **Welcome!** ¡Bienvenido(a)! PE
wellbeing bienestar *(m.)*
west oeste *(m.)* 3.1
wet, humid húmedo(a) 10.1
What a shame! ¡Qué pena! 5.2
What does one say to . . . ? ¿Qué se dice... ?
What luck! ¡Qué suerte! 5.2
What time is it? ¿Qué hora es? 2.3
What? ¿Qué? 2.2
What's the weather like? ¿Qué tiempo hace? 9.1
What's your name? (familiar) ¿Cómo te llamas (tú)? PE
What's your name? (formal) ¿Cómo se llama usted? PE
when cuando 14.3
When? ¿Cuándo? 2.2
where (to) adónde
Where? ¿Dónde? 2.2
Where to? ¿Adónde? 2.2
Which one? Which? ¿Cuál(es)? 2.2
white blanco(a) 4.1
white wine vino blanco 8.1
Who? ¿Quién(es)? 2.2
whole, entire entero(a) 10.2
Why? 2.2 ¿Por qué?
Why not converse? ¿Por qué no conversamos?
wife esposa 4.1
wild silvestre
willing dispuesto(a) 14.2
win ganar 4.3
window ventana 3.2
wine vino 3.2
wing ala 14.3
winter invierno 2.3
winter, wintery invernal
wisdom tooth muela
with alcohol, alcoholic alcohólico(a) 3.3
with con 5.1
with me conmigo 6.2
with you contigo 3.2
withdrawal retirar
without sin 5.1
without a doubt sin duda 12.2

without, unless sin que 14.3
witness testigo *(m. f.)* 6.3
woman mujer 4.1
women's rights derechos de la mujer
woo cortejar
wood madera
wool lana 4.2
word palabra
work trabajar 1.2; trabajo 2.2, obra 7.1
world alliance alianza mundial *(f.)* 12.2
world champion campeón mundial 14.2
world mundo 6.2
worry preocupación *(f.)*; preocupar 5.3;
　　preocuparse 9.3
worse peor 4.2
wounded or injured person herido(a) 10.1
wreaker, tow truck grúa 10.2
wrestling lucha libre 14.1
write downm, to jot down anotar

write escribir 1.2
Write it! ¡Escríbelo!
write, to draft redactar
writer, author escritor(a) 2.1
wrong sin razón 11.2

Y

year año 2.3
yell gritar 6.3
yellow amarillo(a) 4.1
yes sí PE
yesterday ayer 4.3
you *(fam.)* tú 1.1, *(formal)* usted 1.1, *(pl.)*
　　ustedes 1.2
You probably already know that . . .
　　A que ya sabes...
you vos 5.1

young jóven 5.3
younger menor 4.2
your *(fam. s.)* tu / tus 2.2, *(fml. s.)* su /
　　sus 2.2

Z

zero cero 6.1
zoo zoológico 11.3

Index of Grammar

Index of Culture

A

Aconcagua, 45
actors
   Díaz, Cameron (Cuban American), 410
   Elizondo, Héctor (Puerto Rican), 69
   Ferrera, América (Honduran American), 25
   Juliá, Raúl (Puerto Rican), 69
   Olmos, Edward James (Mexican American), 302
   Pérez, Rosie (Puerto Rican), 63, 77
   Solano, José (Nicaraguan), 346
advertisement, Cuban sports, 452, 458
Alhambra de Granada, 3
altitude sickness, 392, 421
Americas, the, 22–45
Andalucía (Spain), 112
Andean civilizations, 45
Andes, 44, 174, 402
Angel Falls, 44
Antigua, Guatemala, 201, 203
Argentina, 164–189
Arias, Óscar, 366
artists
   Avellano, Rodolfo, 339
   Botero, Fernando, 231, 247, 251
   great Mexican artists, 145
   Kahlo, Frida, 131
   Rivera, Diego, 131
astronaut, Costa Rican, 375
Atacama desert, 45, 264–265
Aztec calendar, 130, 133

B

barrios
   in Buenos Aires, Argentina
      Belgrano, 166
      la Boca, 165
      la Recoleta, 165
   in Lima, Peru
      Miraflores, 398
baseball
   in the Caribbean, 462
   in Cuba, 462

   in Puerto Rico, 61, 462
      Marchal, Juan Antonio, 303
Batista, Fulgencio, 458
blockade, Cuba, 454
Bogotá, Colombia, 239, 242
Bolivia, 418–441
   struggle for costal access, 437
Bosque de Chapultepec, Mexico, 133, 144
Buenos Aires, 165–167, 176–177, 187

C

canal, construction of, in Nicaragua, 332
Caral, Peru, 392
Cardenal, Ernesto, 339–340
carnaval, Oruro, 418, 429
Cartagena, Colombia, 241
Castro, Fidel, 458
Chan Chan, Peru, 397
Chang-Díaz, Franklin, 375
Chapare, Bolivia, 436
Chichén Itzá, Mexico, 129
Chichicastenango, Guatemala, 201
Chile, 262–283
Chiquitanía, Bolivia, 436
classified ads
   apartment, Argentina, 166
   housing, Spain, 106
   jobs available, Puerto Rico, 62
   teaching positions, Bolivia, 38
clothing, **huipil,** 201
coca leaf, 422
coffee, Colombian, 230, 238, 241
Colombia, 230–253
comparisons, U.S. and Spain, 104
Copacabana, Bolivia, 421
Copán, Honduras, 30
Costa Rica, 358–378
Coyoacán, 145
countries, Spanish-speaking, overview
   Argentina, 174–175
   Bolivia, 426–427
   Chile, 270–271

   Colombia, 238–240, 242
   Costa Rica, 31, 361, 366–367
   Cuba, 454, 458–459
   El Salvador, 30
   Guatemala, 30, 208–209
   Mexico, 137
   Nicaragua, 31, 336
   Panama, 31
   Peru, 396–397
   Puerto Rico, 68–69
   Spain, 104–105
Cuba, 450–473
   gente cubana, 451
Cuzco, Peru, 392, 396, 410

D

dance
   in Chile
      la cueca, 279
   in Spain
      flamenco, 116
      la sardana, 97
      las sevillanas, 99
Darío, Rubén, 344

E

earthquakes
   Nicaragua, 329, 330
   what to do, 330–331
Easter Island, 278
ecology, Costa Rica, 358, 361, 365, 372, 374–375
ecotourism, Costa Rica, 369

F

festivals
   in Bolivia, **Carnaval en Oruro,** 418, 429
   in Colombia, program for the **Festival Iberoamericano de Teatro,** 232
   in Spain
      Carnaval de Tenerife, 99
      Fallas de Valencia, 99
      Feria de abril, 99

Index of Functions and Contexts

Text/Realia Credits

Ch. 2: RAZA DE MIL COLORES, Copyright 2003 Calima Music Productions, EMI Music and Universal Music. All rights on behalf of Calima Music Productions administered by Sony/ATV Music Publishing LLC, 8 Music Square West, Nashville, TN 37203. All rights reserved. Used by permission.

Ch. 3: *A Margarita Xirgu, con unas rosas* by Federico García Lorca, © Herederos de Federico García Lorca. From *Obras Completas* (Galaxia Gutenberg, 1996 edition). All rights reserved. For information regarding rights and permissions, please contact lorca@artslaw.co.uk or William Peter Kosmas, Esq., 8 Franklin Square, London W14 9UU.

Ch. 4: *Como agua para chocolate* by Laura Esquivel. Used by permission of Doubleday, a division of Random, Inc.

Ch. 5: © Joaquín Salvador Lavado (QUINO). *Toda Mafalda*— Ediciones de La Flor, 1993. "Hombre pequeñito", de Alfonsina Storni, public domain / del dominio público.

Ch. 6: Article courtesy of Prensa Libre, Ciudad de Guatemala, Guatemala Siglo XXI Editores, S.A. de C.V., México, D.F., for the selection from *Me llamo Rigoberta Menchú y así me nació la conciencia*.

Ch. 7: Editorial Televisa, Miami, FL, for "¿Te conviene el @mor por internet?" by Pilar Obón. Courtesy of Televisa, Chile.

"Un día de estos" from *Los funerales de la mamá grande*. Included in *Todos los cuentos por Gabriel García Márquez (1947-1972)*, Plaza y Janés, S.A. Barcelona, Spain.

Ch. 8: Pablo Neruda. "Oda al tomate", ODAS ELEMENTALES © Fundación Pablo Neruda, 2008.

Ch. 9: *"Una pequeña gran victoria"* from *Body in Flames/Cuerpo en llamas* by Francisco Alarcón. Chronicle Books, 1990.

Ch. 10: "¿Qué sos Nicaragua?" included in *From Eve's Rib* by Gioconda Belli. Curbstone Press.

Ch. 11: "La leyenda de Iztarú" in *Leyendas Costarricenses* publicada por la Editorial de la Universidad Nacional, Globus

Comunicación (1997). In *Hispanic Business* magazine.

Ch. 12: Screenshot found at http://www.andinapero.com, © Andina de Turismo. "Los multimillonarios y famosos visitan Machu Pichu", as found at www.noticias-dot.com, permiso de reproducción concedido por Ángel Cortés, Director General de Noticias Digitales S.L.

Ch. 13: *Salud y estado físico* Excerpt from *Juvenal Nina* by Gaby Vallejo.

Ch. 14: *Cubadeportes,* Ciudad de Habana, Cuba.

Photo Credits

All photographs not credited are the property of Cengage Learning and Heinle Image Resource Bank.

p. 2–3: ©John Warden/Photolibrary
p. 3 top right: ©Mark Antman/The Image Works
p. 3 bottom right: ©Michele Burgess/Photolibrary
p. 4 top right: ©Peter Menzel/Stock Boston
p. 4 top: ©Image Source/ Photolibrary
p. 5 top left: ©Creatas/Photolibrary
p. 5 top right: ©Eric Audras/PhotoAlto Agency/Jupiter Images
p. 5 bottom: ©Don Klumpp/Stone/Getty Images
p. 6 top left: ©Somos/Veer/Jupiter Images
p. 6 top right: ©Spike Mafford/ UpperCut Images/Getty Images
p. 6 bottom left: ©Yellow Dog Productions/Photodisc/Getty Images
p. 6 bottom right: ©Image Source Pink/Jupiter Images
p. 8: ©PhotoSky4t.com/Shutterstock
p. 10 top left: ©Royalty-Free/CORBIS
p. 10 top center: ©Alvaro Pantoja/Shutterstock
p. 10 top right: ©John Brown/Oxford Scientific (OSF)/Photolibrary
p. 10 bottom left: ©Royalty-Free/CORBIS
p. 10 bottom right: ©Walter Bibikow/Jon Arnold Images Ltd/Alamy
p. 11 top left: ©Robert Frerck/ Odyssey/Chicago
p. 11 top right: ©Richard Bickel/CORBIS
p. 11 bottom left: ©Jack Hollingsworth/Blend Images/Jupiter Images
p. 11 bottom right: ©Chip and Rosa Maria de la Cueva Peterson
p. 12 top: ©PhotoCreate/Shutterstock
p. 12 bottom: ©Alex Neauville/Shutterstock
p. 13: ©Thinkstock Images/Jupiter Images
p. 22–23: ©David R. Frazier Photolibrary, Inc./Alamy
p. 23 top: ©José Vicente Resino Ramos
p. 23 bottom: ©Daniel Garcia/AFP/Getty Images
p. 24 top: ©Robert Frerck/Odyssey/Chicago
p. 24 bottom left: ©Robert Frerck/Odyssey/Chicago
p. 24 bottom right: ©David Young-Wolff/PhotoEdit
p. 25 top: ©Michael Bush/UPI/Landov
p. 25 center: ©AP Photo/Dan Steinberg
p. 25 bottom: ©P. Tilly/Shutterstock
p. 30 top: ©Daniel Loncarevic/Shutterstock
p. 30 center: ©Sandra A. Dunlap/Shutterstock
p. 30 bottom: ©Andre Nantel/Shutterstock
p. 31 top: ©Rolf Richardson/Robert Harding Travel Library/Photolibrary
p. 31 center: ©Michael Zysman/Shutterstock

p. 31 bottom: ©Jim Lipschutz/ Shutterstock
p. 33 top left: ©T-Design/Shutterstock
p. 33 top center left: ©Ant Clausen/Shutterstock
p. 33 top center right: ©martinlubpl/Shutterstock
p. 33 top right: ©Ronen/Shutterstock
p. 33 center left: ©Monkey Business Images/Shutterstock
p. 33 center: ©Franziska Richter/Shutterstock
p. 33 center right: ©Phil Date/ Shutterstock
p. 33 bottom: ©Lisa F. Young/ Shutterstock
p. 37: ©Andresr/Shutterstock
p. 38: ©Brent Winebrenner/Lonely Planet Images
p. 39 top: ©Phil Date/Shutterstock
p. 39 center: ©Bob Daemmrich/The Image Works
p. 39 bottom: ©Sandro Donda/ Shutterstock
p. 44 top: ©Galyna Andrushko/ Shutterstock
p. 44 center: ©Dr. Morley Read/Shutterstock
p. 44 bottom: ©rm/Shutterstock
p. 45 top left: ©Joel Blit/Shutterstock
p. 45 top right: ©Daniela Weinstein/Shutterstock
p. 45 bottom: ©Colman Lerner Gerardo/Shutterstock
p. 60–61: ©AP Photo/Bill Kostroun
p. 61 top right: ©Tonis Valing/Shutterstock
p. 61 bottom right: ©Snowleopard1/Shutterstock
p. 63 top: ©Frank Cantor/ CANTOMEDIA
p. 63 center: ©Katy Winn/Corbis
p. 63 bottom: ©Gregory H. Johnson
p. 65 left: ©AP Photo/Bill Kostroun
p. 65 left center: ©Tonis Valing/Shutterstock
p. 65 center: ©Snowleopard1/Shutterstock
p. 65 center: ©Frank Cantor/ CANTOMEDIA
p. 65 right center: ©Katy Winn/Corbis
p. 65 right: ©Gregory H. Johnson
p. 68: ©AP Photo/Andres Leighton
p. 69 top left: ©Robert Voets/CBS/Landov
p. 69 top right: ©AP Photo/Mark J. Terrill
p. 69 center: ©AP Photo/Jason DeCrow
p. 69 bottom left: ©AP Photo/Ricardo Figueroa
p. 69 bottom right: ©AP Photo/George Widman
p. 70: Courtesy of Discos Fuentes Edimúsica S. A.
p. 71: ©Ann Eriksson/Nordic Photos/Photolibrary
p. 74: ©Adalberto Rios Lanz/Sexto Sol/Photodisc/Photolibrary

p. 77 top: ©Gregory H. Johnson
p. 77 center: ©TriStar Pictures/courtesy Everett Collection
p. 77 bottom: Vintage Front Jacket Cover from CUANDO ERA PUERTORRIQUENA by Esmeralda Santiago. Used by Permission of Vinage Español, a division of Random House.
p. 81 top: ©David Bergman/CORBIS
p. 81 bottom: ©Wendell Metzen/Photolibrary
p. 96–97: ©Beryl Goldberg
p. 97 top right: ©AP Photo/Fernando Bustamante
p. 97 center: ©Pedro Armestre/AFP/Getty Images
p. 99 left: ©David Tomlinson/Lonely Planet Images
p. 99 center: ©Xinhua/Landov
p. 99 right: ©AP Photo/Ramon de la Rocha
p. 103: ©Peter Adams/Digital Vision/Photolibrary
p. 104 top: ©Vinicius Tupinamba/Shutterstock
p. 104 bottom: ©José Vicente Resino Ramos
p. 105 top: ©Adrees Latif/Reuters/Landov
p. 105 bottom: ©Gerster/laif/Aurora Photos
p. 111: ©Carlos Alvarez/Getty Images
p. 112: ©Les Delano/Shutterstock
p. 113: ©Matt Trommer/Shutterstock
p. 115 bottom: ©Rob Fiocca/FoodPix/Jupiter Images
p. 118: ©Art Resource, NY
p. 128–129: ©Cosmo Condina/Stone/Getty Images
p. 129 top right: ©Ulrike Welsch
p. 129 bottom right: ©Royalty-Free/CORBIS
p. 130: ©Gianni Dagli Orti/CORBIS
p. 131 top: *Frieda and Diego Rivera*, 1931 by Frida Kahlo. Oil on canvas 39 3/8" × 31". San Francisco Museum of Modern Art. Albert M. Bender Collection, Gift of Albert M. Bender. ©2004 Banco de México Diego Rivera & Frida Kahlo Museums Trust
p. 131 center: *The Two Fridas*, 1939 by Frida Kahlo. Oil on canvas 68" × 68". Museo Nacional de Arte Moderno, Mexico City, D.F., Mexico. ©2004 Banco de México Diego Rivera & Frida Kahlo Museums Trust. Photo: ©Schalkwijk/Art Resource, NY
p. 131 bottom: *Two Women and a Child*, 1926 by Diego Rivera. Oil on canvas. Fine Arts Museums of San Francisco. Albert M. Bender Collection, Gift of Albert M. Bender. ©2004 Banco de México Diego Rivera & Frida Kahlo Museums Trust
p. 133 top left: ©Nathan Holland/Shutterstock

p. 133 top center: ©Robert Frerck/Odyssey/Chicago
p. 133 top right: ©Japan Travel Bureau/Photolibrary
p. 133 bottom center: ©Steve Vidler/ImageState/Jupiter Images
p. 136 top: ©Walter Bibikow/Jon Arnold Images Ltd/Alamy
p. 136 center: ©Robert Frerck/Odyssey/Chicago
p. 136 bottom: ©S. Nicolas/Iconotec/Photolibrary
p. 139 left: ©Jorge R. Gonzalez/Shutterstock
p. 139 center: ©Vstock LLC/Index Open
p. 139 right: ©Jeff Greenberg/Alamy
p. 142: ©Massimo Rossi/Photononstop/Photolibrary
p. 144 top: ©Ian D Walker/ Shutterstock
p. 144 bottom: ©Humberto Ortega/Shutterstock
p. 145: ©Colman Lerner Gerardo/Shutterstock
p. 148: ©Ian D Walker/Shutterstock
p. 150: Como agua para chocolate by Laura Esquivel. Used by permission of Doubleday, a division of Random House, Inc.
p. 164–165: ©Robert Frerck/Odyssey/Chicago
p. 165 top right: ©Beryl Goldberg
p. 165 bottom right: ©Chad Ehlers/Nordic Photos/Photolibrary
p. 167 top: ©Lisa McKelvie/Photolibrary
p. 167 bottom: ©Vstock LLC/Index Open
p. 168 left: ©Maria Teijeiro/Photodisc/Getty Images
p. 168 center: ©Christopher Jones/Shutterstock
p. 168 right: ©Dale A Stork/ Shutterstock
p. 173: ©Beryl Goldberg
p. 174 top: ©Jeremy Woodhouse/Photodisc/Getty Images
p. 174 bottom: Courtesy of Leandro http://commons. wikimedia.org/wiki/Image: Inmigracion-argentina.JPG
p. 175: ©AP Photo/Natacha Pisarenko
p. 177 top left: ©JTB Photo/Japan Travel Bureau/Photolibrary
p. 177 top right: ©JTB Photo/Japan Travel Bureau/Photolibrary
p. 177 bottom left: ©Cali/Iconotec/Photolibrary
p. 177 bottom right: ©Scott Christopher/Photolibrary
p. 182 bottom: ©Image Source Black/Jupiter Images
p. 187: ©VisionsofAmerica/Joe Sohm/Digital Vision/Getty Images
p. 188: ©Andrés Salinero/Aurora Photos
p. 189: ©blue jean images/Getty Images
p. 200–201: ©Jamie Marshall/Alamy
p. 201 top right: ©Charles & Josette Lenars/CORBIS

II. WRITING

STUDENT JOURNALS

Remember that the main purpose of these journals is to help you further develop your writing skills. You need to make sure you are able to communicate the idea(s) in a comprehensive manner. You are required to show evidence of understanding and be able to use many of the verb tenses and vocabulary words studied in each chapter of the textbook with ease. Your journal should be well organized, appropriate for the level and relevant to each requested topic.

Journal #1   Capítulo 8: Incidente en un restaurante
Describe un incidente interesante o divertido que tuviste en un restaurante recientemente (Ejemplo: comida, servicio, ambiente del lugar, decoración, etc.)

- ¿Dónde fue?
- ¿Cuándo fue?
- ¿Con quién estabas?
- ¿Cómo se llama el restaurante?
- ¿Te gustó la comida? ¿Por qué sí/no?
- ¿Qué tipo de comida venden en ese lugar?
- ¿Qué fue lo que pasó? Describe con detalles las circunstancias.
- ¿Por qué consideras que fue particularmente interesante o divertido este evento?

Journal #2   Capítulo 9: La rutina diaria de …
Describe la rutina diaria de una semana típica en tu reciente vida universitaria.

- ¿Qué haces todos los días? Utiliza *siempre*, *mucho*, *poco* o *nunca* cuando sea necesario…
- ¿Cómo es el orden de tu rutina diaria? ¿Es siempre el mismo? Explica.
- ¿A veces cambias tu rutina? ¿Por qué? ¿Cuándo?
- ¿Qué cosas haces diferente los fines de semana?

Journal #3   Capítulo 10: Accidentes, accidentes…

¿Alguna vez tuviste un accidente de tráfico o has sido testigo de alguno? Describe en detalle un accidente que tuviste o alguno que hayas visto alguna vez.

- ¿Alguna vez has tenido un accidente? ¿Has sido testigo de alguno?
- ¿Dónde fue? ¿Cuándo pasó? ¿Qué pasó?
- ¿Qué tipo de accidente fue: automóvil, bicicleta, motocicleta, peatonal, etc.?
- ¿Quiénes estuvieron involucrados en el accidente?
- ¿Cuáles fueron las consecuencias del accidente?
- ¿Qué acción se tomó para solucionar el accidente?

Journal #4   Capítulo 11: Un evento agradable o desagradable…

Describe un día festivo, un cumpleaños, o una fiesta que recuerdes de tu niñez de una manera especial. Puede ser un evento agradable o desagradable

- ¿Qué día era?
- ¿Qué edad tenías?
- ¿Cómo celebraban tú y tus amigos y/o familia ese día?
- ¿Cuáles son tus recuerdos más agradables/desagradables de ese día?
- Ahora que recuerdas esos eventos años después… ¿disfrutas de ese evento igual que cuando eras niño/a? Explica algunas de las diferencias más notables.

Journal #5   Capítulo 12: ¿Ir de vacaciones? o ¿quedarse a trabajar?

Haz una reseña de lo que piensas hacer en tus próximas vacaciones. Utiliza las palabras *primero*, *luego* y *después* para poner en orden tus ideas.

- ¿Qué vas a hacer durante las vacaciones?
- ¿Cuánto tiempo estarás libre para viajar o sin poder viajar?
- ¿Con quién vas a pasar ese tiempo?
- ¿Le llamarás a tus padres y amigos por teléfono, o les enviarás un mensaje de texto? Tal vez prefieres correo electrónico… ¿Verdad? Explica por qué…
- ¿Piensas salir a explorar, bailar o conocer sitios interesantes? ¿Qué vas a hacer?
- ¿Tienes planes? ¿Cuáles son? Explica con detalles.

Tu amigo(a) quiere celebrar de una manera especial Hannukah, Navidad/Año Nuevo, el día de su santo, su cumpleaños o el cumpleaños de su novio/a con su familia y amigos y te pide algunos consejos:

- ¿Dónde, y a qué hora le aconsejas que haga su celebración: casa, salón de baile, discoteca, etc.?

- ¿Cómo le aconsejas que invite a las personas: por teléfono, carta, e-mail, etc.?

- ¿Qué sugieres que sea el menú para ese día? ¿Por qué?

- ¿Es necesario que tenga decoraciones especiales? ¿Cuáles?

- ¿Es aconsejable que haya intercambio de regalos, juegos, ideas, etc.?

- ¿Es importante que tenga una cámara de video o solamente una cámara de fotografías para captar todos los detalles? Expresa tu opinión.

- ¿Hay algo más que necesite hacer para que su celebración sea toda una experiencia inolvidable?